L'INGÉNIEUX HIDALGO
DON QUICHOTTE DE LA MANCHE

I

CERVANTÈS

L'INGÉNIEUX HIDALGO
DON QUICHOTTE
DE LA MANCHE

I

Traduction de Louis Viardot

Chronologie et préface
par
Louis Urrutia
maître-assistant à la Sorbonne

GF
FLAMMARION

CHRONOLOGIE

1547 : Michel de Cervantès naît à Alcalá de Henares (le 29 septembre ?); il est baptisé le 9 octobre 1547. Il a de nombreux frères et sœurs, dont trois plus âgés que lui et un autre, Rodrigue, qui sera son compagnon d'armes et de captivité à Alger, avant de mourir dans les Flandres.

— Son père, Rodrigue de Cervantès, avait le titre de licencié et était un modeste chirurgien. Sa mère avait pour nom Doña Leonor de Cortinas.

1554 : Séjour de la famille à Valladolid, alors capitale de l'Espagne.

1561 : La famille Cervantès passe à Madrid.

1564 : Selon un document du 30 octobre de cette année, les parents de Michel de Cervantès sont installés à Séville, la clef des Indes et la véritable métropole de la Péninsule, centre du commerce et de la pègre picaresque.

1565 : Une sœur de Cervantès, Louise, entre au couvent des carmélites déchaux d'Alcalá, fondation de sainte Thérèse d'Avila.

— Catherine de Salazar y Palacios, future épouse de Cervantès, naît à Esquivias (province de Tolède) le 12 novembre.

1568 : Retour à Madrid de Cervantès qui fréquente l'étude du maître ès humanités, Juan López de Hoyos, érasmiste, récemment installé à Madrid.

— Mort de la reine Isabelle de Valois, troisième épouse de Philippe II, le 3 octobre, et obsèques solennelles le 24. A cette occasion, Cervantès composa une « copla », quatre rondeaux, une élégie et une épitaphe en forme de sonnet.

1569 : Cervantès est à Rome, en tant que camériste, dans la domesticité du futur cardinal Acquaviva, précédemment légat du Pape en Espagne.

— Naissance à Madrid du comte de Lemos, protecteur de Cervantès et grand d'Espagne.

— Remise d'un document prouvant sa noblesse et sa pureté de sang aux parents de Michel de Cervantès, lequel réside alors à Rome. Nombreuses allusions à l'Italie dans plusieurs de ses œuvres.

1570 : Cervantès s'enrôle comme soldat dans l'expédition maritime contre les Turcs, commandée par Marc Antoine Colonna, général des armées pontificales, sous les ordres de qui se trouvent placées les troupes et galères espagnoles d'Andrea Doria. Echec devant Nicosie (Chypre).

1571 : Bataille navale de Lépante le 7 octobre, sous le commandement de Don Juan d'Autriche. Cervantès était sur la galère « La Marquise »; il reçut deux coups d'arquebuse dans la poitrine et une blessure au bras gauche qui lui laissa la main abîmée. Cervantès y fait allusion dans le *Prologue* à la seconde partie du *Don Quichotte*, dans la nouvelle du *Captif*, dans son *Voyage du Parnasse*, dans le prologue des *Nouvelles exemplaires*, etc.

— Cervantès est hospitalisé à Messine.

1572 : Le 29 avril, Cervantès reprend du service dans le régiment de Don Lope de Figueroa, modèle du héros de *L'Alcade de Zalamea*, qui inspirera Lope de Vega et Calderón. Cervantès fait partie de l'escadre lancée à la poursuite des Ottomans, devant Corfou, avant de prendre ses quartiers d'hiver à Naples.

1573 : Expédition contre Tunis et La Goulette avec l'escadre de Don Juan d'Autriche, partie de Palerme.

1574 : Expédition à Gênes, puis séjour et résidence à Naples et Palerme.

1575 : Michel de Cervantès et son frère Rodrigue demandent à Don Juan d'Autriche l'autorisation de regagner l'Espagne. Ils s'embarquent le 20 septembre sur la galère « Le Soleil » et sont faits prisonniers, près de Marseille, le 26 par le pirate barbaresque Arnaud Mami, qui les transporte à Alger. Cervantès y sera le captif du roi d'Alger. Toutes ses œuvres évoquent, dans un passage ou l'autre, cette longue épreuve de sa vie, depuis *La Galatée* jusqu'au *Persilès*, mais en particulier l'*Epître à Mateo Vazquez*, secrétaire de Philippe II.

1575-1580 : Captivité de Michel de Cervantès à Alger. Après plusieurs tentatives d'évasion, les frères Trinitaires obtiennent son rachat, trois ans après celui du jeune frère Rodrigue. Nombreuses sont les œuvres qui évoquent ces cinq années marquantes de la vie du poète, en particulier les comédies *La Vie à Alger* et les *Bagnes d'Alger*, de même que la *Topographie d'Alger* du Frère

Diego de Haedo et le *Rapport* fait par Cervantès lui-même le 10 octobre 1580. En novembre, les captifs libérés arrivent à Denia, dans le royaume de Valence. Le frère Juan Gil aura été le sauveur de notre poète.

1583-1587 : Cervantès a peut-être poursuivi des études tardives à Salamanque où il aurait eu les modèles pour *L'Illustre Servante* dans les étudiants Carriazo et surtout Avendaño. Plus de vingt comédies de Cervantès sont jouées à Madrid, dont *La Vie à Alger* et *La Numance*.

1584 : Naissance probable de la fille naturelle de Cervantès, Isabel de Saavedra, et mariage avec Catherine de Salazar y Palacios.

1585 : Publication de *Galatée*, roman pastoral de Cervantès, écrite quelques années auparavant, dans le goût de l'*Arcadie* de Sannazaro et de la *Diane* de Jorge de Montemayor. Elle fut réimprimée deux fois du vivant de l'auteur, la seconde en 1611 à Paris.
— Mort du père de Cervantès le 13 juin.

1587-1597 : Michel de Cervantès, pendant dix années à peu près, va être chargé de diverses commissions en Andalousie, dans les services économiques concernant les finances et les obligations des commerçants en blé, orge, huiles et olives ; il lui faut traiter avec les meuniers, les muletiers et les charretiers, avec les officiers de police également, afin de pourvoir l' « Invincible Armada » en vivres et équipement.

1588 : Expédition de l' « Invincible Armada ». Deux *chansons* de Cervantès sur ce sujet ; l'une avant, l'autre après le désastre, de 139 et 142 vers respectivement.

1590 : Cervantès adresse une supplique au roi pour obtenir de passer aux Indes, dans des emplois vacants ; ce sera sans succès. Il réside à Séville qui sera le théâtre de plusieurs de ses *Nouvelles*.

1592 : Accord passé avec le directeur de compagnie théâtrale Rodrigo Osorio, alors à Séville, pour livraison de huit comédies.

1593 : Mort de Leonor de Cortinas, mère du poète. Quant à son épouse, elle vit constamment à Esquivias ; ses sœurs continuent de mener une existence mouvementée et équivoque, comme le feront la nièce et plus tard la propre fille de l'auteur.

1598 : Philippe II, mort le 13 septembre, est enterré solennellement le 24 novembre à Séville. Sonnet célèbre de Cervantès au tombeau du roi Philippe II, à Séville, entre autres poèmes écrits par lui à la mémoire de ce roi.

1600 : Mort de Rodrigue de Cervantès à la bataille des Dunes. Michel, lui, est à nouveau à Séville où il connaît

la prison pour sa mauvaise comptabilité et son mauvais
rendement en tant que commissionnaire pour l'armée.

1604 : Cervantès est à Valladolid, redevenue le siège de
la Cour d'Espagne.
— Un privilège est accordé pour dix ans à Cervantès
pour l'impression de *Don Quichotte*, le 26 septembre.

1605 : Mise en vente aux premiers jours de janvier de la
première partie de *Don Quichotte*. Il y eut six éditions
dans la péninsule, cette même année.
— Le 27 juin, un gentilhomme est tué devant la
maison de Cervantès, Don Gaspar de Ezpeleta. Le
poète aura maints ennuis à ce sujet, à cause des femmes
de sa maison : sa fille naturelle, ses nièces et ses sœurs.

1606 : La famille se déplace avec la Cour à Madrid où
Cervantès se trouve de toute évidence les années suivantes. Il doit commencer alors la rédaction de la *Seconde
partie* de *Don Quichotte*, si l'on en croit certaine assertion
du troisième chapitre.

1608 : Mariage de la fille de Cervantès, Doña Isabel, avec
Luis de Molina, le 8 septembre.

1609 : 17 avril. Cervantès entre dans la Confrérie du
Très-Saint-Sacrement, récemment fondée, et à laquelle
appartiendront Lope de Vega et Quevedo. Sa femme
et ses sœurs feront profession dans le Tiers-Ordre.

1613 : Publication des *Nouvelles exemplaires* avec une
dédicace au comte de Lemos, bienfaiteur de Cervantès
et alors vice-roi de Naples. Ces douze *Nouvelles* eurent
sept éditions du vivant de l'auteur et font sa renommée
presque autant que son *Don Quichotte*.

1614 : Un éditeur de Tarragone publie une seconde partie
du *Don Quichotte*, apocryphe, aujourd'hui connue sous
le nom du *Quichotte de Avellaneda*, alors que Cervantès
était sur le point de terminer la sienne.
— Publication du *Voyage du Parnasse*, long poème sati-
rique écrit en huit chapitres et en tercets, qui juge les
auteurs de son temps et nous éclaire sur les autres
œuvres écrites par Cervantès.

1615 : 25 février. Les ambassadeurs français qui accompa-
gneront Anne d'Autriche, future épouse de Louis XIII,
rendent visite à l'illustre poète dont les œuvres étaient
fort appréciées en France.

1615 : 30 mars. Privilège pour la seconde partie de *Don
Quichotte*.

1615 : 25 juillet. Privilège pour l'impression de huit *Comédies* et de huit *Intermèdes* de Cervantès, œuvres toutes
fort anciennes et publiées alors par l'auteur pour leur
conservation.

1615 : 31 octobre. Dédicace de la seconde partie du *Don Quichotte* au comte de Lemos, qui continue de le protéger depuis sa vice-royauté de Naples. Son prologue repousse avec noblesse les accusations, injures et offenses du faussaire Avellaneda.

— Le succès de la seconde partie sera égal à celui de la première. En 1617, on publiera pour la première fois à Barcelone les deux tomes ensemble.

1616 : 26 mars. Lettre au cardinal de Tolède, Don Bernardo de Sandoval y Rojas, autre protecteur et ami de Michel de Cervantès. Ce cardinal, comte de Lerma, était l'oncle du premier ministre et favori de Philippe III.

1616 : 2 avril. Cervantès professe dans le Tiers-Ordre, auquel il appartenait depuis 1613.

1616 : 18 avril. Il reçoit l'extrême-onction.

1616 : 19 avril. Dédicace au comte de Lemos des *Travaux de Persilès et de Sigismonde*.

1616 : 23 avril. Mort de Cervantès à Madrid, calle del León, dans sa maison. Il sera enterré au couvent des Trinitaires le lendemain.

1616 : 24 septembre. Privilège accordé à Catherine de Salazar, épouse du poète, pour l'impression du *Persilès* qui paraîtra l'année suivante, avec huit éditions la même année (dont une à Paris).

1617 : Cette année voit la réédition glorieuse et multiple de toutes ses œuvres, y compris *La Galatée*, en Espagne et à l'étranger.

PRÉFACE

Est-il vraiment utile d'ajouter une nouvelle préface au plus immortel des chefs-d'œuvre de la littérature espagnole ? Est-il possible d'être aujourd'hui sur ce point original ? Tout semble avoir été dit sur Cervantès et son *Ingénieux Hidalgo Don Quichotte de la Manche*. Tenter de passer en revue les jugements que la critique moderne a exprimés sur le *Quichotte* est déjà une tâche irréalisable. Ajouter une nouvelle opinion reviendrait à répéter sûrement en d'autres termes les propos qu'un prédécesseur inconnu a tenus. Aussi Cotarelo avait-il raison d'écrire : « Le livre qu'il serait certes indispensable d'avoir, surtout pour ceux qui songeraient à l'avenir à élaborer des synthèses critiques sur Cervantès et son œuvre, serait celui qui contiendrait le recensement substantiel des principaux jugements émis depuis le XVIIIᵉ siècle (pourquoi pas depuis le XVIIᵉ ? ajouterais-je). Nous ferions ainsi un grand progrès, et personne ne viendrait s'approprier, même involontairement, les pensées d'autrui, à peine modifiées, pour les donner comme siennes, et d'autres auteurs ne répéteraient pas ingénument des faits et des observations cent fois présentés, pour la seule raison que ce sont celles qui viennent le plus aisément à l'esprit. »

Mais puisque, imprudent lecteur, tu as commencé à parcourir ces pages de présentation au seul ouvrage qui aisément s'en passe, à ce livre qu'on lit à tout âge, il va te falloir connaître le miracle de Cervantès.

Notre maître, Marcel Bataillon, en conclusion de sa mémorable thèse sur *Erasme et l'Espagne*, nous offre, — en contrepoint du livre d'Américo Castro sur *la Pensée de Cervantès*, — une excellente synthèse sur l'ingénieux Cervantès, illuminé par l'esprit de la Renaissance comme par un soleil couchant.

« Le miracle de Cervantès, dit-il, c'est que, tenté par les lettres dès la vingtième année, entré jeune en contact avec l'Italie, mêlé au mouvement littéraire espagnol depuis son retour d'Alger (1580), il ait attendu la cinquantaine pour écrire des nouvelles, ait conçu le *Quichotte* aux approches de la soixantaine, et ait signé à son lit de mort la dédicace de *Persile et Sigismonde*, le livre dans lequel il mettait ses plus grands espoirs, en même temps qu'il revenait aux préférences des maîtres de sa jeunesse. Son œuvre n'est intelligible que si l'on y voit un fruit tardif, mûri au long d'une vie aventureuse et difficile, mais fécondé à l'arrière-saison de la Renaissance espagnole, quand Cervantès recevait de maître Lopez de Hoyos les leçons un peu confidentielles d'un érasmisme désormais condamné à s'exprimer à mi-voix. » Et Bataillon ajoute avec pertinence : « Le premier, Menéndez y Pelayo a su reconnaître en lui *cette humaine et aristocratique manière d'être qu'ont eue les hommes de la Renaissance.* »

On a dit parfois que le *Quichotte* était un ouvrage polémique. Or il est un homme de lettres avec qui Cervantès ne s'entendra guère ; c'est Lope de Vega qui triomphe et accapare la gloire sur la scène espagnole, où il fait fi des règles. Lope et Cervantès sont à l'opposé, et dans leur vie et dans leurs œuvres. Quinze années les séparent. Cervantès sera un des valeureux soldats de la victoire de Lépante. Lope de Vega, presque au même âge, aura finalement échappé, sans y être mêlé, au désastre de l'Invincible Armada. Soldat et poète, ils le sont l'un et l'autre. Cependant, malgré sa *Galatée* (publiée en 1585), quelques œuvres dramatiques et certains poèmes, Cervantès demeurera plutôt dans l'ombre jusqu'à la fin de 1604, jusqu'au moment où l'auteur de *la Pícara Justina* et Lope lui-même dans une lettre à un ami évoquent la publication chez l'imprimeur Juan de la Cuesta et le libraire du Roi, Francisco de Robles, de *l'Ingénieux Hidalgo Don Quichotte de la Manche.* Le 20 septembre, Cervantès avait obtenu le privilège du roi et, au mois de janvier suivant, l'ouvrage est en vente. Dans cette même année de 1605, la première partie du Quichotte connaîtra six éditions. C'est tout de suite la popularité et les traductions ne se feront pas attendre. La vie de Cervantès va s'en trouver changée, et dans ces onze années qui le séparent de la mort il va nous donner :

— en 1613, *les Nouvelles exemplaires*, douze nouvelles, écrites pour certaines d'entre elles bien avant, et qui mériteraient à elles douze toute une préface. Les liens avec le Quichotte y sont souvent évidents.

Puis 1614 (l'année qui vit la publication de la fâcheuse *Seconde partie de l'Ingénieux Hidalgo Don Quichotte de la Manche* par un quidam ayant signé Alonso Fernández de Avellaneda, natif de Tordesillas) sera pour Cervantès celle de la livraison du *Voyage du Parnasse*, où il va faire l'éloge de plus de cent poètes, en rejeter certains et se plaindre de ceux qui osent le laisser debout, lui l'auteur de *la Galatée* et des *Nouvelles*, lorsque Apollon les invite à s'asseoir auprès de lui.

— 1615 est l'année où vont être publiés, dûment choisis, *Huit Comédies* et *Huit Intermèdes* qui pourraient donner à leur auteur une place enviée dans la comedia espagnole du siècle des Philippe, sans que, cependant, jamais il puisse être question que Cervantès la dispute à Lope de Vega, Tirso de Molina ou Calderón.

— en 1615, la véritable *seconde partie* du véritable *Don Quichotte de la Manche*, qu'il s'est dépêché d'achever. Le « faux Quichotte » était venu l'atteindre vers le milieu de l'année 1614. C'est avec la date du 20 juillet de ladite année que *Sancho* évoque le fait dans une lettre à sa femme Thérèse Panza, lettre que nous pourrons trouver au chapitre XXXVI de la seconde partie. Les différentes pièces liminaires nous indiquent que les délais de publication furent assez longs, depuis la première approbation et le privilège du roi en mars jusqu'à l'imprimatur donnée le 5 novembre.

La dédicace va toujours au même protecteur et mécène, Don Pedro Fernández Ruiz de Castro, septième comte de Lemos, neveu et gendre du duc de Lerma, c'est-à-dire le premier ministre du roi. Vice-roi de Naples de 1610 à 1616, il protégea nombre d'écrivains, parmi lesquels Cervantès, qui lui dédia *les Nouvelles exemplaires*, *les Comédies et Intermèdes*, cette 2ᵉ *partie du Quichotte* et aussi,

— en 1616, *les Travaux de Persilès et Sigismonde*, dans le prologue duquel il annonçait encore une seconde partie à *la Galatée*, son roman pastoral de jeunesse. Ce *Persilès et Sigismonde* paraîtra en réalité après sa mort, en 1617.

Toutes ces œuvres, leur franc et réel succès, en particulier le succès du *Quichotte*, vont modifier l'état de Cervantès qui, sur la fin de son existence, connaît l'estime et la gloire de ses contemporains, la protection des puissants : le comte de Lemos et le cardinal-archevêque de Tolède, don Bernardo de Sandoval y Rojas. Un des censeurs de la seconde partie du *Quichotte*, le licencié Marquez Torres fait dans son Approbation l'éloge des œuvres de Michel de Cervantès et témoigne de sa renommée aussi bien dans la nation espagnole que dans les nations étrangères, France, Italie, Allemagne et Flandres. Il y rapporte l'anecdote suivante : « Je certifie, en vérité, que, le 25 février de cette année 1615, l'Illustrissime Seigneur don Bernardo de Sandoval y Rojas, cardinal-archevêque de Tolède, mon maître, étant allé rendre la visite qu'il avait reçue de Son Excellence l'Ambassadeur de France, venu pour traiter les affaires concernant les mariages des princes de France et d'Espagne, plusieurs gentilshommes français de la suite de l'Ambassadeur, aussi courtois qu'instruits et amis des belles-lettres, s'approchèrent de moi ainsi que des autres

chapelains de Monseigneur le Cardinal, dans le désir de
savoir quels étaient chez nous les livres d'imagination les
plus appréciés, et comme le moment vint de parler de ce
livre que j'étais en train d'examiner, à peine eurent-ils
entendu prononcer le nom de Cervantès, qu'ils se mirent à
le glorifier et à vanter l'estime où l'on tenait ses œuvres en
France aussi bien que dans les royaumes limitrophes : *la
Galatée*, que certain d'entre eux savait quasiment par
cœur, et aussi *les Nouvelles*. Leurs éloges furent tels que je
m'offris à les mener voir l'auteur de ces livres, offre qu'ils
reçurent avec mille démonstrations de leur plus vif désir.
Ils me questionnèrent très en détail sur son âge, sa profession, sa qualité, sa situation. Je fus forcé de leur dire qu'il
était vieux, soldat, hidalgo et pauvre. Ce à quoi l'un d'eux
me répondit en ces propres termes : « Comment! un tel
homme l'Espagne ne l'a pas fait riche et entretenu sur le
trésor public! » Un autre de ces gentilshommes s'empara de
l'idée et dit avec beaucoup de finesse : « Si le besoin le
force ainsi à écrire, plaise à Dieu qu'il ne se trouve jamais
dans l'aisance, afin que par ses œuvres, lui qui est pauvre, il
enrichisse tout le monde. »

C'est deux jours après cette visite du duc de Mayenne,
ambassadeur de France, au cardinal-archevêque de Tolède
que le licencié et chanoine Marquez Torres rédige son
feuillet de censure si flatteuse. Avec les mariages espagnols
que Mayenne est venu préparer, la vogue de l'Espagne ne
fait que croître à la cour de Marie de Médicis et de
Louis XIII. Les traductions quasi immédiates des ouvrages
espagnols en sont une preuve éclatante : ainsi celle du
Quichotte, par César Oudin (pour la 1re partie) en 1614 et
par François de Rosset en 1618 (pour la 2e partie). Peut-
être aurons-nous l'occasion d'apporter d'autres précisions
sur la valeur et le poids de cette littérature espagnole.
Qu'il nous suffise pour l'heure d'évoquer les mystiques
(Fray Luis de León, Fray Luis de Granada, sainte Thérèse
d'Avila, saint Jean de la Croix, Ignace de Loyola); chez
les poètes, Lope de Vega et Gongora; les romans picaresques depuis le *Lazarille* jusqu'à ce *Guzman de Alfarache*
dont on voit sortir à Paris en 1600 — c'est-à-dire un an
après sa publication à Madrid — à la fois une édition originale et une traduction par Gabriel Chappuys, traduction que Chapelain reprendra et améliorera considérable-
ment en 1619. Dans l'Europe cultivée d'alors, l'impact de
Don Quichotte va être remarquable et ses traductions nombreuses dans les divers pays. Encore aujourd'hui, pour
mieux comprendre le sens de certains passages du livre, la
fréquentation des traductions françaises, tout comme l'étude
approfondie de la grammaire historique espagnole, apporte
de précieux enseignements. Il convient en particulier d'aller voir la traduction de César Oudin, fin et parfait connais-
seur des subtilités de la langue castillane.

Mais on ne saurait laisser passer, sans l'atténuer, la remarque faite par Marquez Torres sur le peu de considération que l'Espagne de son temps eut pour Cervantès. Il faut en effet insister sur les éloges et la popularité immédiatement acquise par le roman. Nous avons déjà parlé des nombreuses éditions qui s'imprimeront pendant les douze premières années, mais encore conviendrait-il d'évoquer la foule de mascarades, intermèdes, saynètes, poèmes, comedias même où interviennent don Quichotte et Sancho.

Parmi les nombreux faits qui témoignent de cet engouement populaire, nous apporterons d'abord ces quelques propos de *la Pícara Justina* — roman paru en 1605 comme la Ire partie de *Don Quichotte* : « Je suis la reine de Picardie, connue comme le loup gris, plus célèbre que Dame Olive, don Quichotte et Lazarille, qu'Alfarache et Célestine. » Notons que le bon goût de l'auteur et de ses éventuels lecteurs est réconfortant pour l'homme moderne qui y retrouve quatre chefs-d'œuvre de la littérature universelle. Seul, et faisant figure de parent pauvre, se trouve le *Palmerin de Oliva* qui était pourtant un des deux plus célèbres romans de chevalerie du temps.

Ajoutons que pendant les fêtes qui suivirent le baptême de l'infant Philippe, après les jeux de cannes et les taureaux, pour contribuer à la liesse populaire, l'ambassadeur portugais Pinheiro da Vega évoque la représentation d'un intermède dans lequel on voyait arriver don Quichotte en aventurier, qui entrait en lice dans le tournoi, précédé de son fidèle écuyer Sancho Pança.

La fortune de don Quichotte et Sancho au théâtre, dans les beaux arts, la musique, mériterait une fort longue étude à elle seule. Disons donc tout simplement qu'un auteur connu : Guillén de Castro, l'auteur des *Mocedades del Cid*, l'inspirateur de Corneille, fut un des premiers à porter au théâtre des comedias inspirées par le roman de Cervantès : *Don Quichotte de la Manche, la Naissance de Montesinos, le Curieux malavisé.*

On dit même que Philippe III, se trouvant un jour au balcon de son palais de Valladolid, aperçut un étudiant qui lisait un livre, et de temps en temps arrêtait sa lecture pour partir d'un grand éclat de rire. « Ou bien cet étudiant est fou, se dit le roi, ou bien il lit *l'Histoire de don Quichotte.* » Et c'était vrai. C'est l'*Histoire de don Quichotte* qu'il lisait.

Malgré ses malheurs et ses soucis, au-delà des péripéties quotidiennes, Cervantès est l'auteur de la jeunesse du cœur, de l'humour et de la bonne humeur. Jusqu'au bout, il restera fidèle à ses idéaux de la jeunesse, à ses modèles et habitudes de pensée du temps du maître Lopez de Hoyos, du temps de l'Italie, du temps d'Alger. A mesure qu'il avance en âge, il tempère davantage son humanisme érasmisant de l'époque de Charles Quint, l'esprit de la Contre-Réforme le contraignant à l'ortho-

doxie. Malgré tout, il ira puiser son inspiration dans la
réalité de son temps, mais en pensant au bel ordonnance-
ment de l'Age d'Or.

Nous reprendrons volontiers les phrases par lesquelles
Paul Hazard aborde et termine un des remarquables
chapitres de son étude sur *Don Quichotte de Cervantès* :
« La pensée de Cervantès, il faut la faire partir de la Renaissance, mais il ne faut pas l'arrêter là. Elle se meut, c'est sa
nature; elle cherche, c'est son instinct : et elle trouve le
classicisme... » « ... Cervantès l'Inventeur dans une seule
œuvre représente l'universel et le particulier, la poésie et
l'histoire — tout l'homme. Les *Essais* de Montaigne datent
de 1580, 1588, 1595; *Hamlet* et *Don Quichotte*, de 1605 :
ainsi s'accomplit la triple réaction de Montaigne, de Cervantès, de Shakespeare, contre un monde où le vrai ne se
distinguait point de l'image; ainsi nous entrons dans l'âge
moderne de la littérature européenne. »
Pendant longtemps on a voulu donner de Cervantès
l'image d'un génie inconscient, dépassé par sa création.
On reprenait même volontiers la phrase d'un contemporain, Tomás Tamayo de Vargas : « Michel de Cervantès
Saavedra, esprit sans culture, mais le plus joyeux d'Espagne. » On a heureusement vu apparaître grâce à la
récente critique un Cervantès nouveau; le mérite en
revient aux beaux livres de Menéndez Pidal, Américo
Castro, Toffanin, Paul Hazard, Marcel Bataillon, Rodri-
guez Marin, Aubrey F. G. Bell, Luis Astrana Marin,
sans oublier la pléiade d'écrivains exégètes de l'immortel
ouvrage :
— Miguel de Unamuno et sa *Vie de Don Quichotte et
   Sancho;*
— José Ortega y Gasset et les *Méditations du Quichotte;*
— Azorin et *L'Itinéraire de Don Quichotte;*
— Ramiro de Maeztu et son *Don Quichotte, Don Juan
   et la Célestine;*
— Salvador de Madariaga et le *Guide du lecteur du
   Quichotte.*
Il n'est pas vrai que Cervantès ait été un esprit sans
culture. Son ouvrage n'est pas seulement de divertissement, il contient un enseignement. Dans ses pièces
liminaires, Cervantès nous parle de ses intentions. Les
dédicaces, les prologues, les pièces en vers qui font mention d'*Amadis* et du *Roland furieux* méritent une attentive lecture. L'idée fondamentale du *Quichotte*, c'est
Cervantès lui-même qui la déclare : « Mon livre est,
tout entier, une invective contre les romans de chevalerie. »

Et c'est d'abord ce que virent ses contemporains qui y
prenaient un plaisir que nous ne pouvons plus goûter,
mais que nous pouvons encore essayer de comprendre,
en le regardant avec les yeux des gens de son temps,
comme Marcel Bataillon a si bien su le faire pour la
Célestine [1]. Pour ce faire, il nous va falloir à grands traits,
hélas! ébaucher un tableau de tous les éléments si vastes
et si riches qui constituent la trame du premier roman
moderne, celui qu'en son temps il n'était déjà pas possible
de classer dans un des genres existants, puisqu'il les
contenait tous :

Parodie des romans de chevalerie, farcie de romances
et de poèmes héroïques, épiques ou chevaleresques;
roman pastoral pour deux longs épisodes qui sont deux
chefs-d'œuvre (l'histoire de Marcelle et Chrysostome,
les noces de Camache); roman sentimental (l'histoire
de Cardenio, Luscinde, Don Fernand et Dorothée);
roman de captif, en partie autobiographique (le Captif
d'Alger); nouvelle italienne, à l'image d'autres insérées
parmi les *Nouvelles exemplaires* (le Curieux malavisé);
récit picaresque (épisode des Galériens, de l'hôtellerie
plusieurs fois visitée, des archers de la Santa Hermandad,
de Ginès de Pasamonte alias maître Pierre et son *Retable
des Merveilles*, etc.); imitation dè l'Arioste (la grotte de
Montesinos), de Garcilaso et des poètes bucoliques, des
vieux romances; reprise d'adages, proverbes et contes
populaires selon la veine érasmienne.

Le chef-d'œuvre de Cervantès apparut au carrefour
de deux siècles. « Il dessine, comme le dit excellemment
Michel Foucault, dans *les Mots et les Choses*, le négatif
du monde de la Renaissance », ajoutant, à un autre tournant explicatif de son ouvrage, que « peut-être *Justine*
et *Juliette* (héroïnes du marquis de Sade), à la naissance
de la culture moderne, sont dans la même position que
Don Quichotte entre la Renaissance et le classicisme. Le
héros de Cervantès, lisant les rapports du monde et du
langage comme on le faisait au XVIᵉ siècle, déchiffrant
par le seul jeu de la ressemblance des châteaux dans les
auberges et des dames dans les filles de ferme, s'emprison-
nait sans le savoir dans le monde de la pure représentation,
mais puisque cette représentation n'avait pour lui que la
similitude, elle ne pouvait manquer d'apparaître sous la
forme dérisoire du délire. »

Cervantès n'est pas isolé dans cette quête. Dans les
trente dernières pages de sa thèse, Marcel Bataillon,
confirmant les théories d'Américo Castro, replace l'œuvre
de Cervantès dans la perspective de l'érasmisme, la rend
plus intelligible, mais néanmoins précise que si « les ten-
dances littéraires de Cervantès sont d'un esprit formé

---

1. M. Bataillon : *La Célestine selon Fernando de Rojas*, Paris, 1961.

par l'humanisme érasmisant, pourtant son ironie, so
humour, rendent un son tout nouveau. Ni l'*Eloge de l*
folie, ni les *Colloques*, ni les *Dialogues* des Valdès, ni le
Voyage en Turquie ne font pressentir cette fantaisie qui,
dans le *Quichotte* ou dans le *Colloque des chiens*, se joue
aux frontières du réel et de l'inventé, du raisonnable et
de l'arbitraire ».

Il est bon maintenant d'avoir une certaine idée des
lectures et des goûts littéraires des Espagnols, dans la
simple perspective de connaître par ce biais les mobiles
et les influences de la société dans laquelle Cervantès a
vécu. Nous nous excusons à l'avance de cette rapide
mais laborieuse course à travers les modes romanesques
et littéraires de l'Espagne (et de l'Europe) du temps.

La vogue du Romancero, la place des *romances* dans le
monde hispanique ne va pas décroissant, mais elle se
transforme tout au long du XVIᵉ siècle. Aux vieux romances
traditionnels issus des *gestes* ou de leur refonte tardive,
ou nés de l'inspiration de jongleurs — de jongleurs de
romances —, à tendance par conséquent épique viennent
s'opposer les romances nouveaux, plus artistiques, plus
lyriques, morisques souvent et signés maintenant des
plus grands noms de la littérature du siècle d'or. Les
deux mondes du Romancero ont leurs propres collections :
Citons pour mémoire le *Cancionero de Romances* d'Anvers
(1547) et le *Romancero general* (1600-1604).

Parmi ces romances, il en est d'issus des cycles caro-
lingiens, des chansons françaises, des romans bretons
(Tristan ou Lancelot que don Quichotte cite fort oppor-
tunément) et d'autres issus de thèmes romanesques et
littéraires. La musique qui, depuis l'époque des Rois
catholiques, leur servait d'accompagnement (Salinas,
Milán, Valderrábano, Pisador, Fuenllana) fait que le
Romancero soit une des lectures favorites du jeune roi
Philippe II, que le peuple les chante et les répète à la ville
comme aux champs. Nombreux sont là-dessus les témoignages de chroniqueurs ou de poètes.

L'énorme popularité du Romancero porte en soi une
évolution interne, l'apparition de nouvelles formes éru-
dites, qui imitent et reprennent les anciennes. A partir
de 1570, d'authentiques poètes conçoivent le romance
comme une œuvre littéraire en soi, fruit de leur inspiration.
C'est même surtout à partir de 1589, comme l'a démontré
Ramón Menéndez Pidal dans une étude assez récente,
que certains grands poètes vont intervenir : Cervantès,
qui appréciait fort son romance sur *la Jalousie;* Juan de
Salinas, et surtout Lope de Vega, Góngora, puis Quevedo.

Les romances qui étaient principalement cultivés

r eux étaient les morisques, les pastoraux et les histo-
ques (en précisant bien que l'histoire pouvait atteindre
également les deux premiers genres). Est-il utile de
rappeler ici au passage le rôle que les romances ont pu
jouer dans le théâtre espagnol du temps, à partir de Juan
de la Cueva, en passant surtout par Lope de Vega [1] ?

Le lecteur attentif saura bien déceler dans les deux
parties du *Quichotte* les romances des diverses espèces
et parfois aussi la part que le romancero chevaleresque
peut prendre dans tel ou tel épisode. Néanmoins, Menéndez Pidal a voulu, sur le *Quichotte*, aller plus loin, et dans
une conférence à l'Ateneo de Madrid, en 1920, il a
développé sa théorie de l'influence de l'" *Entremés de los
romances* " *sur la genèse du Quichotte*. Dans cet ouvrage
anonyme, un pauvre paysan, Bartolo, devient fou par la
lecture excessive de romances qu'il a faite et par sa volonté
d'imiter les héros chevaleresques. En effet, armé de
papier et sur un cheval de bois, il va défier le jeune berger
Simoche, qu'il appelle Tarfe, tout en récitant les vers
du romance d'Almoradi. Maltraité par son rival, tout
comme don Quichotte dans l'aventure des marchands
tolédans, il attribue la chute et la défaite à son cheval
et se lamente en récitant les mêmes vers du *romance sur
le marquis de Mantoue* que l'ingénieux hidalgo récitera
en pareille situation. Finalement, il est ramené chez lui,
mis au lit, s'y endort, et dans son délire il va se mettre
à réciter d'autres exploits et d'autres romances, se prenant
alors pour le gouverneur de Baza, évoquant l'incendie de
Troie. En somme il a la même réaction, les mêmes symp-
tômes que don Quichotte. Même si la théorie de Menéndez
Pidal ne pouvait être acceptée jusqu'au bout, il convient
de tenir compte de l'existence de cet *Entremés*, écrit
dans une intention burlesque, comme la *Morgante* de
Pulci ou l'*Orlando* de l'Arioste [2], les premiers chapitres
du roman ont un rapport certain avec ce thème. Que l'un
s'en prenne aux romans de chevalerie et l'autre aux
romances chevaleresques est d'importance secondaire.
Lorsque le voisin de Bartolo déclare : « Que le diable
emporte le Romancero qui l'a mis dans un tel état »,
nous sommes obligés d'évoquer les termes sévères employés
par la gouvernante de don Quichotte.

La vogue même des romances a donc provoqué cette
parodie ; une caricature du Romancero, sinon le Romancero
lui-même, a pu fournir à Cervantès l'idée première de sa
fiction. N'oublions pas d'autre part le *Licencié de verre*
que notre auteur aura également écrit sur un cas de folie
semblable, — de folie ou de perte de la notion du réel.

1. Un aspect de l'élaboration du Quichotte, dans *Cervantès y Lope
de Vega*, Buenos Aires, 1940, collection Austral, nº 120, pp. 9-59.
2. Voir Maxime Chevalier : *L'Arioste en Espagne*, Bordeaux, 1966.

Les romances, Cervantès y fait appel dès le début, d
la première ligne de son récit. « Dans un endroit de r
Manche » *(En un lugar de la Mancha)* appartient à l'un
des pièces du *Romancero General*.

« Mes parures, ce sont les armes, mon repos c'est le
combat » sera le sésame du novice chevalier don Quichotte
(chevalier, il ne l'est même pas encore) au commandant
de la forteresse, lequel lui répond en continuant le romance
entamé par l'ingénieux étranger : « Les lits de votre grâce
sont des rochers durs, et son sommeil est toujours veiller. »
On dialogue donc en romance, dans le peuple de Castille,
même lorsque, comme l'aubergiste, on est andalou. Et
don Quichotte, qui en a la tête farcie, va dire ensuite à
deux filles de joie avec une grâce parfaite ces vers d'un
autre vieux romance : « oncques n'y eut chevalier — si
bien des dames servi — comme le fut don Quichotte —
lorsqu'il vint de son village, les demoiselles prenaient
soin de lui, et les princesses de son rossin ».

Nous avons cette fois une interprétation parodique « du
vieux romance de Lancelot du Lac qu'il ajuste à l'occasion présente ». Ces vers du Romancero que don Quichotte
déclame sont dans toutes les mémoires. Au chapitre IX
de la 2ᵉ partie, on entend un laboureur, levé avant l'aube,
chanter en allant à son travail un romance qui déclare :
« Il vous en a cuit, Français, à la chasse de Roncevaux »;
alors don Quichotte, inquiet, y voyant un mauvais présage,
s'écrie : « Qu'on me tue, Sancho, s'il nous arrive quelque
chose de bon cette nuit; entends-tu ce que chante ce
manant ? — Oui, je l'entends, répondit Sancho; mais que
fait à notre affaire la chasse de Roncevaux ? Il pouvait
aussi bien chanter le romance de *Calaínos...* » Sancho
connaît donc tout aussi bien que son maître le *Romancero
d'Anvers*, et ce *Calaínos* moresque qui, après avoir parcouru le monde, est venu se faire tuer à Paris par Roland.
Ailleurs, ce sera un emprunt au *Romancero du Cid* (comme
au chapitre X de la Iʳᵉ partie); plus loin (chap. XIII),
« aux amours de don Lancelot du Lac et de la reine
Genièvre, amours dont la confidente et médiatrice était
cette respectable duègne Quintagnone, pour laquelle
fut fait ce romance *si connu et si répété dans notre Espagne :*
« Onc chevalier ne fut sur terre — des dames si bien
accueilli — qu'à son retour de l'Angleterre — don Lancelot n'en fut servi. » Plus loin (II, 10), Sancho fera appel
à des vers très populaires d'un romance de *Bernardo
del Carpio*, et enfin, comment ne pas évoquer le montreur
de marionnettes, maître Pierre, installé dans une auberge
de village, ou encore la descente de don Quichotte dans
la caverne de Montesinos, qui servent à rappeler « les
chroniques françaises et des romances espagnols qui
courent les rues, sur les lèvres des femmes et même sur
celles des enfants ». N'oublions pas toutes les péripéties

es chapitres consacrés au montreur de marionnettes
et leur triste conclusion, c'est-à-dire l'intervention armée
de don Quichotte pour prêter secours « à ceux qui
fuyaient ».

« Je ne permettrai jamais que, de ma vie et en ma présence, on joue un mauvais tour à un aussi fameux chevalier, à un aussi hardi amoureux que don Gaïferos. Arrêtez,
canaille, gens de rien, ne le suivez ni le poursuivez, ou
sinon je vous livre bataille. »

Mais, après cet accès de déraison, nous allons entendre
don Quichotte proclamer : « Je voudrais bien tenir maintenant devant moi tous ceux qui ne croient pas et ne veulent
pas croire de quelle utilité sont dans le monde les chevaliers errants... Vive la chevalerie errante par-dessus
toutes les choses qui vivent sur la terre! »

Après avoir indiqué brièvement la place prise par la
poésie héroïco-populaire dans la création du premier
roman moderne, nous voici donc revenus au problème
majeur, au premier souci de Cervantès dans les deux
parties de son livre : les *romans de chevalerie*. La refonte
de l'*Amadis de Gaule* par Garci Rodriguez de Montalvo
produisit une véritable résurrection du roman de chevalerie qui va être la grande mode littéraire du XVIe siècle.
Le succès de Montalvo fut tel que son *Amadis* et ses
innombrables continuations seront la lecture qui passion-
nera tous les publics d'Europe, depuis Charles Quint
et François Ier jusqu'aux aubergistes qui hébergèrent
don Quichotte. Juan de Valdès dans ses *Dialogues*, Ignace
de Loyola devant la Vierge de Montserrat jurant d'être
le Chevalier du Christ, sainte Thérèse dans sa confession
autobiographique, avoueront leur prédilection pour les
livres de chevalerie.

Arrivé au terme de la première sortie, le lecteur du
Quichotte va assister à « la grande et gracieuse enquête
que firent le curé et le barbier dans la bibliothèque de
notre ingénieux hidalgo ».

A différentes reprises, sa connaissance des livres de
chevalerie se trouvera ainsi complétée. Mais l'*Amadis*
est le premier. Celui que Cervantès prend pour cible dès
le prologue et les pièces liminaires. Les sonnets et pièces
en vers dédiés à don Quichotte sont d'Amadis de Gaule,
de Gandalin son écuyer, d'Oriane sa dulcinée, d'Urganda
« la descognue », quoique aussi de Belianis de Grèce, du
Chevalier Phœbus, du Roland furieux et de Solisdan,
petit-fils d'Amadis. 1508 est la date de la première édition
du roman, que nous n'allons pas entreprendre d'analyser
présentement. A l'image de *Lancelot* et de *Tristan*, il
arrive à Amadis et aux nombreux personnages du volu-

mineux roman une foule d'aventures compliquées. Le
faits d'armes du héros, défenseur des faibles et des opprimés, les amours d'Amadis et Oriane, la jalousie de cette
dernière et la fidélité de son amant, parti faire pénitence
à la montagne pauvre, — comme don Quichotte le fera —,
la naissance cachée d'Esplandian, fruit de leurs amours;
après un féroce combat, le rachat d'Oriane livrée en mariage
à l'empereur de Rome et les noces collectives de plusieurs
des héros, dont Amadis et Oriane, ne sont qu'un avant-
goût des épisodes compliqués que la verve de Montalvo va
continuer à développer dans de nouvelles livraisons, qui
feront la joie des petits et des grands.

Roman cosmopolite, l'*Amadis* est étroitement lié à *la
matière de Bretagne*, et particulièrement à *Lancelot*, quant à
la structure. Cervantès ne s'y est pas trompé; il les a bien
amalgamés. Il convient cependant d'insister sur l'imagination et la sensibilité de l'auteur, de Montalvo, qui se
caractérisent par la prédominance de l'artifice sur les
forces naturelles, par la création de merveilleuses descriptions qui nous rapprochent du fabuleux Orient dont les
derniers siècles ont rêvé. Amadis, chevalier idéal, et la
belle Oriane retrouvent la conception de l'amour courtois
des romans du cycle breton, mais dépouillée du signe
adultérin qui était souvent le sien. Selon cet esprit chevaleresque de l'amour, Amadis se soumettait en tout à la
volonté de sa dame, de qui il était le plus humble vassal;
il en supportait les plus injustes rigueurs avec la plus
entière des résignations. Si grande que fût la vaillance
d'Amadis et si extraordinaires qu'aient été ses prouesses, il
se sentait humble devant sa belle Oriane et estimait toutes
ses faveurs comme des dons gratuits, qu'elle pouvait lui
refuser, si telle était sa volonté.

Comment ne pas songer à substituer immédiatement
le nom de don Quichotte à celui d'Amadis, à remplacer
Oriane par Dulcinée? La parenté est trop claire. Une des
originalités d'*Amadis* avait été de créer un couple d'amants
purs et heureux qui vont rejoindre les couples célèbres
de l'Antiquité et du Moyen Âge. Leur jeunesse, l'ardeur
de leurs sentiments, leur fidélité mutuelle, les difficultés
qu'il leur faut surmonter pour atteindre la félicité créent
une fraîche ambiance idyllique dans le dédale d'aventures
qu'est l'*Amadis de Gaule*, premier modèle, cible première
du *Quichotte*.

Faisons appel au curé, lequel, en recevant des mains de
maître Nicolas les quatre volumes d'*Amadis de Gaule*,
déclare: « Il semble qu'il y ait là-dessous quelque mystère;
car, selon ce que j'ai ouï dire, c'est là le premier livre de
chevalerie qu'on ait imprimé en Espagne; tous les autres
ont pris de celui-ci naissance et origine. Il me semble
donc que, *comme fondateur d'une si détestable secte*, nous
devons sans rémission le condamner au feu.

— Non pas, seigneur, répondit le barbier; car j'ai ouï
dire aussi que c'est le meilleur de tous les livres de cette
espèce qu'on ait composés, et comme unique en son genre,
il mérite qu'on lui pardonne.

— C'est également vrai, dit le curé, et, pour cette
raison, nous lui faisons, quant à présent, grâce de la vie. »

Après quoi s'accumule la pile du feu de joie : les romans
du cycle d'Amadis, comme *les Prouesses d'Esplandian*
(1510), l'*Amadis de Grèce, Florisel de Niquée, Lisuart de
Grèce* et les *Sylves de la forêt* qui est le 12ᵉ et dernier
livre; les romans du cycle de Palmerin, entamés par le
Palmerin d'olive que Cervantès envoie délibérément au
feu, tandis qu'il demande de conserver « *cette palme
d'Angleterre* comme chose unique et qu'on fasse pour elle
une cassette aussi précieuse que celle qu'Alexandre trouva
dans les dépouilles de Darius et qu'il destina à enfermer
les œuvres du poète Homère ». Ce Palmerin d'Angleterre
est le seul roman de chevalerie avec l'*Amadis de Gaule*
à être exempté du feu; *Bélianis de Grèce* part en exil chez
le barbier. Les autres : le *Chevalier Platir*, le *Chevalier
de la Croix, Florismarte d'Hircanie* et même *Don Olivante
de Laura* du très érasmien auteur des *Colloques satiriques*
et du *Jardin des fleurs*, Antonio de Torquemada... sont
jetés par la fenêtre.

Je n'aurai garde d'oublier ce que Cervantès déclare
au sujet de l'*Histoire du fameux chevalier Tirant le blanc*,
écrit en catalan près de vingt ans avant la première édition
de l'*Amadis*, mais traduit en castillan en 1511 : « Bénédiction!... Donnez-le vite, compère, car je réponds bien
d'avoir trouvé en lui un trésor d'allégresse et une mine de
divertissements... Je vous le dis en vérité, seigneur
compère, pour le style ce livre est le meilleur du monde.
*Les Chevaliers y mangent, y dorment, y meurent dans leurs
lits,* y font leurs testaments avant de mourir, et l'on y
conte mille autres choses qui manquent à tous les livres
de la même espèce. Et pourtant je vous assure que celui
qui l'a composé méritait, pour avoir dit tant de sottises
sans y être forcé, qu'on l'envoyât ramer aux galères tout
le reste de ses jours. »

Cervantès partage sur la littérature chevaleresque les
mêmes points de vue critiques qu'un Juan de Valdès,
un Luis Vives ou sainte Thérèse qui les considèrent comme
pernicieux, justement parce que ce sont des livres de
divertissement, pleins de fictions et d'extravagances. Dès
le premier quart du XVIᵉ siècle paraissent des traités
dénonçant la sottise et le danger de ces romans. Charles
Quint procéda publiquement contre eux et en 1555,
les Cortès de Valladolid demandèrent au roi de les suppri-
mer entièrement. Nous ne sommes pas loin de partager
l'opinion de Menéndez y Pelayo : « L'ouvrage de Cervantès ne fut ni antithèse ni sèche négation, mais purifi-

cation et complément. Il n'est pas venu mettre à mal un
idéal, mais le transfigurer et l'élever. Tout ce que le livre
de chevalerie avait de poétique, de noble et d'humain
s'est trouvé intégré à la nouvelle œuvre au sens le plus
élevé. Ce qu'il y avait de chimérique, d'immoral et de
faux, non pas précisément dans l'idéal chevaleresque,
mais dans ses dégénérescences, s'est dissipé comme par
enchantement devant la *classique* [1] sérénité et la bienveil-
lante ironie du plus sain, du plus équilibré des esprits
de la Renaissance. Ainsi le *Quichotte* fut-il le dernier des
livres de chevalerie, le plus parfait, le définitif, celui qui
sut lumineusement concentrer toute la matière poétique
diffuse, tandis qu'il élevait les faits de la vie familière à la
dignité de l'épopée; ainsi nous donna-t-il le premier
modèle, inégalé, de roman réaliste moderne. »

Les séjours de Cervantès en Italie, la connaissance et la
pratique du toscan qui lui font répudier les traductions
pour la lecture des œuvres dans leur langue originale vont
lui permettre de faire connaissance avec maints chefs-
d'œuvre de la littérature latine et italienne. La nouvelle
sentimentale, en particulier, celle qui dérive de la « *Fia-
metta* » de Boccace et de l'*Histoire des deux amants Euriale
et Lucrèce* d'Enéas Silvio Piccolomini, va trouver sa
place également dans le *Quichotte*. Ce genre sentimental
ne s'est pas limité, dans la littérature espagnole, à l'imitation servile des modèles étrangers, traduits vers la fin
du XVe siècle. Les écrivains espagnols vont utiliser d'autres
ressources : l'allégorie, l'élément chevaleresque, les
débats de casuistique amoureuse. Il s'agit d'ouvrages
écrits et rédigés pour les courtisans, dans une atmosphère
de vie de Cour. Après le *Serf, libre d'amour* qui est le
premier roman sentimental espagnol, c'est vers Diego
de San Pedro et ses deux romans que nous nous tournerons.
La vogue du *Traité des amours d'Arnault et Luscinde*
(1491) et surtout de *la Prison d'amour* (1492), ouvrage
qui eut 36 éditions entre 1492 et 1616, ne va pas décroître
en Espagne non plus qu'à l'étranger. L'amour tient la
place essentielle dans ces romans qui étaient la lecture
préférée des dames. C'est certainement pour elles que
Diego de San Pedro accorda autant d'importance, dans *la
Prison d'amour*, au débat féministe qui oppose Lériano
et Tefeo. L'auteur, fort psychologue, savait faire plaisir à
ses lectrices (comme à ses lecteurs) et obtint un succès
sans réserves, malgré la condamnation de la Sainte Inquisition. Contemporain de la *Célestine*, il baigne de son
influence le roman pastoral, mais aussi certaines *Nouvelles*

1. Je souligne.

exemplaires de Cervantès et les histoires amoureuses de la
première partie du Quichotte, en particulier, celles de
Chrysostome et Marcelle, de Luscinde et de Cardenio.
La pénitence d'amour de celui-ci dans la Sierra Morena
pourrait être inspirée d'une autre nouvelle sentimentale,
publiée en 1495, le livre de *Grimalte et Gradisse*. L'original espagnol de l'*Histoire de Grisel et Mirabelle* de Juan
de Flores fut imprimé quatorze fois dans le même laps
de temps que *la Prison d'amour*, et par ses versions poly-
glottes (bilingues ou quadrilingues : espagnol, français,
italien, anglais) il servait parfaitement de livre d'appren-
tissage des langues vivantes. La vogue du roman sentimental fut donc comparable au succès précédent des
romans de chevalerie. C'est un des chaînons indispensables
vers le roman d'aventures moderne. Cervantès ne l'ou-
bliera pas dans son dernier ouvrage, *les Travaux de Persile
et Sigismonde*.

L'Arioste et son *Roland furieux* sont souvent rappelés,
souvent imités tout au long du *Quichotte*. On le trouve déjà
cité dans la pièce en vers d'Urgande la Descognue : « D'un
noble hidalgo de la Manche, tu conteras les aventures. Ce
sont de vaines lectures qui lui ont tourné la tête. Dames,
armes et cavaliers le provoquèrent en sorte que tel un
Roland furieux, et tout autant amoureux, il conquit à la
force de son bras Dulcinée du Toboso. » Et après ces vers
du début, c'est au terme de la première partie que Cervantès évoque ce vers du poète italien :

     Forse altri canterà con miglior plettro

(Peut-être un autre que moi chantera-t-il avec de meilleurs accents), un vers qui va lui porter malheur puisque
en effet un plagiaire va en profiter pour mettre ce vers à
exécution.

Mais c'est tout au long du roman que nous trouvons des
réminiscences de l'Arioste, en particulier la nouvelle du
Curieux malavisé, si curieusement intégrée au récit. Cervantès ou plutôt don Quichotte hésite entre la mélancolie
d'Amadis et la fureur de Roland (chapitre xxv). Dans la
visite à la bibliothèque de don Quichotte, Cervantès parle
déjà des grands poèmes chevaleresques italiens, et bien
qu'il préfère l'Arioste, il n'ignore ni Pulci ni Boiardo. Il
connaît aussi les poètes bucoliques tels que Luigi Tansillo,
il apprécie et utilise déjà dans sa *Galatée*, l'*Arcadie* de
Sannazar, l'*Aminta* du Tasse, le *Pastor Fido* de Guarini.
Et non seulement il connaît les Italiens créateurs, mais
également les humanistes et les rhétoriciens de l'Italie
renaissante. Nous sommes sûrs que Cervantès connaît
assez de latin pour le citer de mémoire, mais sur ce point il
convient également de relire ses prologues pour savoir
qu'il est opposé à toute cette fausse érudition qui encombre
tant d'ouvrages de son époque et de tous les temps. Il rappelle même, au chapitre xvi de la seconde partie, pour s'en

moquer, les occupations d'un érudit : « Il passe tout le jour à vérifier si Homère a dit bien ou mal dans tel vers de *l'Iliade*, si Martial fut ou non déshonnête dans telle épigramme, s'il faut entendre d'une façon ou d'une autre tel ou tel vers de Virgile. Enfin, toutes ses conversations sont avec les livres de ces poètes, ou avec ceux d'Horace, de Perse, de Juvénal, de Tibulle. » L'usage de nombreuses formules latines dans les dialogues de don Quichotte avec Sancho les infléchit dans le sens de la *vis comica*. Mais peut-être conviendrait-il de s'arrêter davantage encore sur l'*Art poétique* d'Horace, et aussi sur un ouvrage d'un de ses amis et contemporains, *Lopez Pinciano*[1], lequel reflète la position de Cervantès, sa conception de la poétique et de la rhétorique, position qui lui fait combattre celle des auteurs de romans de chevalerie, fondée sur le dérèglement de l'esprit, alors que la sienne est classique et fondée sur l'ordre et la raison. Nous rejoignons ici encore la magistrale analyse de Michel Foucault dans *les Mots et les Choses* que nous ne pouvons qu'évoquer.

Lorsque Cervantès publie *Don Quichotte*, cela fait déjà vingt ans qu'il a publié sa *Galatée*, bergerie qui poursuit le rêve d'*Arcadie* entamé à l'orée du XVIᵉ siècle par Sannazar, et qui vient relancer l'écho bucolique horatien et virgilien dans la littérature espagnole. Le courant a gagné toute l'Europe du XVIᵉ siècle depuis Sidney jusqu'à Honoré d'Urfé. La jonction de deux courants, l'un castilan et lusitan avec les poésies pastorales du marquis de Santillane, avec les *Eglogues* de Juan del Encina et les *Autos* de Gil Vicente, l'autre italien issu de Sannazar et passant par les poètes Garcilaso et Boscan, va développer vers le milieu du siècle le roman pastoral, le genre littéraire le plus capable de remplacer, quitte à être contaminé par eux, les livres de chevalerie. La *Diane* de Jorge de Montemayor (1559), la *Diane amoureuse* de Gil Polo (1564) sont les deux heureuses rivales de la *Galatée* de Cervantès, dans ce genre tant aimé du public, au goût duquel il semble tellement répondre. Jusqu'à son lit de mort, Cervantès aura toujours une grande tendresse pour son premier roman. Il en promettra une suite, encore dans le *Prologue* au *Persilès*. Il n'abandonne pas l'espoir de le porter jusqu'à sa perfection. Et dans le *Quichotte*, il en donne deux longs épisodes : un dans la 1ʳᵉ partie avec l'histoire de Chrysostome et de Marcelle ; l'autre dans la seconde, les noces de Camache qui sont encore une bergerie, mais plus humaine, plus ludique aussi.

1. Cf. l'étude de D. Canavaggio : Lopez Pinciano y la estetica literaria en el Quijote, Madrid, 1959.

Cependant, Cervantès livre également au bûcher plusieurs pastorales célèbres, qui se consumeront avec les romans de chevalerie. Les conséquences morales de leur lecture furent considérées elles aussi comme pernicieuses par Lopez de Ubeda, l'auteur de la *Picara Justina*, et par Malón de Chaide dans *la Conversion de la Madeleine*. Et il serait bon de nous arrêter un instant aux réflexions faites par Cervantès à propos de la *Diane* de Montemayor au chapitre VI de la 1re partie : « Ceux-ci, dit-il, ne méritent pas d'être brûlés avec les autres, car ils ne font ni ne feront jamais le mal qu'ont fait ceux de chevalerie. Ce sont des livres d'innocente récréation, sans danger pour le prochain. — Ah, bon Dieu ! Monsieur le curé, s'écria la nièce, vous pouvez bien les envoyer rôtir avec le reste ; car si mon oncle guérit de la maladie de chevalerie errante, en lisant ceux-là il n'aurait qu'à s'imaginer de se faire berger et de s'en aller par les prés et les bois, chantant et jouant de la musette ; ou bien de se faire poète, ce qui serait pis encore, car c'est, à ce qu'on dit, une maladie incurable et contagieuse.

Ladite manie apparaîtra dans la seconde partie. Mais il s'agit d'un divertissement de familles distinguées, de gens de l'aristocratie qui ont décidé de jouer à l'*Arcadie* et se sont déguisés en bergers et bergères. Ailleurs, pour se consoler d'avoir été défait par le chevalier de la Blanche Lune, don Quichotte pense à la vie pastorale et voudrait devenir le berger Quijotiz, escorté de son ami Pancino. Oui, sur la fin de sa vie (II, 77), don Quichotte prit la résolution de se faire berger et de mener une vie pastorale pendant l'année de son repos forcé... Mais le sort et Avellaneda ne l'ont pas voulu.

Nous ajouterons pour conclure sur ce chapitre que c'est vraisemblablement dans *les Dix Livres de la Fortune d'Amour* d'Antonio de Lofrasso que Cervantès prit le nom de *Dulcinée*, un des personnages de ce roman échevelé. Et quel personnage !

Mais quel courant littéraire Cervantès n'a-t-il pas accueilli dans son immortel ouvrage ? Il lui était certes difficile d'utiliser les éléments du roman picaresque, fût-ce celui du *Lazarille*. L'harmonie générale du *Quichotte* est fondamentalement différente de ce genre littéraire qui vient de prendre son second souffle et de produire l'œuvre qui le caractérise le plus : *la Vie de Guzman d'Alfarache* de Mateo Alemán, publiée en 1599.

Cervantès ne manque pas d'évoquer, d'utiliser quelques traits, quelques images picaresques dans l'épisode des galériens ; Ginès de Passamont, un des galériens que don Quichotte a délivrés dans sa folle imprudence, lui raconte

qu'il est en train d'écrire l'histoire de sa vie. Est-elle s
bonne que vous le dites ? demande don Quichotte, à quoi
le galérien répond : « Si bonne qu'elle fera la barbe à
Lazarille de Tormes et à tous ceux du même genre écrits ou
à écrire. » Dans la seconde partie, les chapitres qui mettent
en scène maître Pierre, alias Ginès de Passamont, nous
éclairent à nouveau sur le personnage, digne de figurer
dans la belle cour des miracles que trace la magnifique nouvelle exemplaire intitulée *Rinconete y Cortadillo*, avec son
personnage central, Monipodio. Les personnages de
Maritorne, l'écuyer à l'auberge sont autant d'éléments qui
nous rapprochent de la vie et de la réalité quotidienne,
sinon de la vie des picaros.

On a parfois voulu trouver des modèles vivants à don
Quichotte et même à Sancho. On ne peut certes pas mettre
en doute les nombreuses touches autobiographiques que
l'écrivain a apportées au Quichotte. Lui, le soldat de
Lépante, était resté cinq longues années captif à Alger.
Plusieurs de ses comedias en ont tiré une substance : *les
Bagnes d'Alger, la Grande Sultane*. Dans le *Quichotte* aussi
il y a une nouvelle assez indépendante, *le Captif*, que l'on
pourrait qualifier de nouvelle moresque, et qui nous permet
d'entendre la chronique des expéditions de Tunis et d'Alger, l'histoire de la captivité du narrateur. Bien d'autres
allusions personnelles pourraient et mériteraient d'être
relevées, mais *Don Quichotte* n'est pas un roman historique, même s'il nous fournit une ample et riche moisson
sur la société espagnole de son temps.

Les événements contemporains sont également évoqués,
parfois comme contrepoids d'aventures du même type déjà
contées dans l'autre partie. Il en est ainsi pour celle rela-
tant les exploits de *Roque Guinart*, le bandit généreux qui
terrorise toute la Santa Hermandad ou bien l'épisode de
Ricote, le Morisque qui vient nous rappeler l'expulsion
dramatique des Morisques en 1609 et 1610, et tous les
incidents religieux et raciaux qui se déroulaient dans ces
quinze premières années du siècle. Nous voyons passer la
Santa Hermandad, qui fait si grand peur à Sancho et les
galériens menés vers leurs présides, mais nous ne pouvons
pas dire que le roman soit temporalisé. Il n'est pas non
plus localisé, bien qu'Azorin nous ait judicieusement tracé
l'*Itinéraire de Don Quichotte*, à travers la Castille et l'Aragon.

Comment oserions-nous nous lancer maintenant dans
des jugements, des interprétations ? Est-il possible et même
imaginable de faire en quelques pages une étude des idées
de Cervantès, alors que des milliers de volumes lui ont été
consacrés ? Ses idées philosophiques, morales, religieuses,

, conception de la vie, son humour, sa fine ironie, sa
agesse, la fraîcheur et le naturel du langage et de l'écriture, sa verve, seraient autant de chapitres à ajouter à une
explication déjà trop longue.

Du livre se dégage une secrète leçon de liberté et d'humanité. Certains même ont voulu faire de Cervantès un
libre penseur, ou encore comme Dominique Aubier un
prophète d'Israël. Les explications ésotériques ont fleuri
avant même ce dernier ouvrage, en particulier avec Nico-
lás Diaz de Benjumea à la fin du siècle dernier. Nous ne
les suivrons pas. Nous ne suivrons pas davantage Américo
Castro dans son jugement sur l'hypocrisie religieuse d'un
Cervantès érasmisant. L'humanisme répandu dans ses
livres lui a été transmis par son maître, par ses lectures, par
ses amitiés dans le monde des médecins, mais c'est un
humanisme chrétien, même s'il est influencé par Erasme.

Il est au moins trois points sur lesquels maintenant je
voudrais insister pour mieux situer les intentions de Cervantès dans son *Quichotte*, qui est l'ouvrage d'un merveilleux conteur.

Tout d'abord son goût pour les aphorismes, les adages,
les proverbes et les contes populaires. Il aimait toutes ces
formules contenant l'antique sagesse des hommes, qui
devaient à la fois avoir un sens moral et un sens caché. Il
aimait les proverbes et il en met tant dans la bouche de
Sancho, puis dans celle de don Quichotte, que tous réunis
ils pourraient faire une aussi belle collection que ceux du
Commandeur grec, Hernán Nuñez ou de Correas. Il affectionnait également les dialogues et les colloques, rejoignant
ainsi les goûts et les affinités de ces érasmistes si remar-
quablement étudiés par Marcel Bataillon. « Vivès, nous
dit Bataillon, confond dans la même réprobation tous les
romans. Il y joint les traductions des auteurs de la première
Renaissance italienne... et s'en prend plus spécialement
aux romans de chevalerie, littérature immorale, littérature
menteuse. » Avant Cervantès, Valdès est beaucoup moins
sévère pour les quatre premiers livres d'*Amadis*, pour *Palmerin* et pour *Primaleon*. Et il est curieux de noter que,
comme dit Bataillon, « le roman auquel les érasmistes
réservent leur tendresse, c'est le roman byzantin d'aventures, l'*Histoire éthiopique de Théagène et Chariclée* (celui
que s'efforcera de suivre Cervantès dans son *Persilès*) ».
Dans ces romans, il aime la vraisemblance, la vérité psychologique, l'ingéniosité de la composition, la substance philo-
sophique, le respect de la morale. C'est bien sur ces données que nous pouvons établir les véritables intentions de
Michel de Cervantès lorsqu'il aborde le sujet Don Quichotte posé sans sa réalité quotidienne et humaine.

Une autre observation mérite d'être faite, elle va un peu
dans le même sens que la précédente. C'est l'influence
qu'ont eue certainement le docteur Huarte de San Juan

et son *Examen des esprits* sur l'élaboration de *l'ing.
nieux hidalgo*. Rafael Salillas avait déjà touché ce thème
dans un opuscule publié en 1905; le Père Mauricio
Iriarte le développe plus scientifiquement dans sa thèse
sur *le docteur Huarte de San Juan et son Examen des
esprits*, qui date de 1948. Huarte, l'un des précurseurs de
la psycho-pédagogie et de l'orientation professionnelle en
Europe, Huarte, inspirateur de la *Sagesse* de Pierre Char-
ron, et de la pensée française précartésienne, a certainement fourni à Michel de Cervantès l'image scientifique,
selon les théories du temps, de la manie, sinon de la folie
de l'ingénieux hidalgo. S'il est vrai que Cervantès est
l'*Inventeur*, le génie créateur, il est aussi vrai que la faculté
dominante de l'homme de génie est une faculté caracté-
ristique de coordination, de juxtaposition, d'élaboration et
de réélaboration des connaissances et des expériences de
l'auteur. L'œuvre du médecin de Baeza, Huarte de
San Juan, célèbre dans l'Europe entière, s'est croisée sur
le chemin avec l'appétit de savoir et de connaître de Cervantès. L'ingénieux hidalgo était psychopathologiquement
un caractériel, dont l'expression artistique devait se fonder sur un savant tracé des traits de son tempérament.
Dans l'interprétation caractérielle, il est indispensable de
connaître la constitution biologique fondamentale d'un
être; bien davantage encore dans les cas morbides. Justement c'est une des contributions majeures de San Juan
à la psychologie que l'étude des corrélations existantes entre
la psyché d'un homme et sa complexion physique, entre
ces conditions naturelles et la psyché morale. Cervantès a
suivi les préceptes du maître (comme Iriarte nous le
démontre), dans l'étude des signes anatomiques et physio-
logiques des tempéraments, dans les rapports de ceux-ci
avec l'esprit, et de celui-ci avec le comportement. Le
terme même d'« *ingénieux* » est en rapport en espagnol avec
le titre du docteur Huarte (*ingenioso* — examen de *inge-
nios*). La dualité, l'ambiguïté des attitudes mentales de
don Quichotte, fou à ses heures, plein d'entendement et
de sagesse quand il ne s'agissait pas du thème central ou
adjacent de sa folie. L'exemple même du *Licencié de verre*
se trouve en quelque sorte analysé au chapitre IV de
l'*Examen des esprits*, qui nous rapporte l'histoire d'un page
atteint de certaines manies et qui ne se sentait bien heureux de vivre qu'avec sa folie des grandeurs. Le retour à la
raison de don Quichotte recevant les Saints Sacrements
correspond parfaitement à un autre cas clinique cité par
le même docteur Huarte de San Juan.

   Le Quichotte paraît bien être né et avoir vécu sous le
signe des théories de l'*Examen des esprits*. Dans le premier
chapitre de la seconde partie, à la suite du conte rapporté
par le barbier sur un pensionnaire de l'hôpital des fous de
Séville, don Quichotte déclare, suivant les leçons psycho-

...ogiques et caractérielles de Huarte : « De la même manière que je viens d'esquisser *Amadis*, je pourrais peindre et décrire tous les chevaliers que mentionnent les histoires du monde entier, car, par la conviction où je suis qu'ils furent tels que le racontent leurs histoires, par les exploits qu'ils firent et le caractère qu'ils eurent, *on peut, en bonne philosophie*, déduire quels furent leurs traits, leur stature et la couleur de leur teint. »

Et si nous recueillions dans le livre toutes les caractéristiques touchant à la morphologie, aux humeurs et à la physiologie du chevalier de la Triste Figure[1], nous trouverions une coïncidence parfaite avec l'homme de tempérament chaud et sec décrit par Huarte comme un être riche en intelligence et en imagination; de caractère mélancolique, irritable et coléreux, et de surcroît atteint de manies dans son comportement. Les autres détails apportés, les exemples cliniques donnés, et même une particularité comme celle du bégaiement et de la difficulté à parler nés de la colère, se trouvent chez Cervantès comme chez Huarte. « Le fait qu'à force de ne pas dormir et de trop lire son cerveau se dessécha » obéit à l'enseignement de Huarte, « tout un jour de veille dessèche et durcit le cerveau, le sommeil d'une nuit l'humidifie et le fortifie ». Le traitement de la maladie indiqué par Cervantès correspond à cette même doctrine. Aux trois retours du malheureux chevalier, celui-ci se voit plongé dans un long sommeil réparateur. Le rôle de la nutrition ou de la malnutrition, l'influence de la tristesse sont aussi des éléments importants, comme on le voit avec la princesse Miçomicona par exemple, sinon avec don Quichotte lui-même.

Cervantès éprouva donc un très vif intérêt, à notre sens, pour l'ouvrage du docteur Huarte de San Juan et particulièrement pour l'exemple de la folie de Démocrite, de son délire imaginatif, serait-il préférable de dire. Il l'applique à don Quichotte pour tout ce qui avait trait à sa folie pour les romans de chevalerie. L'influence de Huarte sur Cervantès fut formelle plutôt que matérielle. Elle lui permettait de confirmer des conceptions modernes sur la caractériologie, d'approfondir sa pénétration psychologique des personnages, de les dominer et de les mieux connaître.

La troisième observation, enfin, est d'ordre également formel, mais elle concerne la structure de l'œuvre, la théorie rhétorique sur lesquelles elle repose. Là encore il semble que l'influence d'un docteur Alonso López Pinciano, médecin à Valladolid et auteur de la *Philosophie poétique ancienne*, est à noter[2]. Le commentateur de la Poétique d'Aristote lui apporte des éléments nouveaux qu'il puisera

---

1. I, 1, 35, 37, 43. — II, 14, 16, 31, 46, 58, 62.
2. Je renvoie sur ce point à l'importante étude de D. Canavaggio sur ce sujet.

également dans des ouvrages italiens sur la Rhétorique
Horace et son *Art poétique* ont chez lui droit de cité. Au chapitre XLVII de la 1re partie, un savant chanoine dira, avec
bon sens et raison, dans une discussion sur les principes
qui doivent fonder la bonne littérature : « Je n'ai jamais vu
un livre de chevalerie qui formât un corps de fable entier,
avec tous ses membres, de manière que le milieu répondît
au commencement, et la fin au commencement et au
milieu. Les auteurs les composent, au contraire, de tant de
membres dépareillés qu'on dirait qu'ils ont eu plutôt
l'intention de fabriquer une chimère, un monstre, que de
faire une figure proportionnée. »

Le dérèglement des romans de chevalerie, la manie et la
contagion de la folie provoquent des questions, des questions irritantes et douloureuses que Michel de Cervantès,
fils d'un « cirujano », petit praticien de la médecine, attiré
par les théories médicales nouvelles, ami des lecteurs des
ouvrages des docteurs Laguna, Huarte de San Juan,
López Pinciano, va placer dans le domaine de la littérature. Il se documente sur tous les points en humaniste,
mais en humaniste qui n'abandonne pas pour autant
l'observation et la vie. Nous sommes tentés de citer
Paul Hazard une nouvelle fois : « Ne disons pas que Cervantès est avant tout un esprit critique ; mais disons que
dans toute l'histoire des lettres, il est difficile de trouver un
auteur qui joigne, à une faculté d'invention aussi féconde,
une faculté critique aussi décidée. Aux personnages qu'il
crée, il confère dès leur naissance une telle clairvoyance
qu'ils ne se contentent pas d'agir, mais qu'ils se regardent
agir, et se jugent : c'est un des traits de son génie original.
Chez lui, point d'homme qui ait perdu son ombre. Et
point de manifestation de la pensée humaine qu'il n'examine et ne juge. »

Pour conclure, une observation importante, essentielle
dont nous avons peu tenu compte. La distance qui sépare
les deux parties de ce même roman. Il ne s'agit pas seulement de dix années de distance, dix années bien remplies
d'une existence d'homme de lettres. Il s'agit pour Cervantès de combattre encore contre un nouvel adversaire :
l'auteur anonyme de la seconde partie apocryphe, contre
l'Imposteur. Les plans dans lesquels se mouvaient les personnages de la première partie vont se dédoubler dans la
seconde, parfois comme dans un miroir déformant, parfois
pour pouvoir porter un jugement sur le comportement
passé. Les lecteurs de la 2e partie connaissent les deux
textes : celui de la 1re partie du *Quichotte* et celui d'Avellaneda. Aussi, comme le dit Michel Foucault, dans *les Mots
et les Choses*, « dans la seconde partie du roman, don Qui-

chotte rencontre-t-il des personnages qui ont lu la première partie du texte et qui le reconnaissent, lui, homme
réel, pour le héros du livre. Le texte de Cervantès se
replie sur lui-même, s'enfonce dans sa propre épaisseur,
et devient pour soi objet de son propre récit. La première
partie des aventures joue dans la seconde le rôle qu'assu-
maient au début les romans de chevalerie. Don Quichotte
doit être fidèle à ce livre qu'il est réellement devenu ; il a
à le protéger des erreurs, des contrefaçons, des suites
apocryphes ; il doit ajouter les détails omis ; il doit maintenir sa vérité... Entre la première et la seconde partie du
roman, dans l'interstice de ces deux volumes, et par leur
seul pouvoir, don Quichotte a pris sa réalité. »

Alors, au retour de sa dernière sortie, « ses mélancolies et
ses dégoûts venant à bout de lui », il dort d'une traite pendant six heures ; à son réveil, une révolution s'est faite en
lui.

Il rejette sa folie, « se confesse, fait son testament et le
jour même où il revient à la sagesse des hommes, don
Quichotte, n'ayant plus rien à faire sur cette terre, rend le
dernier soupir ».

Ainsi finit le saint de la justice, don Quichotte, le plus
noble des hommes et le plus simple, comme a dit André
Suarès.

Chaque génération, depuis plus de trois cent cinquante ans, a voulu et su lire le chef-d'œuvre de Cervantès
comme cela correspondait à ses goûts, à ses structures, à ses
théories. Les artistes et les critiques, les philosophes et les
moralistes y ont découvert de nouveaux trésors. Traduit
dans toutes les langues de l'univers (même en basque, pour
le plaisir des descendants de Sanche d'Azpeitia), les peuples
ne vont pas forcément y chercher une image de l'Espagne,
mais une philosophie de l'homme. Classiques ou roman-
tiques, réalistes, existentialistes ou marxistes, chacun l'a
disséqué. C'est maintenant au lecteur courageux, qui a
accepté de lire jusqu'ici cette préface, de le goûter et d'en
tirer profit en s'instruisant. « Deleitar aprovechando », telle
était la devise du temps de Cervantès.

Louis Urrutia.

NOTE BIBLIOGRAPHIQUE

BABELON J. : *Cervantès*, Paris, Nouvelle Revue critique, 1939.

BARDON Maurice : *Don Quichotte en France aux XVIIe et XVIIIe siècles*, Paris, Champion, 1931, 2 vol.

BATAILLON Marcel : *Erasme et l'Espagne*, Paris, Droz, 1937, LIX, 903 p., trad. esp. augm. de Antonio Alatorre, Méjico, Fondo de Cultura Económica, 1950, 2 vol.

CASSOU Jean : *Cervantès*, Paris, Editions Sociales Internationales, 1936, 244 p.

CASTRO Américo : *Cervantès*, Paris, Rieder, 1931.

— : *El pensamiento de Cervantes*, Madrid, 1925, 406 p.

CROOKS E. J. : *The influence of Cervantès in the 17 th century*, Baltimore, 1931, 271 p.

HAZARD Paul : *Don Quichotte de Cervantès, Etude et Analyse*. Paris, 1931, 378 p.

MOREL-FATIO A. : *L'Espagne de Don Quichotte*, in *Etudes sur l'Espagne*, 1, 1895, p. 295-382.

RILEY Edward C. : *Teoria de la novela en Cervantes*, Madrid, Taurus, 1966, 374 p.

L'INGÉNIEUX HIDALGO
DON QUICHOTTE DE LA MANCHE

PROLOGUE

Lecteur inoccupé, tu me croiras bien, sans exiger de serment, si je te dis que je voudrais que ce livre, comme enfant de mon intelligence, fût le plus beau, le plus élégant et le plus spirituel qui se pût imaginer; mais hélas! je n'ai pu contrevenir aux lois de la nature, qui veut que chaque être engendre son semblable. Ainsi, que pouvait engendrer un esprit stérile et mal cultivé comme le mien, sinon l'histoire d'un fils sec, maigre, rabougri, fantasque, plein de pensées étranges et que nul autre n'avait conçues, tel enfin qu'il pouvait s'engendrer dans une prison, où toute incommodité a son siège, où tout bruit sinistre fait sa demeure? Le loisir et le repos, la paix du séjour, l'aménité des champs, la sérénité des cieux, le murmure des fontaines, le calme de l'esprit, toutes ces choses concourent à ce que les muses les plus stériles se montrent fécondes, et montrent au monde ravi des fruits merveilleux qui le comblent de satisfaction. Arrive-t-il qu'un père ait un fils laid et sans aucune grâce, l'amour qu'il porte à cet enfant lui met un bandeau sur les yeux pour qu'il ne voie pas ses défauts; au contraire, il les prend pour des saillies, des gentillesses, et les conte à ses amis pour des traits charmants d'esprit et de malice. Mais moi, qui ne suis, quoique j'en paraisse le père véritable, que le père putatif de don Quichotte, je ne veux pas suivre le courant de l'usage, ni te supplier, les larmes aux yeux, comme d'autres font, très cher lecteur, de pardonner ou d'excuser les défauts que tu verras en cet enfant, que je te présente pour le mien. Puisque tu n'es ni son parent ni son ami; puisque tu as ton âme dans ton corps avec son libre arbitre, autant que le plus huppé; puisque tu habites ta maison, dont tu es seigneur autant que le roi de ses tributs, et que tu sais bien le commun proverbe : *Sous mon manteau je tue le roi*, toutes choses qui t'exemptent à mon égard d'obligation et de respect, tu peux dire de l'histoire tout ce qui te semblera bon, sans crainte qu'on te punisse pour le mal, sans espoir qu'on te récompense pour le bien qu'il te plaira d'en dire.

Seulement, j'aurais voulu te la donner toute nue, sans l'ornement du prologue, sans l'accompagnement ordinaire de cet innombrable catalogue de sonnets, d'épigrammes, d'éloges qu'on a l'habitude d'imprimer en tête des livres. Car je dois te dire que, bien que cette histoire m'ait coûté quelque travail à composer, aucun ne m'a semblé plus grand que celui de faire cette préface que tu es à lire. Bien souvent j'ai pris la plume pour l'écrire, et toujours je l'ai posée, ne sachant ce que j'écrirais. Mais un jour que j'étais indécis, le papier devant moi, la plume sur l'oreille, le coude sur la table et la main sur la joue, pensant à ce que j'allais dire, voilà que tout à coup entre un de mes amis, homme d'intelligence et d'enjouement, lequel, me voyant si sombre et si rêveur, m'en demanda la cause. Comme je ne voulais pas la lui cacher, je lui répondis que je pensais au prologue qu'il fallait écrire pour l'histoire de don Quichotte, et que j'étais si découragé que j'avais résolu de ne pas le faire, et dès lors de ne pas mettre au jour les exploits d'un si noble chevalier.

« Car enfin, lui dis-je, comment voudriez-vous que je ne fusse pas en souci de ce que va dire cet antique législateur qu'on appelle le public, quand il verra qu'au bout de tant d'années où je dormais dans l'oubli, je viens aujourd'hui me montrer au grand jour portant toute la charge de mon âge, avec une légende sèche comme du jonc, pauvre d'invention et de style, dépourvue de jeux d'esprit et de toute érudition, sans annotations en marge et sans commentaires à la fin du livre; tandis que je vois d'autres ouvrages, même fabuleux et profanes, si remplis de sentences d'Aristote, de Platon et de toute la troupe des philosophes qu'ils font l'admiration des lecteurs, lesquels en tiennent les auteurs pour hommes de grande lecture, érudits et éloquents ? Et qu'est-ce, bon Dieu! quand ils citent la sainte Écriture ? Ne dirait-on pas que ce sont autant de saints Thomas et de docteurs de l'Église, gardant en cela une si ingénieuse bienséance qu'après avoir dépeint, dans une ligne, un amoureux dépravé, ils font, dans la ligne suivante, un petit sermon chrétien, si joli que c'est une joie de le lire ou de l'entendre ? De tout cela mon livre va manquer; car je n'ai rien à annoter en marge, rien à commenter à la fin et je ne sais pas davantage quels auteurs j'y ai suivis, afin de citer leurs noms en tête du livre, comme font tous les autres, par les lettres de l'A B C, en commençant par Aristote et en finissant par Xénophon, ou par Zoïle et Zeuxis, bien que l'un soit un critique envieux et le second un peintre. Mon livre va manquer encore de sonnets en guise d'introduction, au moins de sonnets dont les auteurs soient des ducs, des comtes, des marquis, des évêques, de grandes dames ou de célèbres poètes ; bien que, si j'en demandais quelques-uns à deux ou trois amis, gens du métier, je sais qu'ils me les donneraient, et

tels que ne les égaleraient point ceux des plus renommés
en notre Espagne. Enfin, mon ami et seigneur, poursuivis-
je, j'ai résolu que le seigneur don Quichotte restât enseveli
dans ses archives de la Manche, jusqu'à ce que le ciel lui
envoie quelqu'un qui l'orne de tant de choses dont il est
dépourvu ; car je me sens incapable de les lui fournir,
à cause de mon insuffisance et de ma chétive érudition
et parce que je suis naturellement paresseux d'aller à la
quête d'auteurs qui disent pour moi ce que je sais bien
dire sans eux. C'est de là que viennent l'indécision et la
rêverie où vous m'avez trouvé, cause bien suffisante,
comme vous venez de l'entendre, pour m'y tenir plongé. »

Quand mon ami eut écouté cette harangue, il se frappa
le front du creux de la main, et, partant d'un grand éclat
de rire : « Par Dieu, frère, s'écria-t-il, vous venez de me
tirer d'une erreur où j'étais resté depuis le long temps
que je vous connais. Je vous avais toujours tenu pour un
homme d'esprit sensé, et sage dans toutes vos actions ;
mais je vois à présent que vous êtes aussi loin de cet homme
que la terre l'est du ciel. Comment est-il possible que de
semblables bagatelles, et de si facile rencontre, aient la
force d'interdire et absorber un esprit aussi mûr que le
vôtre, aussi accoutumé à aborder et à vaincre des difficultés bien autrement grandes ? En vérité, cela ne vient
pas d'un manque de talent, mais d'un excès de paresse
et d'une absence de réflexion. Voulez-vous éprouver si
ce que je dis est vrai ? Eh bien ! soyez attentif, et vous
allez voir comment, en un clin d'œil, je dissipe toutes ces
difficultés et remédie à tous ces défauts qui vous embar-
rassent, dites-vous, et vous effrayent au point de vous
faire renoncer à mettre au jour l'histoire de votre fameux
don Quichotte, miroir et lumière de toute la chevalerie
errante. — Voyons, répliquai-je à son offre ; de quelle
manière pensez-vous remplir le vide qui fait mon effroi,
et tirer à clair le chaos de ma confusion ? »

Il me répondit : « A la première chose qui vous chagrine,
c'est-à-dire le manque de sonnets, épigrammes et éloges
à mettre en tête du livre, voici le remède que je propose ; prenez la peine de les faire vous-même ; ensuite
vous les pourrez baptiser et nommer comme il vous plaira,
leur donnant pour parrains le Preste Jean des Indes ou
l'empereur de Trébisonde, desquels je sais que le bruit
a couru qu'ils étaient d'excellents poètes ; mais quand
même ils ne l'eussent pas été, et que des pédants de bache-
liers s'aviseraient de mordre sur vous par derrière à propos
de cette assertion, n'en faites pas cas pour deux maravédis : car le mensonge fût-il avéré, on ne vous coupera
pas la main qui l'a écrit.

« Quant à citer en marge les livres et les auteurs où
vous auriez pris les sentences et les maximes que vous
placerez dans votre histoire, vous n'avez qu'à vous arran-

ger de façon qu'il y vienne à propos quelque dicton latin,
de ceux que vous saurez par cœur, ou qui ne vous coûte-
ront pas grande peine à trouver. Par exemple, en parlant
de liberté et d'esclavage, vous pourriez mettre :

Non bene pro toto libertas venditur auro,

et citer en marge Horace; ou celui qui l'a dit. S'il est
question du pouvoir de la mort, vous recourrez aussitôt
au distique :

*Pallida mors æquo pulsat pede pauperum tabernas
Regumque turres.*

S'il s'agit de l'affection et de l'amour que Dieu commande
d'avoir pour son ennemi, entrez aussitôt dans la divine
Ecriture, ce que vous pouvez faire avec tant soit peu d'attention, et citez pour le moins les paroles de Dieu même :
Ego autem dico vobis : Diligite inimicos vestros. Si vous traitez
de mauvaises pensées, invoquez l'Evangile : *De corde exeunt
cogitationes malæ;* si de l'instabilité des mais, voilà Caton
qui vous prêtera son distique :

*Donec eris felix, multos numerabis amicos ;
Tempora si fuerint nubila, solus eris.*

Avec ces bouts de latin, et quelques autres de même étoffe,
on vous tiendra du moins pour grammairien, ce qui, à
l'heure qu'il est, n'est pas d'un petit honneur ni d'un
mince profit.

« Pour ce qui est de mettre des notes et commentaires
à la fin du livre, vous pouvez en toute sûreté le faire de
cette façon : si vous avez à nommer quelque géant dans
votre livre, faites en sorte que ce soit le géant Goliath,
et vous avez, sans qu'il vous en coûte rien, une longue
annotation toute prête; car vous pourrez dire : *Le géant
Golias, ou Goliath, fut un Philistin que le berger David tua
d'un grand coup de fronde dans la vallée de Térébinthe, ainsi
qu'il est conté dans le* Livre des Rois, *au chapitre où vous en
trouverez l'histoire.* Après cela, pour vous montrer homme
érudit, versé dans les lettres humaines et la cosmographie,
arrangez-vous de manière que le fleuve du Tage soit mentionné en quelque passage de votre livre, et vous voilà
en possession d'un autre magnifique commentaire. Vous
n'avez qu'à mettre : *Le fleuve du Tage fut ainsi appelé du
nom d'un ancien roi d'Espagne; il a sa source en tel endroit,
et son embouchure dans l'Océan, où il se jette, après avoir baigné les murs de la fameuse cité de Lisbonne. Il passe pour rouler
des sables d'or, etc.* Si vous avez à parler de larrons, je
vous fournirai l'histoire de Cacus, que je sais par cœur;
si de femmes perdues, voilà l'évêque de Mondoñedo

qui vous prêtera Lamia, Layda et Flora, et la matière
d'une note de grand crédit; si de cruelles, Ovide vous
fournira Médée; si d'enchanteresses, Homère a Calypso,
et Virgile, Circé; si de vaillants capitaines, Jules César
se prêtera lui-même dans ses *Commentaires*, et Plutarque
vous donnera mille Alexandres. Avez-vous à parler
d'amours ? Pour peu que vous sachiez quatre mots de la
langue italienne, vous trouverez dans Leone Hebreo de
quoi remplir la mesure toute comble; et s'il vous déplaît
d'aller à la quête en pays étrangers, vous avez chez vous
Fonseca et son *Amour de Dieu*, qui renferme tout ce que
vous et le plus ingénieux puissiez désirer en semblable
matière. En un mot, vous n'avez qu'à faire en sorte de
citer les noms que je viens de dire, ou de mentionner ces
histoires dans la vôtre, et laissez-moi le soin d'ajouter
des notes marginales et finales : je m'engage, parbleu, à
vous remplir les marges du livre et quatre feuilles à la fin.

« Venons, maintenant, à la citation d'auteurs qu'ont les
autres livres et dont le vôtre est dépourvu. Le remède
est vraiment très facile, car vous n'avez autre chose à
faire que de chercher un ouvrage qui les ait tous cités
depuis l'*a* jusqu'au *z*, comme vous dites fort bien; et
ce même abécédaire, vous le mettrez tout fait dans votre
livre. Vit-on clairement le mensonge, à cause du peu d'utilité que ces auteurs pouvaient vous offrir, que vous importe ? Il se trouvera peut-être encore quelque homme
assez simple pour croire que vous les avez tous mis à
contribution dans votre histoire ingénus et tout unie. Et,
ne fût-il bon qu'à cela, ce long catalogue doit tout d'abord
donner au livre quelque autorité. D'ailleurs, qui s'avisera,
n'ayant à cela nul intérêt, de vérifier si vous avez ou non
suivi ces auteurs ? Mais il y a plus, et si je ne me trompe,
votre livre n'a pas le moindre besoin d'aucune de ces choses
que vous dites lui manquer; car enfin, il n'est tout au
long qu'une invective contre les livres de chevalerie, dont
Aristote n'entendit jamais parler, dont Cicéron n'eut pas
la moindre idée, et dont saint Basile n'a pas dit un mot.
Et, d'ailleurs, ses fabuleuses et extravagantes inventions
ont-elles à démêler quelque chose avec les ponctuelles
exigences de la vérité ou les observations de l'astronomie ?
Que lui importent les mesures géométriques ou l'obser-
vance des règles et arguments de la rhétorique ? A-t-il,
enfin, à prêcher quelqu'un, en mêlant les choses humaines
et divines, ce qui est une sorte de mélange que doit
réprouver tout entendement chrétien ? L'imitation doit
seulement lui servir pour le style, et plus celle-là sera parfaite, plus celui-ci s'approchera de la perfection. Ainsi
donc, puisque votre ouvrage n'a d'autre but que de fermer
l'accès et de détruire l'autorité qu'ont dans le monde et
parmi le vulgaire les livres de chevalerie, qu'est-il besoin que
vous alliez mendiant des sentences de philosophes, des

conseils de la sainte Ecriture, des fictions de poètes, des
oraisons de rhétoriciens et des miracles de bienheureux ?
Mais tâchez que, tout uniment et avec des paroles claires,
honnêtes, bien disposées, votre période soit sonore et votre
récit amusant, que vous peigniez tout ce que votre imagination conçoit, et que vous fassiez comprendre vos pensées
sans les obscurcir et les embrouiller. Tâchez aussi qu'en
lisant votre histoire, le mélancolique s'excite à rire, que
le rieur augmente sa gaieté, que le simple ne s'ennuie pas,
que l'habile admire l'invention, que le grave ne la méprise
point, et que le sage se croie tenu de la louer. Surtout,
visez continuellement à renverser de fond en comble
cette machine mal assurée des livres de chevalerie, réprou-
vés de tant de gens, et vantés d'un bien plus grand nombre.
Si vous en venez à bout, vous n'aurez pas fait une mince
besogne. »

J'avais écouté dans un grand silence tout ce que me
disait mon ami, et ses propos se gravèrent si bien dans
mon esprit que, sans vouloir leur opposer la moindre
dispute, je les tins pour sensés, leur donnai mon approbation, et voulus même en composer ce prologue, dans
lequel tu verras, lecteur bénévole, la prudence et l'habileté de mon ami, le bonheur que j'eus de rencontrer en
temps si opportun un tel conseiller, enfin le soulagement
que tu goûteras toi-même en trouvant dans toute son
ingénuité, sans mélange et sans détours, l'histoire du
fameux don Quichotte de la Manche, duquel tous les habitants du district de la plaine de Montiel ont l'opinion qu'il
fut le plus chaste amoureux et le plus vaillant chevalier que,
de longues années, on ait vu dans ces parages. Je ne veux
pas trop te vanter le service que je te rends en te faisant
connaître un si digne et si notable chevalier; mais je veux
que tu me saches gré pourtant de la connaissance que je
te ferai faire avec le célèbre Sancho Panza, son écuyer,
dans lequel, à mon avis, je te donne rassemblées toutes
les grâces du métier qui sont éparses à travers la foule
innombrable et vaine des livres de chevalerie. Après cela,
que Dieu te donne bonne santé, et qu'il ne m'oublie pas
non plus. *Vale.*

PREMIÈRE PARTIE

CHAPITRE PREMIER

Qui traite de la qualité et des occupations du fameux hidalgo
don Quichotte de la Manche.

Dans une bourgade de la Manche, dont je ne veux pas me rappeler le nom, vivait, il n'y a pas longtemps, un hidalgo, de ceux qui ont lance au râtelier, rondache anrique, bidet maigre et lévrier de chasse. Un pot-au-feu, plus souvent de mouton que de bœuf, une vinaigrette presque tous les soirs, des abattis de bétail le samedi, le vendredi des lentilles, et le dimanche quelque pigeonneau outre l'ordinaire, consumaient les trois quarts de son revenu. Le reste se dépensait en un pourpoint de drap fin, des chausses de panne avec leurs pantoufles de même étoffe, pour les jours de fête, et un habit de la meilleure serge du pays, dont il se faisait honneur les jours de la semaine. Il avait chez lui une gouvernante qui passait les quarante ans, une nièce qui n'atteignait pas les vingt, et de plus un garçon de ville et de campagne, qui sellait le bidet aussi bien qu'il maniait la serpette. L'âge de notre hidalgo frisait la cinquantaine ; il était de complexion robuste, maigre de corps, sec de visage, fort matineux et grand ami de la chasse. On a dit qu'il avait le surnom de Quixada ou Quesada, car il y a sur ce point quelque divergence entre les auteurs qui en ont écrit, bien que les conjectures les plus vraisemblables fassent entendre qu'il s'appelait Quijana. Mais cela importe peu à notre histoire ; il suffit que, dans le récit des faits, on ne s'écarte pas d'un atome de la vérité.

Or il faut savoir que cet hidalgo, dans les moments où il restait oisif, c'est-à-dire à peu près toute l'année, s'adonnait à lire des livres de chevalerie, avec tant de goût et de plaisir qu'il en oublia presque entièrement l'exercice de la chasse et l'administration de son bien. Sa curiosité et son extravagance arrivèrent à ce point qu'il vendit plusieurs arpents de bonnes terres à blé pour acheter des livres de chevalerie à lire. Aussi en amassa-t-il dans sa maison autant qu'il put s'en procurer. Mais, de tous ces livres, nul ne lui paraissait aussi parfait que ceux composés par le fameux Feliciano de Silva. En effet, l'extrême clarté de sa prose le ravissait, et ses propos si bien entortillés lui semblaient d'or; surtout quand il venait à lire ces lettres de galanterie et de défi où il trouvait écrit en plus d'un endroit : *La raison de la déraison qu'à ma raison vous faites, affaiblit tellement ma raison, qu'avec raison, je me plains de votre beauté*, et de même quand il lisait : *Les hauts cieux qui de votre divinité divinement par le secours des étoiles vous fortifient, et vous font méritante des mérites que mérite votre grandeur.*

Avec ces propos et d'autres semblables, le pauvre gentilhomme perdait le jugement. Il passait les nuits et se donnait la torture pour les comprendre, pour les approfondir, pour leur tirer le sens des entrailles, ce qu'Aristote lui-même n'aurait pu faire, s'il fût ressuscité tout exprès pour cela. Il ne s'accommodait pas autant des blessures que don Bélianis donnait ou recevait, se figurant que, par quelque excellent docteur qu'il fût pansé, il ne pouvait manquer d'avoir le corps couvert de cicatrices, et le visage de balafres. Mais, néanmoins, il louait dans l'auteur cette façon galante de terminer son livre par la promesse de cette interminable aventure; souvent même il lui vint envie de prendre la plume et de le finir au pied de la lettre, comme il y est annoncé. Sans doute il l'aurait fait, et s'en serait même tiré à son honneur, si d'autres pensées, plus continuelles et plus grandes, ne l'en eussent détourné. Maintes fois il avait disputé avec le curé du pays, homme docte et gradué à Sigüenza, sur la question de savoir lequel avait été le meilleur chevalier, de Palmerin d'Angleterre ou d'Amadis de Gaule. Pour maître Nicolas, barbier du même village, il assurait que nul n'approchait du chevalier de Phébus, et que si quelqu'un pouvait lui être comparé, c'était le seul don Galaor, frère d'Amadis de Gaule; car celui-là était propre à tout, sans minauderie, sans grimaces, non point un pleureur comme son frère, et ne lui cédant pas d'un pouce pour le courage.

Enfin, notre hidalgo s'acharna tellement à sa lecture que ses nuits se passaient en lisant du soir au matin, et ses jours, du matin au soir. Si bien qu'à force de dormir peu et de lire beaucoup, il se dessécha le cerveau, de manière qu'il vint à perdre l'esprit. Son imagination se remplit de tout ce qu'il avait lu dans les livres, enchantements, querelles, défis, batailles, blessures, galanteries, amours, tempêtes et extravagances impossibles; et il se fourra si bien dans la tête que tout ce magasin d'inventions rêvées était la vérité pure qu'il n'y eut pour lui nulle autre histoire plus certaine dans le monde. Il disait que le Cid Ruy Diaz avait sans doute été bon chevalier, mais qu'il n'approchait point du chevalier de l'Ardente-Epée, lequel, d'un seul revers, avait coupé par la moitié deux farouches et démesurés géants. Il faisait plus de cas de Bernard del Carpio, parce que, dans la gorge de Roncevaux, il avait mis à mort Roland l'enchanté, s'aidant de l'adresse d'Hercule quand il étouffa Antée, le fils de la Terre, entre ses bras. Il disait grand bien du géant Morgan, qui, bien qu'issu de cette race géante, où tous sont arrogants et discourtois, était lui seul affable et bien élevé. Mais celui qu'il préférait à tous les autres, c'était Renaud de Montauban, surtout quand il le voyait sortir de son château, et détrousser autant de gens qu'il en rencontrait, ou voler, par delà le détroit, cette idole de Mahomet, qui était toute d'or, à ce que dit son histoire. Quant au traître Ganelon, pour lui administrer une volée de coups de pied dans les côtes, il aurait volontiers donné sa gouvernante, et même sa nièce par-dessus le marché.

Finalement, ayant perdu l'esprit sans ressource, il vint à donner dans la plus étrange pensée dont jamais fou se fût avisé dans le monde. Il lui parut convenable et nécessaire, aussi bien pour l'éclat de sa gloire que pour le service de son pays, de se faire chevalier errant, de s'en aller par le monde, avec son cheval et ses armes, chercher les aventures, et de pratiquer tout ce qu'il avait lu que pratiquaient les chevaliers errants, redressant toutes sortes de torts, et s'exposant à tant de rencontres, à tant de périls qu'il acquît, en les surmontant, une éternelle renommée. Il s'imaginait déjà, le pauvre rêveur, voir couronner la valeur de son bras au moins par l'empire de Trébisonde. Ainsi emporté par de si douces pensées et par l'ineffable attrait qu'il y trouvait, il se hâta de mettre son désir en pratique. La première chose qu'il fit fut de nettoyer les pièces d'une armure qui avait appartenu à ses bisaïeux, et qui, moisie et rongée de rouille, gisait depuis des siècles oubliée dans un coin. Il les lava, les frotta, les raccommoda du mieux qu'il put. Mais il s'aperçut qu'il manquait à cette armure une chose importante, et qu'au lieu d'un heaume complet elle n'avait qu'un simple morion. Alors son industrie suppléa à ce défaut : avec du carton, il fit une manière de demi-salade, qui, emboîtée avec le morion, formait une apparence de salade entière. Il est vrai que, pour essayer si elle était forte et à l'épreuve d'estoc et de taille, il tira son épée et lui porta deux coups du tranchant, dont le premier détruisit en un instant l'ouvrage d'une semaine. Cette facilité de la mettre en pièces ne laissa pas de lui déplaire et, pour s'assurer contre un tel péril, il se mit à refaire son armet, le garnissant en dedans de légères bandes de fer, de façon qu'il demeura satisfait de sa solidité ; et, sans vouloir faire sur lui de nouvelles expériences, il le tint pour un casque à visière de la plus fine trempe.

Cela fait, il alla visiter sa monture ; et, quoique l'animal eût plus de tares que de membres, et plus triste apparence que le cheval de Gonéla, qui *tantum pellis et ossa fuit*, il lui sembla que ni le Bucéphale d'Alexandre ni le Babiéca

du Cid, ne lui étaient comparables. Quatre jours se passèrent à ruminer dans sa tête quel nom il lui donnerait :
« Car, se disait-il, il n'est pas juste que cheval de si fameux
chevalier, et si bon par lui-même, reste sans nom connu. »
Aussi essayait-il de lui en accommoder un qui désignât
ce qu'il avait été avant d'entrer dans la chevalerie errante,
et ce qu'il était alors. La raison voulait d'ailleurs que son
maître changeant d'état, il changeât aussi de nom, et qu'il
en prît un pompeux et éclatant, tel que l'exigeaient le
nouvel ordre et la nouvelle profession qu'il embrassait.
Ainsi, après une quantité de noms qu'il composa, effaça,
rogna, augmenta, défit et refit dans sa mémoire et son
imagination, à la fin il vint à l'appeler *Rossinante*, nom, à
son idée, majestueux et sonore, qui signifiait ce qu'il avait
été et ce qu'il était devenu, la première de toutes les rosses
du monde.

Ayant donné à son cheval un nom si à sa fantaisie, il
voulut s'en donner un à lui-même; et cette pensée lui prit
huit autres jours, au bout desquels il décida de s'appeler
don Quichotte. C'est de là, comme on l'a dit, que les auteurs
de cette véridique histoire prirent occasion d'affirmer qu'il
devait se nommer Quixada, et non Quesada comme
d'autres ont voulu le faire croire. Se rappelant alors que
le valeureux Amadis ne s'était pas contenté de s'appeler
Amadis tout court, mais qu'il avait ajouté à son nom
celui de sa patrie, pour la rendre fameuse, et s'était appelé
Amadis de Gaule, il voulut aussi, en bon chevalier, ajouter
au sien le nom de la sienne et s'appeler *don Quichotte de
la Manche*, s'imaginant qu'il désignait clairement par là
sa race et sa patrie, et qu'il honorait celle-ci en prenant
d'elle son surnom.

Ayant donc nettoyé ses armes, fait du morion une salade,
donné un nom à son bidet et à lui-même la confirmation
il se persuada qu'il ne lui manquait plus rien, sinon de
chercher une dame de qui tomber amoureux, car, pour
lui, le chevalier errant sans amour était un arbre sans
feuilles et sans fruits, un corps sans âme. Il se disait : « Si
pour la punition de mes péchés, ou plutôt par faveur de ma
bonne étoile, je rencontre par là quelque géant, comme
il arrive d'ordinaire aux chevaliers errants, que je le renverse du premier choc ou que je le fende par le milieu
du corps, qu'enfin je le vainque et le réduise à merci, ne
serait-il pas bon d'avoir à qui l'envoyer en présent, pour
qu'il entre et se mette à genoux devant ma douce maîtresse,
et lui dise d'une voix humble et soumise : « Je suis le
géant Caraculiambro, seigneur de l'île Malindrania, qu'a
vaincu en combat singulier le jamais dignement loué
chevalier don Quichotte de la Manche, lequel m'a ordonné
de me présenter devant Votre Grâce, pour que Votre
Grandeur dispose de moi tout à son aise ? » Oh! combien
se réjouit notre bon chevalier quand il eut fait ce discours,

et surtout quand il eut trouvé à qui donner le nom de sa dame! Ce fut, à ce que l'on croit, une jeune paysanne de bonne mine, qui demeurait dans un village voisin du sien et dont il avait été quelque temps amoureux, bien que la belle n'en eût jamais rien su, et ne s'en fût pas souciée davantage. Elle s'appelait Aldonza Lorenzo, et ce fut à elle qu'il lui sembla bon d'accorder le titre de dame suzeraine de ses pensées. Lui cherchant alors un nom qui ne s'écartât pas trop du sien, qui sentît et représentât la grande dame et la princesse, il vint à l'appeler *Dulcinée du Toboso*, parce qu'elle était native de ce village; nom harmonieux à son avis, rare et distingué, et non moins expressif que tous ceux qu'il avait donnés à son équipage et à lui-même.

CHAPITRE II

*Qui traite de la première sortie que fit de son pays l'ingénieux
don Quichotte.*

Ayant donc achevé ses préparatifs, il ne voulut pas
attendre davantage pour mettre à exécution son projet.
Ce qui le pressait de la sorte, c'était la privation qu'il
croyait faire au monde par son retard, tant il espérait
venger d'offenses, redresser de torts, réparer d'injustices,
corriger d'abus, acquitter de dettes. Ainsi, sans mettre
âme qui vive dans la confidence de son intention, et sans
que personne le vît, un beau matin, avant le jour, qui
était un des plus brûlants du mois de juillet, il s'arma de
toutes pièces, monta sur Rossinante, coiffa son espèce
de salade, embrassa son écu, saisit sa lance et, par la fausse
porte d'une basse-cour, sortit dans la campagne, ne se
sentant pas d'aise de voir avec quelle facilité il avait donné
carrière à son noble désir. Mais à peine se vit-il en chemin
qu'une pensée terrible l'assaillit, et telle que peu s'en
fallut qu'elle ne lui fît abandonner l'entreprise commencée.
Il lui vint à la mémoire qu'il n'était pas armé chevalier;
qu'ainsi, d'après les lois de la chevalerie, il ne pouvait
ni ne devait entrer en lice avec aucun chevalier; et que,
même le fût-il, il devait porter des armes blanches, comme
chevalier novice, sans devise sur l'écu, jusqu'à ce qu'il
l'eût gagnée par sa valeur. Ces pensées le firent hésiter
dans son propos; mais, sa folie l'emportant sur toute raison, il résolut de se faire armer chevalier par le premier
qu'il rencontrerait, à l'imitation de beaucoup d'autres qui
en agirent ainsi, comme il l'avait lu dans les livres qui
l'avaient mis en cet état. Quant aux armes blanches, il
pensait frotter si bien les siennes, à la première occasion,
qu'elles devinssent plus blanches qu'une hermine. De cette
manière, il se tranquillisa l'esprit, et continua son chemin,
qui n'était autre que celui que voulait son cheval, car il
croyait qu'en cela consistait l'essence des aventures.

En cheminant ainsi, notre tout neuf aventurier se parlait à lui-même, et disait : « Qui peut douter que dans les
temps à venir, quand se publiera la véridique histoire de
mes exploits, le sage qui les écrira, venant à conter cette

première sortie que je fais si matin ne s'exprime de la
sorte : « A peine le blond Phébus avait-il étendu sur la
spacieuse face de la terre immense les tresses dorées de
sa belle chevelure; à peine les petits oiseaux nuancés de
mille couleurs avaient-ils salué des harpes de leurs langues,
dans une douce et mielleuse harmonie, la venue de l'aurore
au teint de rose, qui, laissant la molle couche de son jaloux
mari, se montre aux mortels du haut des balcons de l'ho-
rizon castillan, que le fameux chevalier don Quichotte
de la Manche, abandonnant le duvet oisif, monta sur son
fameux cheval Rossinante, et prit sa route à travers l'antique et célèbre plaine de Montiel. » En effet, c'était là
qu'il cheminait; puis il ajouta : « Heureux âge et siècle
heureux, celui où paraîtront à la clarté du jour mes
fameuses prouesses dignes d'être gravées dans le bronze,
sculptées en marbre, et peintes sur bois, pour vivre éternellement dans la mémoire des âges futurs! O toi, qui
que tu sois, sage enchanteur, destiné à devenir le chroniqueur de cette merveilleuse histoire, je t'en prie, n'oublie
pas mon bon Rossinante, éternel compagnon de toutes
mes courses et de tous mes voyages. » Puis, se reprenant,
il disait, comme s'il eût été réellement amoureux : « O princesse Dulcinée, dame de ce cœur captif! une grande
injure vous m'avez faite en me donnant congé, en m'imposant, par votre ordre, la rigoureuse contrainte de ne
plus paraître en présence de votre beauté. Daignez, ma
dame, avoir souvenance de ce cœur, votre sujet, qui souffre
tant d'angoisses pour l'amour de vous. » A ces sottises,
il en ajoutait cent autres, toutes à la manière de celles que
ses livres lui avaient apprises, imitant de son mieux leur
langage. Et cependant, il cheminait avec tant de lenteur,
et le soleil, qui s'élevait, dardait des rayons si brûlants
que la chaleur aurait suffi pour lui fondre la cervelle s'il en
eût conservé quelque peu.

Il marcha presque tout le jour sans qu'il lui arrivât
rien qui fût digne d'être conté; et il s'en désespérait, car
il aurait voulu rencontrer aussitôt quelqu'un avec qui faire
l'expérience de la valeur de son robuste bras. Des auteurs
disent que la première aventure qui lui arriva fut celle
du Port-Lapice; d'autres, celle des moulins à vent. Mais
ce que j'ai pu vérifier à ce sujet, et ce que j'ai trouvé consi-
gné dans les annales de la Manche, c'est qu'il alla devant
lui toute cette journée et qu'au coucher du soleil son bidet
et lui se trouvèrent harassés et morts de faim. Alors regardant de toutes parts pour voir s'il ne découvrirait pas
quelque château, quelque hutte de bergers, où il pût chercher un gîte et un remède à son extrême besoin, il aperçut
non loin du chemin où il marchait une hôtellerie; ce fut
comme s'il eût vu l'étoile qui le guidait aux portiques, si
ce n'est au palais de sa rédemption. Il pressa le pas, si
bien qu'il y arriva à la tombée de la nuit. Par hasard il y

avait sur la porte deux jeunes filles, de celles-là qu'on appelle *de joie*, lesquelles s'en allaient à Séville avec quelques muletiers qui s'étaient décidés à faire halte cette nuit dans l'hôtellerie. Et comme tout ce qui arrivait à notre aventurier, tout ce qu'il voyait ou pensait lui semblait se faire ou venir à la manière de ce qu'il avait lu, dès qu'il vit l'hôtellerie, il s'imagina que c'était un château, avec ses quatre tourelles et ses chapiteaux d'argent bruni, auquel ne manquaient ni le pont-levis, ni les fossés, ni aucun des accessoires que de semblables châteaux ont toujours dans les descriptions. Il s'approcha de l'hôtellerie, qu'il prenait pour un château, et, à quelque distance, il retint la bride à Rossinante, attendant qu'un nain parût entre les créneaux pour donner avec son cor le signal qu'un chevalier arrivait au château. Mais voyant qu'on tardait et que Rossinante avait hâte d'arriver à l'écurie, il s'approcha de la porte, et vit les deux filles perdues qui s'y trouvaient, lesquelles lui parurent deux jolies damoiselles ou deux gracieuses dames qui, devant la porte du château, folâtraient et prenaient leurs ébats.

En ce moment il arriva, par hasard, qu'un porcher qui rassemblait dans des chaumes un troupeau de cochons (sans pardon ils s'appellent ainsi) souffla dans une corne au son de laquelle ces animaux se réunissent. Aussitôt don Quichotte s'imagina, comme il le désirait, qu'un nain donnait le signal de sa venue. Ainsi donc, transporté de joie, il s'approcha de l'hôtellerie et des dames, lesquelles voyant venir un homme armé de la sorte, avec lance et bouclier, allaient, pleines d'effroi, rentrer dans la maison. Mais don Quichotte comprit à leur fuite la peur qu'elles avaient. Il leva sa visière de carton, et, découvrant son sec et poudreux visage, d'un air aimable et d'une voix posée, il leur dit : « Que Vos Grâces ne prennent point la fuite, et ne craignent nulle discourtoise offense; car, dans l'ordre de chevalerie que je professe, il n'appartient ni ne convient d'en faire à personne, et surtout à des damoiselles d'aussi haut parage que le démontrent vos présences. » Les filles le regardaient et cherchaient de tous leurs yeux son visage sous la mauvaise visière qui le couvrait. Mais quand elles s'entendirent appeler demoiselles, chose tellement hors de leur profession, elles ne purent s'empêcher d'éclater de rire, et ce fut de telle sorte que don Quichotte vint à se fâcher. Il leur dit gravement : « La politesse sied à la beauté, et le rire qui procède d'une cause légère est une inconvenance; mais je ne vous dis point cela pour vous causer de la peine, ni troubler votre belle humeur, la mienne n'étant autre que de vous servir. » Ce langage, que ne comprenaient point les dames, et la mauvaise mine de notre chevalier augmentaient en elles le rire, et en lui le courroux, tellement que la chose eût mal tourné, si dans ce moment même n'eût paru l'hôtelier,

gros homme que son embonpoint rendait pacifique ; lequel
voyant cette bizarre figure, accoutrée d'armes si dépareillées, comme étaient la bride, la lance, la rondache et le
corselet, fut tout prêt d'accompagner les demoiselles dans
l'effusion de leur joie. Mais cependant, effrayé de ce fantôme armé en guerre, il se ravisa et résolut de lui parler
poliment : « Si Votre Grâce, seigneur chevalier, lui dit-il,
vient chercher un gîte, sauf le lit, car il n'y en a pas un
seul dans cette hôtellerie, tout le reste s'y trouvera en
grande abondance. » Don Quichotte voyant l'humilité du
commandant de la forteresse, puisque tels lui paraissaient
l'hôte et l'hôtellerie, lui répondit : « Pour moi, seigneur
châtelain, quoi que ce soit me suffit. *Mes parures, ce sont
les armes ; mon repos, c'est le combat*, etc. » L'hôte pensa
que l'étranger l'avait appelé châtelain parce qu'il lui semblait un échappé de Castille, quoiqu'il fût Andalous, et
de la plage de San-Lucar, aussi voleur que Cacus, aussi
goguenard qu'un étudiant ou un page. Il lui répondit
donc : « A ce train-là, *les lits de Votre Grâce sont des rochers
durs, et son sommeil est toujours veiller*. S'il en est ainsi,
vous pouvez mettre pied à terre, bien assuré de trouver
dans cette masure l'occasion et les occasions de ne pas
dormir, non de la nuit, mais de l'année entière. »

En disant cela, il fut tenir l'étrier à don Quichotte,
lequel descendit de cheval avec beaucoup de peine et d'efforts, comme un homme qui n'avait pas rompu le jeûne
de toute la journée. Il dit aussitôt à l'hôtelier d'avoir
grand soin de son cheval, parce que c'était la meilleure
bête qui portât selle au monde. L'autre la regarda et ne
la trouva pas si bonne que disait don Quichotte, pas même
de moitié. Il l'arrangea pourtant dans l'écurie et revint
voir ce que voulait son hôte, que les demoiselles s'occupaient à désarmer, s'étant déjà réconciliées avec lui. Elles
lui avaient bien ôté la cuirasse de poitrine et celle d'épaules ;
mais jamais elles ne purent venir à bout de lui déboîter
le hausse-col, ni de lui ôter l'informe salade que tenaient
attachée des rubans verts. Il fallait couper ces rubans,
dont on ne pouvait défaire les nœuds ; mais don Quichotte
ne voulut y consentir en aucune façon, et préféra rester
toute cette nuit la salade en tête, ce qui faisait la plus
étrange et la plus gracieuse figure qui se pût imaginer ; et,
pendant cette cérémonie, se persuadant que les coureuses
qui le désarmaient étaient de grandes dames du château,
il leur dit avec une grâce parfaite ces vers d'un vieux
romance : « Jamais ne fut chevalier si bien servi des
dames que don Quichotte quand il vint de son village ;
les demoiselles prenaient soin de lui, et les princesses
de son rossin », ou Rossinante, car tel est, mesdames, le
nom de mon cheval, comme don Quichotte de la Manche
est celui de votre serviteur ; et, bien que je ne voulusse pas
me découvrir jusqu'à ce que m'eussent découvert les

exploits faits en votre service et profit, le besoin d'ajuster à l'occasion présente ce vieux *romance* de Lancelot a été cause que vous avez su mon nom avant la juste époque. Mais un temps viendra pour que Vos Seigneuries commandent et que j'obéisse, et pour que la valeur de mon bras témoigne du désir que j'ai de vous servir. » Les jeunes filles, qui n'étaient pas faites à de semblables rhétoriques, ne répondaient mot. Elles lui demandèrent s'il voulait manger quelque chose. « Quoi que ce fût, je m'en accommoderais, répondit don Quichotte ; car, si je ne me trompe, toute chose viendrait fort à point. »

Par bonheur, ce jour-là tombait un vendredi, et il n'y avait dans toute l'hôtellerie que des tronçons d'un poisson séché qu'on appelle, selon le pays, morue, merluche ou truitelle. On lui demanda si, par hasard, Sa Grâce mangerait de la truitelle, puisqu'il n'y avait pas d'autre poisson à lui servir. « Pourvu qu'il y ait plusieurs truitelles, répondit don Quichotte, elles pourront servir de truites, car il m'est égal qu'on me donne huit réaux en monnaie ou bien une pièce de huit réaux. D'ailleurs, il se pourrait qu'il en fût de ces truitelles comme du veau, qui est plus tendre que le bœuf, ou comme du chevreau, qui est plus tendre que le bouc. Mais, quoi que ce soit, apportez-le vite ; car la fatigue et le poids des armes ne se peuvent supporter sans l'assistance de l'estomac. » On lui dressa la table à la porte de l'hôtellerie, pour qu'il eût plus frais, et l'hôte lui apporta une ration de cette merluche mal détrempée et plus mal assaisonnée, avec du pain aussi noir et moisi que ses armes. C'était à mourir de rire que de le voir manger ; car comme il avait la salade mise et la visière levée, il ne pouvait rien porter à la bouche avec ses mains. Il fallait qu'un autre l'embecquât ; si bien qu'une de ces dames servit à cet office. Quant à lui donner à boire, ce ne fut pas possible, et ce ne l'aurait jamais été si l'hôte ne se fût avisé de percer de part en part un jonc dont il lui mit l'un des bouts dans la bouche, tandis que par l'autre il lui versait du vin. A tout cela, le pauvre chevalier prenait patience, plutôt que de couper les rubans de son morion. Sur ces entrefaites, un châtreur de porcs vint par hasard à l'hôtellerie et se mit, en arrivant, à souffler cinq à six fois dans son sifflet de jonc. Cela suffit pour confirmer don Quichotte dans la pensée qu'il était en quelque fameux château, qu'on lui servait un repas en musique, que la merluche était de la truite, le pain bis du pain blanc, les drôlesses des dames, et l'hôtelier le châtelain du château. Aussi donnait-il pour bien employées sa résolution et sa sortie. Pourtant, ce qui l'inquiétait le plus, c'était de ne pas se voir armé chevalier ; car il lui semblait qu'il ne pouvait légitimement s'engager dans aucune aventure sans avoir reçu l'ordre de chevalerie.

CHAPITRE III

*Où l'on raconte de quelle gracieuse manière don Quichotte
se fit armer chevalier.*

Ainsi tourmenté de cette pensée, il dépêcha son maigre
souper d'auberge; puis, dès qu'il l'eut achevé, il appela
l'hôte, et, le menant dans l'écurie, dont il ferma la porte,
il se mit à genoux devant lui en disant : « Jamais je ne me
lèverai d'où je suis, valeureux chevalier, avant que votre
courtoisie ne m'octroie un don que je veux lui demander,
lequel tournera à votre gloire et au service du genre
humain. » Quand il vit son hôte à ses pieds, et qu'il entendit
de semblables raisons, l'hôtelier le regarda tout surpris,
sans savoir que faire ni que dire, et s'opiniâtra à le relever. Mais il ne put y parvenir, si ce n'est en lui disant
qu'il lui octroyait le don demandé. « Je n'attendais pas
moins, seigneur, de votre grande magnificence, répondit
don Quichotte; ainsi, je vous le déclare, ce don que je
vous demande, et que votre libéralité m'octroie, c'est que
demain matin vous m'armiez chevalier. Cette nuit, dans
la chapelle de votre château, je passerai la veillée des
armes, et demain, ainsi que je l'ai dit, s'accomplira ce que
tant je désire, afin de pouvoir, comme il se doit, courir
les quatre parties du monde, cherchant les aventures au
profit des nécessiteux, selon le devoir de la chevalerie
et des chevaliers errants comme moi, qu'à de semblables
exploits porte leur inclination. »

L'hôtelier, qui était passablement matois, comme on l'a
dit, et qui avait déjà quelque soupçon du jugement fêlé
de son hôte, acheva de s'en convaincre quand il lui entendit
tenir de tels propos; mais pour s'apprêter de quoi rire
cette nuit, il résolut de suivre son humeur, et lui répondit
qu'il avait parfaitement raison d'avoir ce désir; qu'une
telle résolution était propre et naturelle aux gentilshommes
de haute volée, comme il semblait être et comme l'annonçait sa bonne mine. « Moi-même, ajouta-t-il, dans les
années de ma jeunesse, je me suis adonné à cet honorable
exercice; j'ai parcouru diverses parties du monde, cherchant mes aventures, sans manquer à visiter le faubourg
aux Perches de Malaga, les îles de Riaron, le compas de

Séville, l'aqueduc de Ségovie, l'oliverie de Valence, les
rondes de Grenade, la plage de San-Lucar, le haras de
Cordoue, les guinguettes de Tolède et d'autres endroits
où j'ai pu exercer aussi bien la vitesse de mes pieds que
la subtilité de mes mains, causant une foule de torts, cour-
tisant des veuves, défaisant quelques demoiselles et
trompant beaucoup d'orphelins, finalement me rendant
célèbre dans presque tous les tribunaux et cours d'Espagne.
A la fin je suis venu me retirer dans ce mien château, où
je vis de ma fortune et de celle d'autrui, y recevant tous
les chevaliers errants de quelque condition et qualité
qu'ils soient, seulement pour la grande affection que je
leur porte, et pourvu qu'ils partagent avec moi leurs
finances en retour de mes bonnes intentions. » L'hôtelier
lui dit aussi qu'il n'y avait dans son château aucune chapelle
où passer la veillée des armes, parce qu'on l'avait abattue
pour en bâtir une neuve; mais qu'il savait qu'en cas de
nécessité on pouvait passer cette veillée partout où bon
semblait, et qu'il pourrait fort bien veiller cette nuit dans
la cour du château; que le matin venu, s'il plaisait à Dieu,
on ferait toutes les cérémonies voulues, de manière qu'il
se trouvât armé chevalier, et aussi chevalier qu'on pût
l'être au monde.

Il lui demanda de plus s'il portait de l'argent. Don
Quichotte répondit qu'il n'avait pas une obole, parce qu'il
n'avait jamais lu dans les histoires des chevaliers errants
qu'aucun d'eux s'en fût muni. A cela l'hôte répliqua qu'il
se trompait; car, bien que les histoires n'en fissent pas
mention, leurs auteurs n'ayant pas cru nécessaire d'écrire
une chose aussi simple et naturelle que celle de porter
de l'argent et des chemises blanches, il ne fallait pas croire
pour cela que les chevaliers errants n'en portassent point
avec eux; qu'ainsi il tînt pour sûr et dûment vérifié que
tous ceux dont tant de livres sont pleins et rendent témoignage portaient, à tout événement, la bourse bien garnie,
ainsi que des chemises et un petit coffret plein d'onguents
pour panser les blessures qu'ils recevaient. « En effet, ajoutait l'hôte, il ne se trouvait pas toujours dans les plaines
et les déserts où se livraient leurs combats, où s'attrapaient
leurs blessures, quelqu'un tout à point pour les panser,
à moins qu'ils n'eussent pour ami quelque sage enchanteur
qui vînt incontinent à leur secours, amenant dans quelque
nue, à travers les airs, quelque demoiselle ou nain avec
quelque fiole d'une eau de telle vertu que d'en avaler
quelques gouttes les guérissait tout aussitôt de leurs blessures, comme s'ils n'eussent jamais eu le moindre mal;
mais à défaut d'une telle assistance, les anciens chevaliers
tinrent pour chose fort bien avisée que leurs écuyers
fussent pourvu d'argent et d'autres provisions indispensables, comme de la charpie et des onguents pour les panser; et s'il arrivait, par hasard, que les chevaliers n'eussent

point d'écuyer, ce qui se voyait rarement, eux-mêmes portaient tout cela sur la croupe de leurs chevaux, dans une toute petite besace, comme si c'eût été autre chose de plus d'importance; car, à moins de ce cas particulier, cet usage de porter besace ne fut pas très suivi par les chevaliers errants. » En conséquence, il lui donnait le conseil, et l'ordre même au besoin, comme à son filleul d'armes, ou devant bientôt l'être, de ne plus se mettre désormais en route sans argent et sans provisions, et qu'il verrait, quand il y penserait le moins, comme il se trouverait bien de sa prévoyance. Don Quichotte lui promit d'accomplir ponctuellement ce qu'il lui conseillait.

Aussitôt tout fut mis en ordre pour qu'il fît la veillée des armes dans une grande basse-cour à côté de l'hôtellerie. Don Quichotte, ramassant toutes les siennes, les plaça sur une auge, à côté d'un puits; ensuite il embrassa son écu, saisit sa lance et, d'une contenance dégagée, se mit à passer et repasser devant l'abreuvoir. Quand il commença cette promenade, la nuit commençait à tomber. L'hôtelier avait conté à tous ceux qui se trouvaient dans l'hôtellerie la folie de son hôte, sa veillée des armes et la cérémonie qui devait se faire pour l'armer chevalier. Étonnés d'une si bizarre espèce de folie, ils allèrent le regarder de loin. Tantôt il se promenait d'un pas lent et mesuré; tantôt, appuyé sur sa lance, il tenait fixement les yeux sur ses armes et ne les en ôtait d'une heure entière. La nuit se ferma tout à fait; mais la lune jetait tant de clarté qu'elle pouvait le disputer à l'astre qui la lui prêtait, de façon que tout ce que faisait le chevalier novice était parfaitement vu de tout le monde.

En ce moment, il prit fantaisie à l'un des muletiers qui s'étaient hébergés dans la maison d'aller donner de l'eau à ses bêtes, et pour cela il fallait enlever de dessus l'auge les armes de don Quichotte; lequel, voyant venir cet homme, lui dit à haute voix : « O toi, qui que tu sois, téméraire chevalier, qui viens toucher les armes du plus valeureux chevalier errant qui ait jamais ceint l'épée, prends garde à ce que tu fais, et ne les touche point, si tu ne veux laisser ta vie pour prix de ton audace. » Le muletier n'eut cure de ces propos, et mal lui en prit, car il se fût épargné celle de sa santé; au contraire, empoignant les courroies, il jeta le paquet loin de lui; ce que voyant, don Quichotte tourna les yeux au ciel et, élevant son âme, à ce qu'il parut, à sa souveraine Dulcinée, il s'écria : « Secourez-moi, ma dame, en cette première offense qu'essuie ce cœur, votre vassal; que votre aide et faveur ne me manquent point dans ce premier péril. » Et tandis qu'il tenait ces propos et d'autres semblables, jetant sa rondache, il leva sa lance à deux mains et en déchargea un si furieux coup sur la tête du muletier qu'il le renversa par terre en si piteux état qu'un second coup lui eût ôté tout besoin d'appeler un chirurgien. Cela fait, il ramassa ses armes et se remit à marcher de long en large avec autant de calme qu'auparavant.

Peu de temps après, et sans savoir ce qui s'était passé, car le muletier gisait encore sans connaissance, un de ses camarades s'approcha dans la même intention d'abreuver ses mules. Mais au moment où il enlevait les armes pour débarrasser l'auge, voilà que, sans dire mot et sans demander faveur à personne, don Quichotte jette de nouveau son écu, lève de nouveau sa lance et, sans la mettre en pièces, en fait plus de trois de la tête du second muletier, car il la lui fend en quatre. Tous les gens de la maison accoururent au bruit, et l'hôtelier parmi eux. En les voyant, don Quichotte embrassa son écu et, mettant l'épée à la main, il s'écria : « O dame de beauté, aide et réconfort de mon cœur défaillant, voici le moment de tourner les yeux de ta grandeur sur ce chevalier, ton esclave, que menace une si formidable aventure. » Ces mots lui rendirent tant d'assurance que, si tous les muletiers du monde l'eussent assailli, il n'aurait pas reculé d'un pas. Les camarades des blessés, qui les virent en cet état, commencèrent à faire pleuvoir de loin des pierres sur don Quichotte, lequel, du mieux qu'il pouvait, se couvrait avec son écu, et n'osait s'éloigner de l'auge, pour ne point abandonner ses armes. L'hôtelier criait qu'on le laissât tranquille, qu'il leur avait bien dit que c'était un fou, et qu'en qualité de fou il en sortirait quitte, les eût-il tués tous. De son côté, don Quichotte criait plus fort, les appelant traîtres et mécréants, et disant que le seigneur du château était un chevalier félon et malappris, puisqu'il permettait qu'on traitât de cette manière les chevaliers errants. « Si j'avais reçu, ajoutait-il, l'ordre de chevalerie, je lui ferais bien voir qu'il est un traître ; mais de vous, impure et vile canaille, je ne fais aucun cas. Jetez, approchez, venez et attaquez-moi de tout votre pouvoir, et vous verrez quel prix emportera votre folle audace. » Il disait cela d'un air si résolu et d'un ton si hautain qu'il glaça d'effroi les assaillants, tellement que, cédant à la peur et aux remontrances de l'hôtelier, ils cessèrent de lui jeter des pierres. Alors don Quichotte laissa emporter les deux blessés, et se remit à la veillée des armes avec le même calme et la même gravité qu'auparavant.

L'hôtelier cessa de trouver bonnes les plaisanteries de son hôte et, pour y mettre fin, il résolut de lui donner bien vite son malencontreux ordre de chevalerie, avant qu'un autre malheur arrivât. S'approchant donc humblement, il s'excusa de l'insolence qu'avaient montrée ces gens de rien, sans qu'il en eût la moindre connaissance, lesquels, au surplus, étaient assez châtiés de leur audace. Il lui répéta qu'il n'y avait point de chapelle dans ce château ; mais que, pour ce qui restait à faire, elle n'était pas non plus indispensable, ajoutant que le point capital pour être armé chevalier consistait dans les deux coups sur la nuque et sur l'épaule, suivant la connaissance qu'il avait du cérémonial de l'ordre, et que cela pouvait se faire au milieu des champs; qu'en ce qui touchait à la veillée des armes, il était bien en règle, puisque deux heures de veillée suffisaient et qu'il en avait passé plus de quatre.

Don Quichotte crut aisément tout cela; il dit à l'hôtelier qu'il était prêt à lui obéir, et le pria d'achever avec toute la célérité possible. « Car, ajouta-t-il, si l'on m'attaquait une seconde fois, et que je me visse armé chevalier, je ne laisserais pas âme vivante dans le château, excepté toutefois celle qu'il vous plairait, et que j'épargnerais par amour de vous. » Peu rassuré d'un tel avis, le châtelain s'en alla querir un livre où il tenait note de la paille et de l'orge qu'il donnait aux muletiers. Bientôt, accompagné d'un petit garçon qui portait un bout de chandelle, et des deux demoiselles en question, il revint où l'attendait don Quichotte, auquel il ordonna de se mettre à genoux; puis, lisant dans son manuel comme s'il eût récité quelque dévote oraison, au milieu de sa lecture, il leva la main, et lui en donna un grand coup sur le chignon; ensuite, de sa propre épée, un autre coup sur l'épaule, toujours marmottant entre ses dents comme s'il eût dit des patenôtres. Cela fait, il commanda à l'une de ces dames de lui ceindre l'épée, ce qu'elle fit avec beaucoup de grâce et de retenue, car il n'en fallait pas une faible dose pour s'empêcher d'éclater de rire à chaque point des cérémonies. Mais les prouesses qu'on avait déjà vu faire au chevalier novice tenaient le rire en respect. En lui ceignant l'épée, la bonne dame lui dit : « Que Dieu rende Votre Grâce très heureux chevalier, et lui donne bonne chance dans les combats. » Don Quichotte lui demanda comment elle s'appelait, afin qu'il sût désormais à qui rester obligé de la faveur qu'elle lui avait faite; car il pensait lui donner part à l'honneur qu'il acquerrait par la valeur de son bras. Elle répondit avec beaucoup d'humilité qu'elle s'appelait la Tolosa, qu'elle était fille d'un ravaudeur de Tolède, qui demeurait dans les échoppes de Sancho-Bienaya, et que, en quelque part qu'elle se trouvât, elle s'empresserait de le servir et le tiendrait pour son seigneur. Don Quichotte, répliquant, la pria, par amour de lui, de vouloir bien désormais prendre le *don*, et s'appeler doña Tolosa; ce qu'elle promit de faire. L'autre lui chaussa l'éperon, et il eut avec elle presque le même dialogue qu'avec celle qui avait ceint l'épée : quand il lui demanda son nom, elle répondit qu'elle s'appelait la Meunière, et qu'elle était fille d'un honnête meunier d'Antéquéra. A celle-ci don Quichotte demanda de même qu'elle prît le *con* et s'appelât doña Molinera, lui répétant ses offres de service et de faveurs. Ces cérémonies, comme on n'en avait jamais vu, ainsi faites au galop et en toute hâte, don Quichotte brûlait d'impatience de se voir à cheval et de partir à la quête des aventures; il sella Rossinante au plus vite, l'enfourcha et, embrassant son hôte, il lui dit des choses si étranges, pour le remercier de la faveur qu'il lui avait faite en l'armant chevalier, qu'il est impossible de réussir à les rapporter fidèlement. Pour le voir au plus tôt hors de sa maison, l'hôtelier lui rendit, quoique en moins de paroles, la monnaie de ses compliments, et sans lui demander son écot, le laissa partir à la grâce de Dieu.

CHAPITRE IV

De ce qui arriva à notre chevalier quand il quitta l'hôtellerie.

L'aube du jour commençait à poindre quand don Quichotte sortit de l'hôtellerie, si content, si ravi, si transporté de joie de se voir enfin armé chevalier qu'il en faisait tressaillir jusqu'aux sangles de son cheval. Toutefois, venant à se rappeler les conseils de son hôte au sujet des provisions si nécessaires dont il devait être pourvu, entre autres l'argent et les chemises, il résolut de s'en retourner chez lui pour s'y accommoder de tout ce bagage, et encore d'un écuyer, comptant prendre à son service un paysan, son voisin, pauvre et chargé d'enfants, mais très propre à l'office d'écuyer dans la chevalerie errante. Cette résolution prise, il tourna Rossinante du côté de son village, et celui-ci, comme s'il eût reconnu le chemin de son gîte se mit à détaler de si bon cœur qu'il semblait que ses pieds ne touchaient pas à terre.

Don Quichotte n'avait pas fait encore grand trajet, quand il crut s'apercevoir que, de l'épaisseur d'un bois qui se trouvait à sa droite, s'échappaient des cris plaintifs comme d'une personne qui se plaignait. A peine les eut-il entendus qu'il s'écria : « Grâces soient rendues au ciel pour la faveur qu'il m'accorde, puisqu'il m'envoie si promptement des occasions de remplir les devoirs de mon état et de recueillir le fruit de mes bons desseins. Ces cris, sans doute, sont ceux d'un nécessiteux ou d'une nécessiteuse qui nécessite mon secours et ma protection. » Aussitôt, tournant bride, il dirigea Rossinante vers l'endroit d'où les cris lui semblaient partir. Il n'avait pas fait vingt pas dans le bois qu'il vit une jument attachée à un chêne et, à un autre chêne, également attaché, un jeune garçon de quinze ans au plus, nu de la tête à la ceinture. C'était lui qui jetait ces cris plaintifs, et non sans cause vraiment, car un vigoureux paysan lui administrait une correction à grands coups de ceinture de cuir, accompagnant chaque décharge d'une remontrance et d'un conseil. « La bouche close, lui disait-il, et les yeux éveillés ! » Le jeune garçon répondait : « Je ne le ferai plus, mon seigneur; par la passion de Dieu, je ne le ferai plus, et je promets d'avoir à l'avenir plus grand soin du troupeau. » En apercevant cette scène, don Quichotte s'écria d'une voix courroucée : « Discourtois chevalier, il vous sied mal de vous attaquer à qui ne peut se défendre; montez sur votre cheval et prenez votre lance (car une lance était aussi appuyée contre l'arbre où la jument se trouvait attachée), et je vous ferai voir qu'il est d'un lâche de faire ce que vous faites à présent. » Le paysan, voyant tout à coup fondre sur lui ce fantôme couvert d'armes qui lui brandissait sa lance sur la poitrine, se tint pour mort, et d'un ton patelin répondit : « Seigneur chevalier, ce garçon que vous me voyez châtier est un mien valet qui me sert à garder un troupeau de brebis dans ces environs; mais il est si négligent que chaque jour il en manque quelqu'une; et parce que je châtie sa paresse, ou peut-être sa friponnerie, il dit que c'est par vilenie, et pour ne pas lui payer les gages que je lui dois. Mais, sur mon Dieu et sur mon âme, il en a menti. — Menti devant moi, méchant vilain ? reprit don Quichotte. Par le soleil qui nous éclaire, je ne sais qui me retient de vous passer ma lance à travers le corps. Payez-le sur-le-champ, et sans réplique; sinon, je jure Dieu que je vous extermine et vous anéantis sur le coup. Qu'on le détache. » Le paysan baissa la tête et, sans répondre mot, détacha son berger, auquel don Quichotte demanda combien lui devait son maître. « Neuf mois, dit-il, à sept réaux chaque. » Don Quichotte fit le compte, et, trouvant que la somme montait à soixante-trois réaux, il dit au laboureur de les débourser sur-le-champ, s'il ne voulait mourir. Le vilain répondit, tout tremblant, que, par le mauvais pas où il se trouvait, et par le serment qu'il avait fait déjà (il n'avait encore rien juré), il affirmait que la somme n'était pas si forte; qu'il fallait en rabattre et porter en ligne de compte trois paires de souliers qu'il avait fournies à son valet, et un réal pour deux saignées qu'on lui avait faites étant malade. « Tout cela est bel et bon, répliqua don Quichotte; mais que les souliers et la saignée restent pour les coups que vous lui avez donnés sans motif. S'il a déchiré le cuir des souliers que vous avez payés, vous avez déchiré celui de son corps; et si le barbier lui a tiré du sang étant malade, vous lui en avez tiré en bonne santé. Partant, il ne vous doit rien. — Le malheur est, seigneur chevalier, que je n'ai pas d'argent ici; mais qu'André s'en retourne à la maison avec moi, et je lui payerai son dû, un réal sur l'autre. — Que je m'en aille avec lui! s'écria le jeune garçon; ah bien oui, seigneur; Dieu me préserve d'y penser. S'il me tenait seul à seul il m'écorcherait vif comme un saint Barthélemi. — Non, non, il n'en fera rien, reprit don Quichotte. Il suffit que je le lui ordonne pour qu'il me garde respect; et, pourvu qu'il me le jure

par la loi de la chevalerie qu'il a reçue, je le laisse aller
libre, et je réponds du payement. — Que Votre Grâce,
seigneur, prenne garde à ce qu'elle dit, reprit le jeune
garçon; mon maître que voici n'est point chevalier, et
n'a jamais reçu d'ordre de chevalerie; c'est Juan Haldudo
le riche, bourgeois de Quintanar. — Qu'importe ? répondit
don Quichotte; il peut y avoir des Haldudo chevaliers;
et d'ailleurs chacun est fils de ses œuvres. — C'est bien
vrai, reprit André; mais de quelles œuvres mon maître
est-il fils, lui qui me refuse mes gages, le prix de ma sueur
et de mon travail ? — Je ne refuse pas, André, mon ami,
répondit le laboureur; faites-moi le plaisir de venir
avec moi, et je jure par tous les ordres de chevalerie qui
existent dans le monde de vous payer, comme je l'ai dit,
un réal sur l'autre, et même avec les intérêts. — Des
intérêts je vous fais grâce, reprit don Quichotte; payez-
le en bons deniers comptant, c'est tout ce que j'exige.
Et prenez garde d'accomplir ce que vous venez de jurer;
sinon, et par le même serment, je jure de revenir vous
chercher et vous châtier; je saurai bien vous découvrir,
fussiez-vous mieux caché qu'un lézard de muraille. Et
si vous voulez savoir qui vous donne cet ordre, pour
être plus sérieusement tenu de l'accomplir, sachez que
je suis le valeureux don Quichotte de la Manche, le défaiseur de torts et le réparateur d'iniquités. Maintenant,
que Dieu vous bénisse! mais n'oubliez pas ce qui est promis et juré, sous peine de la peine prononcée. » Disant
cela, il piqua des deux à Rossinante et disparut en un
instant.

Le laboureur le suivit des yeux et, quand il vit don
Quichotte avait traversé le bois et ne paraissait plus, il
revint à son valet André : « Or çà, lui dit-il, venez ici,
mon fils, je veux vous payer ce que je vous dois, comme
ce défaiseur de torts m'en a laissé l'ordre. — Je le jure
bien, reprit André, et Votre Grâce fera sagement d'exécuter l'ordonnance de ce bon chevalier, auquel Dieu donne
mille années de vie pour sa vaillance et sa bonne justice,
et qui reviendra, par la vie de saint Roch, si vous ne me
payez, exécuter ce qu'il a dit.

— Moi aussi, je le jure, reprit le laboureur; mais, par
le grand amour que je vous porte, je veux accroître la
dette pour accroître le payement. » Et, le prenant par le
bras, il revint l'attacher au même chêne, où il lui donna
tant de coups qu'il le laissa pour mort. « Appelez maintenant, seigneur André, disait le laboureur, appelez le
défaiseur de torts; vous verrez s'il défait celui-ci; quoique
je croie pourtant qu'il n'est pas encore complètement fait,
car il me prend envie de vous écorcher tout vif, comme
vous en aviez peur. » A la fin, il le détacha, et lui donna
permission d'aller chercher son juge pour qu'il exécutât
la sentence rendue. André partit tout éploré, jurant qu'il

irait chercher le valeureux don Quichotte de la Manche,
qu'il lui conterait de point en point ce qui s'était passé,
et que son maître le lui payerait au quadruple. Mais
avec tout cela, le pauvre diable s'en alla pleurant, et son
maître resta à rire; et c'est ainsi que le tort fut redressé
par le valeureux don Quichotte.

Celui-ci, enchanté de l'aventure, qui lui semblait donner
un heureux et magnifique début à ses prouesses de chevalerie, cheminait du côté de son village, disant à mi-voix :
« Tu peux bien te nommer heureuse par-dessus toutes
les femmes qui vivent aujourd'hui dans ce monde, ô
par-dessus toutes les belles belle Dulcinée du Toboso,
puisque le sort t'a fait la faveur d'avoir pour sujet et pour
esclave de tes volontés un chevalier aussi vaillant et aussi
renommé que l'est et le sera don Quichotte de la Manche,
lequel, comme tout le monde le sait, reçut hier l'ordre
de chevalerie, et dès aujourd'hui a redressé le plus énorme
tort qu'ait inventé l'injustice et commis la cruauté, en
ôtant le fouet de la main à cet impitoyable bourreau qui
déchirait avec si peu de raison le corps de ce délicat
enfant. »

En disant cela, il arrivait à un chemin qui se divisait
en quatre, et tout aussitôt lui vint à l'esprit le souvenir
des carrefours où les chevaliers errants se mettaient à penser quel chemin ils choisiraient. Et, pour les imiter, il resta
un moment immobile; puis, après avoir bien réfléchi, il
lâcha la bride à Rossinante, remettant sa volonté à celle
du bidet, lequel suivit sa première idée, qui était de prendre
le chemin de son écurie. Après avoir marché environ
deux milles, don Quichotte découvrit une grande troupe
de gens, que depuis l'on sut être des marchands de Tolède
qui allaient acheter de la soie à Murcie. Ils étaient six,
portant leurs parasols, avec quatre valets à cheval et
trois garçons de mules à pied. A peine don Quichotte
les aperçut-il qu'il s'imagina faire rencontre d'une nouvelle aventure et, pour imiter autant qu'il lui semblait
possible les passes d'armes qu'il avait lues dans ses livres,
il crut trouver tout à propos l'occasion d'en faire une
à laquelle il songeait. Ainsi, prenant l'air fier et la contenance assurée, il s'affermit bien sur ses étriers, empoigna
sa lance, se couvrit la poitrine de son écu et, campé au
beau milieu du chemin, il attendit l'approche de ces chevaliers errants, puisqu'il les tenait et jugeait pour tels.
Dès qu'ils furent arrivés à la portée de voir et d'entendre,
don Quichotte éleva la voix, et d'un ton arrogant leur
cria : « Que tout le monde s'arrête, si tout le monde ne
confesse qu'il n'y a dans le monde entier demoiselle plus
belle que l'impératrice de la Manche, la sans pareille Dulcinée du Toboso. » Les marchands s'arrêtèrent, au bruit
de ces paroles, pour considérer l'étrange figure de celui
qui les disait, et, par la figure et par les paroles, ils recon-

nurent aisément la folie du pauvre diable. Mais ils voulurent voir plus au long où pouvait tendre cette confession
qu'il leur demandait, et l'un d'eux, qui était quelque
peu goguenard et savait fort discrètement railler, lui
répondit : « Seigneur chevalier, nous ne connaissons pas
cette belle dame dont vous parlez; faites-nous-la voir,
et, si elle est d'une beauté aussi incomparable que vous
nous le signifiez, de bon cœur et sans nulle crainte nous
confesserons la vérité que votre bouche demande.

— Si je vous la faisais voir, répliqua don Quichotte,
quel beau mérite auriez-vous à confesser une vérité si
manifeste ? L'important, c'est que, sans la voir, vous le
croyiez, confessiez, affirmiez, juriez et souteniez les armes
à la main. Sinon en garde et en bataille, gens orgueilleux
et démesurés; que vous veniez un à un comme l'exige
l'ordre de chevalerie, ou bien tous ensemble, comme c'est
l'usage et la vile habitude des gens de votre trempe, je
vous attends ici, et je vous défie, confiant dans la raison
que j'ai de mon côté.

— Seigneur chevalier, reprit le marchand, je supplie
Votre Grâce, au nom de tous tant que nous sommes de
princes ici, qu'afin de ne pas charger nos consciences en
confessant une chose que nous n'avons jamais vue ni
entendue et qui est en outre si fort au détriment des impé-
ratrices et reines de la Castille et de l'Estrémadure,
vous vouliez bien nous montrer quelque portrait de cette
dame; ne fût-il pas plus gros qu'un grain d'orge, par
l'échantillon nous jugerons de la pièce et, tandis que nous
garderons l'esprit en repos, Votre Grâce recevra pleine
satisfaction. Et je crois même, tant nous sommes déjà
portés en sa faveur, que son portrait nous fit-il voir qu'elle
est borgne d'un œil, et que l'autre distille du soufre et
du vermillon, malgré cela, pour complaire à Votre Grâce,
nous dirons à sa louange tout ce qu'il vous plaira. — Elle
ne distille rien, canaille infâme, s'écria don Quichotte
enflammé de colère; elle ne distille rien, je le répète, de
ce que vous venez de dire, mais bien du musc et de l'ambre;
elle n'est ni tordue ni bossue, mais plus droite qu'un
fuseau de Guadarrama. Et vous allez payer le blasphème
énorme que vous avez proféré contre une beauté du calibre
de celle de ma dame. »

En disant cela, il se précipite, la lance baissée, contre
celui qui avait porté la parole, avec tant d'ardeur et de
furie que, si quelque bonne étoile n'eût fait trébucher
et tomber Rossinante au milieu de la course, mal en aurait
pris à l'audacieux marchand. Rossinante tomba donc et
envoya rouler son maître à dix pas plus loin, lequel s'efforçait de se relever sans en pouvoir venir à bout, tant
le chargeaient et l'embarrassaient la lance, l'écu, les
éperons, la salade et le poids de sa vieille armure; et, au
milieu des incroyables efforts qu'il faisait vainement pour

se remettre sur pied, il ne cessait de dire : « Ne fuyez pas, poltrons, vils esclaves; ne fuyez pas. Prenez garde que ce n'est point par ma faute, mais par celle de mon cheval, que je suis étendu sur la terre. » Un garçon muletier, de la suite des marchands, qui sans doute n'avait pas l'humeur fort endurante, ne put entendre proférer au pauvre cheva- lier tombé tant d'arrogances et de bravades, sans avoir envie de lui en donner la réponse sur les côtes. S'appro- chant de lui, il lui arracha sa lance, en fit trois ou quatre morceaux, et de l'un d'eux se mit à frapper si fort et si dru sur notre don Quichotte qu'en dépit de ses armes il le moulut comme plâtre. Ses maîtres avaient beau lui crier de ne pas tant frapper et de le laisser tranquille, le muletier avait pris goût au jeu, et ne voulut quitter la partie qu'après avoir ponté tout le reste de sa colère. Il ramassa les autres éclats de la lance, et acheva de les briser l'un après l'autre sur le corps du misérable abattu, lequel, tandis que cette grêle de coups lui pleuvait sur les épaules, ne cessait d'ouvrir la bouche pour menacer le ciel et la terre, et les voleurs de grand chemin qui le traitaient ainsi. Enfin le muletier se fatigua, et les marchands continuèrent leur chemin, emportant de quoi conter pendant tout le voyage sur l'aventure du pauvre fou bâtonné.

Celui-ci, dès qu'il se vit seul, essaya de nouveau de se relever; mais s'il n'avait pu en venir à bout lorsqu'il était sain et bien portant, comment aurait-il mieux réussi étant moulu et presque anéanti ? Et pourtant il faisait contre fortune bon cœur, regardant sa disgrâce comme propre et commune aux chevaliers errants, et l'attribuant d'ail- leurs tout entière à la faute de son cheval. Mais quant à se lever, ce n'était pas possible, tant il avait le corps meurtri et disloqué.

CHAPITRE V

Où se continue le récit de la disgrâce de notre chevalier.

Voyant donc qu'en effet il ne pouvait remuer, don Quichotte prit le parti de recourir à son remède ordinaire,
qui était de songer à quelque passage de ses livres ; et
sa folie lui remit aussitôt en mémoire l'aventure de Baudouin et du marquis de Mantoue, lorsque Charlot abandonna le premier, blessé dans la montagne : histoire sue
des enfants, connue des jeunes gens, vantée et même crue
des vieillards, et véritable, avec tout cela, comme les
miracles de Mahomet. Celle-là donc lui sembla venir tout
exprès pour sa situation ; et, donnant les signes de la plus
vive douleur, il commença à se rouler par terre et à dire,
d'une voix affaiblie, justement ce que disait, disait-on, le
chevalier blessé : « O ma dame, où es-tu, que mon mal
te touche si peu ? ou tu ne le sais pas, ou tu es fausse et
déloyale. » De la même manière, il continua de réciter le
romance, et quand il fut aux vers qui disent : « O noble
marquis de Mantoue, mon oncle et seigneur », le hasard
fit passer par là un laboureur de son propre village, et
demeurant tout près de sa maison, lequel venait de
conduire une charge de blé au moulin. Voyant cet homme
étendu, il s'approcha, et lui demanda qui il était, et quel
mal il ressentait pour se plaindre si tristement. Don Quichotte crut sans doute que c'était son oncle le marquis
de Mantoue ; aussi ne lui répondit-il pas autre chose que
de continuer son romance, où Baudouin lui rendait compte
de sa disgrâce, et des amours du fils de l'empereur avec
sa femme, tout cela mot pour mot, comme on le chante
dans le romance. Le laboureur écoutait tout surpris ces
sottises, et lui ayant ôté la visière, que les coups de bâton
avaient mise en pièces, il lui essuya le visage, qu'il avait
plein de poussière ; et dès qu'il l'eut un peu débarbouillé,
il le reconnut. « Eh, bon Dieu ! s'écria-t-il, seigneur Quijada
(tel devait être son nom quand il était en son bon sens, et qu'il
ne s'était pas encore transformé, d'hidalgo paisible, en chevalier errant), qui vous a mis en cet état ? » Mais l'autre continuait son romance à toutes les questions qui lui étaient faites.

Le pauvre homme, voyant cela, lui ôta le mieux qu'il
put le corselet et l'épaulière, pour voir s'il n'avait pas
quelque blessure; mais il n'aperçut pas trace de sang. Alors
il essaya de le lever de terre, et, non sans grande peine,
il le hissa sur son âne, qui lui semblait une plus douce
monture. Ensuite, il ramassa les armes, jusqu'aux éclats
de la lance, et les mit en paquet sur Rossinante. Puis,
prenant celui-ci par la bride et l'âne par le licou, il s'achemina du côté de son village, tout préoccupé des mille
extravagances que débitait don Quichotte. Et don Quichotte ne l'était pas moins, lui qui, brisé et moulu, ne
pouvait se tenir sur la bourrique, et poussait de temps en
temps des soupirs jusqu'au ciel. Si bien que le laboureur
se vit obligé de lui demander encore quel mal il éprouvait.
Mais le diable, à ce qu'il paraît, lui rappelait à la mémoire
toutes les histoires accommodées à la sienne; car, en cet
instant, oubliant tout à coup Baudouin, il se souvint du
More Aben-Darraez, quand le gouverneur d'Antéquéra,
Rodrigo de Narvaez, le fit prisonnier et l'emmena dans
son château fort. De sorte que, le laboureur lui ayant
redemandé comment il se trouvait et ce qu'il avait, il lui
répondit les mêmes paroles et les mêmes propos que
l'Abencerrage, captif à Rodrigo de Narvaez, tout comme
il en avait lu l'histoire dans la *Diane* de Montemayor,
se l'appliquant si bien à propos que le laboureur se donnait au diable d'entendre un tel fatras d'extravagances.
Par là il reconnut que son voisin était décidément fou;
et il avait hâte d'arriver au village pour se délivrer du
dépit que lui donnait don Quichotte avec son interminable
harangue. Mais celui-ci ne l'eut pas achevée qu'il ajouta :
« Il faut que vous sachiez, don Rodrigo de Narvaez,
que cette Xarifa, dont je viens de parler, est maintenant
la charmante Dulcinée du Toboso, pour qui j'ai fait,
je fais et je ferai les plus fameux exploits de chevalerie
qu'on ait vus, qu'on voie et qu'on verra dans le monde.
— Ah! pécheur que je suis! répondit le paysan; mais
voyez donc, seigneur, que je ne suis ni Rodrigo de Narvaez
ni le marquis de Mantoue, mais bien Pierre Alonzo,
votre voisin; et que Votre Grâce n'est pas davantage
Baudouin ni Aben-Darraez, mais bien l'honnête hidalgo
seigneur Quijada. — Je sais qui je suis, reprit don Quichotte, et je sais que je puis être, non seulement ceux que
j'ai dits, mais encore les douze pairs de France, et les neuf
chevaliers de la Renommée, puisque les exploits qu'ils
ont faits, tous ensemble et chacun en particulier, n'appro-
cheront jamais des miens. » Ce dialogue et d'autres semblables les menèrent jusqu'au pays, où ils arrivèrent à
la chute du jour. Mais le laboureur attendit que la nuit
fût close, pour qu'on ne vît pas le disloqué gentilhomme
dans ce piteux état.

L'heure venue, il entra au village et gagna la maison

de don Quichotte, qu'il trouva pleine de trouble et de confusion. Le curé et le barbier du pays, tous deux grands amis de don Quichotte, s'y étaient réunis, et la gouvernante leur disait, en se lamentant : « Que vous en semble, seigneur licencié Pedro Perez (ainsi s'appelait le curé), et que pensez-vous de la disgrâce de mon seigneur ? Voilà six jours qu'il ne paraît plus, ni lui, ni le bidet, ni la rondache, ni la lance, ni les armes. Ah! malheureuse que je suis! je gagerais ma tête, et c'est aussi vrai que je suis née pour mourir, que ces maudits livres de chevalerie, qu'il a ramassés et qu'il lit du matin au soir, lui ont tourné l'esprit. Je me souviens maintenant de lui avoir entendu dire bien des fois, se parlant à lui-même, qu'il voulait se faire chevalier errant et s'en aller par le monde chercher les aventures. Que Satan et Barabbas emportent tous ces livres, qui ont ainsi gâté le plus délicat entendement qui fût dans toute la Manche! » La nièce, de son côté, disait la même chose, et plus encore : « Sachez, seigneur maître Nicolas, car c'était le nom du barbier, qu'il est souvent arrivé à mon seigneur oncle de passer à lire dans ces abominables livres de malheur deux jours avec leurs nuits, au bout desquels il jetait le livre tout à coup, empoignait son épée et se mettait à escrimer contre les murailles. Et quand il était rendu de fatigue, il disait qu'il avait tué quatre géants grands comme quatre tours, et la sueur qui lui coulait de lassitude, il disait que c'était le sang des blessures qu'il avait reçues dans la bataille. Puis ensuite il buvait un grand pot d'eau froide, et il se trouvait guéri et reposé, disant que cette eau était un précieux breuvage que lui avait apporté le sage Esquife, un grand enchanteur, son ami. Mais c'est à moi qu'en est toute la faute; à moi, qui ne vous ai pas avisé des extravagances de mon seigneur oncle, pour que vous y portiez remède avant que le mal arrivât jusqu'où il est arrivé, pour que vous brûliez tous ces excommuniés de livres; il y en a beaucoup qui méritent bien d'être grillés comme autant d'hérétiques. — Ma foi, j'en dis autant, reprit le curé, et le jour de demain ne se passera pas sans qu'on en fasse un *autodafé* et qu'ils soient condamnés au feu, pour qu'ils ne donnent plus envie à ceux qui les liraient de faire ce qu'a fait mon pauvre ami. »

Tous ces propos, don Quichotte et le laboureur les entendaient hors de la porte, si bien que celui-ci acheva de connaître la maladie de son voisin. Et il se mit à crier à tue-tête : « Ouvrez, s'il vous plaît, au seigneur Baudouin, et au seigneur marquis de Mantoue, qui vient grièvement blessé, et au seigneur More Aben-Darreaz, qu'amène prisonnier le valeureux Rodrigo de Narvaez, gouverneur d'Antéquéra. » Ils sortirent tous à ces cris et, reconnaissant aussitôt, les uns leur ami, les autres leur oncle et leur maître, qui n'était pas encore descendu de l'âne, faute

de le pouvoir, ils coururent à l'envi l'embrasser. Mais
il leur dit : « Arrêtez-vous tous. Je viens grièvement blessé
par la faute de mon cheval; qu'on me porte à mon lit,
et qu'on appelle, si c'est possible, la sage Urgande, pour
qu'elle vienne panser mes blessures. — Hein ? s'écria aussitôt la gouvernante, qu'est-ce que j'ai dit ? est-ce que le
cœur ne me disait pas bien de quel pied boitait mon
maître ? Allons, montez, seigneur, et soyez le bienvenu, et,
sans qu'on appelle cette Urgande, nous saurons bien ici
vous panser. Maudits soient-ils, dis-je, une autre et cent
autres fois, ces livres de chevalerie qui ont mis Sa Grâce
en ce bel état! » On porta bien vite don Quichotte dans
son lit; mais quand on examina ses blessures, on n'en
trouva aucune. Il leur dit alors : « Je n'ai que les contu-
sions d'une chute, parce que Rossinante, mon cheval,
s'est abattu sous moi tandis que je combattais contre
dix géants, les plus démesurés et les plus formidables qui
se puissent rencontrer sur la moitié de la terre. — Bah!
bah! dit le curé, voici des géants en danse! Par le saint
dont je porte le nom, la nuit ne viendra pas demain que je
ne les aie brûlés. » Ils firent ensuite mille questions à don
Quichotte; mais celui-ci ne voulut rien répondre, sinon
qu'on lui donnât à manger et qu'on le laissât dormir,
deux choses dont il avait le plus besoin. On lui obéit.
Le curé s'informa tout au long, près du paysan, de quelle
manière il avait rencontré don Quichotte. L'autre raconta
toute l'histoire, sans omettre les extravagances qu'en le
trouvant et en le ramenant il lui avait entendu dire. C'était
donner au licencié plus de désir encore de faire ce qu'en
effet il fit le lendemain, à savoir : d'aller appeler son ami
le barbier maître Nicolas, et de s'en venir avec lui à la
maison de don Quichotte...

CHAPITRE VI

De la grande et gracieuse enquête que firent le curé et le barbier
dans la bibliothèque de notre ingénieux hidalgo.

Lequel dormait encore. Le curé demanda à la nièce les clefs de la chambre où se trouvaient les livres auteurs du dommage, et de bon cœur elle les lui donna. Ils entrèrent tous, la gouvernante à leur suite, et ils trouvèrent plus de cent gros volumes fort bien reliés et quantité d'autres petits. Dès que la gouvernante les aperçut, elle sortit de la chambre en grande hâte et revint bientôt, apportant une écuelle d'eau bénite avec un goupillon. « Tenez, seigneur licencié, dit-elle, arrosez cette chambre, de peur qu'il n'y ait ici quelque enchanteur, de ceux dont ces livres sont pleins, et qu'il ne nous enchante en punition de la peine que nous voulons leur infliger en les chassant de ce monde. » Le curé se mit à rire de la simplicité de la gouvernante, et dit au barbier de lui présenter ces livres un à un pour voir de quoi ils traitaient, parce qu'il pouvait s'en rencontrer quelques-uns, dans le nombre, qui ne méritassent pas le supplice du feu. « Non, non, s'écria la nièce, il n'en faut épargner aucun, car tous ont fait le mal. Il vaut mieux les jeter par la fenêtre dans la cour, en faire une pile et y mettre le feu, ou bien les emporter dans la basse-cour, et là nous ferons le bûcher, pour que la fumée n'incommode point. » La gouvernante fut du même avis, tant elles désiraient toutes deux la mort de ces pauvres innocents. Mais le curé ne voulut pas y consentir sans en avoir au moins lu les titres ; et le premier ouvrage que maître Nicolas lui remit dans les mains fut les quatre volumes d'*Amadis de Gaule*. « Il semble, dit le curé, qu'il y ait là-dessous quelque mystère ; car, selon ce que j'ai ouï dire, c'est là le premier livre de chevalerie qu'on ait imprimé en Espagne ; tous les autres ont pris de celui-là naissance et origine. Il me semble donc que, comme fondateur d'une si détestable secte, nous devons sans rémission le condamner au feu. — Non pas, seigneur, reprit le barbier ; car j'ai ouï dire aussi que c'est le meilleur de tous les livres de cette espèce qu'on ait composés, et, comme unique en son genre, il mérite qu'on lui par-

donne. — C'est également vrai, dit le curé, et, pour cett
raison, nous lui faisons, quant à présent, grâce de la vie.
Voyons cet autre qui est à côté de lui. — Ce sont, répondit
le barbier, les *Prouesses d'Esplandian, fils légitime d'Amadis
de Gaule*. — Pardieu! dit le curé, il ne faut pas tenir
compte au fils des mérites du père. Tenez, dame gouvernante, ouvrez la fenêtre et jetez-le à la cour : c'est lui
qui commencera la pile du feu de joie que nous allons allumer. » La gouvernante ne se fit pas prier, et le brave
Esplandian s'en alla, en volant, dans la cour, attendre
avec résignation le feu qui le menaçait. « A un autre, dit
le curé. — Celui qui vient après, dit le barbier, c'est *Amadis
de Grèce*, et tous ceux du même côté sont, à ce que je
crois bien, du même lignage des Amadis. — Eh bien!
dit le curé, qu'ils aillent tous à la basse-cour; car, plutôt
que de ne pas brûler la reine Pintiquinestra et le berger
Darinel, et ses églogues, et les propos alambiqués de leur
auteur, je brûlerais avec eux le père qui m'a mis au monde,
s'il apparaissait sous la figure de chevalier errant. — C'est
bien mon avis, dit le barbier. — Et le mien aussi, reprit
la nièce. — Ainsi donc, dit la gouvernante, passez-les,
et qu'ils aillent à la basse-cour. » On lui donna le paquet,
car ils étaient nombreux, et, pour épargner la descente
de l'escalier, elle les envoya par la fenêtre du haut en bas.

« Quel est ce gros volume ? demanda le curé. — C'est,
répondit le barbier, *Don Olivante de Laura*. — L'auteur
de ce livre, reprit le curé, est le même qui a composé le
Jardin des Fleurs, et, en vérité, je ne saurais guère décider lequel des deux livres est le plus véridique, ou plutôt
le moins menteur. Mais ce que je sais dire, c'est que celui-
là ira à la basse-cour comme un extravagant et un pré-
somptueux. — Le suivant, dit le barbier, est *Florismars
d'Hircanie*. — Ah! ah, répliqua le curé, le seigneur Florismars se trouve ici ? Par ma foi qu'il se dépêche de
suivre les autres, en dépit de son étrange naissance et de
ses aventures rêvées; car la sécheresse et la dureté de
son style ne méritent pas une autre fin : à la basse-cour,
celui-là et cet autre encore, dame gouvernante. — Très
volontiers, seigneur », répondit-elle, et déjà elle se mettait
gaiement en devoir d'exécuter cet ordre. « Celui-ci est le
Chevalier Platir, dit le barbier. — C'est un vieux livre,
reprit le curé, mais je n'y trouve rien qui mérite grâce.
Qu'il accompagne donc les autres sans réplique. » Ainsi
fut fait.

On ouvrit un autre livre et l'on vit qu'il avait pour titre
le *Chevalier de la Croix*. « Un nom aussi saint que ce livre
le porte, dit le curé, mériterait qu'on fît grâce à son ignorance. Mais il ne faut pas oublier le proverbe : derrière
la croix se tient le diable. Qu'il aille au feu! » Prenant un
autre livre : « Voici, dit le barbier, le *Miroir de chevalerie*.
— Ah! je connais déjà sa Seigneurie, dit le curé. On y

encontre le seigneur Renaud de Montauban, avec ses
amis et compagnons, tous plus voleurs que Cacus, et les
douze pairs de France, et leur véridique historien Turpin.
Je suis, par ma foi, d'avis de ne les condamner qu'à un
bannissement perpétuel, et cela parce qu'ils ont eu quelque
part dans l'invention du fameux Mateo Boyardo, d'où
a tissé sa toile le poète chrétien Ludovic Arioste. Quant à
ce dernier, si je le rencontre ici, et qu'il parle une autre
langue que la sienne, je ne lui porterai nul respect : mais
s'il parle en sa langue, je l'élèverai par vénération au-
dessus de ma tête. — Moi, je l'ai en italien, dit le barbier, mais je ne l'entends pas. — Il ne serait pas bon non
plus que vous l'entendissiez, répondit le curé; et mieux
aurait valu que ne l'entendît pas davantage un certain
capitaine, qui ne nous l'aurait pas apporté en Espagne
pour le faire castillan, car il lui a bien enlevé de son prix.
C'est, au reste, ce que feront tous ceux qui voudront faire
passer les ouvrages en vers dans une autre langue; quelque
soin qu'ils mettent, et quelque habileté qu'ils déploient,
jamais ils ne les conduiront au point de leur première
naissance. Mon avis est que ce livre et tous ceux qu'on
trouvera parlant de ces affaires de France soient descendus
et déposés dans un puits sec, jusqu'à ce qu'on décide,
avec plus de réflexion, ce qu'il faut faire d'eux. J'excepte,
toutefois, un certain *Bernard del Carpio*, qui doit se
trouver par ici, et un autre encore appelé *Roncevaux*, lesquels, s'ils tombent dans mes mains, passeront aussitôt
dans celles de la gouvernante, et de là, sans aucune rémission, dans celles du feu. »

De tout cela, le barbier demeura d'accord et trouva la
sentence parfaitement juste, tenant son curé pour si bon
chrétien et si amant de la vérité qu'il n'aurait pas dit
autre chose qu'elle pour toutes les richesses du monde.
En ouvrant un autre volume, il vit que c'était *Palmerin
d'Olive*, et, près de celui-là, s'en trouvait un autre qui
s'appelait *Palmerin d'Angleterre*. A cette vue, le licencié
s'écria : « Cette olive, qu'on la broie et qu'on la brûle,
et qu'il n'en reste pas même de cendres; mais cette palme
d'Angleterre, qu'on la conserve comme chose unique,
et qu'on fasse pour elle une cassette aussi précieuse que
celle qu'Alexandre trouva dans les dépouilles de Darius
et qu'il destina à enfermer les œuvres du poète Homère.
Ce livre-ci, seigneur compère, est considérable à deux
titres : d'abord, parce qu'il est très bon en lui-même;
ensuite, parce qu'il passe pour être l'ouvrage d'un spirituel
et savant roi de Portugal. Toutes les aventures du château de Miraguarda sont excellentes et d'un heureux enlacement; les propos sont clairs, sensés, de bon goût, et
toujours appropriés au caractère de celui qui parle, avec
beaucoup de justesse et d'intelligence. Je dis donc, sauf
votre meilleur avis, seigneur maître Nicolas, que ce livre

et l'*Amadis de Gaule* soient exemptés du feu, mais que tou
les autres, sans plus de demandes et de réponses, périssen.
à l'instant. — Non, non, seigneur compère, répliqua
le barbier, car celui que je tiens est le fameux *Don Bélianis*. — Quant à celui-là, reprit le curé, ses deuxième,
troisième et quatrième parties auraient besoin d'un peu
de rhubarbe pour purger leur trop grande bile; il faudrait
en ôter aussi toute cette histoire du château de la Renommée,
et quelques autres impertinences de même étoffe. Pour
cela on peut lui donner le délai d'outre-mer, et, s'il se
corrige ou non, l'on usera envers lui de miséricorde
ou de justice. En attendant, gardez-les chez vous, compère, et ne les laissez lire à personne. — J'y consens »,
répondit le barbier. Et, sans se fatiguer davantage à feuille-
ter des livres de chevalerie, le curé dit à la gouvernante de
prendre tous les grands volumes et de les jeter à la basse-
cour.

Il ne parlait ni à sot ni à sourd, mais bien à quelqu'un
qui avait plus envie de les brûler que de donner une pièce
de toile à faire au tisserand, quelque grande et fine qu'elle
pût être. Elle en prit donc sept ou huit d'une seule brassée
et les lança par la fenêtre; mais voulant trop en prendre
à la fois, un d'eux était tombé aux pieds du barbier, qui
le ramassa par envie de savoir ce que c'était, et lui trouva
pour titre *Histoire du fameux chevalier Tirant le Blanc*.

« Bénédiction! dit le curé en jetant un grand cri; vous
avez là *Tirant le Blanc!* Donnez-le vite, compère, car je
réponds bien d'avoir trouvé en lui un trésor d'allégresse
et une mine de divertissements. C'est là que se rencontrent
don Kyrie-Eleison de Montalban, un valeureux chevalier, et son frère Thomas de Montalban, et le chevalier
Fonséca, et la bataille que livre au dogue le brave Tirant,
et les finesses de la demoiselle Plaisir-de-ma-vie, avec les
amours et les ruses de la veuve Reposée, et madame l'impératrice amoureuse d'Hippolyte, son écuyer. Je vous le
dis en vérité, seigneur compère, pour le style ce livre
est le meilleur du monde. Les chevaliers y mangent, y
dorment, y meurent dans leurs lits, y font leurs testaments
avant de mourir, et l'on y conte mille autres choses qui
manquent à tous les livres de la même espèce. Et pourtant je vous assure que celui qui l'a composé méritait,
pour avoir dit tant de sottises sans y être forcé, qu'on l'envoyât ramer aux galères tout le reste de ses jours. Empor-
tez le livre chez vous, et lisez-le, et vous verrez si tout
ce que j'en dis n'est pas vrai. — Vous serez obéi, répondit
le barbier; mais que ferons-nous de tous ces petits volumes
qui restent? — Ceux-là, dit le curé, ne doivent pas être des
livres de chevalerie, mais de poésie. »

Il en ouvrit un et vit que c'était la *Diane* de Jorge de
Montemayor. Croyant qu'ils étaient tous de la même
espèce: « Ceux-ci, dit-il, ne méritent pas d'être brûlés avec

autres ; car ils ne font ni ne feront jamais le mal qu'ont
ait ceux de chevalerie. Ce sont des livres d'innocente
récréation, sans danger pour le prochain. — Ah, bon
Dieu ! monsieur le curé, s'écria la nièce, vous pouvez bien
les envoyer rôtir avec le reste ; car si mon oncle guérit
de la maladie de chevalerie errante, en lisant ceux-là il
n'aurait qu'à s'imaginer de se faire berger et de s'en aller
par les prés et les bois, chantant et jouant de la musette ;
ou bien de se faire poète, ce qui serait pis encore, car c'est,
à ce qu'on dit, une maladie incurable et contagieuse. —
Cette jeune fille a raison, dit le curé, et nous ferions bien
d'ôter à notre ami, si facile à broncher, cette occasion
de rechute. Puisque nous commençons par la *Diane* de
Montemayor, je suis d'avis qu'on ne la brûle point, mais
qu'on en ôte tout ce qui traite de la sage Félicia et de
l'Onde enchantée, et presque tous les grands vers. Qu'elle
reste, j'y consens de bon cœur, avec sa prose et l'honneur
d'être le premier de ces sortes de livres. — Celui qui vient
après, dit le barbier, est la *Diane* appelée la *seconde de Salmantin ;* puis un autre portant le même titre, mais dont
l'auteur est Gil Polo. — Pour celle du Salmantin, répondit
le curé, qu'elle aille augmenter le nombre des condamnés
de la basse-cour ; et qu'on garde celle de Gil Polo comme
si elle était d'Apollon lui-même. Mais passons outre,
seigneur compère, et dépêchons-nous, car il se fait tard. —
Celui-ci, dit le barbier, qui en ouvrait un autre, renferme
les *Dix livres de Fortune d'amour*, composés par Antonio de Lofraso, poète de Sardaigne. — Par les ordres que
j'ai reçus, s'écria le curé, depuis qu'Apollon est Apollon,
les muses des muses et les poètes des poètes, jamais on
n'a composé livre si gracieux et si extravagant. Dans son
espèce, c'est le meilleur et l'unique de tous ceux qui ont
paru à la clarté du jour, et qui ne l'a pas lu peut se vanter
de n'avoir jamais rien lu d'amusant. Amenez ici, compère, car
je fais plus de cas de l'avoir trouvé que d'avoir reçu en
cadeau une soutane de taffetas de Florence. » Et il le mit à
part avec grande joie.

« Ceux qui suivent, continua le barbier, sont le *Pasteur
d'Ibérie*, les *Nymphes de Hénarès* et les *Remèdes à la jalousie*. — Il n'y a rien de mieux à faire, dit le curé, que de les
livrer au bras séculier de la gouvernante, et qu'on ne me
demande pas le pourquoi, car je n'aurais jamais fini. —
Voici maintenant le *Berger de Philida*. — Ce n'est pas
un berger, dit le curé, mais un sage et ingénieux
courtisan. Qu'on le garde comme une relique. — Ce
grand-là qui vient ensuite, dit le barbier, s'intitule *Trésor
de poésies variées*. — Si elles étaient moins nombreuses,
reprit le curé, elles n'en vaudraient que mieux. Il
faut que ce livre soit sarclé, échardonné et débarrassé
de quelques bassesses qui nuisent à ses grandeurs. Qu'on
le garde pourtant, parce que son auteur est mon ami,

et par respect pour ses autres œuvres, plus relevées
plus héroïques. — Celui-ci, continua le barbier, est le
Chansonnier de Lopez Maldonado. — L'auteur de ce livre,
répondit le curé, est encore un de mes bons amis. Dans
sa bouche, ses vers ravissent ceux qui les entendent, et
telle est la suavité de sa voix que, lorsqu'il les chante,
il enchante. Il est un peu long dans les églogues; mais
ce qui est bon n'est jamais de trop. Qu'on le mette avec
les réservés. Mais quel est le livre qui est tout auprès ?
— C'est la *Galatée* de Miguel de Cervantès, répondit
le barbier. — Il y a bien des années, reprit le curé, que
ce Cervantès est de mes amis, et je sais qu'il est plus versé
dans la connaissance des infortunes que dans celle de la
poésie. Son livre ne manque pas d'heureuse invention, mais
il propose et ne conclut rien. Attendons la seconde partie
qu'il promet; peut-être qu'en se corrigeant il obtiendra
tout à fait la miséricorde qu'on lui refuse aujourd'hui. En
attendant, seigneur compère, gardez-le reclus en votre
logis. — Très volontiers, répondit maître Nicolas. En
voici trois autres qui viennent ensemble. Ce sont l'*Arau-
cana* de don Alonzo de Ercilla, l'*Austriada* de Juan Rufo,
juré de Cordoue, et le *Monserrate* de Cristoval de Viruès,
poète valencien. — Tous les trois, dit le curé, sont les
meilleurs qu'on ait écrits en vers héroïques dans la langue
espagnole, et ils peuvent le disputer aux plus fameux
d'Italie. Qu'on les garde comme les plus précieux bijoux
de poésie que possède l'Espagne. »

Enfin le curé se lassa de manier tant de livres et voulut
que, sans plus d'interrogatoire, on jetât tout le reste au
feu. Mais le barbier en tenait déjà un ouvert qui s'appelait
les Larmes d'Angélique. » Ah ! je verserais les miennes,
dit le curé, si j'avais fait brûler un tel livre, car son auteur
fut un des fameux poètes, non seulement d'Espagne, mais
du monde entier, et il a merveilleusement réussi dans la
traduction de quelques fables d'Ovide. »

CHAPITRE VII

De la seconde sortie de notre bon chevalier don Quichotte
de la Manche.

On en était là, quand don Quichotte se mit à jeter de grands cris. « Ici, disait-il, ici, valeureux chevaliers, c'est ici qu'il faut montrer la force de vos bras invincibles, car les gens de la cour emportent tout l'avantage du tournoi. » Pour accourir à ce tapage, on laissa là l'inventaire des livres qui restaient. Aussi croit-on que, sans être entendus ni confrontés, la *Caroléa* et *Léon d'Espagne* s'en allèrent au feu avec les *Gestes de l'empereur*, composés par don Luis de Avila, car sans doute ils se trouvaient dans la bibliothèque; et peut-être, si le curé les eût vus, n'auraient-ils point subi ce rigoureux arrêt.

Quand ils arrivèrent auprès de don Quichotte, il avait quitté son lit et continuait à la fois ses cris et ses extravagances, frappant de tous côtés, d'estoc et de taille, mais aussi éveillé que s'il n'eût jamais dormi. On le prit à bras-le-corps, et par force on le recoucha. Quand il se fut un peu calmé, il se tourna vers le curé pour lui adresser la parole, et lui dit : « En vérité, seigneur archevêque Turpin, c'est une grande honte que ceux de nous qui nous appelons les douze Pairs, nous laissions si bonnement remporter la victoire de ce tournoi aux chevaliers de la cour, après que nous autres, les chevaliers errants, en avons enlevé les prix ces trois jours passés. — Faites silence, seigneur compère, répondit le curé; s'il plaît à Dieu, la chance tournera, et ce qu'on perd aujourd'hui se peut gagner demain; ne vous occupez, pour le moment, que de votre santé, car il me semble que vous devez être harassé et peut-être blessé grièvement. — Blessé, non, reprit don Quichotte; mais moulu et rompu, cela ne fait pas doute : car ce bâtard de Roland m'a roué de coups avec le tronc d'un chêne, et tout cela de pure jalousie, parce qu'il voit que je suis le seul pour tenir tête à ses fanfaronnades. Mais je ne m'appellerais pas Renaud de Montauban s'il ne me le payait, quand je sortirai de ce lit, en dépit de tous les enchantements qui le protègent. Quant à présent, qu'on me donne à manger; car c'est ce qui peut me venir de

plus à propos, et qu'on laisse à ma charge le soin de m
vengeance. » On s'empressa d'obéir et de lui apporter à
manger ; après quoi ils restèrent, lui, encore une fois
endormi, et les autres, émerveillés de sa folie.

Cette même nuit, la gouvernante brûla et calcina autant
de livres qu'il s'en trouvait dans la basse-cour et dans
toute la maison, et tels d'entre eux souffrirent la peine
du feu qui méritaient d'être conservés dans d'éternelles
archives. Mais leur mauvais sort et la paresse de l'exami-
nateur ne permirent point qu'ils en échappassent, et ainsi
s'accomplit pour eux le proverbe que souvent le juste
paye pour le pécheur.

Un des remèdes qu'imaginèrent pour le moment le curé
et le barbier contre la maladie de leur ami, ce fut qu'on
murât la porte du cabinet des livres, afin qu'il ne les trouvât plus quand il se lèverait (espérant qu'en ôtant la cause,
l'effet cesserait aussi), et qu'on lui dît qu'un enchanteur
les avait emportés, le cabinet et tout ce qu'il y avait
dedans ; ce qui fut exécuté avec beaucoup de diligence.
Deux jours après, don Quichotte se leva, et la première
chose qu'il fit fut d'aller voir ses livres. Mais ne trouvant
plus le cabinet où il l'avait laissé, il s'en allait le cherchant à
droite et à gauche, revenait sans cesse où il avait coutume
de rencontrer la porte, en tâtait la place avec les mains,
et sans mot dire, tournait et retournait les yeux de tous
côtés. Enfin, au bout d'un long espace de temps, il demanda
à la gouvernante où se trouvait le cabinet des livres. La
gouvernante, qui était bien stylée sur ce qu'elle devait
répondre, lui dit : « Quel cabinet ou quel rien du tout
cherche Votre Grâce ? Il n'y a plus de cabinet ni de livres
dans cette maison, car le diable lui-même a tout emporté.
— Ce n'était pas le diable, reprit la nièce, mais bien un
enchanteur qui est venu sur une nuée, la nuit après que
Votre Grâce est partie d'ici, et, mettant pied à terre d'un
serpent sur lequel il était à cheval, il entra dans le cabinet, et je ne sais ce qu'il y fit, mais au bout d'un instant
il sortit en s'envolant par la toiture et laissa la maison
toute pleine de fumée ; et quand nous voulûmes voir ce
qu'il laissait de fait, nous ne vîmes plus ni livres ni chambre.
Seulement, nous nous souvenons bien, la gouvernante
et moi, qu'au moment de s'envoler, ce méchant vieillard
nous cria d'en haut que c'était par une secrète inimitié
qu'il portait au maître des livres et du cabinet qu'il faisait
dans cette maison le dégât qu'on verrait ensuite. Il ajouta
aussi qu'il s'appelait le sage Mugnaton. — Freston, il a dû
dire, reprit don Quichotte. — Je ne sais, répliqua la gouvernante, s'il s'appelait Freston ou Friton, mais, en tout
cas, c'est en *ton* que son nom finit. — En effet, continua
don Quichotte, c'est un savant enchanteur, mon ennemi
mortel, qui m'en veut parce qu'il sait, au moyen de son
art et de son grimoire, que je dois, dans la suite des temps, me

ncontrer en combat singulier avec un chevalier qu'il
avorise, et que je dois aussi le vaincre, sans que sa science
puisse en empêcher : c'est pour cela qu'il s'efforce de me
causer tous les déplaisirs qu'il peut; mais je l'informe, moi,
qu'il ne pourra ni contredire ni éviter ce qu'a ordonné le
ciel. — Qui peut en douter ? dit la nièce. Mais, mon seigneur oncle, pourquoi vous mêlez-vous à toutes ces
querelles ? Ne vaudrait-il pas mieux rester pacifiquement
dans sa maison que d'aller par le monde chercher du meilleur pain que celui de froment, sans considérer que bien des
gens vont querir de la laine qui reviennent tondus ? —
O ma nièce ! répondit don Quichotte, que vous êtes peu
au courant des choses ! avant qu'on me tonde, moi, j'aurai rasé et arraché la barbe à tous ceux qui s'imagineraient
me toucher à la pointe d'un seul cheveu. » Toutes deux
se turent, ne voulant pas répliquer davantage, car elles
virent que la colère lui montait à la tête.

Le fait est qu'il resta quinze jours dans sa maison, très
calme et sans donner le moindre indice qu'il voulût
recommencer ces premières escapades; pendant lequel
temps il eut de fort gracieux entretiens avec ses deux com-
pères, le curé et le barbier, sur ce qu'il prétendait que la
chose dont le monde avait le plus besoin c'était de chevaliers errants, et qu'il fallait y ressusciter la chevalerie
errante. Quelquefois le curé le contredisait, quelquefois
lui cédait aussi; car à moins d'employer cet artifice, il eût
été impossible d'en avoir raison.

Dans ce temps-là, don Quichotte sollicita secrètement
un paysan, son voisin, homme de bien (si toutefois on
peut donner ce titre à celui qui est pauvre), mais, comme
on dit, de peu de plomb dans la cervelle. Finalement il
lui conta, lui persuada et lui promit tant de choses que
le pauvre homme se décida à partir avec lui et à lui servir
d'écuyer. Entre autres choses, don Quichotte lui disait
qu'il se disposât à le suivre de bonne volonté, parce qu'il
pourrait lui arriver telle aventure qu'en un tour de main
il gagnât quelque île, dont il le ferait gouverneur sa vie
durant. Séduit par ces promesses et d'autres semblables,
Sancho Panza (c'était le nom du paysan) planta là sa
femme et ses enfants et s'enrôla pour écuyer de son voisin.
Don Quichotte se mit aussitôt en mesure de chercher
de l'argent, et, vendant une chose, engageant l'autre, et
gaspillant toutes ses affaires, il ramassa une raisonnable
somme. Il se pourvut aussi d'une rondache de fer qu'il
emprunta d'un de ses amis, et raccommoda du mieux qu'il
put sa mauvaise salade brisée; puis il avisa son écuyer
Sancho du jour et de l'heure où il pensait se mettre en
route, pour que celui-ci se munît également de ce qu'il
jugerait le plus nécessaire. Surtout, il lui recommanda
d'emporter un bissac. L'autre promit qu'il n'y manquerait
pas et ajouta qu'il pensait aussi emmener un très bon

âne qu'il avait, parce qu'il ne se sentait pas fort habil
sur l'exercice de la marche à pied. A ce propos de l'âne,
don Quichotte réfléchit un peu, cherchant à se rappeler
si, par hasard, quelque chevalier errant s'était fait suivre
d'un écuyer monté comme au moulin. Mais jamais sa
mémoire ne put lui en fournir un seul. Cependant il
consentit à lui laisser emmener la bête, se proposant de
l'accommoder d'une plus honorable monture dès qu'une
occasion se présenterait, c'est-à-dire en enlevant le cheval
au premier chevalier discourtois qui se trouverait sur son
chemin. Il se pourvut aussi de chemises et des autres
choses qu'il put se procurer, suivant le conseil que lui
avait donné l'hôtelier, son parrain.

Tout cela fait et accompli, et, ne prenant congé, ni
Panza de sa femme et de ses enfants, ni don Quichotte
de sa gouvernante et de sa nièce, un beau soir ils sortirent
du pays sans être vus de personne, et ils cheminèrent si
bien toute la nuit qu'au point du jour ils se tinrent pour
certains de n'être plus attrapés, quand même on se mettrait
à leurs trousses. Sancho Panza s'en allait sur son âne,
comme un patriarche, avec son bissac, son outre et, de
plus, une grande envie de se voir déjà gouverneur de l'île
que son maître lui avait promise. Don Quichotte prit
justement la même direction et le même chemin qu'à sa
première sortie, c'est-à-dire à travers la plaine de Montiel,
où il cheminait avec moins d'incommodité que la fois
passée, car il était fort grand matin, et les rayons du soleil,
ne frappant que de biais, ne le gênaient point encore.
Sancho Panza dit alors à son maître : « Que Votre Grâce
fasse bien attention, seigneur chevalier errant, de ne point
oublier ce que vous m'avez promis au sujet d'une île,
car, si grande qu'elle soit, je saurai bien la gouverner. »
A quoi répondit don Quichotte : « Il faut que tu saches,
ami Sancho Panza, que ce fut un usage très suivi par les
anciens chevaliers errants de faire leurs écuyers gouver-
neurs des îles ou royaumes qu'ils gagnaient, et je suis
bien décidé à ce qu'une si louable coutume ne se perde
point par ma faute. Je pense au contraire y surpasser tous
les autres ; car maintes fois, et même le plus souvent,
ces chevaliers attendaient que leurs écuyers fussent vieux ;
c'est quand ceux-ci étaient rassasiés de servir et las de
passer de mauvais jours et de plus mauvaises nuits qu'on
leur donnait quelque titre de comte ou pour le moins de
marquis, avec quelque vallée ou quelque province à l'avenant ; mais si nous vivons, toi et moi, il peut bien se faire
qu'avant six jours je gagne un royaume fait de telle sorte
qu'il en dépende quelques autres, ce qui viendrait tout
à point pour te couronner roi d'un de ceux-ci. Et que cela
ne t'étonne pas, car il arrive à ces chevaliers des aventures
si étranges, d'une façon si peu vue et si peu prévue que
je pourrais facilement te donner encore plus que je ne

promets. — A ce train-là, répondit Sancho Panza, si, par un de ces miracles que raconte Votre Grâce, j'allais devenir roi, Juana Gutierrez, ma ménagère, ne deviendrait rien moins que reine, et mes enfants infants. — Qui en doute ? répondit Don Quichotte. — Moi, j'en doute, répliqua Sancho; car j'imagine que, quand même Dieu ferait pleuvoir des royaumes sur la terre, aucun ne s'ajusterait bien à la tête de Marie Gutierrez. Sachez, Seigneur, qu'elle ne vaut pas deux deniers pour être reine. Comtesse lui irait mieux; encore serait-ce avec l'aide de Dieu. — Eh bien! laisses-en le soin à Dieu, Sancho, répondit don Quichotte; il lui donnera ce qui sera le plus à sa convenance, et ne te rapetisse pas l'esprit au point de venir à te contenter d'être moins que gouverneur de province. — Non, vraiment, mon seigneur, répondit Sancho, surtout ayant en Votre Grâce un si bon et si puissant maître, qui saura me donner ce qui me convient le mieux, et ce que mes épaules pourront porter. »

CHAPITRE VIII

Du beau succès qu'eut le valeureux don Quichotte dans l'épouvantable et inimaginable aventure des moulins à vent, avec d'autres événements dignes d'heureuse souvenance.

En ce moment ils découvrirent trente ou quarante moulins à vent qu'il y a dans cette plaine, et, dès que don Quichotte les vit, il dit à son écuyer : « La fortune conduit nos affaires mieux que ne pourrait y réussir notre désir même. Regarde, ami Sancho ; voilà devant nous au moins trente démesurés géants, auxquels je pense livrer bataille et ôter la vie à tous tant qu'ils sont. Avec leurs dépouilles, nous commencerons à nous enrichir ; car c'est prise de bonne guerre, et c'est grandement servir Dieu que de faire disparaître si mauvaise engeance de la face de la terre. — Quels géants ? demanda Sancho Panza. — Ceux que tu vois là-bas, lui répondit son maître, avec leurs grands bras, car il y en a qui les ont de presque deux lieues de long. — Prenez donc garde, répliqua Sancho ; ce que nous voyons là-bas ne sont pas des géants, mais des moulins à vent, et ce qui paraît leurs bras, ce sont leurs ailes, qui, tournées par le vent, font tourner à leur tour la meule du moulin. — On voit bien, répondit don Quichotte, que tu n'es pas expert en fait d'aventures : ce sont des géants te dis-je ; si tu as peur, ôte-toi de là et va te mettre en oraison pendant que je leur livrerai une inégale et terrible bataille. » En parlant ainsi, il donna de l'éperon à son cheval Rossinante, sans prendre garde aux avis de son écuyer Sancho, qui lui criait qu'à coup sûr c'étaient des moulins à vent et non des géants qu'il allait attaquer. Pour lui, il s'était si bien mis dans la tête que c'étaient des géants que non seulement il n'entendait point les cris de son écuyer Sancho, mais qu'il ne parvenait pas, même en approchant tout près, à reconnaître la vérité. Au contraire, et tout en courant, il disait à grands cris : « Ne fuyez pas, lâches et viles créatures, c'est un seul chevalier qui vous attaque. » Un peu de vent s'étant alors levé, les grandes ailes commencèrent à se mouvoir ; ce que voyant don Quichotte, il s'écria : « Quand même vous remueriez plus de bras que le géant Briarée, vous allez me le payer. » En disant ces mots, il se recommande du

profond de son cœur à sa dame Dulcinée, la priant de le
secourir en un tel péril; puis, bien couvert de son écu,
et la lance en arrêt, il se précipite, au plus grand galop
de Rossinante, contre le premier moulin qui se trouvait
devant lui; mais, au moment où il perçait l'aile d'un grand
coup de lance, le vent la chasse avec tant de furie qu'elle
met la lance en pièces et qu'elle emporte après elle le
cheval et le chevalier, qui s'en alla rouler sur la poussière
en fort mauvais état.

Sancho Panza accourut à son secours de tout le trot
de son âne et trouva, en arrivant près de lui, qu'il ne
pouvait plus remuer, tant le coup et la chute avaient été
rudes. « Miséricorde ! s'écria Sancho, n'avais-je pas bien
dit à Votre Grâce qu'elle prît garde à ce qu'elle faisait,
que ce n'était pas autre chose que des moulins à vent
et qu'il fallait, pour s'y tromper, en avoir d'autres dans
la tête ? — Paix, paix ! ami Sancho, répondit don Quichotte : les choses de la guerre sont plus que toute autre
sujettes à des chances continuelles; d'autant plus que je
pense, et ce doit être la vérité, que ce sage Freston, qui
m'a volé les livres et le cabinet, a changé ces géants en
moulins, pour m'enlever la gloire de les vaincre : tant
est grande l'inimitié qu'il me porte ! Mais en fin de compte
son art maudit ne prévaudra pas contre la bonté de mon
épée. — Dieu le veuille, comme il le peut », répondit
Sancho Panza; et il aida son maître à remonter sur Rossinante, qui avait les épaules à demi déboîtées.

En conversant sur l'aventure, ils suivirent le chemin
du Port-Lapice, parce que, disait don Quichotte, comme
c'est un lieu de grand passage, on ne pouvait manquer
d'y rencontrer toutes sortes d'aventures. Seulement, il s'en
allait tout chagrin de ce que sa lance lui manquait, et,
faisant part de ce regret à son écuyer, il lui dit : « Je me
souviens d'avoir lu qu'un chevalier espagnol nommé Diego
Perez de Vargas, ayant eu son épée brisée dans une
bataille, arracha d'un chêne une forte branche, ou peut-
être le tronc, et, avec cette arme, fit de tels exploits et
assomma tant de Mores qu'on lui donna le surnom d'*assom-*
moir, que lui et ses descendants ajoutèrent depuis à leur
nom de Vargas. Je t'ai dit cela, parce que je pense arracher
du premier chêne, gris ou vert, que je rencontre, une
branche aussi forte que celle-là, avec laquelle j'imagine
faire de telles prouesses que tu te tiennes pour heureux
d'en avoir mérité le spectacle et d'être témoin de merveilles
qu'on aura peine à croire. — A la volonté de Dieu, répondit Sancho; je le crois tout comme vous le dites. Mais
Votre Grâce ferait bien de se redresser un peu, car il me
semble qu'elle se tient quelque peu de travers, et ce doit
être l'effet des secousses de sa chute. — Aussi vrai que tu le
dis, reprit don Quichotte; et si je ne me plains pas de la
douleur que j'endure, c'est parce qu'il est interdit aux che-

aliers errants de se plaindre d'aucune blessure, quand même les entrailles leur sortiraient de la plaie. — S'il en est ainsi, je n'ai rien à répondre, répliqua Sancho ; mais Dieu sait si je ne serais pas ravi de vous entendre plaindre, dès que quelque chose vous ferait mal. Pour moi, je puis dire que je me plaindrais au plus petit bobo, à moins toutefois que cette défense de se plaindre ne s'étende aux écuyers des chevaliers errants. » Don Quichotte ne put s'empêcher de rire de la simplicité de son écuyer, et lui déclara qu'il pouvait fort bien se plaindre, quand et comme il lui plairait, avec ou sans envie, n'ayant jusque-là rien lu de contraire dans les lois de la chevalerie.

Sancho lui fit remarquer alors qu'il était l'heure de dîner. Don Quichotte répondit qu'il ne se sentait point d'appétit pour le moment, mais que lui pouvait manger tout à sa fantaisie. Avec cette permission, Sancho s'arrangea du mieux qu'il put sur son âne, et, tirant du bissac des provisions qu'il y avait mises, il s'en allait mangeant et cheminant au petit pas derrière son maître. De temps en temps, il portait l'outre à sa bouche de si bonne grâce qu'il aurait fait envie au plus galant cabaretier de Malaga. Et tandis qu'il marchait ainsi, avalant un coup sur l'autre, il ne se rappelait aucune des promesses que son maître lui avait faites et regardait, non comme un rude métier, mais comme un vrai délassement, de s'en aller cherchant des aventures, toutes périlleuses qu'elles pussent être.

Finalement, ils passèrent cette nuit sous un massif d'arbres, de l'un desquels don Quichotte rompit une branche sèche qui pouvait au besoin lui servir de lance et y ajouta le fer de celle qui s'était brisée. Don Quichotte ne dormit pas de toute la nuit, pensant à sa dame Dulcinée, pour se conformer à ce qu'il avait lu dans ses livres, que les chevaliers errants passaient bien des nuits sans dormir au milieu des forêts et des déserts, s'entretenant du souvenir de leurs dames. Sancho Panza ne la passa point de même ; car, comme il avait l'estomac plein, et non d'eau de chicorée, il n'en fit d'un bout à l'autre qu'un somme ; au matin, il fallut la voix de son maître pour l'éveiller, ce que ne pouvaient faire ni les rayons du soleil, qui lui donnait en plein visage, ni le chant de mille oiseaux qui saluaient joyeusement la venue du nouveau jour. En se frottant les yeux, Sancho fit une caresse à son outre, et, la trouvant un peu plus maigre que la nuit d'avant, son cœur s'affligea, car il lui sembla qu'ils ne prenaient pas le chemin de remédier sitôt à sa disette. Don Quichotte ne se soucia point non plus de déjeuner, préférant, comme on l'a dit, se repaître de succulents souvenirs.

Ils reprirent le chemin du Port-Lapice, et vers les trois heures de l'après-midi ils en découvrirent l'entrée. « C'est ici, dit à cette vue don Quichotte, que nous pouvons, ami Sancho, mettre les mains jusqu'aux coudes dans ce

qu'on appelle aventures. Mais prends bien garde que, m.
visses-tu dans le plus grand péril du monde, tu ne dois
pas mettre l'épée à la main pour me défendre, à moins
que tu ne t'aperçoives que ceux qui m'attaquent sont de
la canaille et des gens de rien, auquel cas tu peux me secourir; mais si c'étaient des chevaliers, il ne t'est nullement
permis ni concédé par les lois de la chevalerie de me
porter secours, jusqu'à ce que tu sois toi-même armé
chevalier. — Par ma foi, seigneur, répondit Sancho, Votre
Grâce en cela sera bien obéie, d'autant plus que de ma
nature je suis pacifique, et fort ennemi de me fourrer dans
le tapage et les querelles. Mais, à vrai dire, quand il s'agira
de défendre ma personne, je ne tiendrai pas grand compte
de ces lois; car celles de Dieu et des hommes permettent
à chacun de se défendre contre quiconque voudrait l'offenser. — Je ne dis pas le contraire, répondit don Quichotte; seulement, pour ce qui est de me secourir contre
les chevaliers, tiens en bride tes mouvements naturels.
—Je répète que je n'y manquerai pas, répondit Sancho, et
que je garderai ce commandement aussi bien que celui
de chômer le dimanche. »

En devisant ainsi, ils découvrirent sur le chemin deux
moines de l'ordre de Saint-Benoît, à cheval sur deux dro-
madaires, car les mules qu'ils montaient en avaient la taille,
et portant leurs lunettes de voyage et leurs parasols. Derrière eux venait un carrosse entouré de quatre ou cinq
hommes à cheval et suivi de deux garçons de mules à pied.
Dans ce carrosse était, comme on le sut depuis, une dame
de Biscaye qui allait à Séville, où se trouvait son mari prêt
à passer aux Indes avec un emploi considérable. Les moines
ne venaient pas avec elle, mais suivaient le même chemin.
A peine don Quichotte les eut-il aperçus qu'il dit à son
écuyer : « Ou je suis bien trompé ou nous tenons la plus
fameuse aventure qui se soit jamais vue. Car ces masses
noires qui se montrent là-bas doivent être, et sont sans nul
doute, des enchanteurs qui emmènent dans ce carrosse
quelque princesse qu'ils ont enlevée; il faut que je défasse
ce tort à tout risque et de toute ma puissance. — Ceci,
répondit Sancho, m'a l'air d'être pire que les moulins à
vent. Prenez garde, seigneur; ce sont là des moines de
Saint-Benoît, et le carrosse doit être à des gens qui
voyagent. Prenez garde, je le répète, à ce que vous allez
faire, et que le diable ne vous tente pas. — Je t'ai déjà dit,
Sancho, répliqua don Quichotte, que tu ne sais pas grand-
chose en matière d'aventures. Ce que je dis est la vérité,
et tu le verras dans un instant. »

Tout en disant cela, il partit en avant et fut se placer
au milieu du chemin par où venaient les moines; et dès
que ceux-ci furent arrivés assez près pour qu'il crût
pouvoir se faire entendre d'eux, il leur cria de toute sa voix :
« Gens de l'autre monde, gens diaboliques, mettez sur-le-

amp en liberté les hautes princesses que vous enlevez
t gardez violemment dans ce carrosse; sinon préparez-
vous à recevoir prompte mort pour juste châtiment de
vos mauvaises œuvres. » Les moines retinrent la bride et
s'arrêtèrent, aussi émerveillés de la figure de don Quichotte que de ses propos, auxquels ils répondirent : « Seigneur chevalier, nous ne sommes ni diaboliques ni de
l'autre monde, mais bien deux religieux de Saint-Benoît,
qui suivons notre chemin, et nous ne savons si ce carrosse
renferme ou non des princesses enlevées. — Je ne me
paye point de belles paroles, reprit don Quichotte, et je
vous connais déjà, déloyale canaille. » Puis, sans attendre
d'autre réponse, il pique Rossinante et se précipite, la
lance basse, contre le premier moine, avec tant de furie
et d'intrépidité que, si le bon père ne se fût laissé tomber
de sa mule, il l'aurait envoyé malgré lui par terre, ou grièvement blessé, ou mort peut-être. Le second religieux,
voyant traiter ainsi son compagnon, prit ses jambes au
cou de sa bonne mule et enfila la venelle, aussi léger
que le vent. Sancho Panza, qui vit l'autre moine par terre,
sauta légèrement de sa monture et, se jetant sur lui, se
mit à lui ôter son froc et sa capuche. Alors, deux valets
qu'avaient les moines accoururent et lui demandèrent pourquoi il déshabillait leur maître. Sancho leur répondit
que ses habits lui appartenaient légitimement, comme
dépouilles de la bataille qu'avait remportée son seigneur
don Quichotte. Les valets, qui n'entendaient pas raillerie et
ne comprenaient rien à ces histoires de dépouilles et de
bataille, voyant que don Quichotte s'était éloigné pour aller
parler aux gens du carrosse, tombèrent sur Sancho, le
jetèrent à la renverse et, sans lui laisser poil de barbe
au menton, le rouèrent si bien de coups qu'ils le laissèrent
étendu par terre, sans haleine et sans connaissance. Le
religieux ne perdit pas un moment pour remonter sur
sa mule, tremblant, épouvanté, et le visage tout blême
de frayeur. Dès qu'il se vit à cheval, il piqua du côté de
son compagnon, qui l'attendait assez loin de là, regardant
comment finirait cette alarme; et tous deux, sans vouloir
attendre la fin de toute cette aventure, continuèrent en
hâte leur chemin, faisant plus de signes de croix que s'ils
eussent eu le diable lui-même à leurs trousses.

Pour don Quichotte, il avait été, comme on l'a vu,
parler à la dame du carrosse, et il lui disait : « Votre
Beauté, madame, peut désormais faire de sa personne tout
ce qui sera le plus de son goût; car la superbe de vos ravis-
seurs gît maintenant à terre, abattue par ce bras redoutable.
Afin que vous ne soyez pas en peine du nom de votre
libérateur, sachez que je m'appelle don Quichotte de la
Manche, chevalier errant, et captif de la belle sans pareille
doña Dulcinée du Toboso. Et, pour prix du bienfait que
vous avez reçu de moi, je ne vous demande qu'une chose :

c'est de retourner au Toboso, de vous présenter de ɪ
part devant cette dame et de lui raconter ce que j'ai fa
pour votre liberté. » Tout ce que disait don Quichotte
était entendu par un des écuyers qui accompagnaient la
voiture, lequel était Biscayen ; et celui-ci, voyant qu'il ne
voulait pas laisser partir la voiture, mais prétendait, au
contraire, la faire retourner au Toboso, s'approcha de
don Quichotte, empoigna sa lance et, dans une langue
qui n'était pas plus du castillan que du biscayen, lui parla
de la sorte : « Va, chevalier, que mal ailles-tu ; par le Dieu
qui me créa, si le carrosse ne laisses, aussi bien mort tu
es que Biscayen suis-je. » Don Quichotte le comprit
très bien et lui répondit avec un merveilleux sang-froid :
« Si tu étais chevalier, aussi bien que tu ne l'es pas, chétive
créature, j'aurais déjà châtié ton audace et ton insolence. »
A quoi le Biscayen répliqua : « Pas chevalier, moi ! je jure
à Dieu, tant tu as menti comme chrétien. Si lance jettes
et épée tires, à l'eau tu verras comme ton chat vite s'en
va. Biscayen par terre, hidalgo par mer, hidalgo par le
diable, et menti tu as si autre chose dis. — C'est ce que
nous allons voir », répondit don Quichotte ; et, jetant sa
lance à terre, il tire son épée, embrasse son écu et s'élance
avec fureur sur le Biscayen, résolu à lui ôter la vie.

Le Biscayen, qui le vit ainsi venir, aurait bien désiré
sauter en bas de sa mule, mauvaise bête de louage sur
laquelle on ne pouvait compter ; mais il n'eut que le temps
de tirer son épée, et bien lui prit de se trouver près du
carrosse, d'où il saisit un coussin pour s'en faire un bouclier. Aussitôt ils se jetèrent l'un sur l'autre, comme s'ils
eussent été de mortels ennemis. Les assistants auraient
voulu mettre le holà ; mais ils ne purent en venir à bout,
parce que le Biscayen jurait en son mauvais jargon que,
si on ne lui laissait achever la bataille, il tuerait lui-même
sa maîtresse et tous ceux qui s'y opposeraient. La dame
du carrosse, surprise et effrayée de ce qu'elle voyait, fit
signe au cocher de se détourner un peu et, de quelque
distance, se mit à regarder la formidable rencontre.

En s'abordant, le Biscayen déchargea un si vigoureux
coup de taille sur l'épaule de don Quichotte que, si l'épée
n'eût rencontré la rondache, elle ouvrait en deux notre
chevalier jusqu'à la ceinture. Don Quichotte, qui ressentit
la pesanteur de ce coup prodigieux, jeta un grand cri,
en disant : « O dame de mon âme, Dulcinée, fleur de beauté,
secourez votre chevalier, qui, pour satisfaire la bonté de
votre cœur, se trouve en cette dure extrémité. » Dire ces
mots, serrer son épée, se couvrir de son écu et assaillir le
Biscayen, tout cela fut l'affaire d'un moment ; il s'élança,
déterminé à tout aventurer à la chance d'un seul coup.
Le Biscayen, le voyant ainsi venir à sa rencontre, jugea
de son emportement par sa contenance et résolut de jouer
le même jeu que don Quichotte. Il l'attendit de pied ferme,

bien couvert de son coussin, mais sans pouvoir tourner
ni bouger sa mule, qui, harassée de fatigue et peu faite
à de tels jeux d'enfants, ne voulait avancer ni reculer
d'un pas. Ainsi donc, comme on l'a dit, don Quichotte
s'élançait, l'épée haute, contre le prudent Biscayen, dans
le dessein de le fendre par la moitié, et le Biscayen l'attendait de même, l'épée en l'air et abrité sous son coussin.
Tous les assistants épouvantés attendaient avec anxiété
l'issue des effroyables coups dont ils se menaçaient. La
dame du carrosse offrait, avec ses femmes, mille vœux
à tous les saints du paradis et mille cierges à toutes les
chapelles d'Espagne, pour que Dieu délivrât leur écuyer
et elles-mêmes du péril extrême qu'ils couraient. Mais le
mal de tout cela, c'est qu'en cet endroit même l'auteur
de cette histoire laisse la bataille indécise et pendante,
donnant pour excuse qu'il n'a rien trouvé d'écrit sur les
exploits de don Quichotte, de plus qu'il n'en a déjà raconté.
Il est vrai que le second auteur de cet ouvrage ne voulut
pas croire qu'une si curieuse histoire fût ensevelie dans
l'oubli, et que les beaux esprits de la Manche se fussent
montrés si peu jaloux de sa gloire qu'ils n'eussent conservé
dans leurs archives ou leurs bibliothèques quelques
manuscrits qui traitassent de ce fameux chevalier. Ainsi
donc, dans cette supposition, il ne désespéra point de rencontrer la fin de cette intéressante histoire, qu'en effet, par
la faveur du ciel, il trouva de la manière qui sera rapportée
dans la seconde partie.

CHAPITRE IX

Où se conclut et termine l'épouvantable bataille que se livrèrent
le gaillard Biscayen et le vaillant Manchois.

Nous avons laissé, dans la première partie de cette histoire, le valeureux Biscayen et le fameux don Quichotte, les épées nues et hautes, prêts à se décharger deux furieux coups de tranchant, tels que, s'ils eussent frappé en plein, ils ne se fussent rien moins que pourfendus de haut en bas, et ouverts en deux comme une grenade; mais justement à cet endroit critique, on a vu cette savoureuse histoire rester en l'air et démembrée, sans que l'auteur nous fît connaître où l'on pourrait en trouver la suite. Cela me causa beaucoup de dépit, car le plaisir d'en avoir lu si peu se changeait en déplaisir, quand je songeais quelle faible chance s'offrait de trouver tout ce qui me semblait manquer d'un conte si délectable. Toutefois il me parut vraiment impossible, et hors de toute bonne coutume, qu'un si bon chevalier eût manqué de quelque sage qui prît à son compte le soin d'écrire ses prouesses inouïes, chose qui n'avait manqué à aucun de ces chevaliers errants desquels les gens disent qu'ils vont à leurs aventures; car chacun d'eux avait toujours à point nommé un ou deux sages, qui non seulement écrivaient leurs faits et gestes, mais qui enregistraient leurs plus petites et plus enfantines pensées, si cachées qu'elles pussent être. Et vraiment un si bon chevalier ne méritait pas d'être à ce point malheureux qu'il manquât tout à fait de ce qu'un Platir et d'autres semblables avaient eu de reste. Aussi ne pouvais-je me décider à croire qu'une histoire si piquante fût restée incomplète et estropiée; j'en attribuais la faute à la malignité du temps, qui dévore et consume toutes choses, supposant qu'il la tenait cachée, s'il ne l'avait détruite. D'un autre côté, je me disais : « Puisque, parmi les livres de notre héros, il s'en est trouvé d'aussi modernes que les *Remèdes à la jalousie* et les *Nymphes de Hénarès*, son histoire ne peut pas être fort ancienne et, si elle n'a point été écrite, elle doit se retrouver encore dans la mémoire des gens de son village et des pays circonvoisins. »
Cette imagination m'échauffait la tête et me donnait

un grand désir de connaître d'un bout à l'autre la vie
les miracles de notre fameux Espagnol don Quichotte
la Manche, lumière et miroir de la chevalerie manchoise
et le premier qui, dans les temps calamiteux de notre âge,
ait embrassé la profession des armes errantes; le premier
qui se soit mis à la besogne de défaire les torts, de secourir
les veuves, de protéger les demoiselles, pauvres filles qui
s'en allaient, le fouet à la main, sur leurs palefrois, par
monts et par vaux, portant la charge et l'embarras de leur
virginité, avec si peu de souci que si quelque chevalier
félon, quelque vilain armé en guerre, ou quelque démesuré
géant ne leur faisait violence, il s'est trouvé telle de ces
demoiselles, dans les temps passés, qui, au bout de quatre-
vingts ans, durant lesquels elle n'avait pas couché une nuit
sous toiture de maison, s'en est allée à la sépulture aussi
vierge que la mère qui l'avait mise au monde. Je dis
donc que, sous ce rapport et sous bien d'autres, notre
don Quichotte est digne de perpétuelles et mémorables
louanges; et vraiment, on ne doit pas me les refuser à
moi-même pour la peine que j'ai prise et la diligence que
j'ai faite dans le but de trouver la fin de cette histoire.
Cependant je sais bien que si le ciel, le hasard et la fortune
ne m'eussent aidé, le monde restait privé du passe-temps
exquis que pourra goûter, presque deux heures durant,
celui qui mettra quelque attention à la lire. Voici donc de
quelle manière j'en fis la découverte.

Me trouvant un jour à Tolède, dans la rue d'Alcana,
je vis un jeune garçon qui venait vendre à un marchand
de soieries de vieux cahiers de papier. Comme je me plais
beaucoup à lire, et jusqu'aux bribes de papier qu'on jette
à la rue, poussé par mon inclination naturelle, je pris un
des cahiers que vendait l'enfant et je vis que les caractères
en étaient arabes. Et comme, bien que je les reconnusse,
je ne les savais pas lire, je me mis à regarder si je n'aperce-
vais point quelque Morisque espagnolisé qui pût les
lire pour moi, et je n'eus pas grand-peine à trouver un
tel interprète; car si je l'eusse cherché pour une langue
plus sainte et plus ancienne, je l'aurais également trouvé.
Enfin, le hasard m'en ayant amené un, je lui expliquai
mon désir et lui remis le livre entre les mains. Il l'ouvrit
au milieu, et n'eut pas plus tôt lu quelques lignes qu'il
se mit à rire. Je lui demandai pourquoi il riait : « C'est,
me dit-il, d'une annotation qu'on a mise en marge de ce
livre. » Je le priai de me la faire connaître, et lui, sans
cesser de rire : « Voilà, reprit-il, ce qui se trouve écrit en
marge : *Cette Dulcinée du Toboso, dont il est si souvent fait
mention dans la présente histoire, eut, dit-on, pour saler des
porcs, meilleure main qu'aucune autre femme de la Manche.* »
Quand j'entendis prononcer le nom de Dulcinée du
Toboso, je demeurai surpris et stupéfait, parce qu'aussitôt
je m'imaginai que ces paperasses contenaient l'histoire de

don Quichotte. Dans cette pensée, je le pressai de lire l'intitulé, et le Morisque, traduisant aussitôt l'arabe en castillan, me dit qu'il était ainsi conçu : *Histoire de don Quichotte de la Manche, écrite par Cid Hamet Ben-Engeli, historien arabe.* Il ne me fallut pas peu de discrétion pour dissimuler la joie que j'éprouvai quand le titre du livre frappa mon oreille. L'arrachant des mains du marchand de soie, j'achetai au jeune garçon tous ces vieux cahiers pour un demi-réal; mais s'il eût eu l'esprit de deviner quelle envie j'en avais, il pouvait bien se promettre d'emporter plus de six réaux du marché.

M'éloignant bien vite avec le Morisque, je l'emmenai dans le cloître de la cathédrale et le priai de me traduire en castillan tous ces cahiers, du moins ceux qui traitaient de don Quichotte, sans rien mettre ni rien omettre, lui offrant d'avance le prix qu'il exigerait. Il se contenta de cinquante livres de raisin sec et de quatre boisseaux de froment, et me promit de les traduire avec autant de promptitude que de fidélité. Mais moi, pour faciliter encore l'affaire et ne pas me dessaisir d'une si belle trouvaille, j'emmenai le Morisque chez moi, où, dans l'espace d'un peu plus de six semaines, il traduisit toute l'histoire de la manière dont elle est ici rapportée.

Dans le premier cahier, on voyait, peinte au naturel, la bataille de don Quichotte avec le Biscayen; tous deux dans la posture où l'histoire les avait laissés, les épées hautes, l'un couvert de sa redoutable rondache, l'autre de son coussin. La mule du Biscayen était si frappante qu'on reconnaissait qu'elle était de louage à une portée de mousquet. Le Biscayen avait à ses pieds un écriteau où on lisait : *Don Sancho de Azpeitia*, c'était sans doute son nom; et aux pieds de Rossinante il y en avait un autre qui disait *Don Quichotte*. Rossinante était merveilleusement représenté, si long et si raide, si mince et si maigre, avec une échine si saillante et un corps si étique qu'il témoignait bien hautement avec quelle justesse et quel à-propos on lui avait donné le nom de Rossinante. Près de lui était Sancho Panza, qui tenait son âne par le licou, et au pied duquel on lisait sur un autre écriteau : *Sancho Zancas.* Ce nom venait sans doute de ce qu'il avait, comme le montrait la peinture, le ventre gros, la taille courte, les jambes grêles et cagneuses. C'est de là que durent lui venir les surnoms de Panza et de Zancas, que l'histoire lui donne indifféremment, tantôt l'un, tantôt l'autre.

Il y avait bien encore quelques menus détails à remarquer; mais ils sont de peu d'importance et n'ajoutent rien à la vérité de cette histoire, œuvre de laquelle on peut dire que nulle n'est mauvaise, pourvu qu'elle soit véritable. Si l'on pouvait élever quelque objection contre la sincérité de celle-ci, ce serait uniquement que son auteur fut de race arabe, et qu'il est fort commun aux gens de cette nation d'être

menteurs. Mais, d'une autre part, ils sont tellement nos
ennemis qu'on pourrait plutôt l'accuser d'être resté en
deçà du vrai que d'avoir été au-delà. C'est mon opinion :
car, lorsqu'il pourrait et devrait s'étendre en louange sur
le compte d'un si bon chevalier, on dirait qu'il les passe
exprès sous silence, chose mal faite et plus mal pensée,
puisque les historiens doivent être véridiques, ponctuels,
jamais passionnés, sans que l'intérêt ni la crainte, la rancune ni l'affection les fassent écarter du chemin de la
vérité, dont la mère est l'histoire, émule du temps, dépôt
des actions humaines, témoin du passé, exemple du présent,
enseignement de l'avenir. Dans celle-ci, je sais qu'on
trouvera tout ce que peut offrir la plus attrayante; et s'il
y manque quelque bonne chose, je crois, à part moi, que
ce fut plutôt la faute du chien de l'auteur que celle du
sujet. Enfin, suivant la traduction, la seconde partie
commençait de la sorte :

A voir lever en l'air les tranchantes épées des deux
braves et courroucés combattants, à voir leur contenance
et leur résolution, on eût dit qu'ils menaçaient le ciel,
la terre et l'abîme. Le premier qui déchargea son coup
fut le colérique Biscayen, et ce fut avec tant de force et
de fureur que, si l'épée en tombant ne lui eût tourné dans
la main, ce seul coup suffisait pour mettre fin au terrible
combat et à toutes les aventures de notre chevalier. Mais
sa bonne étoile, qui le réservait pour de plus grandes
choses, fit tourner l'épée de son ennemi de manière que,
bien qu'elle lui frappât en plein sur l'épaule gauche, elle
ne fit d'autre mal que de lui désarmer tout ce côté-là,
lui emportant de compagnie la moitié de la salade et la
moitié de l'oreille; et tout cela s'écroula par terre avec
un épouvantable fracas. Vive Dieu! qui pourrait à cette
heure bonnement raconter de quelle rage fut saisi le cœur
de notre Manchois, quand il se vit traiter de la sorte ?
On ne peut rien dire de plus, sinon qu'il se hissa de nouveau sur ses étriers, et, serrant son épée dans ses deux
mains, il la déchargea sur le Biscayen avec une telle furie,
en l'attrapant en plein sur le coussin et sur la tête, que,
malgré cette bonne défense, et comme si une montagne
se fût écroulée sur lui, celui-ci commença à jeter le sang
par le nez, par la bouche et par les oreilles, faisant mine
de tomber de la mule en bas, ce qui était infaillible s'il
ne se fût accroché par les bras à son cou. Mais cependant
ses pieds quittèrent les étriers, bientôt après ses bras s'étendirent, et la mule, épouvantée de ce terrible coup, se mettant à courir à travers les champs, en trois ou quatre bonds
jeta son cavalier par terre.

Don Quichotte le regardait avec un merveilleux sang-
froid : dès qu'il le vit tomber, il sauta de cheval, accourut
légèrement et, lui mettant la pointe de l'épée entre les
deux yeux, il lui cria de se rendre ou qu'il lui couperait

a tête. Le Biscayen était trop étourdi pour pouvoir répondre un seul mot; et son affaire était faite, tant la colère aveuglait don Quichotte, si les dames du carrosse, qui jusqu'alors avaient regardé le combat tout éperdues, ne fussent accourues auprès de lui et ne l'eussent supplié de faire, par faveur insigne, grâce de la vie à leur écuyer. A cela, don Quichotte répondit avec beaucoup de gravité et de hauteur : « Assurément, mes belles dames, je suis ravi de faire ce que vous me demandez; mais c'est à une condition, et moyennant l'arrangement que voici : que ce chevalier me promette d'aller au village du Toboso, et de se présenter de ma part devant la sans pareille Dulcinée, pour qu'elle dispose de lui tout à sa guise. » Tremblantes et larmoyantes, ces dames promirent bien vite, sans se faire expliquer ce que demandait don Quichotte, et sans s'informer même de ce qu'était Dulcinée, que leur écuyer ferait ponctuellement tout ce qui lui serait ordonné. « Eh bien! reprit don Quichotte, sur la foi de cette parole, je consens à lui laisser la vie, bien qu'il ait mérité la mort. »

CHAPITRE X

*Du gracieux entretien qu'eurent don Quichotte et Sancho Panza,
son écuyer.*

Il y avait déjà quelque temps que Sancho Panza s'était
relevé, un peu maltraité par les valets des moines, et,
spectateur attentif de la bataille que livrait son seigneur
don Quichotte, il priait Dieu du fond de son cœur de
vouloir bien donner à celui-ci la victoire pour qu'il y
gagnât quelque île et l'en fît gouverneur suivant sa promesse formelle. Voyant donc le combat terminé, et son
maître prêt à remonter sur Rossinante, il accourut lui
tenir l'étrier; mais avant de le laisser monter à cheval,
il se mit à genoux devant lui, lui prit la main, la baisa,
et lui dit : « Que Votre Grâce, mon bon seigneur don
Quichotte, veuille bien me donner le gouvernement de
l'île que vous avez gagnée dans cette formidable bataille;
car, si grande qu'elle puisse être, je me sens de force à
la savoir gouverner aussi bien que quiconque s'est jamais
mêlé de gouverner des îles en ce monde. » A cela don
Quichotte répondit : « Prenez garde, mon frère Sancho,
que cette aventure et celles qui lui ressemblent ne sont
pas aventures d'îles, mais de croisières de grandes routes,
où l'on ne gagne guère autre chose que de s'en aller la
tête cassée, ou avec une oreille de moins, Mais prenez
patience, et d'autres aventures s'offriront où je pourrai
vous faire non seulement gouverneur, mais quelque chose
de mieux. » Sancho se confondit en remerciements et, après
avoir encore une fois baisé la main de don Quichotte
et le pan de sa cotte de mailles, il l'aida à monter sur Rossinante, puis il enjamba son âne et se mit à suivre son
maître, lequel, s'éloignant à grands pas, sans prendre congé
des dames du carrosse, entra dans un bois qui se trouvait
près de là.

Sancho le suivait de tout le trot de sa bête; mais Rossinante cheminait si lestement que, se voyant en arrière,
force lui fut de crier à son maître de l'attendre. Don Quichotte retint la bride à Rossinante et s'arrêta jusqu'à ce
que son traînard d'écuyer l'eût rejoint. « Il me semble,
seigneur, dit ce dernier en arrivant, que nous ferions bien

d'aller prendre asile dans quelque église; car ces hommes
contre qui vous avez combattu sont restés en si piteux état
qu'on pourrait bien donner vent de l'affaire à la Sainte-
Hermandad et nous mettre dedans. Et, par ma foi, s'il
en était ainsi, avant de sortir de prison, nous aurions
à faire feu des quatre pieds. — Tais-toi, reprit don Quichotte; où donc as-tu jamais vu ou lu qu'un chevalier
errant eût été traduit devant la justice, quelque nombre
d'homicides qu'il eût commis ? — Je ne sais rien en fait
d'*homéciles*, répondit Sancho, et de ma vie ne l'ai essayé
sur personne; mais je sais bien que ceux qui se battent
au milieu des champs ont affaire à la Sainte-Hermandad,
et c'est de cela que je ne veux pas me mêler. — Eh bien !
ne te mets pas en peine, mon ami, répondit don Quichotte;
je te tirerai, s'il le faut, des mains des Philistins, à plus
forte raison de celles de la Sainte-Hermandad. Mais, dis-
moi, par ta vie ! as-tu vu plus vaillant chevalier que moi
sur toute la surface de la terre ? As-tu lu dans les histoires
qu'un autre ait eu plus d'intrépidité dans l'attaque, plus
de résolution dans la défense, plus d'adresse à porter les
coups, plus de promptitude à culbuter l'ennemi ? — La
vérité est, répliqua Sancho, que je n'ai jamais lu d'histoires,
car je ne sais ni lire ni écrire; mais ce que j'oserais bien
gager, c'est qu'en tous les jours de ma vie je n'ai pas
servi un maître plus hardi que Votre Grâce; et Dieu
veuille que ces hardiesses ne se payent pas comme j'ai
déjà dit. Mais ce que je prie Votre Grâce de faire à cette
heure, c'est de se panser, car elle perd bien du sang par
cette oreille. J'ai dans le bissac de la charpie et un peu d'onguent blanc. — Tout cela serait bien inutile, répondit don
Quichotte, si je m'étais souvenu de faire une fiole du
baume de Fierabras; il n'en faudrait qu'une goutte
pour épargner le temps et les remèdes. — Quelle fiole
et quel baume est-ce là ? demanda Sancho. — C'est un
baume, répondit don Quichotte, dont je sais la recette
par cœur, avec lequel il ne faut plus avoir peur de la mort,
ni craindre de mourir d'aucune blessure. Ainsi, quand
je l'aurai composé et que je te le donnerai à tenir, tu n'auras
rien de mieux à faire, si tu vois que, dans quelque bataille,
on m'a fendu par le milieu du corps, comme il nous
arrive mainte et mainte fois, que de ramasser bien pro-
prement la partie du corps qui sera tombée par terre;
puis, avant que le sang ne soit gelé, tu la replaceras avec
adresse sur l'autre moitié qui sera restée en selle, mais
en prenant soin de les ajuster et de les emboîter bien exactement; ensuite tu me donneras à boire seulement deux gorgées du baume, et tu me verras redevenir plus sain et plus
frais qu'une pomme de reinette. — S'il en est ainsi, reprit
Sancho, je renonce dès maintenant au gouvernement de
l'île promise, et je ne veux pas autre chose pour payement
de mes bons et nombreux services, sinon que Votre Grâce

me donne la recette de cette merveilleuse liqueur; car je
m'imagine qu'en tout pays elle vaudra bien deux réaux
l'once, et c'est tout ce qu'il me faut pour passer cette vie
en repos et en joie. Mais il reste à savoir si la façon en est
bien chère. — Pour moins de trois réaux, reprit don Quichotte, on en peut faire plus de trois pintes. — Par la
vie du Christ! s'écria Sancho, qu'attend donc Votre
Grâce pour la faire et pour me l'apprendre? — Paix,
paix, ami! répondit don Quichotte; je t'enseignerai, j'espère, de bien plus grands secrets, et te ferai de bien plus
grandes faveurs; mais pansons maintenant mon oreille,
car elle me fait plus de mal que je ne voudrais. »
     Sancho tira du bissac de la charpie et de l'onguent.
Mais quand don Quichotte vint à s'apercevoir que sa
salade était brisée, peu s'en fallut qu'il ne perdît l'esprit.
Portant la main à son épée et levant les yeux au ciel, il
s'écria : « Je fais serment au Créateur de toutes choses,
et sur les quatre saints Evangiles, de mener la vie que
mena le grand marquis de Mantoue, lorsqu'il jura de venger la mort de son neveu Baudouin, c'est-à-dire de ne
pas manger pain sur table, de ne pas folâtrer avec sa
femme et de s'abstenir d'autres choses (lesquelles, bien que
je ne m'en souvienne pas, je tiens pour comprises dans
mon serment) jusqu'à ce que j'aie tiré pleine vengeance
de celui qui m'a fait un tel grief. » Sancho, entendant
cela, l'interrompit : « Que Votre Grâce fasse attention, dit-
il, seigneur don Quichotte, que si le chevalier vaincu s'est
acquitté de l'ordre qu'il a reçu, en allant se présenter
devant Mme Dulcinée du Toboso, il doit être quitte et
déchargé, et ne mérite plus d'autre peine qu'il ne commette
d'autre délit. — Tu as parlé comme un oracle et touché le
vrai point, répondit don Quichotte; aussi j'annule mon serment en ce qui touche la vengeance à tirer du coupable;
mais je le refais, le répète et le confirme de nouveau, quant à
mener la vie que j'ai dite, jusqu'à ce que j'enlève par
force, à quelque chevalier, une salade aussi belle et aussi
bonne que celle-ci. Et ne t'avise pas de croire, Sancho,
que je parle à l'étourdie; car je ne suis pas sans modèle
en ce que je fais, et c'est ce qui se passa au pied de la lettre
à propos de l'armet de Mambrin, qui coûta si cher à Sacri-
pant. — Croyez-moi, mon seigneur, répliqua Sancho;
que Votre Grâce donne au diable de tels serments, qui
nuisent à la santé autant qu'ils troublent la conscience.
Sinon, dites-moi : nous n'avons, par hasard, qu'à passer
plusieurs jours sans rencontrer d'homme armé et coiffé de
salade, que ferons-nous dans ce cas? Faudra-t-il accomplir le serment malgré tant d'inconvénients et d'incommodités, comme de dormir tout vêtu, de ne pas coucher
en lieu habité, et mille autres pénitences que contenait
le serment de ce vieux fou de marquis de Mantoue, que
Votre Grâce veut ratifier à présent? Prenez donc garde

qu'il ne passe pas d'hommes armés par ces chemins-ci,
mais bien des muletiers et des charretiers, qui non seulement ne portent pas de salades, mais ne connaissent peut-
être que celle de laitue. — C'est en cela que tu te trompes,
reprit don Quichotte ; car nous n'aurons pas cheminé deux
heures par ces croisières de routes que nous y verrons
plus de gens armés qu'il n'en vint devant la citadelle
d'Albraque, à la conquête d'Angélique la Belle. — Paix
donc, et ainsi soit-il répondit ! Sancho ; Dieu permette
que tout aille bien et que le temps vienne de gagner cette
île qui me coûte déjà si cher, dussé-je en mourir de
joie ! — Je t'ai déjà dit, Sancho, reprit don Quichotte,
de ne pas te mettre en souci de cela. Si nous manquons
d'îles, voici le royaume de Dinamarque ou celui de Sobra-
dise, qui t'iront comme une bague au doigt, d'autant
mieux qu'étant en terre ferme, ils doivent te convenir
davantage. Mais laissons chaque chose à son temps, et
regarde dans ce bissac si tu n'aurais rien à manger, afin
d'aller ensuite à la recherche de quelque château où nous
puissions loger cette nuit et faire le baume dont je t'ai
parlé ; car je jure Dieu que l'oreille me cuit cruellement.
— J'ai bien ici, répondit Sancho, un oignon, un peu de
fromage et je ne sais combien de vieilles croûtes de pain ;
mais ce ne sont pas des mets à l'usage d'un aussi vaillant
chevalier que Votre Grâce. — Que tu entends mal les
choses ! répondit don Quichotte. Apprends donc, Sancho,
que c'est la gloire des chevaliers errants de ne pas manger
d'un mois, et, s'ils mangent, de prendre tout ce qui se
trouve sous la main. De cela tu ne ferais aucun doute si
tu avais lu autant d'histoires que moi. Quel qu'en ait été
le nombre, je n'y ai pas trouvé la moindre mention que
les chevaliers errants mangeassent, si ce n'est par hasard
et dans quelques somptueux banquets qu'on leur offrait,
mais, le reste du temps, ils vivaient de l'air qui court.
Et bien qu'il faille entendre qu'ils ne pouvaient passer
la vie sans manger et sans satisfaire les autres nécessités
naturelles, car, en effet, ils étaient hommes comme nous,
il faut entendre aussi que, passant la vie presque entière
dans les déserts et les forêts, sans cuisinier, bien entendu,
leurs repas ordinaires devaient être des mets rustiques,
comme ceux que tu m'offres à présent. Ainsi donc, ami
Sancho, ne t'afflige pas de ce qui me fait plaisir, et n'essaye
pas de rendre le monde neuf, ni d'ôter de ses gonds la
chevalerie errante. — Excusez-moi, reprit Sancho : car,
ne sachant ni lire ni écrire, comme je l'ai déjà dit à Votre
Grâce, je n'ai pas eu connaissance des règles de la profession chevaleresque ; mais, dorénavant, je pourvoirai le
bissac de toutes espèces de fruits secs pour Votre Grâce,
qui est chevalier ; et pour moi, qui ne le suis pas, je le
pourvoirai d'autres objets volatiles et plus nourrissants. —
Je ne dis pas, Sancho, répliqua don Quichotte, qu'il soit

obligatoire aux chevaliers errants de ne manger autre chose que les fruits dont tu parles ; mais que leurs aliments les plus ordinaires devaient être ces fruits et quelques herbes qu'ils trouvaient au milieu des champs, lesquelles herbes ils savaient reconnaître, ce que je sais aussi bien qu'eux. — C'est une grande vertu, répondit Sancho, que de connaître ces herbes ; car, à ce que je vais m'imaginant, nous aurons besoin quelque jour de mettre cette connaissance à profit. » Et, tirant en même temps du bissac ce qu'il avait dit y porter, ils se mirent à dîner tous deux en paisible et bonne compagnie. Mais désirant trouver un gîte pour la nuit, ils dépêchèrent promptement leur sec et pauvre repas. Ils remontèrent ensuite à cheval, et se donnèrent hâte pour arriver à quelque habitation avant la chute du jour ; mais le soleil leur manqua, et avec lui l'espérance d'atteindre ce qu'ils cherchaient, près de quelques huttes de chevriers. Ils se décidèrent donc à y passer la nuit ; et autant Sancho s'affligea de n'avoir pas trouvé l'abri d'une maison, autant son maître se réjouit de dormir à la belle étoile, parce qu'il lui semblait, chaque fois qu'il lui arrivait pareille chose, qu'il faisait un nouvel acte de possession et justifiait d'une nouvelle preuve dans l'ordre de la chevalerie errante.

CHAPITRE XI

De l'aventure qu'eut don Quichotte avec des chevriers.

Notre héros reçut des chevriers un bon accueil; et Sancho, ayant accommodé du mieux qu'il put pour la nuit Rossinante et son âne, flaira et découvrit, au fumet qu'ils répandaient, certains quartiers de chevreau qui bouillaient devant le feu dans une marmite. Il aurait voulu, à l'instant même, voir s'ils étaient cuits assez à point pour les transvaser de la marmite en son estomac; mais les chevriers lui en épargnèrent la peine. Ils les tirèrent du feu; puis, étendant sur la terre quelques peaux de moutons, ils dressèrent en diligence leur table rustique et convièrent de bon cœur les deux étrangers à partager leurs provisions. Six d'entre eux, qui se trouvaient dans la bergerie, s'accroupirent à l'entour des peaux, après avoir prié don Quichotte, avec de grossières cérémonies, de s'asseoir sur une auge en bois qu'ils avaient renversée pour lui servir de siège. Don Quichotte s'assit, et Sancho resta debout pour lui servir à boire dans une coupe qui n'était pas de cristal, mais de corne. Son maître, le voyant debout, lui dit : « Pour que tu voies, Sancho, tout le bien qu'enferme en soi la chevalerie errante, et combien ceux qui en exercent quelque ministère que ce soit sont toujours sur le point d'être honorés et estimés dans le monde, je veux qu'ici, à mon côté, et en compagnie de ces braves gens, tu viennes t'asseoir et que tu ne fasses qu'un avec moi, qui suis ton maître et seigneur naturel, que tu manges dans mon assiette, que tu boives dans ma coupe; car on peut dire de la chevalerie errante précisément ce qu'on dit de l'amour, qu'elle égalise toutes choses.

— Grand merci ! répondit Sancho. Mais je puis dire à Votre Grâce que, pourvu que j'aie de quoi bien manger, je m'en rassasie, debout et à part moi, aussi bien et mieux qu'assis de pair avec un empereur. Et même, s'il faut dire toute la vérité, je trouve bien plus de goût à ce que je mange dans mon coin, sans contrainte et sans façons, ne fût-ce qu'un oignon sur du pain, qu'aux dindons gras des autres tables où il faut mâcher doucement, boire à petits coups,

s'essuyer à toute minute; où l'on ne peut ni tousser ni
éternuer quand l'envie vous en prend, ni faire autre chose
enfin que permettent la solitude et la liberté. Ainsi donc,
mon seigneur, ces honneurs que Votre Grâce veut me faire
comme membre adhérent de la chevalerie errante, ayez
la bonté de les changer en autres choses qui me soient
plus à profit et à commodité; car ces honneurs, quoique
je les tienne pour bien reçus, j'y renonce pour d'ici à la
fin du monde. — Avec tout cela, reprit don Quichotte,
il faut que tu t'assoies, car celui qui s'humilie, Dieu
l'élève »; et, le prenant par le bras, il le fit asseoir, par force,
à côté de lui.

Les chevriers n'entendaient rien à ce jargon d'écuyers
et de chevaliers errants, et ne faisaient autre chose que
se taire, manger et regarder leurs hôtes, qui, d'aussi bonne
grâce que de bon appétit, avalaient des morceaux gros
comme le poing. Quand le service des viandes fut achevé,
ils étalèrent sur des nappes de peau une grande quantité
de glands doux et mirent au milieu un demi-fromage,
aussi dur que s'il eût été fait de mortier. Pendant ce temps,
la corne ne restait pas oisive; car elle tournait si vite à
la ronde, tantôt pleine, tantôt vide, comme les pots d'une
roue à chapelet, qu'elle eut bientôt desséché une outre,
de deux qui étaient en évidence.

Après que don Quichotte eut pleinement satisfait son
estomac, il prit une poignée de glands dans sa main
et, les regardant avec attention, il se mit à parler de la
sorte :

« Heureux âge, dit-il, et siècles heureux, ceux auxquels
les anciens donnèrent le nom d'âge d'or, non point
parce que ce métal, qui s'estime tant dans notre âge de
fer, se recueillait sans aucune peine à cette époque fortunée,
mais parce qu'alors ceux qui vivaient ignoraient ces deux
mots, *tien* et *mien* ! En ce saint âge, toutes choses étaient
communes. Pour se procurer l'ordinaire soutien de la vie,
personne, parmi les hommes, n'avait d'autre peine à
prendre que celle d'étendre la main, et de cueillir sa nourriture aux branches des robustes chênes, qui les conviaient
libéralement au festin de leurs fruits doux et mûrs. Les
claires fontaines et les fleuves rapides leur offraient en
magnifique abondance des eaux limpides et délicieuses.
Dans les fentes des rochers, et dans le creux des arbres, les
diligentes abeilles établissaient leurs républiques, offrant
sans nul intérêt, à la main du premier venu, la fertile moisson de leur doux labeur. Les lièges vigoureux se dépouil-
laient d'eux-mêmes, et par pure courtoisie, des larges
écorces dont on commençait à couvrir les cabanes, élevées
sur des poteaux rustiques, et seulement pour se garantir de
l'inclémence du ciel. Tout alors était paix, amitié, concorde.
Le soc aigu de la pesante charrue n'osait point encore
ouvrir et déchirer les pieuses entrailles de notre première

mère; car, sans y être forcée, elle offrait, sur tous les points de son sein spacieux et fertile, ce qui pouvait alimenter, satisfaire et réjouir les enfants qu'elle y portait alors. Alors aussi les simples et folâtres bergerettes s'en allaient de vallée en vallée et de colline en colline, la tête nue, les cheveux tressés, sans autres vêtements que ceux qui sont nécessaires pour couvrir ce que la pudeur veut et voulut toujours tenir couvert; et leurs atours n'étaient pas de ceux dont on use à présent, où la soie de mille façons martyrisée se rehausse et s'enrichit de la pourpre de Tyr; c'étaient des feuilles entrelacées de bardane et de lierre, avec lesquelles, peut-être, elles allaient aussi pompeuses et parées que le sont aujourd'hui nos dames de la cour avec les étranges et galantes inventions que leur a enseignées l'oisive curiosité. Alors les amoureux mouvements de l'âme se montraient avec ingénuité, comme elle les ressentait, et ne cherchaient pas, pour se faire valoir, d'artificieux détours de paroles. Il n'y avait point de fraude, point de mensonge, point de malice qui vinssent se mêler à la franchise, à la bonne foi. La justice seule faisait entendre sa voix, sans qu'osât la troubler celle de la faveur ou de l'intérêt, qui l'étouffent maintenant et l'oppriment. La loi du bon plaisir ne s'était pas encore emparée de l'esprit du juge, car il n'y avait alors ni chose ni personne à juger. Les jeunes filles et l'innocence marchaient de compagnie, comme je l'ai déjà dit, sans guide et sans défense, et sans avoir à craindre qu'une langue effrontée ou de criminels desseins les souillassent de leurs atteintes; leur perdition naissait de leur seule et propre volonté. Et maintenant, en ces siècles détestables, aucune d'elles n'est en sûreté, fût-elle enfermée et cachée dans un nouveau labyrinthe de Crète; car, à travers les moindres fentes, la sollicitude et la galanterie se font jour; avec l'air pénètre la peste amoureuse, et tous les bons principes s'en vont à vau-l'eau. C'est pour remédier à ce mal que, dans la suite des temps, et la corruption croissant avec eux, on institua l'ordre des chevaliers errants, pour défendre les filles, protéger les veuves, favoriser les orphelins et secourir les malheureux. De cet ordre-là, je suis membre, mes frères chevriers, et je vous remercie du bon accueil que vous avez fait à moi et à mon écuyer; car, bien que, par la loi naturelle, tous ceux qui vivent sur la terre soient tenus d'assister les chevaliers errants, toutefois, voyant que, sans connaître cette obligation, vous m'avez bien accueilli et bien traité, il est juste que ma bonne volonté réponde autant que possible à la vôtre. »

Toute cette longue harangue, dont il pouvait fort bien faire l'économie, notre chevalier l'avait débitée parce que les glands qu'on servit lui remirent l'âge d'or en mémoire et lui donnèrent la fantaisie d'adresser ce beau discours aux chevriers, lesquels, sans lui répondre un mot, s'étaient

tenus tout ébahis à l'écouter. Sancho se taisait aussi; mais
il avalait des glands doux et faisait de fréquentes visites
à la seconde outre, qu'on avait suspendue à un liège pour
que le vin se tînt frais. Don Quichotte avait été plus long
à parler que le souper à finir, et dès qu'il eut cessé, un des
chevriers lui dit : « Pour que Votre Grâce, seigneur chevalier errant, puisse dire avec plus de raison que nous
l'avons régalée de notre mieux, nous voulons lui donner
encore plaisir et divertissement; ce sera de faire chanter
un de nos compagnons, qui ne peut tarder à revenir.
C'est un garçon très entendu et très amoureux, qui sait
lire et écrire par-dessus le marché, et de plus est musicien,
jouant d'une viole à ravir les gens. » A peine le chevrier
achevait ces mots, qu'on entendit le son de la viole et
bientôt on vit paraître celui qui en jouait, lequel était
un jeune homme d'environ vingt-deux ans et de fort
bonne mine. Ses compagnons lui demandèrent s'il avait
soupé; il répondit que oui. Alors celui qui l'avait annoncé
lui dit : « De cette manière, Antonio, tu pourras bien
nous faire le plaisir de chanter un peu, afin que ce seigneur,
notre hôte, voie que, dans les montagnes et les forêts,
on trouve aussi des gens qui savent la musique. Nous lui
avons raconté tes talents, et nous désirons que tu les
montres, afin de ne point passer pour menteurs. Ainsi,
assieds-toi, je t'en prie, et chante-nous la chanson de tes
amours, celle qu'a versifiée ton oncle le bénéficier, et que
le village a trouvée si jolie. — Très volontiers, répondit
Antonio »; et, sans se faire prier davantage, il s'assit sur
une souche de chêne, accorda sa viole et, un moment après,
chanta de fort bonne grâce les couplets suivants :

» Je sais Olalla, que tu m'adores, bien que tu ne m'en
aies rien dit, même avec les yeux, ces langues muettes
des amours.

« Parce que je sais que tu m'as compris, je me persuade
que tu m'aimes, car jamais l'amour qui fut connu n'est
resté malheureux.

« Il est vrai que maintes fois,Olalla, tu m'as fait accroire
que tu as l'âme de bronze, et que ton sein blanc couvre un
cœur de rocher;

« Mais à travers l'honnêteté de tes refus et de tes
reproches, l'espérance laisse voir le pan de sa robe.

« Si l'amour est courtoisie, de celle que tu montres je
conclus que la fin de mes espérances sera telle que je l'imagine.

« Et si de bons offices sont capables d'adoucir un cœur,
ceux que j'ai pu te rendre fortifient mon espoir.

« Car, pour peu que tu aies pris garde, tu auras vu plus
d'une fois que je me suis vêtu le lundi de ce qui me faisait
honneur le dimanche.

« Comme l'amour et la parure suivent toujours le même

chemin, en tout temps à tes yeux j'ai voulu me montrer galant.

« Je laisse la danse à cause de toi, et n'ai pas besoin de te rappeler les musiques que tu as entendues, à la nuit close ou au chant du coq.

« Je ne compte pas toutes les louanges que j'ai faites de ta beauté, lesquelles, toutes vraies qu'elles soient, m'ont mis très mal avec quelques-unes de tes compagnes.

« Teresa del Berrocal me dit un jour que je te vantais : « Tel pense adorer un ange qui n'adore qu'un singe.

« Grâce à de nombreux joyaux, à des cheveux postiches « et à d'hypocrites beautés qui trompent l'amour même ».

« Je lui donnai un démenti; elle se fâcha; son cousin prit sa défense, il me défia, et tu sais bien ce qu'il a fait et ce que j'ai fait.

« Je ne t'aime pas à l'étourdie, et ne te fais pas une cour assidue pour que tu deviennes ma maîtresse; mon intention est plus honnête.

« L'Église a de saints nœuds qui sont des liens de soie, mets ta tête sous le joug, tu verras comme j'y mettrai la mienne.

« Si tu refuses, je jure ici, par le saint le plus révéré, de ne plus sortir de ces montagnes, sinon pour me faire capucin. »

En cet endroit, le chevrier cessa de chanter; et, quoique don Quichotte le priât de chanter encore quelque chose, Sancho Panza ne voulut pas y consentir, lui qui avait plus d'envie de dormir que d'entendre des chansons. « Votre Grâce, dit-il à son maître, peut bien s'arranger dès à présent un gîte pour la nuit; car le travail que se donnent ces bonnes gens toute la journée ne permet pas qu'ils passent la nuit à chanter. — Je te comprends, Sancho, lui répondit don Quichotte, et je m'aperçois bien que tes visites à l'outre exigent en retour plus de sommeil que de musique. — Dieu soit loué! répondit Sancho, personne n'en a fait le dégoûté. — J'en conviens, reprit don Quichotte, permis à toi de t'arranger à ta fantaisie; mais aux gens de ma profession, il sied mieux de veiller que de dormir. Cependant, il sera bien, Sancho, que tu me panses encore une fois cette oreille, qui me fait vraiment plus de mal qu'il n'est besoin. » Sancho se mit en devoir d'obéir; mais un des chevriers, voyant la blessure, dit à don Quichotte de ne pas s'inquiéter, et qu'il allait employer un remède qui l'aurait bientôt guéri. Cueillant aussitôt quelques feuilles de romarin, qui était très abondant en cet endroit, il les mâcha, les mêla d'un peu de sel et, lui appliquant cet emplâtre sur l'oreille, qu'il banda fortement, il l'assura qu'il n'était pas besoin d'un second médecin; ce qui fut vrai.

CHAPITRE XII

*De ce que raconta un chevrier à ceux qui étaient avec
don Quichotte.*

Sur ces entrefaites, arriva un autre garçon, de ceux qui
apportaient les provisions du village. « Compagnons, leur
dit-il, savez-vous ce qui se passe au pays ? — Et comment
pourrions-nous le savoir ? répondit l'un d'eux. — Eh
bien, sachez, reprit le nouveau venu, que, ce matin, est
mort ce fameux Chrysostome, l'étudiant berger, et l'on
murmure qu'il est mort d'amour pour cette endiablée de
Marcelle, la fille de Guillaume le riche, celle qui se promène en habits de bergère à travers les landes. — Pour
Marcelle, dis-tu ? interrompit un chevrier. Pour elle-
même, te dis-je ; et ce qu'il y a de bon, c'est qu'il a ordonné
par son testament qu'on l'enterrât au milieu des champs,
comme s'il était More, et précisément au pied de la roche
d'où coule la fontaine du Liège ; car, à ce qu'on dit qu'il
a dit, ce fut en cet endroit qu'il la vit pour la première
fois. Et il a aussi ordonné d'autres choses, telles que les
marguilliers du pays disent qu'il ne faut pas les exécuter
et que ce serait très mal fait, parce qu'elles sentent le
païen. A tout cela son grand ami Ambroise l'étudiant, qui
s'est aussi déguisé en berger comme lui, répond qu'il
faut tout accomplir, sans que rien n'y manque, de ce qu'a
ordonné Chrysostome, et c'est là-dessus que le village
s'est mis en émoi. Mais enfin, dit-on, il faudra faire ce
que veulent Ambroise et tous les autres bergers ses amis.
Demain on vient l'enterrer en grande pompe où je viens
de vous dire ; et m'est avis que ce sera une belle chose
à voir ; du moins je ne manquerais pas d'aller m'en réga-
ler, si je savais n'avoir pas besoin de retourner demain
au pays. — Nous ferons tous de même, répondirent les
chevriers, et nous tirerons au sort à qui gardera les chèvres
des autres. — Tu as raison, Pédro, reprit l'un d'eux ;
mais il ne sera pas besoin de se donner cette peine, car
je resterai pour tous ; et ne crois pas que ce soit vertu de ma
part, ou manque de curiosité : c'est que l'épine qui me
traversa le pied l'autre jour ne me laisse pas faire un pas.
— Nous ne t'en sommes pas moins obligés », répondit Pédro.

Alors, don Quichotte pria celui-ci de lui dire quel était
ce mort et quelle cette bergère. A quoi Pédro répondit
que tout ce qu'il savait, c'est que ce mort était un fils
d'hidalgo, fort riche, qui habitait un bourg de ces montagnes ; qu'il avait passé plusieurs années étudiant à Salamanque, au bout desquelles il était revenu dans son pays,
avec la réputation d'être très savant et grand liseur de
de livres. « On dit, ajouta Pédro, qu'il savait principalement la science des étoiles, et tout ce que font là-haut dans
le ciel le soleil et la lune ; car il nous annonçait ponctuellement les *éclisses* de la lune et du soleil. — C'est éclipses
mon ami, et non éclisses, interrompit don Quichotte, que
s'appelle l'obscurcissement momentané de ces deux grands
luminaires célestes. » Mais Pédro, qui ne regardait pas à
ces bagatelles, poursuivit son conte en disant : « Il devi-
nait tout de même quand l'année devait être abondante
ou *strile*. — Stérile, vous voulez dire, mon ami, interrompit
de nouveau don Quichotte. — Stérile ou strile, reprit Pédro,
c'est tout un, et je dis donc que de ce qu'il leur disait, ses
parents et ses amis s'enrichirent, ceux du moins qui avaient
confiance en lui et qui suivaient ses conseils. Cette année,
leur disait-il, semez de l'orge et non du froment ; celle-ci,
vous pouvez semer des pois, mais pas d'orge ; celle qui
vient sera d'une grande abondance en huile et les trois
suivantes on n'en récoltera pas un goutte. — Cette science
s'appelle *astrologie*, dit don Quichotte. — Je ne sais
comment elle s'appelle, répliqua Pédro, mais je sais qu'il
savait tout cela, et bien d'autres choses. Finalement il
ne s'était pas encore passé bien des mois depuis son retour
de Salamanque, quand, un beau matin, il s'éveilla vêtu
en berger avec sa houlette et sa veste de peau, ayant jeté
aux orties le long manteau d'étudiant. Et en même
temps, son grand ami Ambroise, qui avait été son camarade d'étude, s'habilla aussi en berger. J'oubliais de dire
que Chrysostome le défunt fut un fameux homme pour
composer des chansons, tellement qu'il faisait les noëls
qui se chantent pour la naissance du Seigneur et les comédies de la Fête-Dieu que représentaient les garçons
de notre village, et tout le monde disait que c'était d'un
beau achevé. Quand ceux du village virent tout à coup
en bergers les deux étudiants, ils restèrent bien étonnés,
et personne ne pouvait deviner pour quelle raison ils
avaient fait une si drôle de transformation. Dans ce temps-
là, le père de notre Chrysostome venait de mourir ; de
manière qu'il resta héritier d'une bien jolie fortune, tant
en meubles qu'en biens-fonds, sans compter bon nombre
de têtes de bétail gros et menu, et une grande quantité
d'argent comptant. De tout cela, le jeune homme resta
maître absolu et dissolu ; et il le méritait bien, en vérité ;
car c'était un bon compagnon, charitable, ami des braves
gens, et il avait une figure de bénédiction. Ensuite, on

vint à reconnaître que ce changement d'habit ne s'était
fait que pour courir dans les déserts de ces montagnes
après cette bergère Marcelle que notre camarade a nommée tout à l'heure, et de qui s'était amouraché le pauvre
défunt Chrysostome.

« Et je veux vous dire à présent, parce qu'il faut que
vous le sachiez, quelle est cette créature; peut-être, et
même sans peut-être, vous n'aurez rien entendu de pareil
dans tous les jours de votre vie, dussiez-vous vivre plus
d'années que Mathieu Salé. — Dites Mathusalem, interrompit don Quichotte, qui ne pouvait souffrir les équi-
voques du chevrier. — Salem ou Salé, la distance n'est
pas grande, répliqua Pédro, et si vous vous mettez, seigneur, à éplucher toutes mes paroles, nous n'aurons pas
fini au bout de l'année. — Pardon, mon ami, reprit don
Quichotte, la distance est plus grande que vous ne pensez;
mais continuez votre histoire, et je ne vous reprendrai
plus sur rien. — Je disais donc, seigneur de mon âme,
reprit le chevrier, qu'il y eut dans notre village un laboureur encore plus riche que le père de Chrysostome, qui
s'appelait Guillaume, et auquel Dieu donna, par-dessus
ses grandes richesses, une fille dont la mère mourut en
la mettant au monde. Cette mère était bien la plus respectable femme qu'il y eût dans tous les environs. Il me semble
que je la vois encore, avec cette figure qui était la moitié
du soleil et la moitié de la lune; et surtout elle était bonne
ménagère et bonne amie des pauvres, si bien que je
crois qu'au jour d'aujourd'hui son âme est dans la gloire
de Dieu. Du chagrin de la mort d'une si bonne femme,
son mari Guillaume en mourut, laissant sa fille Marcelle
toute petite, mais grandement riche, au pouvoir d'un
sien oncle, prêtre et bénéficier dans le pays. L'enfant
grandit en âge et grandit en beauté, tellement qu'elle
nous rappelait sa mère, qui en avait eu beaucoup, et l'on
jugeait même que la fille passerait un jour la mère. Et
ce fut ainsi, car dès qu'elle eut atteint quatorze à quinze
ans, personne ne pouvait la voir sans bénir Dieu de l'avoir
créée si belle, et la plupart s'en retournaient fous d'amour.
Son oncle la gardait dans la retraite et le recueillement;
mais néanmoins la renommée de sa grande beauté s'étendit de telle façon que, non seulement les jeunes gens du
pays, mais ceux de plusieurs lieues à la ronde, et les plus
huppés, sollicitaient et importunaient l'oncle afin qu'il la
leur donnât pour femme. Mais lui, qui va droit son chemin
comme un bon chrétien, quoiqu'il eût voulu la marier
dès qu'il la vit en âge de l'être, il ne voulut pas pourtant
forcer son consentement, et cela sans prendre garde au
bénéfice qu'il trouvait à garder la fortune de la petite
tant qu'il différait son mariage. Et, par ma foi, c'est ce
qu'on a dit à plus d'une veillée du village à la louange du
bon prêtre. Et je veux que vous sachiez, seigneur errant,

que, dans ces petits pays, on parle de tout et on mord
sur tout; et vous pouvez bien vous mettre dans la tête,
comme je me le suis mis, qu'un curé doit être bon hors
de toute mesure pour obliger ses paroissiens à dire du
bien de lui, surtout dans les villages. — C'est bien la
vérité, s'écria don Quichotte; mais continuez, je vous prie,
car l'histoire est bonne, et vous la contez, don Pédro,
avec fort bonne grâce. — Que celle du Seigneur ne me
manque pas, reprit Pédro, c'est celle qui importe le plus.

« Et vous saurez, du reste, que l'oncle proposait bien
exactement à la nièce chacun des partis qui se présen-
taient, en lui vantant leurs qualités et en la pressant de
choisir un mari de son goût; elle, jamais ne lui répondit
autre chose, sinon qu'alors elle ne voulait pas se marier,
et qu'étant si jeune elle se sentait trop faible pour porter
le fardeau d'un ménage. Avec ces excuses, qui lui semblaient raisonnables, l'oncle cessait de l'importuner et
attendait qu'elle eût pris un peu d'âge, et qu'elle sût choisir
une compagnie de son goût : « Car, disait-il, et il disait fort
bien, il ne faut pas que les parents engagent les enfants
contre leur gré. » Mais ne voilà-t-il pas qu'un beau matin,
sans que personne s'y fût attendu, la dédaigneuse Marcelle se fait et se montre bergère; et, sans que son oncle
et tous les gens du pays pussent l'en dissuader, la voilà
qui s'en va aux champs avec les autres filles du village
et garde elle-même son troupeau; et, par ma foi, dès
qu'elle se fit voir en public et que sa beauté parut au
grand jour, je ne saurais plus vous dire combien de riches
jeunes gens, hidalgos ou laboureurs, ont pris le costume
de Chrysostome, et s'en vont lui faire la cour à travers
les champs.

« Un d'eux, comme vous le savez déjà, était notre défunt,
duquel on disait qu'il ne l'aimait pas, mais qu'il l'adorait.
Et qu'on ne pense pas que, pour s'être mise en cette vie
si libre et si relâchée, Marcelle ait rien fait, même en apparence, qui fût au détriment de sa chasteté; au contraire,
elle garde son honneur avec tant de vigilance que, de
tous ceux qui la servent et la sollicitent, aucun n'a pu ni
ne pourra se flatter qu'elle lui ait laissé la plus petite espérance d'agréer ses désirs, et, bien qu'elle ne fuie ni la
compagnie ni la conversation des bergers, et qu'elle les
traite fort amicalement, dès que l'un d'eux s'avise de lui
découvrir son intention, quoique juste et sainte autant que
l'est celle du mariage, elle le chasse bien loin d'elle comme
avec un mousquet. De manière qu'avec cette humeur
et cette façon d'être, elle fait plus de mal dans ce pays que
si une contagion de peste s'y était déclarée, car sa douceur
et sa beauté attirent les cœurs de tous ceux qui la voient :
ils s'empressent de la servir, de l'aimer, et bientôt son
indifférence et sa rigueur les mènent au désespoir. Aussi
ne savent-ils faire autre chose que de l'appeler à grands

cris ingrate et cruelle, et de lui donner d'autres noms
semblables qui peignent bien son genre de caractère. Et
si vous deviez rester ici quelques jours, vous entendriez,
seigneur, résonner ces montagnes et ces vallées des plaintes
de ces amants rebutés qui la suivent.

« Près de ces huttes est un endroit où sont réunis presque
deux douzaines de grands hêtres, et il n'y en a pas un
qui n'ait sur sa lisse écorce le nom de Marcelle écrit et
gravé; quelquefois une couronne est gravée au-dessus
du nom, comme si son amant avait voulu dire qu'elle
mérite et porte la couronne de la beauté. Ici soupire un
berger, là se plaint un autre; par ici on entend des chants
d'amour; par là, des stances de tristesse et de désespoir.
Tel passe toutes les heures de la nuit assis au pied d'un
chêne ou d'un rocher, et le soleil le trouve, au matin,
absorbé dans ses pensées, sans qu'il ait fermé ses paupières
humides; tel autre, pendant la plus insupportable ardeur
de l'été, reste étendu sur la poussière brûlante pour
envoyer ses plaintes au ciel compatissant. De l'un, de
l'autre et de tous ensemble la belle Marcelle se moque
et triomphe. Nous tous qui la connaissons, nous sommes
curieux de voir où aboutira sa fierté, et quel sera l'heureux
prétendant qui doit venir à bout de dompter une humeur
si farouche, de posséder une beauté si parfaite. Et, comme
tout ce que j'ai dit est la vérité la plus avérée, je me figure
qu'il en est de même de ce qu'a conté notre compagnon
sur la mort de Chrysostome. Je vous conseille donc, seigneur, de ne pas manquer de vous trouver à son enterrement : c'est une chose à voir, car Chrysostome a bien
des amis, et d'ici à l'endroit où il a ordonné qu'on l'enterrât,
il n'y a pas une demi-lieue.

— J'en fais mon affaire, répondit don Quichotte, et
je vous remercie du plaisir que vous m'avez fait en me
contant une si intéressante histoire. — Oh! ma foi, répliqua
le chevrier, je ne sais pas la moitié des aventures arrivées
aux amants de Marcelle; mais il se pourrait que, chemin
faisant, nous rencontrassions demain quelque berger qui
nous contât le reste. Quant à présent, vous ferez bien
d'aller dormir sous l'abri d'un toit; car le serein pourrait
faire mal à votre blessure, bien que le remède qu'on y
a mis soit tel qu'il n'y ait plus d'accident à craindre. »

Sancho Panza, qui donnait au diable le chevrier et ses
bavardages, pressa son maître d'aller se coucher dans la
cabane de Pédro. Don Quichotte à la fin céda; mais ce
fut pour donner le reste de la nuit au souvenir de sa dame
Dulcinée, à l'imitation des amants de Marcelle. Quant à
Sancho, il s'arrangea sur la paille, entre Rossinante et son
âne, et dormit, non comme un amant rebuté, mais comme
un homme qui a l'estomac plein et le dos roué de coups.

CHAPITRE XIII

Où se termine l'histoire de la bergère Marcelle,
avec d'autres événements.

Mais, à peine l'aurore commençait à se montrer, comme
disent les poètes, sur les balcons de l'Orient, que cinq
des six chevriers se levèrent, furent appeler don Quichotte
et lui dirent, s'il avait toujours l'intention d'aller voir
l'enterrement de Chrysostome, qu'ils étaient prêts à lui
tenir compagnie. Don Quichotte, qui ne désirait pas autre
chose, se leva et ordonna à Sancho de mettre à leurs bêtes
la selle et le bât. Sancho obéit en diligence, et, sans plus
de retard, toute la troupe se mit en chemin.

Ils n'eurent pas fait un quart de lieue qu'à la croisière
du sentier ils virent venir de leur côté six ou sept bergers
vêtus de vestes de peaux noires, la tête couronnée de guirlandes de cyprès et de laurier-rose, et tenant chacun à
la main un fort bâton de houx. Après eux venaient deux
gentilshommes à cheval, en bel équipage de route, avec
trois valets de pied qui les accompagnaient. En s'abordant, les deux troupes se saluèrent avec courtoisie, et,
s'étant demandé les uns aux autres où ils allaient, ils surent
que tous se rendaient au lieu de l'enterrement ; ils se mirent
donc à cheminer tous de compagnie. Un des cavaliers
s'adressant à son compagnon : « Il me semble, seigneur
Vivaldo, lui dit-il, que nous n'aurons point à regretter
le retard que nous coûtera le spectacle de cette cérémonie,
qui ne pourra manquer d'être intéressante, d'après les
choses étranges que nous ont contées ces bonnes gens,
aussi bien du berger défunt que de la bergère homicide.
— C'est ce que je pense aussi, répondit Vivaldo, et j'aurais
retardé mon voyage, non d'un jour, mais de quatre, pour
en être témoin. »

Don Quichotte alors leur demanda ce qu'ils avaient
ouï dire de Marcelle et de Chrysostome. Le voyageur
répondit que, ce matin même, ils avaient rencontré ces
bergers, et que, les voyant en ce triste équipage, ils leur
avaient demandé pour quelle cause ils allaient ainsi costu-
més ; que l'un d'eux la leur conta, ainsi que la beauté et
l'étrange humeur d'une bergère appelée Marcelle, la mul-

titude d'amoureux qui la recherchaient et la mort de ce
Chrysostome à l'enterrement duquel ils allaient assister.
Finalement, il répéta tout ce qu'avait déjà conté Pédro
à don Quichotte.

Cet entretien fini, un autre commença, le cavalier qui
se nommait Vivaldo ayant demandé à don Quichotte quel
était le motif qui le faisait voyager armé de la sorte, en
pleine paix et dans un pays si tranquille. A cela don Quichotte répondit : « La profession que j'exerce et les vœux
que j'ai faits ne me permettent point d'aller d'une autre
manière. Le repos, la bonne chère, les divertissements
furent inventés pour d'efféminés gens de cour ; mais les
fatigues, les veilles et les armes ne furent inventées que
pour ceux que le monde appelle chevaliers errants,
desquels, quoique indigne et le moindre de tous, j'ai
l'honneur de faire partie. » Dès qu'on entendit sa réponse,
tout le monde le tint pour fou ; mais, afin de s'en assurer
davantage et de voir jusqu'au bout de quelle espèce était sa
folie, Vivaldo, revenant à la charge, lui demanda ce qu'on
entendait par chevaliers errants.

« Vos Grâces n'ont-elles jamais lu, répondit don Quichotte, les chroniques et les annales d'Angleterre, où il
est question des fameux exploits du roi Arthur, que dans
notre idiome castillan nous appelons le roi Artus, et duquel
une antique tradition, reçue dans tout le royaume de la
Grande-Bretagne, raconte qu'il ne mourut pas, mais
qu'il fut, par art d'enchantement, changé en corbeau, et
que, dans la suite des temps, il doit venir reprendre sa
couronne et son sceptre ; ce qui fait que, depuis cette
époque jusqu'à nos jours, on ne saurait prouver qu'aucun
Anglais ait tué un corbeau. Eh bien ! c'est dans le temps
de ce bon roi que fut institué ce fameux ordre de chevalerie
appelé la *Table-Ronde* et que se passèrent de point en
point, comme on les conte, les amours de don Lancelot
du Lac et de la reine Genièvre, amours dont la confidente
et la médiatrice était cette respectable duègne Quintagnone,
pour laquelle fut fait ce romance si connu et si répété
dans notre Espagne :

> *Onc chevalier ne fut sur terre*
> *Des dames si bien accueilli,*
> *Qu'à son retour de l'Angleterre*
> *Don Lancelot n'en fût servi ;*

ainsi que cette progression si douce et si charmante de
ses hauts faits amoureux et guerriers. Depuis lors, et de
main en main, cet ordre de chevalerie alla toujours croissant et s'étendant aux diverses parties du monde. Ce fut
en son sein que se rendirent fameux et célèbres par leurs
actions le vaillant Amadis de Gaule, avec tous ses fils et
petits-fils, jusqu'à la cinquième génération, et le valeureux

Félix-Mars d'Hyrcanie, et cet autre qu'on ne peut jamais louer assez, Tirant le Blanc; et qu'enfin, presque de nos jours, nous avons vu, entendu et connu l'invincible chevalier don Bélianis de Grèce. Voilà, seigneur, ce que c'est que d'être chevalier errant; voilà de quel ordre de chevalerie je vous ai parlé, ordre dans lequel, quoique pécheur, j'ai fait profession, professant tout ce qu'ont professé les chevaliers dont je viens de faire mention. Voilà pourquoi je vais par ces solitudes et ces déserts, cherchant les aventures, bien déterminé à risquer mon bras et ma vie dans la plus périlleuse que puisse m'envoyer le sort, si c'est au secours des faibles et des affligés. »

Il n'en fallut pas davantage pour achever de convaincre les voyageurs que don Quichotte avait le jugement à l'envers, et pour leur apprendre de quelle espèce de folie il était possédé; ce qui leur causa le même étonnement qu'à tous ceux qui, pour la première fois, en prenaient connaissance. Vivaldo, qui avait l'esprit vif et l'humeur enjouée, désirant passer sans ennui le peu de chemin qui leur restait à faire pour arriver à la colline de l'enterrement, voulut lui offrir l'occasion de poursuivre ses extravagants propos : « Il me semble, seigneur chevalier errant, lui dit-il, que Votre Grâce a fait profession dans un des ordres, les plus rigoureux qu'il y ait sur la terre; et, si je ne m'abuse, la règle même des frères chartreux n'est pas si étroite.

— Aussi étroite, c'est possible, répondit notre don Quichotte; mais aussi nécessaire au monde, c'est une chose que je suis à deux doigts de mettre en doute; car, s'il faut parler vrai, le soldat qui exécute ce que lui ordonne son capitaine ne fait pas moins que le capitaine qui a commandé. Je veux dire que les religieux, en tout repos et en toute paix, demandent au ciel le bien de la terre; mais nous, soldats et chevaliers, nous mettons en pratique ce qu'ils mettent en prière, faisant ce bien par la valeur de nos bras et le tranchant de nos épées, non point à l'abri des injures du temps, mais à ciel découvert, en butte aux insupportables rayons du soleil d'été et aux glaces hérissées de l'hiver. Ainsi, nous sommes les ministres de Dieu sur la terre et les instruments par qui s'exerce sa justice. Et comme les choses de la guerre et toutes celles qui s'y rattachent ne peuvent être mises à exécution que par le travail excessif, la sueur et le sang, il suit de là que ceux qui en font profession accomplissent, sans aucun doute, une œuvre plus grande que ceux qui, dans le calme et la sécurité, se contentent d'invoquer Dieu pour qu'il prête son aide à ceux qui en ont besoin. Je ne veux pas dire pour cela (rien n'est plus loin de ma pensée) que l'état de chevalier errant soit aussi saint que celui de moine cloîtré; je veux seulement inférer des fatigues et des privations que j'endure qu'il est plus pénible, plus laborieux, plus misérable, plus sujet à la faim, à la soif, à la nudité,

à la vermine. Il n'est pas douteux, en effet, que les chevaliers errants des siècles passés n'aient éprouvé bien des
souffrances dans le cours de leur vie ; et si quelques-uns
s'élevèrent par la valeur de leur bras jusqu'à devenir
empereurs, il leur en a coûté, par ma foi, un bon prix payé
en sueur et en sang ; encore, si ceux qui montèrent jusqu'à
ce haut degré eussent manqué d'enchanteurs et de sages
qui les protégeassent, ils seraient restés bien déçus dans
leurs espérances et bien frustrés dans leurs vœux.

— C'est assurément mon avis, répliqua le voyageur ;
mais une chose qui, parmi beaucoup d'autres, me choque
de la part des chevaliers errants, c'est que, lorsqu'ils se
trouvent en occasion d'affronter quelque grande et périlleuse aventure, où ils courent manifestement risque de
la vie, jamais, en ce moment critique, ils ne se souviennent
de recommander leur âme à Dieu, comme tout bon chrétien est tenu de faire en semblable danger ; au contraire,
ils se recommandent à leurs dames avec autant d'ardeur
et de dévotion que s'ils en eussent fait leur Dieu ; et cela,
si je ne me trompe, sent quelque peu le païen. — Seigneur,
répondit don Quichotte, il n'y a pas moyen de faire autrement ; et le chevalier qui ferait autre chose se mettrait
dans un mauvais cas. Il est reçu en usage et passé en coutume dans la chevalerie errante que le chevalier errant
qui est en présence de sa dame au moment d'entreprendre
quelque grand fait d'armes tourne vers elle amoureusement les yeux, comme pour lui demander par son regard
qu'elle le secoure et le favorise dans le péril qui le presse ;
et même lorsque personne ne peut l'entendre, il est tenu
de murmurer quelques mots entre les dents pour se
recommander à elle de tout son cœur ; et de cela nous avons
dans les histoires d'innombrables exemples. Mais il ne
faut pas croire cependant que les chevaliers s'abstiennent
de recommander leur âme à Dieu ; ils trouveront temps
et lieu pour le faire pendant la besogne.

— Avec tout cela, répliqua le voyageur, il me reste un
scrupule. J'ai lu bien des fois que deux chevaliers errants
en viennent aux gros mots, et, de parole en parole, voilà
que leur colère s'enflamme, qu'ils font tourner leurs
chevaux pour prendre du champ, et que tout aussitôt,
sans autre forme de procès, ils reviennent se heurter à
bride abattue, se recommandant à leurs dames au milieu
de la carrière. Et ce qui arrive le plus ordinairement de
ces rencontres, c'est que l'un des chevaliers tombe à bas
de son cheval, percé d'outre en outre par la lance de son
ennemi, et que l'autre, à moins de s'empoigner aux crins,
descendrait aussi par terre. Or comment le mort a-t-il
eu le temps de recommander son âme à Dieu, dans le
cours d'une besogne si vite expédiée ? Ne vaudrait-il pas
mieux que les paroles qu'il emploie pendant la course
à se recommander à sa dame fussent employées à ce qu'il

t tenu de faire comme bon chrétien ? d'autant plus que
imagine, à part moi, que les chevaliers errants n'ont pas
tous des dames à qui se recommander, car enfin ils ne sont
pas tous amoureux. — Cela ne peut être, s'écria don Quichotte, je dis que cela ne peut être, et qu'il est impossible
qu'il y ait un chevalier errant sans dame : pour eux tous,
il est aussi bien de nature et d'essence d'être amoureux
que pour le ciel d'avoir des étoiles. A coup sûr vous n'avez
jamais vu d'histoires où se rencontre un chevalier errant
sans amours, car, par la raison même qu'il n'en aurait
point, il ne serait pas tenu pour légitime chevalier, mais
pour bâtard, et l'on dirait qu'il est entré dans la forteresse
de l'ordre, non par la grande porte, mais par-dessus les
murs, comme un larron et un brigand.

    — Néanmoins, reprit le voyageur, il me semble, si j'ai
bonne mémoire, avoir lu que don Galaor, frère du valeureux Amadis de Gaule, n'eut jamais de dame attitrée, de
laquelle il pût se réclamer dans les périls; et pourtant il
n'en fut pas moins tenu pour un vaillant et fameux chevalier. »

    A cela don Quichotte répondit : « Seigneur, une seule
hirondelle ne fait pas le printemps; d'ailleurs, je sais de
bonne source qu'en secret ce chevalier était réellement
amoureux. En outre, cette manie d'en conter à toutes
celles qu'il trouvait à son gré, c'était une complexion
naturelle et particulière qu'il ne pouvait tenir en bride.
Mais néanmoins, il est parfaitement avéré qu'il n'avait
qu'une seule dame maîtresse de sa volonté et de ses pensées,
à laquelle il se recommandait mainte et mainte fois, mais
très secrètement, car il se piquait d'être amant discret.

    — Puisqu'il est de l'essence de tout chevalier errant
d'être amoureux, reprit le voyageur, on peut bien croire
que Votre Grâce n'a point dérogé à cette règle de l'état
qu'elle professe, et si Votre Grâce ne se pique pas d'être
aussi discret que don Galaor, je vous supplie ardemment,
au nom de toute cette compagnie et au mien propre, de
nous apprendre le nom, la patrie, la qualité et les charmes
de votre dame. Elle ne peut manquer de tenir à grand
bonheur que tout le monde sache qu'elle est aimée et
servie par un chevalier tel que nous paraît Votre Grâce. »
A ces mots don Quichotte poussa un grand soupir : « Je
ne pourrais affirmer, dit-il, si ma douce ennemie désire
ou craint que le monde sache que je suis son serviteur;
seulement je puis dire, en répondant à la prière qui m'est
faite avec tant de civilité, que son nom est Dulcinée; sa
patrie le Toboso, village de la Manche; sa qualité, au moins
celle de princesse, puisqu'elle est ma reine et ma dame;
et ses charmes, surhumains, car en elle viennent se réaliser
et se réunir tous les chimériques attributs de la beauté
que les poètes donnent à leurs maîtresses. Ses cheveux
sont des tresses d'or, son front des champs élyséens, ses

sourcils des arcs-en-ciel, ses yeux des soleils, ses joues d.
roses, ses lèvres du corail, ses dents des perles, son co
de l'albâtre, son sein du marbre, ses mains de l'ivoire, sa
blancheur celle de la neige, et ce que la pudeur cache
aux regards des hommes est tel, je m'imagine, que le plus
judicieux examen pourrait seul en reconnaître le prix,
mais non pas y trouver des termes de comparaison.

— Maintenant, reprit Vivaldo, nous voudrions savoir
son lignage, sa souche et sa généalogie. — Elle ne descend
pas, répondit don Quichotte, des Curtius, Caïus et Scipion
de l'ancienne Rome, ni des Colonna et Ursini de la
moderne, ni des Moncada et Réquésen de Catalogne, ni
des Rébella et Villanova de Valence, ni des Palafox, Nuza,
Rocaberti, Corella, Luna, Alagon, Urréa, Foz et Gurréa
d'Aragon; ni des Cerda, Manrique, Mendoza et Guzman
de Castille; ni des Alencastro, Palha et Ménésès de Portugal; elle est de la famille du Toboso de la Manche, race
nouvelle il est vrai, mais telle qu'elle peut être le généreux
berceau des plus illustres races des siècles à venir. Et qu'à
cela l'on ne réplique rien, si ce n'est aux conditions que
Zerbin écrivit au pied du trophée des armes de Roland :

> *Que nul de les toucher ne soit si téméraire,*
> *S'il ne veut de Roland affronter la colère.*

— Quoique ma famille, répondit le voyageur, soit des
Cachopin de Larédo, je n'oserais point la mettre en
parallèle avec celle du Toboso de la Manche; et pourtant,
à vrai dire, ce nom et ce titre n'étaient pas encore arrivés
jusqu'à mes oreilles. — C'est étrange, et j'en suis surpris »,
répondit don Quichotte.

Cet entretien des deux interlocuteurs, tous les autres
l'écoutaient avec une grande attention, si bien que les
chevriers et les bergers eux-mêmes reconnurent le vide
qu'il y avait dans la cervelle de notre héros. Le seul Sancho
Panza s'imaginait que tout ce que disait son maître était
pure vérité, et cela parce qu'il savait de longue main
quel homme c'était, l'ayant connu depuis sa première
enfance. Si pourtant quelque chose éveillait ses doutes et
lui semblait difficile à croire, c'était cette invention de
la charmante Dulcinée du Toboso; car, demeurant si près
de ce village, jamais il n'avait eu connaissance de tel nom
ni de telle princesse.

Ils cheminaient discourant ainsi, quand ils virent
descendre, par un ravin creusé entre deux hautes montagnes, une vingtaine de bergers, tous vêtus de longues
vestes de laine noire et couronnés de guirlandes, qu'ensuite
on reconnut être, les unes d'if, les autres de cyprès. Six
d'entre eux portaient un brancard couvert d'une infinité
de fleurs et de branches vertes. En les apercevant, un
des chevriers s'écria : « Voici venir ceux qui apportent

rps de Chrysostome, et c'est au pied de cette montagne
l a ordonné qu'on l'enterrât. » Cela fit hâter la marche, et
te la troupe arriva au moment où les autres avaient
éjà déposé leur brancard à terre et où quatre d'entre
eux s'occupaient, avec des pieux aigus, à creuser la sépulture au pied d'une roche vive. Ils s'abordèrent courtoisement les uns les autres; puis, les saluts échangés, don
Quichotte et ceux qui l'accompagnaient se mirent à
considérer le brancard sur lequel était étendu, tout couvert
de fleurs, un cadavre vêtu en berger auquel on pouvait
donner trente ans d'âge. Quoique mort, il montrait avoir
été, pendant la vie, de belle tournure et de beau visage.
Autour de lui, et sur le brancard même, on avait placé
quelques livres et plusieurs papiers ouverts ou pliés.

Ceux qui l'examinaient, comme ceux qui creusaient la
fosse, et tous les autres assistants, gardaient un merveilleux silence; enfin un de ceux qui l'avaient apporté dit
à l'un de ses compagnons : « Regarde, Ambroise, si c'est
bien là l'endroit qu'a désigné Chrysostome, puisque tu
veux si ponctuellement accomplir ce qu'il a ordonné dans
son testament. — C'est bien là, répondit Ambroise; car
mon malheureux ami cent fois m'y a conté sa déplorable
histoire. C'est là, m'a-t-il dit, qu'il vit pour la première
fois cette mortelle ennemie du genre humain; là que,
pour la première fois, il lui déclara son amour, aussi pur
que passionné; là, enfin, que Marcelle acheva de le déses-
pérer par son indifférence et ses dédains, et l'obligea de
mettre une fin tragique au misérable drame de sa vie; c'est
là qu'en souvenir de tant d'infortunes il a voulu qu'on
le déposât dans le sein d'un éternel oubli. » Se tournant
alors vers don Quichotte et les voyageurs, il continua de
la sorte : « Ce corps, seigneurs, que vous regardez avec
des yeux attendris, fut dépositaire d'une âme en qui le
ciel avait mis une grande partie de ses plus riches dons.
C'est le corps de Chrysostome, qui fut unique pour l'esprit
et pour la courtoisie, extrême pour la grâce et la noblesse,
phénix en amitié, généreux et magnifique sans calcul,
grave sans présomption, joyeux sans futilité ni bassesse;
finalement, le premier en tout ce qui s'appelle être bon,
et sans second en tout ce qui s'appelle être malheureux.
Il aima, et fut haï, il adora, et fut dédaigné; il voulut adoucir une bête féroce, attendrir un marbre, poursuivre le
vent, se faire entendre du désert; il servit enfin l'ingratitude, et le prix qu'il en reçut, ce fut d'être la proie de la
mort au milieu du cours de sa vie, à laquelle mit fin une
bergère qu'il voulait faire vivre éternellement dans la
mémoire des hommes. C'est ce que prouveraient au besoin
ces papiers sur lesquels vous portez les regards, s'il ne
m'avait enjoint de les livrer au feu dès que j'aurai livré
son corps à la terre.

— Mais, seigneur, reprit Vivaldo, ce serait les traiter

avec plus de rigueur et de cruauté que leur auteur
même. Il n'est ni juste ni raisonnable d'exécuter à la le
la volonté de celui qui commande des choses hors
toute raison. Qu'aurait fait Auguste s'il eût consenti qu'o
exécutât ce qu'ordonnait par son testament le divin chantre
de Mantoue ? Ainsi donc, seigneur Ambroise, c'est
assez de donner le corps de votre ami à la terre; ne donnez
pas encore ses œuvres à l'oubli. Ce qu'il ordonna en homme
outragé, ne l'accomplissez pas en instrument aveugle. Au
contraire, en rendant la vie à ses écrits, rendez-la de même
pour toujours à la cruauté de Marcelle, afin que, dans
les temps à venir, elle serve d'exemple aux hommes, pour
qu'ils évitent de tomber dans de semblables abîmes. Nous
savons, en effet, nous tous qui vous entourons, l'histoire
des amours et du désespoir de votre ami; nous savons
l'affection que vous lui portiez, la raison de sa mort et
ce qu'il ordonna en mettant fin à sa vie; et de cette lamentable histoire nous pouvons inférer combien furent grands
l'amour de Chrysostome, la cruauté de Marcelle, la foi
de votre amitié, et quel terme fatal attend ceux qui, séduits
par l'amour, se précipitent sans frein dans le sentier
de perdition où il les entraîne. Hier au soir, en apprenant
la mort de Chrysostome, nous avons su que son enterrement devait se faire en cet endroit; et non moins remplis
de compassion que de curiosité, nous avons résolu de
quitter notre droit chemin pour venir voir de nos propres
yeux ce dont le seul récit nous avait si vivement touchés.
Pour prix de cette compassion et du désir que nous avons
formé de remédier, si nous avions pu, à cette infortune,
nous vous prions, ô discret Ambroise, et moi, du moins,
je vous supplie que renonçant à brûler ces écrits, vous
m'en laissiez enlever quelques-uns. » Sans attendre la
réponse du berger, Vivaldo étendit la main et saisit quelques
papiers, de ceux qui se trouvaient le plus à sa portée. En
voyant son action, Ambroise lui dit : « Par courtoisie,
je consentirai, seigneur, à ce que vous gardiez ceux que
vous avez pris; mais espérer que je renonce à jeter le
reste au feu, c'est une espérance vaine. »

Vivaldo, qui brûlait de savoir ce que contenaient ces
papiers, en ouvrit un précipitamment et vit qu'il avait
pour titre *Chant de désespoir*. Quand Ambroise l'entendit
citer : « Voilà, s'écria-t-il, les derniers vers qu'écrivit
l'infortuné; et pour que vous voyiez, seigneur, en quelle
situation l'avait réduit sa disgrâce, lisez-les de manière
à ce que vous soyez entendu; vous en aurez bien le temps
pendant qu'on achèvera de creuser la tombe. — C'est
ce que je ferai de bon cœur », répondit Vivaldo; et comme
tous les assistants partageaient son envie, ils se mirent
en cercle autour de lui, et voici ce qu'il leur lut d'une voix
haute et sonore.

CHAPITRE XIV

*Où sont rapportés les vers désespérés du berger défunt,
avec d'autres événements inattendus.*

CHANT DE CHRYSOSTOME

Puisque tu veux, cruelle, que l'on publie de bouche
en bouche et de pays en pays l'âpre violence de ta rigueur,
je ferai en sorte que l'enfer lui-même communique à ma
triste poitrine un accent lamentable qui change l'ordinaire
accent de ma voix. Et, au gré de mon désir, qui s'efforce
de raconter ma douleur et tes prouesses, il en sortira un
effroyable cri, auquel seront mêlés, pour plus de tourment,
des morceaux de mes misérables entrailles. Ecoute donc,
et prête une oreille attentive, non pas au son harmonieux,
mais au bruit confus qui, pour ma satisfaction et pour
ton dépit, s'exhale du fond de ma poitrine amère :

« Que le rugissement du lion, le féroce hurlement du
loup, le sifflement horrible du serpent écailleux, l'effroyable
cri de quelque monstre, le croassement augural de la
corneille, le vacarme du vent qui agite la mer, l'implacable mugissement du taureau vaincu, le plaintif roucou-
lement de la tourterelle veuve, le chant sinistre du hibou
et les gémissements de toute la noire troupe de l'enfer
accompagnent la plainte de mon âme et se mêlent en un
son qui trouble tous les sens ; car la peine cruelle qui me
déchire a besoin, pour être contée, de moyens nouveaux.

« Ce ne sont point les sables dorés du Tage ni les oliviers du fameux Bétis qui entendront les échos de cette
étrange confusion ; c'est sur le sommet des rochers et
dans la profondeur des abîmes que, d'une langue morte,
mais de paroles toujours vivantes, se répandront mes
déchirantes peines ; ou dans d'obscurs vallons, ou sur des
plages arides, ou dans les lieux que le soleil n'éclaira
jamais de sa lumière, ou parmi la multitude de bêtes veni-
meuses que nourrit le limon du Nil. Et, tandis que, dans
les déserts sauvages, les échos sourds et incertains réson-
neront de mon mal et de ta rigueur sans pareille, par privilège de mon misérable destin, ils seront portés dans l'immensité du monde.

« Un dédain donne la mort ; un soupçon faux ou vrai
met à bout la patience ; la jalousie tue d'une pointe cruelle ;

une longue absence trouble la vie, et à la crainte de l'ou
ne résiste nulle espérance d'un sort heureux : en tout
montre la mort inévitable. Mais moi, prodige inouï !
vis jaloux, absent, dédaigné, et certain des soupçons qu.
me tuent. Dans l'oubli où mon feu s'avive, et parmi tant
de tourments, ma vue ne peut atteindre l'ombre de l'espérance, et, dans mon désespoir, je ne la désire pas ; au
contraire, pour me plonger et m'opiniâtrer dans ma plainte,
je jure de la fuir éternellement.

« Peut-on, par hasard, dans le même instant, espérer
et craindre ? ou est-ce bien de le faire, quand les raisons
de craindre sont les plus certaines ? Dois-je, si la cruelle
jalousie se présente à moi, dois-je fermer les yeux, quand
je ne peux manquer de la voir à travers les mille blessures dont mon âme est percée ? Qui n'ouvrirait toutes
grandes les portes à la méfiance et à la crainte, quand il
voit l'indifférence à découvert, ses soupçons devenus, par
une amère conviction, des vérités palpables, et la vérité
nue déguisée en mensonge ? O Jalousie, tyran du royaume
d'Amour, mets-moi des fers à ces deux mains ! Donne-
moi, Dédain, la corde du supplice ! Mais, hélas ! par une
cruelle victoire, la Souffrance étouffe votre souvenir !

« Je meurs enfin, et pour n'espérer jamais aucun bon
succès, ni dans la vie ni dans la mort, je m'obstinerai
et resterai ferme en ma pensée. Je dirai qu'on a toujours
raison de bien aimer, et que l'âme la plus libre est celle
qui est le plus esclave de la tyrannie de l'amour ; je dirai
que celle qui fut toujours mon ennemi a l'âme aussi belle
que le corps, que son indifférence naît de ma faute, et que
c'est par les maux qu'il nous fait qu'Amour maintient en
paix son empire. Cette opinion et un lacet misérable accé-
lérant le terme fatal où m'ont conduit tes dédains, j'offri-
rai aux vents le corps et l'âme sans laurier, sans palme
de gloire à venir.

« Toi qui fais voir, par tant de traitements cruels, la
raison qui m'oblige à traiter de même la vie qui me lasse
et que j'abhorre ; puisque cette profonde blessure de mon
cœur te donne d'éclatantes preuves de la joie qu'il sent
à s'offrir aux coups de ta rigueur, si, par bonheur, tu me
reconnais digne, que le pur ciel de tes beaux yeux soit
troublé par ma mort, n'en fais rien : je ne veux pas que
tu me donnes un regret en échange des dépouilles de mon
âme. Au contraire, que ton rire, dans le moment funeste,
prouve que ma fin est une fête pour toi. Mais c'est une
grande simplicité de te donner cet avis, sachant que tu
mets ta gloire à ce que ma vie arrive si promptement à
son terme.

« Viennent donc, puisque l'heure a sonné, viennent du
profond de l'abîme, Tantale avec sa soif, Sisyphe avec
le poids de son rocher ; que Prométhée amène son vau-
tour, qu'Ixion n'arrête point sa roue, ni les cinquante

eurs leur interminable travail; que tous ensemble trans-
portent dans mon cœur leur mortel supplice, et qu'à voix
basse (si l'on en doit à celui qui meurt de sa main) ils
chantent de tristes obsèques à ce corps auquel on refusera
un saint linceul; que le portier de l'enfer, aux trois têtes,
que mille autres chimères et mille autres monstres fassent
à ce concert un douloureux contrepoint : il me semble
que nulle autre pompe ne peut mieux convenir aux funé-
railles d'un homme mort d'amour.

« Chant de désespoir, n'éclate pas en plaintes quand tu
abandonneras ma triste compagnie; au contraire, puisque
la cause qui t'a fait naître augmente de mon malheur son
bonheur, garde-toi, même en la sépulture, de montrer ta
tristesse. »

Les vers de Chrysostome furent trouvés bons par ceux
qui en avaient entendu la lecture. Toutefois Vivaldo fit
remarquer qu'ils ne paraissaient pas d'accord avec ce qu'on
lui avait raconté de la modestie et de la vertu de Marcelle;
Chrysostome, en effet, s'y plaignait de jalousie, de soupçons, d'absences, toutes choses fort au détriment de la
bonne et pure renommée de son amante. Mais Ambroise,
comme un homme qui avait su les plus secrètes pensées de
son ami, répondit aussitôt : « Il faut que vous sachiez, seigneur, pour éclaircir votre doute, qu'au moment où cet
infortuné écrivit les vers que vous venez de lire, il était loin
de Marcelle, qu'il avait volontairement quittée pour
essayer si l'absence userait avec lui de son ordinaire pouvoir; et comme, pour l'amant absent, il n'est soupçon qui
ne le poursuive ni crainte qui ne l'assiège, de même
Chrysostome souffrait les tourments trop réels d'une
jalousie imaginaire. Ainsi demeure hors de toute atteinte la
vérité que publie la renommée sur la vertu de Marcelle, à
laquelle, au défaut près d'être cruelle, un peu arrogante
et très dédaigneuse, l'envie même ne pourrait reprocher ni
découvrir la moindre tache. »

Vivaldo lui répondit qu'il avait raison; et, comme il
voulait lire un autre papier de ceux qu'il avait sauvés du
feu, il en fut empêché par une merveilleuse vision (tel
en paraissait du moins l'objet) qui tout à coup s'offrit à
leurs yeux. Sur la roche au pied de laquelle se creusait
la sépulture apparut la bergère Marcelle, si belle que sa
beauté passait sa renommée. Ceux qui ne l'avaient point
encore vue la regardaient dans le silence de l'admiration,
et ceux qui avaient l'habitude de la voir ne restèrent pas
moins étonnés que les autres. Mais dès qu'Ambroise l'eut
aperçue, il s'écria avec l'accent d'une âme indignée :
« Viens-tu par hasard, sauvage basilic de ces montagnes,
dont le seul regard empoisonne, viens-tu voir si ta présence
fera couler le sang des blessures de ce malheureux que
ta cruauté a privé de la vie ? Viens-tu t'applaudir et te
glorifier des cruelles prouesses de ta bizarre humeur ? ou

bien voir, du haut de cette colline, comme un autre imp
toyable Néron, l'incendie de sa Rome en flammes, ou
fouler aux pieds ce misérable cadavre, comme la fille
dénaturée de Tarquin foula celui de son père ? Dis-nous
vite ce qui t'amène et ce que tu souhaites de nous; car,
sachant que jamais la volonté de Chrysostome ne cessa
de t'obéir durant sa vie, je ferai en sorte, après sa mort,
que tu sois également obéie par les volontés de tous ceux
qui s'appelèrent ses amis.

— Je ne viens, ô Ambroise, répondit Marcelle, pour
aucune des choses que tu as dites; je viens prendre moi-
même ma défense et prouver combien ont tort ceux qui
m'accusent de leurs peines et de la mort de Chrysostome.
Je vous prie donc, vous tous qui êtes ici présents, de
m'écouter avec attention; il ne faut dépenser ni beaucoup
de temps ni beaucoup de paroles pour démontrer une
vérité aux esprits intelligents.

« Le ciel, à ce que vous dites, m'a faite belle, de telle
sorte que, sans pouvoir vous en défendre, ma beauté vous
force de m'aimer; et, en retour de l'amour que vous avez
pour moi, vous dites et vous prétendez que je suis tenue
de vous aimer. Je reconnais bien, par l'intelligence naturelle que Dieu m'a donnée, que tout ce qui est beau est
aimable; mais je ne puis comprendre que, par la raison
qu'il est aimable, ce qui est aimé comme beau soit tenu
d'aimer ce qui l'aime, d'autant mieux qu'il pourrait arriver que ce qui aime le beau fût laid; or le laid étant digne
de haine, il vient mal à propos de dire : Je t'aime parce
que tu es belle; tu dois m'aimer quoique je sois laid. Mais
supposons que les beautés soient égales; ce n'est pas une
raison pour que les désirs soient égaux, car de toutes les
beautés ne naît pas l'amour : il y en a qui réjouissent la
vue sans soumettre la volonté. Si toutes les beautés touchaient et forçaient les cœurs, le monde serait une confusion où les volontés se croiseraient et s'entre-choqueraient
sans savoir où se prendre et se fixer; car, rencontrant des
beautés en nombre infini, les désirs seraient également
infinis; et l'amour véritable, à ce que j'ai ouï dire, ne se
divise point : il doit être volontaire et non forcé. S'il
en est ainsi, comme je le crois, pourquoi voulez-vous
que mon cœur cède à la contrainte, et seulement parce
que vous dites que vous m'aimez bien ? Mais, dites-moi,
si le ciel, au lieu de me faire belle, m'eût faite laide, serait-il
juste que je me plaignisse de vous parce que vous ne
m'aimeriez pas ? D'ailleurs vous devez considérer que la
beauté que j'ai, je ne l'ai pas choisie; telle qu'elle est,
le ciel me l'a donnée par pure grâce, sans prière, sans
choix de ma part; et, de même que la vipère ne mérite
pas d'être accusée du venin qu'elle porte en sa bouche,
bien que ce venin cause la mort, parce que la nature le
lui a donné, de même je ne mérite pas de reproches pour

être née belle. La beauté, dans la femme honnête, est
comme le feu éloigné, comme l'épée immobile ; ni l'un
ne brûle, ni l'autre ne blesse ceux qui ne s'en approchent
point. L'honneur et la vertu sont des ornements de l'âme,
sans lesquels le corps peut, mais ne doit point paraître
beau. Eh bien, si l'honnêteté est un des mérites qui ornent
et embellissent le plus le corps et l'âme, pourquoi la femme
qu'on aime pour ses charmes devrait-elle la perdre, afin
de correspondre aux désirs de l'homme qui, pour son
plaisir seul, essaye, par tous les moyens, de la lui enlever ?
Libre je suis née, et, pour pouvoir mener une vie libre,
j'ai choisi la solitude des champs. Les arbres de ces montagnes sont ma compagnie, les eaux claires de ces ruisseaux,
mes miroirs ; c'est aux arbres et aux ruisseaux que je
communique mes pensées et mes charmes. Je suis un
feu éloigné, une épée mise hors de tout contact. Ceux que
j'ai rendus amoureux par ma vue, je les ai détrompés
par mes paroles ; et si les désirs ne s'alimentent que d'espérance, n'en ayant jamais donné la moindre ni à Chrysostome ni à nul autre, on peut dire que c'est plutôt son obsti-
nation que ma cruauté qui lui a donné la mort. Si l'on
m'objecte que ses désirs étaient honnêtes et que, pour
cela, j'étais obligée de m'y rendre, je répondrai que quand,
dans ce même endroit où l'on creuse à présent sa fosse,
il me découvrit l'honnêteté de son intention, je lui dis
que la mienne était de vivre en perpétuelle solitude et
que la terre seule possédât les dépouilles intactes de ma
beauté ; que si, malgré cet avis qui devait lui dessiller les
yeux, il voulut s'obstiner contre l'espérance et à naviguer
contre le vent, est-il étonnant qu'il ait fait naufrage au
milieu du golfe de son imprudence ? Si je l'avais abusé,
j'aurais été fausse ; si je l'avais satisfait, j'aurais manqué
à ma sainte résolution. Il s'opiniâtra, quoique détrompé ;
il se désespéra, sans être haï. Voyez maintenant s'il est
juste qu'on m'accuse de ses tourments. Ai-je trompé quelqu'un, qu'il se plaigne ; ai-je manqué à mes promesses,
qu'il se désespère ; l'ai-je appelé, qu'il prenne confiance ;
l'ai-je admis à mes faveurs, qu'il se glorifie. Mais doit-il
me nommer cruelle et homicide celui que je n'ai point
trompé, point appelé, point choisi ? Le ciel, jusqu'à présent, n'a pas voulu que j'aimasse par fatalité ; croire que
j'aimerai par choix, c'est une erreur. Que cet avertissement
général serve à tous ceux qui me sollicitent pour leur
goût particulier, et que l'on sache dorénavant que, si
quelqu'un meurt pour moi, ce ne sera ni de jalousie ni
de dédain ; car celle qui n'aime personne ne peut donner
de jalousie à personne, et détromper les gens n'est pas
les dédaigner. Celui qui m'appelle basilic et bête féroce,
qu'il me fuie comme une chose haïssable et dangereuse ;
celui qui m'appelle ingrate, qu'il ne me serve pas ; étrange
et impénétrable, qu'il ne cherche point à me connaître ;

cruelle, qu'il cesse de me poursuivre. Cette bête, ce basilic,
cette ingrate, cette cruelle, cette impénétrable ne veut
les chercher, les suivre, les servir et les connaître en aucune
façon. Si son impatience et ses ardents désirs ont fait périr
Chrysostome, la faute en est-elle à ma conduite honnête
et à ma circonspection ? Si je conserve ma vertu parmi
les arbres de ces solitudes, pourquoi veut-il me la faire
perdre, celui qui veut que je la garde parmi les hommes ?
J'ai, comme vous le savez, des biens à moi ; je ne convoite
pas ceux des autres : ma situation me rend libre, et il ne
me plaît pas de me faire esclave. Je n'aime ni ne hais personne. On ne peut dire que je trompe celui-ci, que je flatte
celui-là, que je me raille de l'un et m'adoucis avec l'autre.
L'honnête compagnie des bergères de ces villages et le
soin de mes chèvres suffient à mes plaisirs. Ces montagnes
forment tout le domaine de mes désirs, et si parfois ils
en franchissent les limites, c'est pour contempler la beauté
du ciel, où l'âme doit diriger ses pas, comme à son premier
et dernier séjour. »

En achevant ces mots, et sans attendre aucune réponse,
la bergère se retourna et disparut dans le plus épais d'un
bois qui couvrait la montagne, laissant dans l'admiration,
aussi bien de son esprit que de sa beauté, tous ceux qui
l'avaient entendue. Quelques-uns de ceux qu'avait blessés
la puissante flèche des rayons de ses beaux yeux firent mine
de vouloir la suivre, sans mettre à profit l'avertissement qu'elle venait de leur donner. Mais aussitôt que don
Quichotte s'aperçut de leur intention, il lui sembla que
l'occasion était belle d'exercer sa chevalerie, en portant
secours aux demoiselles qui en avaient besoin. Mettant
la main à la garde de son épée, d'une voix haute et intelligible, il s'écria : « Que personne, de quelque état et condition que ce soit, ne s'avise de suivre la belle Marcelle,
sous peine d'éveiller mon indignation et d'encourir ma
colère. Elle a prouvé, par d'éclatantes raisons, qu'elle est
à peu près, ou plutôt tout à fait innocente de la mort de
Chrysostome ; elle a prouvé combien elle est éloignée de
condescendre aux vœux d'aucun de ses amants. Au lieu
donc d'être suivie et poursuivie, il est juste qu'elle soit
estimée et honorée de toutes les âmes honnêtes qui peu-
plent le monde ; car elle y est sans doute la seule femme
qui passa sa vie en de si pures intentions. »

Soit que les menaces de don Quichotte leur imposassent,
soit qu'Ambroise les priât de remplir jusqu'au bout leur
devoir envers son ami. aucun des bergers ne fit un pas
pour s'éloigner jusqu'à ce que, la fosse creusée, et les
papiers de Chrysostome brûlés, ils eussent déposé son
corps dans la tombe ; ce qui ne s'acheva point sans arracher des larmes à tous les assistants. On couvrit la
fosse d'un large éclat de rocher, en attendant qu'on eût
achevé une pierre tumulaire, sur laquelle, à ce que dit

Ambroise, il pensait faire graver ces vers pour épitaphe :
« Ci-gît le corps glacé d'un amant malheureux, qui fut un berger de troupeaux, et que perdit un refus d'amour.

« Il mourut sous les coups de la rigueur d'une ingrate beauté par qui l'Amour étend la tyrannie de son empire. »

On répandit ensuite sur la sépulture une infinité de fleurs et de branchages, et tous les bergers, ayant témoigné à leur ami Ambroise la part qu'ils prenaient à sa douleur, lui dirent successivement adieu. Vivaldo et son compagnon en firent autant, et, de son côté, don Quichotte prit congé de ses hôtes et des voyageurs, lesquels le conviaient à les accompagner à Séville, lieu si fécond en aventures, lui disaient-ils, qu'on en trouve plus au coin de chaque rue qu'en nulle autre ville du monde. Don Quichotte les remercia de leur conseil et de la bonne grâce qu'ils montraient à lui rendre service; mais il ajouta qu'il ne voulait ni ne devait aller à Séville avant qu'il n'eût purgé toutes ces montagnes des bandits dont elles passaient pour être infestées.

Les voyageurs, le voyant en cette bonne résolution, ne voulurent pas l'importuner davantage. Au contraire, après lui avoir dit une autre fois adieu, ils poursuivirent leur chemin, pendant lequel les sujets d'entretien ne leur manquèrent pas, ayant à converser sur l'histoire de Marcelle et de Chrysostome, et sur les folies de don Quichotte. Celui-ci résolut d'aller à la recherche de la bergère Marcelle et de s'offrir à son service. Mais les choses n'arrivèrent point comme il l'imaginait, ainsi qu'on le verra dans la suite de cette véridique histoire, dont la seconde partie se termine en cet endroit.

CHAPITRE XV

*Où l'on raconte la disgracieuse aventure que rencontra don Quichotte
en rencontrant quelques Yangois dénaturés.*

Le sage Cid Hamet Ben-Engeli raconte qu'aussitôt que
don Quichotte eut pris congé de ses hôtes et de tous ceux
qui s'étaient trouvés à l'enterrement de Chrysostome, il
entra, suivi de son écuyer, dans le bois où ils avaient vu
disparaître la bergère Marcelle; mais, après avoir erré çà
et là pendant deux heures, la cherchant de toutes parts,
sans avoir pu la rencontrer, ils arrivèrent à une prairie
couverte d'herbe fraîche, au milieu de laquelle coulait un
doux et limpide ruisseau. Conviés par la beauté du lieu,
ils résolurent d'y passer les heures de la sieste; car l'ardeur de midi commençait à se faire rudement sentir. Don
Quichotte et Sancho mirent pied à terre, et, laissant l'âne
et Rossinante paître tout à leur aise l'herbe abondante que
le pré leur offrait, ils donnèrent l'assaut au bissac, et, sans
cérémonie, en paix et en bonne société, maître et valet
se mirent à manger ensemble ce qu'ils y trouvèrent.

Sancho n'avait pas songé à mettre des entraves à Rossinante; car il le connaissait pour si bonne personne et si
peu enclin au péché de la chair que toutes les juments
des herbages de Cordoue ne lui auraient pas donné la
moindre tentation. Mais le sort ordonna, et le diable aussi,
qui ne dort pas toujours, que justement dans ce vallon
se trouvassent à paître un troupeau de juments galiciennes
que menaient des muletiers yangois, lesquels ont coutume
de faire la sieste avec leurs bêtes dans les endroits où
se trouvent l'herbe et l'eau. Celui où s'était arrêté don Quichotte était donc fort à leur convenance. Or il arriva
que Rossinante sentit tout à coup le désir d'aller folâtrer
avec mesdames les juments, et sortant, dès qu'il les eut
flairées, de ses habitudes et de ses allures naturelles, sans
demander permission à son maître, il prit un petit trot
coquet et s'en alla leur communiquer son amoureuse
envie. Mais les juments, qui avaient sans doute plus besoin
de paître que d'autre chose, le reçurent à coups de pied
et à coups de dents, si bien qu'en un moment elles rom-
pirent les sangles de la selle et le laissèrent tout nu sur

le pré. Mais une autre disgrâce l'attendait, plus cuisante
encore : les muletiers, voyant qu'il voulait faire violence
à leurs juments, accoururent avec leurs gourdins et lui
assenèrent une telle bastonnade qu'ils l'eurent bientôt jeté
les quatre fers en l'air. Cependant don Quichotte et Sancho,
qui voyaient la déconfiture de Rossinante, accouraient tout
haletants, et don Quichotte dit à son écuyer : « A ce que
je vois, ami Sancho, ces gens-là ne sont pas des chevaliers, mais de la vile et basse canaille. Ainsi, tu peux, en
toute sûreté de conscience, m'aider à tirer une vengeance
légitime de l'outrage qu'ils ont fait devant nos yeux à
Rossinante. — Quelle diable de vengeance avons-nous à
tirer, répondit Sancho, s'ils sont plus de vingt, et nous
seulement deux, ou plutôt même un et demi ? — Moi,
j'en vaux cent », répliqua don Quichotte ; et sans plus
de discours, il mit l'épée à la main et fondit sur les Yangois. Sancho fit de même, excité par l'exemple de son
maître.

A la première attaque, don Quichotte porta à l'un des
muletiers un si grand coup d'épée qu'il fendit un pourpoint de cuir dont il était vêtu, et, de compagnie, un
bon morceau de l'épaule. Les Yangois, qui se virent malmener par deux hommes seuls, étant si nombreux, recou-
rurent à leurs gourdins et, enfermant au milieu de la
troupe les deux téméraires, se mirent à jouer du bâton
sur leurs reins avec une merveilleuse diligence. Il est vrai
qu'à la seconde décharge, ils avaient jeté Sancho sur le
carreau et que don Quichotte, en dépit de son adresse
et de son courage, n'avait pas été quitte à meilleur marché.
Son étoile voulut même qu'il allât tomber aux pieds de
Rossinante, qui ne s'était pas encore relevé ; tableau qui
démontre bien avec quelle fureur officie le bâton entre
des mains grossières et courroucées. Les Yangois, voyant
donc la méchante besogne qu'ils avaient faite, se dépêchèrent de charger leurs bêtes et s'éloignèrent en toute hâte,
laissant les deux aventuriers en mauvaise mine et en pire
état.

Le premier qui reprit ses sens fut Sancho Panza, lequel,
se trouvant tout auprès de son maître, lui dit d'une voix
plaintive et dolente : « Seigneur don Quichotte, aïe ! aïe !
seigneur don Quichotte ! — Que veux-tu, mon frère Sancho ? répondit le chevalier d'un accent aussi lamentable.
— Je voudrais bien, si c'était possible, répondit Sancho,
que Votre Grâce me donnât deux gorgées de ce breuvage
du *Fier-Blas*, si elle en a par hasard sous la main ; peut-
être sera-t-il aussi bon pour les os rompus que pour la
chair ouverte. — Ah ! si j'en avais, malheureux que je
suis ! répondit don Quichotte, que nous manquerait-il ?
Mais je te jure, Sancho Panza, foi de chevalier errant,
que deux jours ne se passeront pas, si la fortune n'ordonne
autre chose, sans que j'aie ce baume en mon pouvoir,

ou j'aurai perdu l'usage des mains. — Deux jours! répliqua Sancho; mais en combien donc Votre Grâce croitelle que nous aurons recouvré l'usage des pieds ? — Pour mon compte, reprit le moulu chevalier, je ne pourrais trop en dire le nombre. Mais je crois que de ce malheur toute la faute est à moi : je ne devais pas tirer l'épée contre des hommes qui ne fussent pas armés chevaliers; et c'est pour avoir violé les lois de la chevalerie que le Dieu des batailles a permis que je reçusse ce châtiment. C'est pourquoi, mon frère Sancho, il est bon que je t'avertisse d'une chose qui importe beaucoup au salut de tous deux; à savoir que, dès que tu verras qu'une semblable canaille nous fait insulte, tu n'attendes pas que je tire l'épée pour les châtier, ce que je ne ferai plus d'aucune façon; mais toi, mets l'épée à la main, et châtie-les tout à ton aise; et si des chevaliers accourent à leur aide et défense, alors je saurai bien te défendre et les repousser de la bonne manière, car tu as vu déjà, par mille preuves et expériences, jusqu'où s'étendent la force et la valeur de cet invincible bras. » Tant le pauvre gentilhomme avait conservé d'arrogance depuis sa victoire sur le vaillant Biscayen!

Mais Sancho ne trouva pas tellement bon l'avis de son maître qu'il ne crût devoir y répondre : « Seigneur, dit-il, je suis un homme doux, calme et pacifique, et je sais dissimuler toute espèce d'injures, parce que j'ai une femme à nourrir et des enfants à élever. Ainsi, que Votre Grâce reçoive également cet avis, puisque je ne peux dire cet ordre, que je ne mettrai d'aucune manière l'épée à la main, ni contre vilain, ni contre chevalier; et que, dès à présent jusqu'au jugement dernier, je pardonne toutes les offenses qu'on m'a faites ou qu'on pourra me faire, qu'elles soient venues, viennent ou doivent venir de personne haute ou basse, de riche ou de pauvre, d'hidalgo ou de manant, sans excepter aucun état ni condition. »

Quand il entendit cela, son maître répondit : « Je voudrais avoir assez d'haleine pour parler posément, et que la douleur dont je souffre à cette côte brisée se calmât un peu, pour te faire comprendre, ô Panza! dans quelle erreur tu es. Or çà, pécheur impénitent, si le vent de la fortune, jusqu'à présent si contraire, tourne en notre faveur et remplit les voiles de notre désir, pour nous faire, sans plus de tempêtes, prendre port en quelqu'une des îles que je t'ai promises, qu'arrivera-t-il de toi, si, quand j'aurai conquis cette île, je veux t'en faire seigneur ? Tu vas m'en empêcher, parce que tu ne seras pas chevalier, et que tu ne veux pas l'être, et que tu n'as ni courage ni point d'honneur pour venger tes injures et défendre ta seigneurie; car il faut que tu saches que, dans les provinces ou royaumes nouvellement conquis, les esprits des naturels ne sont pas tellement tranquilles ni tellement dans le parti de leur nouveau maître qu'on ne doive craindre qu'ils ne veuillent encore brouiller les affaires, et, comme on dit, tenter fortune. Il faut donc que le nouveau possesseur ait assez d'entendement pour savoir se gouverner, et assez de valeur pour prendre, en tout événement, l'offensive et la défensive. — Dans celui qui vient de nous arriver, répondit Sancho, j'aurais bien voulu avoir cet entendement et cette valeur que vous dites. Mais je vous jure, foi de pauvre homme, qu'à cette heure j'ai plus besoin d'emplâtres que de sermons. Voyons, que Votre Grâce essaye de se lever, et nous aiderons ensuite Rossinante, bien qu'il ne le mérite guère, car c'est lui qui est la cause principale de toute cette pluie de coups. Jamais je n'aurais cru cela de Rossinante, que je tenais pour une personne chaste et pacifique autant que moi. Enfin, on a raison de dire qu'il faut bien du temps pour connaître les gens, et que rien n'est sûr en cette vie. Qui aurait dit qu'après les grands coups d'épée que Votre Grâce a donnés à ce malheureux errant, viendrait si vite à leur suite cette grande tempête de coups de bâton qui est venue fondre sur nos épaules ? — Encore les tiennes, Sancho, répliqua don Quichotte, sont-elles faites à semblables averses; mais pour les miennes, élevées dans la fine toile de Hollande, il est clair qu'elles sentiront bien plus longtemps la douleur de cette triste aventure; et si je n'imaginais, que dis-je, imaginer! si je n'étais certain que toutes ces incommodités sont attachées forcément à la profession des armes, je me laisserais mourir en cette place de honte et de dépit. » A cela l'écuyer répondit : « Seigneur, puisque ces disgrâces sont dans les revenus de la chevalerie, pourriez-vous me dire si elles arrivent tout le long de l'année ou si elles ont des époques fixes, comme les moissons ? car il me semble que si nous faisons deux récoltes comme celle-ci, nous ne serons guère en état d'en faire une troisième, à moins que Dieu ne nous prête le secours de son infinie miséricorde.

— Sache donc, ami Sancho, répondit don Quichotte, que la vie des chevaliers errants est sujette à mille dangers et à mille infortunes; mais aussi qu'ils sont incessamment en passe de devenir rois et empereurs, comme l'a prouvé l'expérience en divers chevaliers, dont je sais parfaitement les histoires; et je pourrais maintenant, si la douleur me le permettait, te conter celles de quelques-uns d'entre eux qui, par la seule valeur de leurs bras, sont montés jusqu'au trône. Eh bien! ces mêmes chevaliers s'étaient vus avant et se virent depuis plongés dans les malheurs et les misères. Ainsi le valeureux Amadis de Gaule se vit au pouvoir de son mortel ennemi, l'enchanteur Archalaüs, et l'on tient pour avéré que celui-ci, le tenant prisonnier, lui donna plus de deux cents coups de fouet avec les rênes de son cheval, après l'avoir attaché à une colonne de la cour de son château. Il y a même un auteur secret et fort accré-

dité qui raconte que le chevalier de Phœbus, ayant été
pris dans une certaine trappe qui s'enfonça sous ses pieds
dans un certain château, se trouva en tombant dans un
profond souterrain, les pieds et les mains attachés; que
là, on lui administra un remède d'eau de neige et de sable
qui le mit à deux doigts de la mort; et que s'il n'eût été
secouru dans cette transe par un sage, son grand ami,
c'en était fait du pauvre chevalier. Ainsi je puis bien passer
par les mêmes épreuves que de si nobles personnages;
car ils eurent à souffrir de plus grands affronts que celui
que nous essuyons à cette heure. Et je veux en effet t'apprendre, Sancho, que les blessures faites avec les instruments qui se trouvent sous la main ne causent point d'affront, et cela se trouve écrit en termes exprès dans la
loi du duel. « Si le cordonnier, y est-il dit, en frappe un
autre avec la forme qu'il tient à la main, bien que véritablement cette forme soit de bois, on ne dira pas que celui
qui a reçu le coup soit bâtonné. » Je te dis cela pour que
tu ne t'avises pas de penser qu'ayant été moulus dans
cette rencontre, nous ayons aussi été outragés; car les
armes que portaient ces hommes, et avec lesquelles ils
nous ont assommés, n'étaient autre chose que leurs pieux,
et nul d'entre eux, si j'ai bonne mémoire, ne portait épée,
poignard ou coutelas.

— Ma foi, répondit Sancho, ils ne m'ont pas donné
le temps d'y regarder de si près; car à peine eus-je mis
ma tisonne au vent qu'ils me chatouillèrent les épaules
avec leurs rondins tellement qu'ils m'ôtèrent la vue
des yeux et la force des pieds, et qu'ils me jetèrent juste
à l'endroit où je suis encore gisant; et ce qui m'y donne
de la peine, ce n'est pas de penser si les coups de pieux
m'ont ou non causé d'outrage, mais bien la douleur que
m'ont laissée ces coups, qui resteront aussi longtemps gravés
dans ma mémoire que sur mes épaules. — Avec
tout cela, répondit don Quichotte, je dois te rappeler,
mon frère Panza, qu'il n'y a point de ressentiment que
le temps n'efface, ni de douleur que la mort ne guérisse.
— Oui-da, répliqua Sancho; mais quel plus grand mal
peut-il y avoir que celui qui doit attendre le temps pour
s'effacer et la mort pour se guérir ? Si du moins notre
mal d'aujourd'hui était de ceux que guérit une paire d'emplâtres, patience; mais je commence à croire que tous
les cataplasmes d'un hôpital ne suffiraient pas seulement
pour nous remettre sur pied.

— Allons, Sancho, reprit don Quichotte, cesse de te
plaindre, et fais contre fortune bon cœur; je te donnerai
l'exemple. Et voyons un peu comment se porte Rossinante;
car il me semble que le pauvre animal a reçu sa bonne
part de l'orage. — Il n'y a pas de quoi s'en étonner,
répondit Sancho, puisqu'il est aussi chevalier errant. Mais
ce qui m'étonne, c'est que mon âne en soit sorti sain et

sauf, et qu'il n'ait pas perdu un poil où nous avons, comme
on dit, laissé la toison. — Dans le malheur, reprit don
Quichotte, la fortune laisse toujours une porte ouverte
pour en sortir. Je dis cela, parce que cette bonne bête
pourra suppléer au défaut de Rossinante et me porter
d'ici à quelque château où je sois pansé de mes blessures.
D'autant plus que je ne tiendrai pas une telle monture
à déshonneur; car je me rappelle avoir lu que ce bon
vieux Silène, le père nourricier du dieu de la joie, se pré-
lassait à cheval sur un bel âne quand il fit son entrée dans
la ville aux cent portes. — Il devait être à cheval, en
effet, comme dit Votre Grâce, répondit Sancho; mais il
y a bien de la différence entre aller de cette manière, jambe
de çà, jambe de là, ou bien être étendu de travers comme
un sac de farine. — Les blessures qui se reçoivent dans
les batailles, repartit gravement don Quichotte, donnent
de l'honneur loin de l'ôter. Ainsi donc, ami Panza, ne
réplique pas davantage; mais, au contraire, comme je
te l'ai dit, lève-toi du mieux qu'il te sera possible, mets-
toi sur ton âne de la manière qu'il te conviendra le plus,
et partons d'ici, avant que la nuit nous surprenne dans
cette solitude. — Mais j'ai souvent ouï dire à Votre Grâce,
répondit Sancho, qu'il est très habitué aux chevaliers
errants de coucher dans les déserts à la belle étoile, et qu'ils
s'en font un vrai plaisir. — Cela arrive, reprit don Quichotte, quand ils ne peuvent faire autrement, ou quand ils
sont amoureux. Et tu as si bien dit vrai qu'il y a eu tel
chevalier qui est resté sur une roche, exposé au soleil, à
l'ombre et à toutes les inclémences du ciel, pendant deux
années entières, sans que sa dame le sût. Et l'un de ceux-là
fut Amadis, lorsque, s'étant appelé Beau-Ténébreux, il se
gîta sur la Roche-Pauvre, et y passa je ne sais pas trop si ce
fut huit ans ou huit mois, car le compte m'en est échappé;
il suffit de savoir qu'il y resta en pénitence pour je ne sais
quelle rebuffade qu'il avait essuyée de sa dame Oriane.
Mais laissons tout cela, Sancho, et finissons-en, avant
qu'une autre disgrâce n'arrive à l'âne comme à Rossinante.

— Ce serait bien le diable », répliqua Sancho; puis,
poussant trente soupirs, soixante aïe! aïe! et cent vingt
jurons ou malédictions contre qui l'avait amené là, il
finit par se mettre sur pied; mais, s'arrêtant à mi-chemin
de la besogne, il resta ployé comme un arc, sans pouvoir
achever de se redresser. Dans cette douloureuse posture,
il lui fallut rattraper et harnacher l'âne, qui avait pris aussi
quelque distraction, à la faveur des libertés de cette journée. Ensuite il releva Rossinante, lequel, s'il eût eu une
langue pour se plaindre, aurait bien tenu tête au maître
et au valet. Finalement, Sancho accommoda don Quichotte
sur la bourrique, attacha Rossinante en arrière-garde et,
tirant sa bête par le licou, il s'achemina du côté où il lui
semblait que pouvait se trouver le grand chemin. En effet,

bout d'une petite heure de marche, la fortune, qui
᠌enait de mieux en mieux ses affaires, lui présenta tout
᠌ coup la grande route, sur laquelle il découvrit une hôtellerie, qui, malgré lui, mais au gré de don Quichotte, devait
être un château. Sancho soutenait que c'était une hôtellerie, et don Quichotte, un château; et la querelle dura
si longtemps qu'avant de l'avoir terminée ils étaient à
la porte de la maison, où Sancho entra, sans autre vérifi-
cation, avec toute sa caravane.

CHAPITRE XVI

De ce qui arriva à l'ingénieux hidalgo dans l'hôtellerie
qu'il prenait pour un château.

L'hôtelier, qui vit don Quichotte mis en travers sur
un âne, demanda à Sancho quel mal s'était fait cet homme.
Sancho répondit que ce n'était rien; qu'il avait roulé du
haut d'une roche en bas, et qu'il venait avec les reins tant
soit peu meurtris. Cet hôtelier avait une femme qui, bien
au rebours de celles d'un semblable métier, était naturellement charitable et s'apitoyait sur les afflictions du prochain. Aussi elle accourut bien vite pour panser don Quichotte, et se fit aider par une fille qu'elle avait, jeune personne avenante et de fort bonne mine.

Il y avait aussi, dans la même hôtellerie, une servante
asturienne, large de face, plate du chignon, camuse du
nez, borgne d'un œil et peu saine de l'autre. A la vérité,
l'élégance du corps suppléait aux défauts du visage. Elle
n'avait pas sept palmes des pieds à la tête, et ses épaules,
qui chargeaient et voûtaient quelque peu son dos, lui
faisaient baisser les yeux à terre plus souvent qu'elle n'aurait voulu. Cette gentille personne vint aider la fille de la
maison, et toutes deux dressèrent un méchant lit à don
Quichotte dans un galetas qui, selon toutes les apparences,
avait servi longues années de grenier à paille. Dans la
même pièce logeait aussi un muletier, qui avait son lit
un peu plus loin que celui de notre don Quichotte ; et,
quoique le lit du manant fût fait des bâts et des couver-
tures de ses mules, il valait cent fois mieux que celui du
chevalier; car c'étaient tout bonnement quatre planches
mal rabotées posées sur deux bancs inégaux; un matelas, si
mince qu'il avait l'air d'une courtepointe, tout couvert
d'aspérités qu'on aurait prises au toucher pour des cailloux, si l'on n'eût vu, par quelques trouées, que c'étaient
des tapons de laine; deux draps cuir de buffle, et une couverture dont on aurait compté les fils, sans en échapper un
seul. Ce fut dans ce méchant grabat que s'étendit don Quichotte; et tout aussitôt l'hôtesse et sa fille vinrent l'oindre
d'onguent des pieds à la tête, à la lueur d'une lampe que
tenait Maritornes, car c'est ainsi que s'appelait l'Asturienne.

Pendant l'opération, l'hôtesse, voyant don Quichotte noir et meurtri en tant d'endroits : « Ceci, dit-elle, ressemble plus à des coups qu'à une chute. — Ce ne sont pourtant pas des coups, répondit Sancho ; mais la roche où il est tombé avait beaucoup de pointes et chacune a marqué sa place. » Puis il ajouta : « Faites en sorte, madame, s'il plaît à Votre Grâce, qu'il reste quelques étoupes ; je sais quelqu'un qui saura bien en tirer parti, car les reins me cuisent aussi quelque peu. — Vous êtes donc aussi tombé ? demanda l'hôtesse. — Non vraiment, répliqua Sancho ; mais de la frayeur et de la secousse que j'ai eues en voyant tomber mon maître, le corps me fait si mal qu'on dirait que j'ai reçu cent coups de bâton. — Cela pourrait bien être, interrompit la jeune fille ; car il m'est arrivé souvent de rêver que je tombais du haut d'une tour en bas, et que je ne finissais jamais d'arriver jusqu'à terre ; et, quand je me réveillais, j'étais aussi lasse et aussi brisée que si je fusse tombée réellement. — Voilà justement l'affaire, mademoiselle, s'écria Sancho ; et moi, sans rien rêver du tout, et plus éveillé que je ne le suis à présent, je me trouve presque autant de marques noires et bleues sur le corps que mon seigneur don Quichotte. — Comment appelez-vous ce cavalier ? demanda l'Asturienne Maritornes. — Don Quichotte de la Manche, répondit Sancho Panza, c'est un chevalier errant, l'un des plus braves et des plus dignes qu'on ait vus de longtemps sur la terre. — Qu'est-ce qu'un chevalier errant ? répliqua la gracieuse servante. — Quoi ! reprit Sancho, vous êtes si neuve en ce monde que vous ne le sachiez pas ? Eh bien ! sachez, ma sœur, qu'un chevalier errant est quelque chose qui, en un tour de main, est bâtonné ou empereur ; aujourd'hui, c'est la plus malheureuse créature du monde, et la plus affamée ; demain, il aura trois ou quatre couronnes de royaumes à donner à son écuyer. — Comment alors, interrompit l'hôtesse, puisque vous êtes celui de ce bon seigneur, n'avez-vous pas au moins quelque comté ? — Il est de bonne heure encore, répondit Sancho ; car il n'y a pas plus d'un mois que nous sommes à chercher les aventures, et, jusqu'à présent, nous n'en avons pas encore rencontré qui valût la peine de s'appeler ainsi. Il arrive quelquefois de chercher une chose et d'en trouver une autre. Mais que mon seigneur don Quichotte guérisse de cette blessure, ou de cette chute, et que je n'en reste pas moi-même estropié, et je ne troquerais pas mes espérances pour la meilleure seigneurie d'Espagne. »

Tout cet entretien, don Quichotte l'écoutait de son lit avec grande attention ; se mettant comme il put sur son séant, il prit tendrement la main de l'hôtesse, et lui dit : « Croyez-moi, belle et noble dame, vous pouvez vous appeler heureuse pour avoir recueilli dans votre château ma personne, qui est telle que, si je ne la loue pas, c'est arce qu'on a coutume de dire que la louange propre avilit; mais mon écuyer vous dira qui je suis. Je veux seulement vous dire que j'aurai éternellement gravé dans la mémoire le service que vous m'avez rendu, pour vous en garder reconnaissance autant que durera ma vie. Et plût au ciel que l'amour ne me tînt pas assujetti à ses lois, et ne m'eût pas fait l'esclave des yeux de cette belle ingrate que je nomme entre mes dents; car ceux de cette aimable damoiselle seraient maintenant les maîtres de ma liberté. » L'hôtesse, sa fille et la bonne Maritornes restaient toutes confuses aux propos du chevalier errant, qu'elles n'entendaient pas plus que s'il eût parlé grec. Elles devinaient bien pourtant que tout cela tirait à des remerciements et à des galanteries; mais, peu faites à semblable langage, elles le regardaient et se regardaient, et don Quichotte leur semblait un tout autre homme que les autres. Après l'avoir remercié de ses politesses en propos d'hôtellerie, elles le quittèrent, et Maritornes alla panser Sancho, qui n'en avait pas moindre besoin que son maître.

Or il faut savoir que le muletier et l'Asturienne avaient comploté de prendre ensemble cette nuit leurs ébats. Celle-ci lui avait donné sa parole qu'aussitôt que les hôtes seraient retirés et ses maîtres endormis, elle irait le trouver pour lui faire plaisir en tout ce qu'il commanderait. Et l'on raconte de cette bonne fille que jamais elle ne donna semblable parole sans la tenir, l'eût-elle donnée au fond d'un bois et sans aucun témoin; car elle se piquait d'avoir du sang d'hidalgo dans les veines, et ne se tenait pas pour avilie d'être servante d'auberge, disant que des malheurs et des revers de fortune l'avaient jetée dans cet état.

Le lit dur, étroit, chétif et traître sur lequel reposait don Quichotte se trouvait le premier au milieu de cet appartement d'où l'on voyait les étoiles. Auprès de lui, Sancho fit le sien, tout bonnement avec une natte de jonc et une couverture qui semblait plutôt de crin que de laine. A ces deux lits succédait celui du muletier, fabriqué, comme on l'a dit, avec les bâts et tout l'attirail de ses deux meilleurs mulets; et il en menait douze, tous gras, brillants et vigoureux, car c'était un des riches muletiers d'Arevalo, à ce que dit l'auteur de cette histoire, lequel fait dudit muletier mention particulière, parce qu'il le connaissait très intimement, et l'on assure même qu'il était tant soit peu son parent. Cid Hamet Ben-Engeli fut, en effet, un historien très curieux et très ponctuel en toutes choses, ce que prouvent assez celles qu'il a rapportées jusqu'à présent, puisque, si communes et chétives qu'elles soient, il n'a pas voulu les passer sous silence. De lui pourront prendre exemple les historiens sérieux et graves, qui nous racontent les actions de leurs personnages d'une façon si courte et si succincte qu'à peine le goût nous en touche les lèvres, et qui laissent dans l'encrier, par négli-

gence, ignorance ou malice, le plus substantiel de l'ouvrag[...]
Loué soit mille fois l'auteur de *Tablante de Ricamonte*, e[...]
celui du livre qui rapporte les faits et gestes du *Comte*
Tomillas ! Avec quelle exactitude tout est décrit par eux !

Je dis donc, pour en revenir à notre histoire, que le
muletier, après avoir visité ses bêtes et leur avoir donné
la seconde ration d'orge, s'étendit sur ses harnais et se
mit à attendre sa ponctuelle Maritornes. Sancho Panza
était bien graissé et couché; mais, quoiqu'il fît tout ce
qu'il pût pour dormir, la douleur de ses côtes l'en tenait
empêché, et quant à don Quichotte, avec la douleur des
siennes, il avait les yeux ouverts comme un lièvre. Toute
l'hôtellerie était ensevelie dans le silence, et il n'y avait
pas, dans la maison entière, d'autre lumière que celle d'une
lampe qui brûlait suspendue sous le portail. Cette merveilleuse tranquillité, et les pensées qu'entretenait toujours
en l'esprit de notre chevalier le souvenir des événements
qui se lisent à chaque page dans les livres auteurs de sa
disgrâce, lui firent naître en l'imagination l'une des plus
étranges folies que de sang-froid l'on pût imaginer. Il
se persuada qu'il était arrivé à un fameux château, puisque
toutes les hôtelleries où il logeait étaient autant de châteaux à ses yeux, et que la fille de l'hôtelier était la fille
du châtelain, laquelle, vaincue par sa bonne grâce, s'était
éprise d'amour pour lui, et résolue à venir cette nuit même,
en cachette de ses parents, le visiter dans son alcôve.
Prenant toute cette chimère, qu'il avait fabriquée, pour
réelle et véritable, il commença à se troubler et à s'affliger,
en pensant à l'imminent péril que sa chasteté courait;
mais il résolut au fond de son cœur de ne commettre
aucune déloyauté contre sa dame Dulcinée du Toboso,
quand la reine Genièvre elle-même, assistée de sa duègne
Quintagnonne, viendrait l'en solliciter.

En continuant de rêver à ces extravagances, le temps
passa et l'heure arriva, pour lui fatale, où devait venir
l'Asturienne, laquelle en chemise et pieds nus, les cheveux
retenus dans une coiffe de futaine, se glissa à pas de
loup dans l'appartement où logeaient les trois hôtes,
à la quête de son muletier. Mais à peine eut-elle passé la
porte que don Quichotte l'entendit, et, s'asseyant sur son
lit, en dépit de ses emplâtres et de son mal de reins, il
étendit les bras pour recevoir sa charmante damoiselle
l'Asturienne, qui, toute ramassée et retenant son haleine,
allait les mains en avant, cherchant à tâtons son cher ami.
Elle vint donner dans les bras de don Quichotte, qui la
saisit fortement par un poignet et, la tirant vers lui sans
qu'elle osât souffler mot, la fit asseoir sur son lit. Il tâta
sa chemise, qui lui sembla, bien qu'elle fût de toile à faire
des sacs, de la plus fine percale de lin. Elle portait aux bras
des espèces de bracelets en boules de verre qui lui parurent
avoir le reflet des perles orientales; ses cheveux, qui tiraient

un peu sur la nature et la couleur du crin, il les prit pour des tresses d'or fin d'Arabie, dont l'éclat obscurcissait celui du soleil, et son haleine, qui sentait assurément la salade à l'ail marinée de la veille, lui parut répandre une odeur suave et parfumée. Finalement, il se la peignit dans son imagination avec les mêmes charmes et les mêmes atours que cette autre princesse qu'il avait lu dans ses livres être venue visiter de nuit le chevalier blessé, vaincue par l'amour dont elle s'était éprise. Tel était l'aveuglement du pauvre hidalgo que rien ne pouvait le détromper ni le toucher, ni l'haleine, ni certaines autres choses qui distinguaient la pauvre fille, lesquelles auraient pourtant fait vomir les entrailles à tout autre qu'un muletier; au contraire, il croyait serrer dans ses bras la déesse des amours, et, la tenant amoureusement embrassée, il lui dit d'une voix douce et tendre : « Je voudrais bien, haute et charmante dame, me trouver en passe de payer une faveur infinie, comme celle que, par la vue de votre extrême beauté, vous m'avez octroyée; mais la fortune, qui ne se lasse pas de persécuter les bons, a voulu me jeter dans ce lit, où je gis moulu et brisé, tellement que si ma volonté voulait correspondre à la vôtre, elle n'en aurait pas le pouvoir. Mais à cette impossibilité s'en ajoute une plus grande : c'est la foi que j'ai promise et donnée à la sans pareille Dulcinée du Toboso, unique dame de mes plus secrètes pensées. Certes, si ces obstacles ne venaient pas à la traverse, je ne serais pas un assez niais chevalier pour laisser passer en fumée l'heureuse occasion que m'offre votre infinie bonté. »

Maritornes était dans une mortelle angoisse de se voir retenue si fortement par don Quichotte, et, ne prêtant nulle attention aux propos qu'il lui tenait, elle faisait, sans dire mot, tous les efforts possibles pour se dégager.

Le bon muletier, que tenaient éveillé ses méchants désirs, avait aussi entendu sa nymphe dès qu'elle eut passé le seuil de la porte. Il écouta très attentivement tout ce que disait don Quichotte, et, jaloux de ce que l'Asturienne lui eût manqué de parole pour un autre, il se leva, s'approcha davantage du lit de don Quichotte et se tint coi pour voir où aboutiraient ces propos qu'il ne pouvait entendre. Mais quand il vit que la pauvre fille travaillait à se dépêtrer, tandis que don Quichotte s'efforçait de la retenir, le jeu lui déplut; il éleva le bras de tout son long et déchargea un si terrible coup de poing sur les étroites mâchoires de l'amoureux chevalier qu'il lui mit la bouche tout en sang; et, non content de cette vengeance, il lui monta sur la poitrine, et, d'un pas un peu plus vite que le trot, il lui parcourut toutes les côtes du haut en bas. Le lit, qui était de faible complexion et de fondements peu solides, ne pouvant supporter la surcharge du muletier, s'enfonça et tomba par terre. Au bruit de ses craquements, l'hôtelier s'éveilla, et bientôt il s'imagina que ce devait être quelque démêlé de Maritornes, car, quoiqu'il l'appelât à tue-tête, elle ne répondait pas. Dans ce soupçon, il se leva, alluma sa lampe à bec et s'avança du côté d'où venait le tapage. La servante, entendant venir son maître, dont elle connaissait l'humeur terrible, toute troublée et tremblante, alla se réfugier dans le lit de Sancho Panza, qui dormait encore, et s'y tapit, recoquillée comme un peloton. L'hôtelier entra en disant : « Où es-tu, carogne ? car, à coup sûr, ce sont ici de tes équipées. » En ce moment, Sancho entr'ouvrit les yeux, et, sentant cette masse sur son estomac, il crut qu'il avait le cauchemar ; il se mit donc à allonger des coups de poing de droite et de gauche, dont la meilleure partie attrapèrent Maritornes, laquelle, excitée par la douleur, et perdant avec la patience toute retenue, rendit à Sancho la monnaie de sa pièce, et si dru qu'elle eut bientôt achevé de l'éveiller. Sancho, se voyant traiter ainsi, sans savoir par qui ni pourquoi, se releva du mieux qu'il put, et, prenant Maritornes à bras-le-corps, ils commencèrent entre eux la plus acharnée et la plus gracieuse escarmouche qu'on ait jamais vue. Cependant le muletier, voyant à la lueur de la lampe la transe où se trouvait sa dame, laissant enfin don Quichotte, accourut lui porter le secours dont elle avait tant besoin. L'hôtelier fit la même chose, mais dans une intention différente, car il voulait châtier l'Asturienne, croyant bien qu'elle était l'unique cause de cette diabolique harmonie. Et de même qu'on a coutume de dire le chien au chat, et le chat au rat, le muletier tapait sur Sancho, Sancho sur la fille, la fille sur Sancho et l'hôte sur la fille ; et tous les quatre y allaient de si bon cœur et de si bon jeu qu'ils ne se donnaient pas un instant de répit. Le meilleur de l'affaire, c'est que la lampe de l'hôtelier s'éteignit, et, comme ils se trouvèrent tout à coup dans les ténèbres, les coups donnés à tâtons roulaient si impitoyablement à tort et à travers que, partout où portaient leurs mains, ils ne laissaient ni chair saine ni morceau de chemise.

Par hasard logeait cette nuit dans l'hôtellerie un archer de ceux que l'on appelle de la Sainte-Hermandad vieille de Tolède. Quand il entendit l'étrange vacarme de la bataille, il empoigna sa verge noire et sa boîte de fer-blanc qui contenait ses titres ; puis, entrant à tâtons dans la pièce où se livrait le combat : « Holà ! s'écria-t-il, arrêtez au nom de la justice, au nom de la Sainte-Hermandad ! » Le premier qu'il rencontra sous sa main fut le déplorable don Quichotte, qui était encore sur les débris de sa couche, étendu la bouche en l'air et sans aucune connaissance. L'archer, l'empoignant par la barbe, ne cessait de crier : « Main forte à la justice ! » Mais, voyant que celui qu'il tenait à poignée ne bougeait ni ne remuait le moins du monde, il s'imagina qu'il était mort et que les autres étaient ses meurtriers. Dans cette croyance, il haussa encore la voix, et s'écria : « Qu'on ferme la porte de la maison, et qu'on ait soin que personne ne s'échappe. On vient de tuer un homme ici. » Ce cri effraya tous les combattants ; chacun d'eux laissa la bataille indécise, et justement au point où l'avait trouvée la voix de l'archer. L'hôtelier se retira dans sa chambre, la servante dans son taudis, le muletier sur ses harnais entassés ; les deux malheureux don Quichotte et Sancho furent les seuls qui ne purent bouger de la place. L'archer, lâchant enfin la barbe de don Quichotte, sortit pour aller chercher de la lumière et revenir arrêter les coupables ; mais il n'en trouva pas une étincelle, l'hôtelier ayant exprès éteint la lampe du portail en se retirant. L'autre fut donc obligé de recourir à la cheminée, où ce ne fut qu'à force de patience et de temps perdu qu'il trouva moyen de rallumer une autre mèche.

CHAPITRE XVII

*Où se poursuit l'histoire des innombrables travaux qu'eut à supporter le
brave don Quichotte avec son bon écuyer Sancho Panza, dans l'hôtellerie qu'il avait crue, pour son malheur, être un château.*

Dans cet intervalle, don Quichotte était enfin revenu
de son évanouissement; et, de ce même accent plaintif
avec lequel il avait appelé la veille son écuyer, quand il
était étendu dans la vallée des Gourdins, il se mit à
l'appeler de nouveau. « Sancho, mon ami, dors-tu ? Dors-
tu, mon ami Sancho ? — Que diable voulez-vous que je dorme,
répondit Sancho, plein de désespoir et de dépit,
si tous les démons de l'enfer se sont déchaînés cette nuit
contre moi ? — Ah! tu peux bien le croire en effet, reprit
don Quichotte; car, ou je ne sais pas grand-chose, ou ce
château est enchanté. Il faut que tu saches... Mais, avant
de parler, je veux que tu me jures que tu tiendras secret
ce que je vais te dire, jusqu'après ma mort. — Oui, je
le jure, répondit Sancho. — Je te demande ce serment,
reprit don Quichotte, parce que je hais de faire tort à
l'honneur de personne. — Puisque je vous dis que je le
jure, répéta Sancho, et que je tairai la chose jusqu'à la
fin de vos jours! Mais plût à Dieu que je puisse découvrir dès demain! — Est-ce que je me conduis si mal
envers toi, Sancho, répondit don Quichotte, que tu veuilles
me voir sitôt trépassé ? — Ce n'est pas pour cela, répliqua
Sancho, c'est que je n'aime pas garder beaucoup les secrets;
je craindrais qu'ils ne se pourrissent dans mon estomac
d'être trop gardés. — Que ce soit pour une raison ou
pour une autre, reprit don Quichotte, je me confierai plus
encore à ton affection et à ta courtoisie. Eh bien! sache
donc qu'il m'est arrivé cette nuit une des plus étranges
aventures dont je puisse tirer gloire; et, pour te la conter le plus brièvement possible, tu sauras qu'il y a peu d'instants je vis venir près de moi la fille du seigneur de ce
château, qui est bien la plus accorte et la plus ravissante
damoiselle qu'on puisse trouver sur une grande partie de
la terre. Que pourrais-je te dire des charmes de sa personne, des grâces de son esprit et d'autres attraits cachés
que, pour garder la foi que je dois à ma dame Dulcinée du
Toboso, je laisserai passer sans y toucher, et sans en rien

dire! Je veux te dire seulement que, le ciel se trouvant
envieux du bonheur extrême que m'envoyait la fortune,
ou peut-être, ce qui est plus certain, ce château, comme je
viens de dire, étant enchanté, au moment où j'étais avec
elle dans le plus doux, le plus tendre et le plus amoureux
entretien, voilà que, sans que je la visse, ou sans que je
susse d'où elle venait, une main qui pendait au bras de
quelque géant démesuré m'assena un si grand coup de
poing sur les mâchoires qu'elles sont encore toutes bai-
gnées de sang; puis ensuite le géant me battit et me moulut
de telle sorte que je suis en pire état qu'hier, lorsque les
muletiers, à propos de l'incontinence de Rossinante, nous
firent l'affront que tu sais bien. D'où je conjecture que le
trésor de la beauté de cette damoiselle doit être confié
à la garde de quelque More enchanté, et qu'il n'est pas
réservé pour moi. — Ni pour moi non plus, s'écria Sancho;
car plus de quatre cents Mores m'ont tanné la peau de
telle manière que la mouture d'hier sous les gourdins
n'était que pain bénit en comparaison. Mais dites-moi,
seigneur, comment appelez-vous belle et rare cette aventure qui nous laisse dans l'état où nous sommes? Encore,
pour Votre Grâce, le mal n'a pas été si grand, puisqu'elle
a tenu dans ses bras cette incomparable beauté. Mais,
moi, qu'ai-je attrapé, bon Dieu, sinon les plus effroyables
gourmades que je pense recevoir en toute ma vie? Malheur à moi et à la mère qui m'a mis au monde! Je ne suis
pas chevalier errant, et je n'espère jamais le devenir; et
de toutes les mauvaises rencontres j'attrape la meilleure
part! — Comment, on t'a donc aussi gourmé? demanda
don Quichotte. — Qu'il en cuise à ma race! s'écria Sancho;
qu'est-ce que je viens donc de vous dire? — Ne te mets
pas en peine, ami, reprit don Quichotte; je vais préparer
tout à l'heure le baume précieux avec lequel nous guérirons
en un clin d'œil. »

En ce moment, l'archer de la Sainte-Hermandad, qui
venait d'allumer sa lampe, rentra pour visiter celui qu'il
pensait avoir été tué. Quand Sancho le vit entrer, en
chemise, un mouchoir roulé sur la tête, sa lampe à la main,
et, par-dessus le marché, ayant une figure d'hérétique, il
demanda à son maître : « Seigneur, ne serait-ce pas là,
par hasard, le More enchanté qui revient achever la danse,
si les mains et les pieds lui démangent encore? — Non,
répondit don Quichotte, ce ne peut être le More, car
les enchantés ne se font voir de personne. — Ma foi,
reprit Sancho, s'ils ne se font pas voir, ils se font bien
sentir; sinon qu'on en demande des nouvelles à mes
épaules. — Les miennes pourraient en donner aussi,
répondit don Quichotte; mais ce n'est pas un indice suffisant pour croire que celui que nous voyons soit le More
enchanté. »

L'archer s'approcha et, les trouvant en si tranquille

conversation, s'arrêta tout surpris. Il est vrai que don Quichotte était encore la bouche en l'air, sans pouvoir bouger de ses coups et de ses emplâtres. L'archer vint à lui. « Eh bien, dit-il, comment vous va, bonhomme ? — Je parlerais plus courtoisement, reprit don Quichotte, si j'étais à votre place. Est-il d'usage, dans ce pays, de parler ainsi aux chevaliers errants, lourdaud mal élevé ? » L'archer, qui s'entendait traiter de la sorte par un homme de si pauvre mine, ne put souffrir son arrogance ; et, levant la lampe qu'il tenait à la main, il l'envoya avec toute son huile sur la tête de don Quichotte, qui en fut à demi trépané, puis, laissant tout dans les ténèbres, il s'enfuit aussitôt. « Sans aucun doute, seigneur, dit Sancho Panza, c'est bien là le More enchanté : il doit garder le trésor pour d'autres ; mais pour nous, il ne garde que les coups de poing et les coups de lampe. — Ce doit être ainsi, répondit don Quichotte ; mais il ne faut faire aucun cas de tous ces enchantements, ni prendre contre eux dépit ou colère : comme ce sont des êtres invisibles et fantastiques, nous chercherions vainement de qui nous venger. Lève-toi, Sancho, si tu peux ; appelle le commandant de cette forteresse, et fais en sorte qu'il me donne un peu d'huile, de vin, de sel et de romarin, pour en composer le baume salutaire. En vérité, je crois que j'en ai grand besoin maintenant, car je perds beaucoup de sang par la blessure que ce fantôme m'a faite. »

Sancho se leva, non sans douleur de la moelle de ses os, et s'en fut à tâtons chercher l'hôte ; et, rencontrant sur son chemin l'archer, qui s'était arrêté près de la porte, inquiet de savoir ce que devenait son ennemi blessé : « Seigneur, lui dit-il, qui que vous soyez, faites-nous la grâce et la charité de nous donner un peu de romarin, d'huile, de vin et de sel, dont nous avons besoin pour panser un des meilleurs chevaliers errants qu'il y ait sur toute la surface de la terre, lequel gît à présent dans ce lit, grièvement blessé par les mains du More enchanté qui habite cette hôtellerie. » Quand l'archer entendit de semblables propos, il prit Sancho pour un cerveau timbré ; mais, le jour commençant à poindre, il alla ouvrir la porte de l'hôtellerie, et appela l'hôte pour lui dire ce que ce bonhomme voulait. L'hôte pourvut Sancho de toutes les provisions qu'il était venu chercher, et celui-ci les porta bien vite à don Quichotte, qu'il trouva la tête dans ses deux mains, se plaignant du mal que lui avait causé le coup de lampe, qui ne lui en avait causé d'autre pourtant que de lui faire pousser au front deux bosses assez grosses ; car ce qu'il prenait pour du sang n'était que l'huile de la lampe mêlée à la sueur qu'avaient fait couler de son front les angoisses de la tempête passée. Finalement, il prit ses drogues, les mêla dans une marmite et les fit bouillir sur le feu jusqu'à ce qu'il lui semblât qu'elles fussent à leur point de cuisson. Il demanda ensuite quelque fiole pour y verser cette liqueur; mais, comme on n'en trouva point dans toute l'hôtellerie, il se décida à la mettre dans une burette d'huile en fer-blanc, dont l'hôte lui fit libéralement donation. Puis il récita sur la burette plus de quatre-vingts *Pater noster*, autant d'*Ave Maria*, de *Salve* et de *Credo*, accompagnant chaque parole d'un signe de croix en manière de bénédiction. A cette cérémonie se trouvaient présents Sancho, l'hôte et l'archer, car le muletier avait repris paisiblement le soin et le gouvernement de ses mulets.

Cela fait, don Quichotte voulut aussitôt expérimenter par lui-même la vertu de ce baume, qu'il s'imaginait si précieux. Il en but donc, de ce qui n'avait pu tenir dans la burette et qui restait encore dans la marmite où il avait bouilli, plus d'une bonne demi-pinte. Mais à peine eut-il fini de boire qu'il commença de vomir, de telle manière qu'il ne lui resta rien au fond de l'estomac; et les angoisses du vomissement lui causant, en outre, une sueur abondante, il demanda qu'on le couvrît bien dans son lit et qu'on le laissât seul. On lui obéit, et il dormit paisiblement plus de trois grandes heures, au bout desquelles il se sentit, en s'éveillant, le corps tellement soulagé et les reins si bien remis de leur foulure, qu'il se crut entièrement guéri; ce qui, pour le coup, lui fit penser qu'il avait vraiment trouvé la recette du baume de Fierabras, et qu'avec un tel remède il pouvait désormais affronter sans crainte toute espèce de rencontres, de querelles et de batailles, quelque périlleuses qu'elles fussent. Sancho Panza, tenant aussi à miracle le soulagement de son maître, le pria de lui laisser prendre ce qui restait dans la marmite, et qui n'était pas une faible dose. Don Quichotte le lui abandonna, et Sancho, prenant le pot à deux anses de la meilleure foi du monde, comme de la meilleure grâce, s'en versa dans le gosier presque autant que son maître.

Or il arriva que l'estomac du pauvre Sancho n'avait pas sans doute toute la délicatesse de celui de son seigneur; car, avant de vomir, il fut tellement pris de sueurs froides, de nausées, d'angoisses et de haut-le-cœur, qu'il pensa bien véritablement que sa dernière heure était venue; et, dans son affliction, il maudissait, non seulement le baume, mais le gredin qui le lui avait fait prendre. Don Quichotte, le voyant en cet état, lui dit gravement : « Je crois, Sancho, que tout ce mal te vient de ce que tu n'es pas armé chevalier, car j'ai l'opinion que cette liqueur ne doit pas servir à ceux qui ne le sont pas. — Malédiction sur moi et sur toute ma race! s'écria Sancho; si Votre Grâce savait cela d'avance, pourquoi donc me l'a-t-elle seulement laissé goûter ? » En ce moment, le breuvage fit enfin son opération, et le pauvre écuyer commença à se vider par les deux bouts, avec tant de hâte et si peu de relâche que la natte de jonc sur laquelle il s'était recouché et la couverture de toile à sac qui le couvrait furent à tout jamais mises hors de service. Il faisait, cependant, de tels efforts et souffrait de telles convulsions que non seulement lui, mais tous les assistants crurent qu'il y laisserait la vie. Cette bourrasque et ce danger durèrent presque deux heures, au bout desquelles il ne se trouva pas soulagé comme son maître, mais, au contraire, si fatigué et si rompu qu'il ne pouvait plus se soutenir.

Mais Don Quichotte, qui se sentait, comme on l'a dit, guéri radicalement, voulut aussitôt se remettre en route à la recherche des aventures; car il lui semblait que tout le temps qu'il perdait en cet endroit, c'était le faire perdre au monde et aux malheureux qui attendaient son secours, surtout joignant à cette habituelle pensée la confiance qu'il mettait désormais en son baume. Aussi, dans son impatient désir, il mit lui-même la selle à Rossinante, le bât à l'âne de Sancho, puis aida Sancho à se hisser sur l'âne, après l'avoir aidé à se vêtir. Ayant ensuite enfourché son cheval, il s'avança dans un coin de la cour de l'hôtellerie et prit une pique de messier qui était là pour qu'elle lui servît de lance. Tous les gens qui se trouvaient dans l'hôtellerie, et leur nombre passait vingt personnes, s'étaient mis à le regarder. La fille de l'hôte le regardait aussi, et lui ne cessait de tenir les yeux sur elle, jetant de temps à autre un soupir qu'il tirait du fond de ses entrailles; mais tout le monde croyait que c'était la douleur qui le lui arrachait, ceux du moins qui l'avaient vu graisser et emplâtrer la veille.

Dès qu'ils furent tous deux à cheval, don Quichotte, s'arrêtant à la porte de la maison, appela l'hôtelier et lui dit d'une voix grave et posée : « Grandes et nombreuses, seigneur châtelain, sont les grâces que j'ai reçues dans votre château, et je suis étroitement obligé à vous en être reconnaissant tous les jours de ma vie. Si je puis les reconnaître et les payer en tirant pour vous vengeance de quelque orgueilleux qui vous ait fait quelque outrage, sachez que ma profession n'est pas autre que de secourir ceux qui sont faibles, de venger ceux qui reçoivent des offenses, et de châtier les félonies. Consultez donc votre mémoire, et, si vous trouvez quelque chose de cette espèce à me recommander, vous n'avez qu'à le dire, et je vous promets, par l'ordre de chevalerie que j'ai reçu, que vous serez pleinement quitte et satisfait. »

L'hôte lui répondit, avec le même calme et la même gravité : « Je n'ai nul besoin, seigneur chevalier, que Votre Grâce me venge d'aucun affront; car, lorsque j'en reçois, je sais bien moi-même en tirer vengeance. J'ai seulement besoin que Votre Grâce me paye la dépense qu'elle a faite cette nuit dans l'hôtellerie, aussi bien de la paille et de l'orge données à ses deux bêtes que des lits et du

souper. — Comment! c'est donc une hôtellerie ? s'écria
don Quichotte. — Et de très bon renom, répondit l'hôtelier. — En ce cas, reprit don Quichotte, j'ai vécu jusqu'ici
dans l'erreur; car, en vérité, j'ai pensé que c'était un château, et non des plus mauvais. Mais, puisque c'est une
hôtellerie et non point un château, ce qu'il y a de mieux à
faire pour le moment, c'est que vous renonciez au payement de l'écot; car je ne puis contrevenir à la règle des
chevaliers errants, desquels je sais de science certaine, sans
avoir jusqu'à ce jour lu chose contraire, que jamais aucun
d'eux ne paya logement, nourriture ni dépense d'auberge.
En effet, on leur doit, par droit et privilège spécial, bon
accueil partout où ils se présentent, en récompense des
peines insupportables qu'ils se donnent pour chercher les
aventures de nuit et de jour, en hiver et en été, à pied
et à cheval, avec la soif et la faim, sous le chaud et le froid,
sujets enfin à toutes les inclémences du ciel et à toutes les
incommodités de la terre. — Je n'ai rien à voir là-dedans,
répondit l'hôtelier : qu'on me paye ce qu'on me doit,
et trêve de chansons; tout ce qui m'importe, c'est de
faire mon métier et de recouvrer mon bien. — Vous êtes
un imbécile et un méchant gargotier », repartit don Quichotte; puis, piquant des deux à Rossinante, et croisant
sa pique, il sortit de l'hôtellerie sans que personne le suivît,
et, sans voir davantage si son écuyer le suivait, il gagna
champ à quelque distance.

L'hôtelier, voyant qu'il s'en allait et ne le payait point,
vint réclamer son dû à Sancho Panza, lequel répondit
que, puisque son maître n'avait pas voulu payer, il ne le
voulait pas non plus; et qu'étant écuyer de chevalier
errant, il devait jouir du même bénéfice que son maître
pour ne payer aucune dépense dans les auberges et hôtelleries. L'hôte eut beau se fâcher, éclater et menacer, s'il
ne le payait pas, de lui faire rendre gorge d'une façon
qui lui en cuirait, Sancho jura, par la loi de chevalerie
qu'avait reçue son maître, qu'il ne payerait pas un maravédi, dût-il lui en coûter la vie. « Car, disait-il, ce n'est
point par mon fait que doit se perdre cette antique et
excellente coutume des chevaliers errants, et je ne veux
pas que les écuyers de ceux qui sont à venir au monde
aient à se plaindre de moi pour me reprocher la violation
d'un si juste privilège. »

La mauvaise étoile de l'infortuné Sancho voulut que,
parmi les gens qui avaient couché dans l'hôtellerie, se
trouvassent quatre drapiers de Ségovie, trois merciers de
Cordoue et deux marchands forains de Séville, tous
bons diables et bons vivants, aimant les niches et la plaisanterie. Ces neuf gaillards, comme poussés d'un même
esprit, s'approchèrent de Sancho, le firent descendre de
son âne, et, l'un d'eux ayant couru chercher la couverture
du lit de l'hôtesse, on jeta dedans le pauvre écuyer. Mais,

en levant les yeux, ils s'aperçurent que le plancher du portail était trop bas pour leur besogne. Ils résolurent donc de sortir dans la basse-cour, qui n'avait d'autre toit que le ciel; et là, ayant bien étendu Sancho sur la couverture, ils commencèrent à l'envoyer voltiger dans les airs, se jouant de lui comme on fait d'un chien dans le temps du carnaval.

Les cris que poussait le malheureux berné étaient si perçants qu'ils arrivèrent jusqu'aux oreilles de son maître, lequel, s'arrêtant pour écouter avec attention, crut d'abord qu'il lui arrivait quelque nouvelle aventure; mais il reconnut bientôt que c'était son écuyer qui jetait ces cris affreux. Tournant bride aussitôt, il revint de tout le pesant galop de son cheval à l'hôtellerie, et, la trouvant fermée, il en fit le tour pour voir s'il ne rencontrerait pas quelque passage. Mais il ne fut pas plus tôt arrivé devant les murs de la cour, qui n'étaient pas fort élevés, qu'il aperçut le mauvais jeu qu'on faisait jouer à son écuyer. Il le vit monter et descendre à travers les airs avec tant de grâce et d'agilité que, si la colère ne l'eût suffoqué, je suis sûr qu'il aurait éclaté de rire. Il essaya de grimper de son cheval sur le mur; mais il était si moulu et si harassé qu'il ne put pas seulement mettre pied à terre. Ainsi, du haut de son cheval, il commença à proférer tant d'injures et de défis à ceux qui bernaient Sancho qu'il n'est pas possible de parvenir à les rapporter. Mais, en dépit de ses malédictions, les berneurs ne cessaient ni leur besogne ni leurs éclats de rire, et le voltigeur Sancho ne cessait pas non plus ses lamentations, qu'il entremêlait tantôt de menaces et tantôt de prières; rien n'y faisait, et rien n'y fit, jusqu'à ce qu'ils l'eussent laissé de pure lassitude.

On lui ramena son âne, et l'ayant remis dessus, on le couvrit bien de son petit manteau. Le voyant si harassé, la compatissante Maritornes crut lui devoir le secours d'une cruche d'eau, et l'alla tirer d'un puits pour qu'elle fût plus fraîche. Sancho prit la cruche et l'approcha de ses lèvres; mais il s'arrêta aux cris de son maître, qui lui disait : « Sancho, mon fils, ne bois pas de cette eau; n'en bois pas, mon enfant, elle te tuera. Vois-tu, j'ai ici le très saint baume (et il lui montrait sa burette); avec deux gouttes que tu boiras, tu seras guéri sans faute. » A ces cris, Sancho tourna les yeux tant soit peu de travers, et répondit en criant plus fort : « Est-ce que par hasard Votre Grâce oublie déjà que je ne suis pas chevalier, et veut-elle que j'achève de vomir le peu d'entrailles qui me restent d'hier soir ? Gardez votre liqueur, de par tous les diables! et laissez-moi tranquille. » Achever de dire ces mots et commencer de boire, ce fut tout un; mais voyant, à la première gorgée, que c'était de l'eau, il ne voulut pas continuer, et pria Maritornes de lui apporter du vin, ce qu'elle fit aussitôt de très bonne grâce, et même elle le paya de sa poche; car on dit d'elle, en effet, que, quoiqu'elle fût réduite à cet état, elle avait encore quelque ombre éloignée de vertu chrétienne.

Dès que Sancho eut achevé de boire, il donna du talon à son âne, et, lui faisant ouvrir toute grande la porte de l'hôtellerie, il sortit, enchanté de n'avoir rien payé du tout, et d'être venu à bout de sa résolution, bien que c'eût été aux dépens de ses cautions ordinaires, c'est-à-dire de ses épaules. Il est vrai que l'hôtelier garda son bissac en payement de ce qui lui était dû; mais Sancho s'était enfui si troublé qu'il ne s'aperçut pas de cette perte. Dès qu'il le vit dehors, l'hôtelier voulut barricader la porte, mais les berneurs l'en empêchèrent; car c'étaient de telles gens que, si don Quichotte eût été réellement un des chevaliers de la Table-Ronde, ils n'en auraient pas fait cas pour deux liards de plus.

CHAPITRE XVIII

*Où l'on raconte l'entretien qu'eurent Sancho Panza et son seigneur
don Quichotte, avec d'autres aventures bien dignes d'être rapportées.*

Sancho rejoignit son maître, si abattu, si affaissé qu'il
ne pouvait plus seulement talonner son âne. Quand don
Quichotte le vit en cet état : « Pour le coup, bon Sancho,
lui dit-il, j'achève de croire que ce château, ou hôtellerie
si tu veux, est enchanté sans aucun doute. Car enfin ceux
qui se sont si atrocement joués de toi, que pouvaient-ils
être, sinon des fantômes et des gens de l'autre monde ?
Ce qui me confirme dans cette pensée, c'est que, tandis
que je regardais les actes de ta déplorable tragédie par-
dessus l'enceinte de la cour, il ne me fut possible ni de
monter sur les murs, et de les franchir, ni même de descendre de cheval. Sans doute ils me tenaient moi-même
enchanté ; car je te jure, par la foi d'un homme tel que
je suis, que, si j'avais pu monter au mur ou mettre pied
à terre, je t'aurais si bien vengé de ces félons et mauvais
garnements qu'ils auraient à tout jamais gardé le souvenir
de leur méchant tour, quand bien même j'eusse dû, pour
les châtier, contrevenir aux lois de la chevalerie, qui ne
permettent pas, comme je te l'ai déjà dit maintes fois,
qu'un chevalier porte la main sur celui qui ne l'est pas,
sinon pour la défense de sa propre vie et en cas d'urgente
nécessité. — Chevalier ou non, répondit Sancho, je me
serais, pardieu ! bien vengé moi-même, si j'avais pu, mais
le mal est que je ne pouvais pas. Et pourtant je jurerais
bien que ces gens-là qui se sont divertis à mes dépens
n'étaient ni fantômes ni hommes enchantés, comme dit
Votre Grâce, mais bien de vrais hommes de chair et d'os
tout comme nous ; et je le sais bien, puisque je les entendais s'appeler l'un l'autre pendant qu'ils me faisaient voltiger, et que chacun d'eux avait son nom. L'un s'appelait
Pedro Martinez ; l'autre Tenorio Fernandez, et l'hôtelier,
Juan Palomèque le gaucher. Ainsi donc, seigneur, si vous
n'avez pu sauter la muraille, ni seulement mettre pied
à terre, cela venait d'autre chose que d'un enchantement.
Quant à moi, ce que je tire au clair de tout ceci, c'est que
ces aventures que nous allons cherchant nous mèneront

à la fin des fins à de telles mésaventures que nous ne saurons plus reconnaître notre pied droit. Ce qu'il y a de mieux à faire et de plus raisonnable, selon mon faible entendement, ce serait de nous en retourner au pays, maintenant que c'est le temps de la moisson, et de nous occuper de nos affaires, au lieu de nous en aller, comme on dit, de fièvre en chaud mal, et de l'alguazil au corrégidor.

— Que tu sais peu de chose, Sancho, répondit don Quichotte, en fait de chevalerie errante! Tais-toi, et prends patience : un jour viendra où tu verras par la vue de tes yeux quelle grande et noble chose est l'exercice de cette profession. Sinon, dis-moi, quelle plus grande joie, quel plus doux ravissement peut-il y avoir dans ce monde que celui de remporter une victoire et de triompher de son ennemi ? Aucun, sans doute. — Cela peut bien être, repartit Sancho, encore que je n'en sache rien; mais tout ce que je sais, c'est que, depuis que nous sommes chevaliers errants, ou Votre Grâce du moins, car je ne mérite pas de me compter en si honorable confrérie, nous n'avons jamais remporté de victoire, si ce n'est pourtant contre le Biscayen; encore Votre Grâce en est-elle sortie en y laissant une moitié d'oreille et une moitié de salade. Depuis lors, tout a été pour nous coups de poing sur coups de bâton, et coups de bâton sur coups de poing; mais j'ai reçu, par-dessus le marché, les honneurs du bernement, et encore de gens enchantés, dont je ne pourrais tirer vengeance pour savoir jusqu'où s'étend, comme dit Votre Grâce, le plaisir de vaincre son ennemi. — C'est bien la peine que je ressens, répondit don Quichotte, et celle que tu dois ressentir aussi. Mais sois tranquille; je vais dorénavant faire en sorte d'avoir aux mains une épée forgée avec tant d'art que celui qui la porte soit à l'abri de toute espèce d'enchantement. Il se pourrait même bien que la fortune me fît présent de celle que portait Amadis quand il s'appelait le *chevalier de l'Ardente-Epée*, laquelle fut une des meilleures lames que chevalier posséda jamais au monde; car, outre qu'elle avait la vertu dont je viens de parler, elle coupait comme un rasoir, et nulle armure, quelque forte ou enchantée qu'elle fût, ne résistait à son tranchant. — Je suis si chanceux, moi, reprit l'écuyer, que, quand même ce bonheur vous arriverait, et qu'une semblable épée tomberait en vos mains, elle ne pourrait servir et profiter qu'aux chevaliers dûment armés tels, tout de même que le baume; et quant aux écuyers, bernique. — N'aie pas cette crainte, Sancho, reprit don Quichotte; le ciel en agira mieux avec toi. »

Les deux aventuriers s'entretenaient ainsi, quand, sur le chemin qu'ils suivaient, don Quichotte aperçut un épais nuage de poussière qui se dirigeait de leur côté. Dès qu'il le vit, il se tourna vers Sancho et lui dit : « Voici le jour, ô Sancho, où l'on va voir enfin la haute destinée que me

réserve la fortune; voici le jour, dis-je encore, où doit
se montrer, autant qu'en nul autre, la valeur de mon bras;
où je dois faire des prouesses qui demeureront écrites
dans le livre de la Renommée pour l'admiration de tous
les siècles à venir. Tu vois bien, Sancho, ce tourbillon
de poussière ? eh bien! il est soulevé par une immense
armée qui s'avance de ce côté, formée d'innombrables
et diverses nations. — En ce cas, reprit Sancho, il doit
y en avoir deux; car voilà que, du côté opposé, s'élève
un autre tourbillon. » Don Quichotte se retourna tout
empressé, et, voyant que Sancho disait vrai, il sentit une
joie extrême, car il s'imagina sur-le-champ que c'étaient
deux armées qui venaient se rencontrer et se livrer bataille
au milieu de cette plaine étendue. Il avait, en effet, à toute
heure et à tout moment, la fantaisie pleine de batailles,
d'enchantements, d'aventures, d'amours, de défis et de
toutes les impertinences que débitent les livres de chevalerie errante, et rien de ce qu'il faisait, disait ou pensait,
ne manquait de tendre à de semblables rêveries.

Ces tourbillons de poussière qu'ils avaient vus étaient
soulevés par deux grands troupeaux de moutons qui
venaient sur le même chemin de deux endroits différents,
mais si bien cachés par la poussière qu'on ne put les distinguer que lorsqu'ils furent arrivés tout près. Don Quichotte affirmait avec tant d'insistance que c'étaient des
armées que Sancho finit par le croire. « Eh bien! seigneur,
lui dit-il, qu'allons-nous faire, nous autres ? — Qu'allons-
nous faire ? reprit don Quichotte; porter notre aide et
notre secours aux faibles et aux abandonnés. Or il faut
que tu saches, Sancho, que cette armée que nous avons
en face est conduite et commandée par le grand empereur
Alifanfaron, seigneur de la grande île Taprobana, et
que cette autre armée qui vient par derrière nous est celle
de son ennemi le roi des Garamantes, Pentapolin au
bras retroussé, qu'on appelle ainsi parce qu'il entre toujours dans les batailles avec le bras droit nu jusqu'à
l'épaule. — Et pourquoi, demanda Sancho, ces deux sei-
gneurs-là s'en veulent-ils ainsi ? — Ils s'en veulent, répondit don Quichotte, parce que cet Alifanfaron est un furieux
païen qui est tombé amoureux de la fille de Pentapolin, très
belle et très accorte dame, laquelle est chrétienne, et son
père ne la veut pas donner au roi païen, à moins que celui-
ci ne renonce d'abord à la loi de son faux prophète Mahomet pour embrasser celle de sa fiancée. — Par ma barbe!
s'écria Sancho, je jure que Pentapolin a bien raison, et
que je l'aiderai de bon cœur du mieux que je pourrai.
— Tu ne feras en cela que ce que tu dois, Sancho, reprit
don Quichotte; car, pour prendre part à de semblables
batailles, il n'est pas requis et nécessaire d'être armé chevalier. — J'entends bien cela, répondit Sancho; mais où
mettrons-nous cet âne, pour être sûrs de le retrouver après

la fin de la mêlée ? Car s'y fourrer sur telle monture, je ne crois pas que cela se soit vu jusqu'à présent. — C'est vrai, reprit don Quichotte ; mais ce que tu peux faire de lui, c'est de le laisser aller à la bonne aventure, qu'il se perde ou se retrouve ; car, après la victoire, nous aurons tant et tant de chevaux à choisir que Rossinante lui-même court grand risque d'être troqué pour un autre. Mais fais silence, regarde, et prête-moi toute ton attention. Je veux te désigner et te dépeindre les principaux chevaliers qui viennent dans les deux armées ; et pour que tu les voies et distingues plus facilement, retirons-nous sur cette éminence, d'où l'on doit aisément découvrir l'une et l'autre. »

Ils quittèrent le chemin et gravirent une petite hauteur, de laquelle on aurait, en effet, parfaitement distingué les deux troupeaux que don Quichotte prenait pour des armées si les nuages de poussière qui se levaient sous leurs pieds n'en eussent absolument caché la vue. Mais enfin, voyant dans son imagination ce qu'il ne pouvait voir de ses yeux et ce qui n'existait pas, don Quichotte commença d'une voix élevée : « Ce chevalier que tu vois là-bas, avec des armes dorées, qui porte sur son écu un lion couronné, rendu aux pieds d'une jeune damoiselle, c'est le valeureux Laurcalco, seigneur du Pont-d'Argent. Cet autre, aux armes à fleurs d'or, qui porte sur son écu trois couronnes d'argent en champ d'azur, c'est le redoutable Micocolembo, grand-duc de Quirocie. Cet autre, aux membres gigantesques, qui se trouve à sa main droite, c'est le toujours intrépide Brandabarbaran de Boliche, seigneur des trois Arabies ; il a pour cuirasse une peau de serpent, et pour écu une porte, qu'on dit être une de celles du temple que renversa Samson de fond en comble, quand, au prix de sa vie, il se vengea des Philistins ses ennemis. Mais tourne maintenant les yeux de ce côté et tu verras, à la tête de cette autre armée, le toujours vainqueur et jamais vaincu Timonel de Carcaxona, prince de la Nouvelle-Biscaye ; il est couvert d'armes écartelées d'azur, de sinople, d'argent et d'or, et porte sur son écu un chat d'or, en champ lionné, avec ces quatre lettres : *Miou*, qui forment le commencement du nom de sa dame, laquelle est, à ce qu'on assure, l'incomparable Mioulina, fille du duc d'Alfégniquen des Algarves. Cet autre, qui charge et fait plier les reins de cette puissante cavale, dont les armes sont blanches comme la neige et l'écu sans aucune devise, c'est un chevalier novice, Français de nation, qu'on appelle Pierre Papin, seigneur des baronnies d'Utrique. Cet autre, qui de ses larges étriers bat les flancs mouchetés de ce zèbre rapide, et porte des armes parsemées de coupes d'azur, c'est le puissant duc de Nerbie, Espartafilardo du Bocage, dont l'emblème, peint sur son écu, est un champ d'asperges avec cette devise espagnole : *Rastrea mi suerte.* »

Don Quichotte continua de la même manière à nommer une foule de chevaliers qu'il s'imaginait voir dans l'une et l'autre armée, leur donnant à chacun, sans hésiter, les armes, les couleurs et les devises que lui fournissait son intarissable folie; puis, sans s'arrêter un instant, il poursuivit de la sorte : « Ces escadrons que tu vois en face de nous sont formés d'une infinité de nations diverses. Voici ceux qui boivent les douces eaux du fleuve appelé Xanthe par les dieux, et par les hommes Scamandre; ici sont les montagnards qui foulent les champs massyliens; là, ceux qui criblent la fine poudre d'or de l'heureuse Arabie; là, ceux qui jouissent des fraîches rives du limpide Thermodon, là, ceux qui épuisent, par mille saignées, le Pactole au sable doré; là, les Numides, de foi douteuse et inconstante; les Perses, fameux par leur adresse à tirer de l'arc; les Parthes et les Mèdes, qui combattent en fuyant; les Arabes, aux tentes nomades; les Scythes, aussi cruels de cœur que blancs de peau; les Ethiopiens, qui s'attachent des anneaux aux lèvres; et enfin cent autres nations dont je vois bien et reconnais les visages, mais dont les noms m'ont échappé. Dans cette autre armée, voici venir ceux qui s'abreuvent au liquide cristal du Bétis, couronnés d'oliviers; ceux qui lavent et polissent leurs visages dans les ondes dorées que le Tage roule toujours à pleins bords; ceux qui jouissent des eaux fertilisantes du divin Génil; ceux qui foulent les champs tartésiens aux gras pâturages; ceux qui folâtrent dans les prés élyséens de Xérès, les riches Manchois couronnés de blonds épis; ceux qui se couvrent de fer, antiques restes du sang des Goths; ceux qui se baignent dans la Pisuerga, fameuse par la douceur de ses courants; ceux qui paissent d'innombrables troupeaux dans les vastes pâturages qu'enserre en ses détours le tortueux Guadiana, célèbre par sa source inconnue; ceux qui tremblent de froid sous les vents qui sifflent dans les vallons des Pyrénées, ou sous les flocons de neige qui blanchissent le sommet de l'Apennin; finalement, toutes les nations diverses que l'Europe renferme en son sein populeux. »

Qui pourrait redire toutes les provinces que cita don Quichotte et tous les peuples qu'il nomma, en donnant à chacun d'eux, avec une merveilleuse célérité, ses attributs les plus caractéristiques, tout absorbé qu'il était par le souvenir de ses livres mensongers ? Sancho Panza restait, comme on dit, pendu à ses paroles, sans trouver moyen d'en placer une seule; seulement, de temps à autre, il tournait la tête pour voir s'il apercevrait les géants et les chevaliers que désignait son maître; et comme il ne pouvait en découvrir aucun : « Par ma foi! seigneur, s'écria-t-il enfin, je me donne au diable, si homme, géant ou chevalier paraît de tous ceux que vous avez nommés; là, du moins, je n'en vois pas la queue d'un, et tout cela doit être des enchantements comme les fantômes d'hier soir. — Comment peux-tu parler ainsi ? répondit don Quichotte; n'entends-tu pas les hennissements des chevaux, le son des trompettes, le bruit des tambours ? — Je n'entends rien autre chose, répliqua Sancho, sinon des bêlements d'agneaux et de brebis. » Ce qui était parfaitement vrai, car les deux troupeaux s'étaient approchés assez près pour être entendus. « C'est la peur que tu as, reprit don Quichotte, qui te fait, Sancho, voir et entendre tout de travers; car l'un des effets de cette triste passion est de troubler les sens et de faire paraître les choses autrement qu'elles ne sont. Mais, si ta frayeur est si grande, retire-toi à l'écart, et laisse-moi seul; seul, je donnerai la victoire au parti où je porterai le secours de mon bras. » En disant ces mots, il enfonce les éperons à Rossinante et, la lance en arrêt, descend comme un foudre du haut de la colline. Sancho lui criait de toutes ses forces : « Arrêtez! seigneur don Quichotte, arrêtez! Je jure Dieu que ce sont des moutons et des brebis que vous allez attaquer. Revenez donc, par la vie du père qui m'a engendré. Quelle folie est-ce là ? Mais regardez qu'il n'y a ni géant, ni chevalier, ni chat, ni asperges, ni champ, ni écu d'azur, ni quartier d'écu, ni diable, ni rien. Par les péchés que je dois à Dieu, qu'est-ce que vous allez faire ? »

Ces cris n'arrêtaient point don Quichotte, lequel, au contraire, criait encore plus haut : « Courage! chevaliers qui combattez sous la bannière du valeureux empereur Pentapolin au bras retroussé; courage! suivez-moi tous, et vous verrez avec quelle facilité je tirerai pour lui vengeance de son ennemi, Alifanfaron de Taprobana. » En disant cela, il se jette à travers l'escadron des brebis et commence à les larder à coups de lance, avec autant d'ardeur et de rage que s'il eût réellement frappé ses plus mortels ennemis. Les pâtres qui menaient le troupeau lui crièrent d'abord de laisser ces pauvres bêtes; mais, voyant que leurs avis ne servaient de rien, ils délièrent leurs frondes et se mirent à lui saluer les oreilles avec des cailloux gros comme le poing. Don Quichotte, sans se soucier des pierres qui pleuvaient sur lui, courait çà et là, et disait : « Où donc es-tu, superbe Alifanfaron ? Viens à moi, c'est un seul chevalier qui veut éprouver tes forces corps à corps, et t'ôter la vie en peine de la peine que tu causes au valeureux Garamante Pentapolin. » En cet instant arrive une amande de rivière qui, lui donnant droit dans le côté, lui ensevelit deux côtes au fond de l'estomac. A ce coup, il se crut mort ou grièvement blessé; et, se rappelant aussitôt son baume, il tira la burette, la porte à ses lèvres et commence à se verser dans le corps la précieuse liqueur. Mais, avant qu'il eût fini d'avaler tout ce qui lui en semblait nécessaire, voilà qu'une seconde dragée lui arrive, qui frappe si en plein sur sa main et sur sa burette qu'elle fait voler celle-ci en éclats, lui écrase deux doigts horriblement, et lui emporte, chemin faisant, trois ou quatre dents de la bouche. Telle fut la roideur du premier coup, et telle celle du second, que force fut au pauvre chevalier de se laisser tomber de son cheval en bas. Les pâtres s'approchèrent de lui, et, croyant qu'ils l'avaient tué, ils se dépêchèrent de rassembler leurs troupeaux, chargèrent sur leurs épaules leurs brebis mortes, dont le nombre passait six à huit, et, sans autre enquête, s'éloignèrent précipitamment.

Sancho était resté tout ce temps sur la hauteur, d'où il contemplait les folies que faisait son maître, s'arrachant la barbe à pleines mains et maudissant l'heure où la fortune avait permis qu'il en fît la connaissance. Quand il le vit par terre et les bergers s'éloigner, il descendit de la colline, s'approcha de lui, et le trouva dans un piteux état, quoiqu'il n'eût pas perdu le sentiment. « Eh bien ! seigneur don Quichotte, lui dit-il, ne vous disais-je pas bien de revenir, et que vous alliez attaquer, non pas des armées, mais des troupeaux de moutons ? — C'est ainsi, répondit don Quichotte, qu'a fait disparaître et changer les choses ce larron de sage enchanteur, mon ennemi. Car apprends, ô Sancho, qu'il est très facile à ces gens-là de nous faire apparaître ce qu'ils veulent ; et ce malin nécromant qui me persécute, envieux de la gloire qu'il a bien vu que j'allais recueillir dans cette bataille, a changé les escadrons de soldats en troupeaux de brebis. Sinon, Sancho, fais une chose, par ma vie ! Pour que tu te détrompes et que tu voies la vérité de ce que je dis, monte sur ton âne, et suis-les, sans faire semblant de rien ; dès qu'ils se seront éloignés quelque peu, ils reprendront leur forme naturelle et, cessant d'être moutons, redeviendront hommes faits et parfaits, tout comme je te les ai dépeints d'abord. Mais non, n'y va pas à présent ; j'ai trop besoin de ton secours et de tes services. Approche et regarde combien il me manque de dents ; car je crois, en vérité, qu'il ne m'en reste pas une seule dans la bouche. » Sancho s'approcha de son maître, et si près qu'il lui mettait presque les yeux dans le gosier. C'était alors que le baume venait d'opérer dans l'estomac de don Quichotte ; et au moment où Sancho se mettait à regarder l'état de ses mâchoires, l'autre leva le cœur et, plus violemment que n'aurait fait une arquebuse, lança tout ce qu'il avait dans le corps à la barbe du compatissant écuyer. « Sainte Vierge ! s'écria Sancho, qu'est-ce qui vient de m'arriver là ? Sans doute que ce pécheur est blessé à mort, puisqu'il vomit le sang par la bouche. » Mais dès qu'il y eut regardé de plus près, il reconnut, à la couleur, odeur et saveur, que ce n'était pas du sang, mais bien le baume de la burette qu'il lui avait vu boire. Alors il fut pris d'une si horrible nausée que, le cœur aussi lui tournant, il vomit ses tripes au nez de son seigneur, et qu'ils restèrent tous deux galamment accoutrés.

Sancho courut à son âne pour prendre de quoi s'essuyer et panser son maître; mais ne trouvant plus le bissac, il fut sur le point d'en perdre l'esprit. Il se donna de nouveau mille malédictions, et résolut, dans le fond de son cœur, d'abandonner son maître pour regagner le pays, dût-il perdre ses gages et les espérances du gouvernement de l'île tant promise. Don Quichotte se leva cependant, et, tenant ses mâchoires de la main gauche pour empêcher de tomber le reste de ses dents, il prit de l'autre la bride de Rossinante, lequel n'avait pas bougé des côtés de son maître, tant il était fidèle et loyal serviteur; puis il s'en alla trouver son écuyer qui, la poitrine appuyée sur son âne, et la joue sur sa main, se tenait comme un homme accablé de tristesse.

En voyant sa posture et ses marques de profond chagrin, don Quichotte lui dit : « Apprends, ô Sancho, qu'un homme n'est pas plus qu'un autre, s'il ne fait plus qu'un autre. Tous ces orages dont nous sommes assaillis sont autant de signes que le temps enfin va reprendre sa sérénité, et nos affaires un meilleur cours; car il est impossible que le bien ou le mal soient durables : d'où il suit que le mal ayant beaucoup duré, le bien doit être proche. Ainsi tu ne dois pas t'affliger outre mesure des disgrâces qui m'arrivent, puisque tu n'en prends aucune part. — Comment non ? répondit Sancho; est-ce que par hasard celui qu'on faisait danser hier sur la couverture était un autre que le fils de mon père ? Et le bissac qui me manque aujourd'hui, avec tout mon bagage, était-il à d'autres qu'au même ? — Quoi! tu n'as plus le bissac ? s'écria douloureusement don Quichotte. — Non, je ne l'ai plus, répliqua Sancho. — En ce cas, nous n'avons rien à manger aujourd'hui, reprit don Quichotte. — Ce serait vrai, répondit Sancho, si ces prés manquaient des plantes que Votre Grâce dit connaître si bien, et avec lesquelles ont coutume de suppléer à de telles privations d'aussi malencontreux chevaliers errants que vous l'êtes. — Avec tout cela, reprit don Quichotte, j'aimerais mieux, à l'heure qu'il est, un quartier de pain bis avec deux têtes de harengs que toutes les plantes que décrit Dioscorides, fût-il commenté par le docteur Laguna. Mais allons, bon Sancho, monte sur ton âne, et viens-t'en derrière moi; Dieu, qui pourvoit à toutes choses, ne nous manquera pas, surtout travaillant, comme nous le faisons, si fort à son service : car il ne manque ni aux moucherons de l'air, ni aux vermisseaux de la terre, ni aux insectes de l'eau; il est si miséricordieux qu'il fait luire son soleil sur les bons et les méchants, et tomber sa pluie sur le juste et l'injuste. — En vérité, répondit Sancho, vous étiez plus fait pour devenir prédicateur que chevalier errant. — Les chevaliers errants,

Sancho, reprit don Quichotte, savaient et doivent savoir de tout; et tel d'entre eux, dans les siècles passés, s'arrêtait à faire un sermon au milieu du grand chemin, comme s'il eût pris ses licences à l'université de Paris. Tant il est vrai que jamais l'épée n'émoussa la plume, ni la plume l'épée. — A la bonne heure, répondit Sancho, qu'il en soit comme le veut Votre Grâce. Allons-nous-en de là, et tâchons de trouver un gîte pour la nuit; mais que Dieu veuille que ce soit en tel lieu qu'il n'y ait ni berne, ni berneur, ni fantômes, ni Mores enchantés; car, si j'en retrouve, j'envoie à tous les diables le manche après la cognée. — Demandes-en la grâce à Dieu, mon fils, répliqua don Quichotte, et mène-nous où tu voudras; je veux, cette fois-ci, laisser à ton choix le soin de notre logement. Mais, avant tout, donne voir ta main, et tâte avec le doigt pour savoir combien de dents me manquent de ce côté droit de la mâchoire supérieure; car c'est là que je sens le plus de mal. » Sancho lui mit la main dans la bouche, et tâtant de haut en bas : « Combien de dents, lui demandat-il, aviez-vous l'habitude d'avoir de ce côté ? — Quatre, répondit don Quichotte, sans compter l'œillère, toutes bien entières et bien saines. — Faites attention à ce que vous dites, seigneur, reprit Sancho. — Je dis que j'en avais quatre, si ce n'est même cinq, répondit don Quichotte; car en toute ma vie, on ne m'a pas tiré une dent de la bouche, et je n'en ai perdu ni de carie ni de pituite. — Eh bien! à ce côté d'en bas, dit Sancho, Votre Grâce n'a plus que deux dents et demie, et, à celui d'en haut, ni demie ni entière : tout est ras et plat comme la paume de la main. — Oh! malheureux que je suis! s'écria don Quichotte aux tristes nouvelles que lui donnait son écuyer; j'aimerais mieux qu'ils m'eussent enlevé un bras, pourvu que ce ne fût pas celui de l'épée; car il faut que tu saches, Sancho, qu'une bouche sans dents est comme un moulin sans meule, et qu'on doit mille fois plus estimer une dent qu'un diamant. Mais enfin ce sont des disgrâces auxquelles nous sommes sujets, nous tous qui avons fait profession dans l'ordre austère de la chevalerie errante. Allons, monte sur ton âne, conduis-nous; je te suivrai au train que tu voudras. »

Sancho fit ce qu'ordonnait son maître et s'achemina du côté où il lui parut plus sûr de trouver un gîte, sans s'écarter toutefois du grand chemin, très fréquenté dans cet endroit. Comme ils s'en allaient ainsi l'un devant l'autre et pas à pas, parce que la douleur des mâchoires ne laissait à don Quichotte ni repos ni envie de se hâter beaucoup, Sancho, voulant endormir son mal et le divertir en lui contant quelque chose, lui dit ce qu'on verra dans le chapitre suivant.

CHAPITRE XIX

Des ingénieux propos que Sancho tint à son maître, et de l'aventure arrivée à celui-ci avec un corps mort, ainsi que d'autres événements fameux.

Il me semble, seigneur, que toutes ces mésaventures qui nous sont arrivées depuis quelques jours doivent être la peine du péché que Votre Grâce a commis contre l'ordre de sa chevalerie, en manquant d'accomplir le serment que vous aviez fait de ne pas manger pain sur nappe, ni badiner avec la reine, ni tout ce qui s'ensuit, et que vous aviez juré d'accomplir jusqu'à ce que vous ayez enlevé cet armet de Malandrin, ou comme s'appelle le More, car je ne me souviens pas très bien de son nom. — Tu as vraiment raison, Sancho, répondit don Quichotte; mais à vrai dire, cela m'était tout à fait sorti de la mémoire. Et tu peux bien être assuré de même que c'est pour la faute que tu as commise en manquant de m'en faire ressouvenir à temps que tu as attrapé l'aventure de la berne. Mais je vais réparer la mienne; car il y a aussi, dans l'ordre de la chevalerie, des compositions sur toutes sortes de péchés. — Est-ce que, par hasard, j'ai juré quelque chose, moi ? reprit Sancho. — Peu importe que tu n'aies pas juré, répliqua don Quichotte : il suffit que tu ne sois pas très à l'abri du reproche de complicité. Ainsi, pour oui ou pour non, il vaut mieux nous pourvoir de dispenses. — Ma foi, s'il en est ainsi, reprit Sancho, que Votre Grâce prenne garde à ne pas oublier ce nouveau serment comme l'autre; car les fantômes pourraient bien reprendre l'envie de se divertir encore avec moi, et même avec Votre Grâce, s'ils la voient en rechute. »

Durant ces entretiens et d'autres semblables, la nuit les surprit au milieu du chemin, sans qu'ils sussent comment avoir ni comment découvrir où se mettre à l'abri; et le pis de l'affaire, c'est qu'ils mouraient de faim, car avec le bissac s'était envolée toute la provision. Pour achever pleinement leur disgrâce, il leur arriva une aventure qui cette fois, et sans artifice, pouvait bien s'appeler ainsi. La nuit était venue, et fort obscure; cependant ils cheminaient toujours, Sancho croyant que, de bon compte, on ne pouvait faire plus d'une à deux lieues sur la grande

route sans rencontrer quelque hôtellerie. Or donc, pendant qu'ils marchaient ainsi par la nuit noire, l'écuyer
mourant de faim et le chevalier avec grand appétit, voilà
qu'ils aperçurent venir, sur le chemin qu'ils suivaient, une
grande multitude de lumières qui semblaient autant d'étoiles
mouvantes. A cette vue, Sancho perdit la carte et son
maître sentit un peu la chair de poule. L'un tira son âne
par le licou, l'autre son bidet par la bride, et tous deux
se tinrent cois, regardant avec grande attention ce que ce
pouvait être. Ils virent que les lumières venaient droit
de leur côté et que, plus elles s'approchaient, plus elles
semblaient grandes.

Pour le coup, Sancho se mit à trembler de tous ses
membres, comme un épileptique, et les cheveux se dressèrent sur la tête de don Quichotte, lequel, s'animant
néanmoins un peu : « Voici sans doute, dit-il, une grande
et périlleuse aventure, où il va falloir, Sancho, que je
montre toute ma force et tout mon courage. — Malheureux que je suis! répondit Sancho, si c'est encore une
aventure de fantômes, comme elle m'en a tout l'air, où
trouver des côtes pour y suffire ? — Tout fantômes qu'ils
puissent être, s'écria don Quichotte, je ne permettrai pas
qu'ils te touchent seulement au poil du pourpoint. S'ils
t'ont fait un mauvais tour l'autre fois, c'est que je n'ai
pu sauter les murs de la basse-cour; mais nous sommes
maintenant en rase campagne, où je pourrai jouer de l'épée
tout à mon aise. — Mais s'ils vous enchantent et vous
engourdissent comme la fois passée, répliqua Sancho, que
vous servira-t-il d'avoir ou non le champ libre ? — En
tout cas, reprit don Quichotte, je te supplie, Sancho, de
reprendre courage; l'expérience te fera voir quel est le
mien. — Eh bien! oui, j'en aurai, s'il plaît à Dieu »,
répondit Sancho. Et tous deux, se détournant un peu du
chemin, se remirent à considérer attentivement ce que
pouvaient être ces lumières qui marchaient.

Ils aperçurent bientôt un grand nombre d'hommes
enchemisés dans des robes blanches, et cette effrayante
vision acheva si bien d'abattre le courage de Sancho Panza
qu'il commença à claquer des dents comme dans un accès
de fièvre tierce; mais la peur et le claquement augmentèrent encore quand ils virent enfin distinctement ce que
c'était. Ils découvrirent une vingtaine au moins de ces
gens en chemise, tous à cheval, tenant à la main des
torches allumées, derrière lesquels venait une litière tendue en deuil, que suivaient six autres cavaliers habillés de
noir jusqu'aux pieds de leurs mules, car on voyait bien,
au calme de l'allure de ces bêtes, que ce n'étaient pas des
chevaux. Ces fantômes blancs cheminaient en murmurant
d'inintelligibles paroles d'une voix basse et plaintive.

Cette étrange apparition, à une telle heure et dans un
lieu désert, suffisait pour faire bien pénétrer l'effroi jus-

qu'au cœur de Sancho, et même jusqu'à celui de son maître. Néanmoins, tandis que toute la résolution de Sancho faisait naufrage, le contraire arriva pour don Quichotte, auquel sa folle imagination représenta sur-le-champ que c'était une des aventures de ses livres. Il se figura que la litière était un brancard où l'on portait quelque chevalier mort ou grièvement blessé, dont la vengeance était réservée à lui seul. Sans plus de réflexion, il s'affermit bien sur la selle, met en arrêt sa pique de messier et, d'une contenance assurée, va se planter au beau milieu du chemin où devaient forcément passer les gens aux blancs manteaux. Dès qu'il les vit s'approcher, il leur cria d'une voix terrible : « Halte là, chevaliers! qui que vous soyez, halte-là! Dites-moi qui vous êtes, d'où vous venez, où vous allez, et ce que vous menez sur ce brancard. Selon toutes les apparences, ou vous avez fait, ou l'on vous a fait quelque tort et grief; il convient donc et il est nécessaire que j'en sois instruit, soit pour vous punir du mal que vous avez fait, soit pour vous venger de celui qu'on vous a fait. — Nous sommes pressés, et l'hôtellerie est loin, répondit un des hommes en chemise; nous n'avons pas le temps de vous rendre tous les comptes que vous demandez »; et, piquant sa mule, il voulut passer outre. Mais don Quichotte s'était grandement irrité de cette réponse; saisissant la mule par le mors : « Halte-là! vous dis-je, et soyez plus poli. Qu'on réponde à ce que j'ai demandé, ou sinon je vous déclare la guerre à tous et vous livre bataille. » La mule était ombrageuse : se sentant prise au mors, elle se cabra et se renversa par terre sur son cavalier. Un valet, qui marchait à pied, voyant tomber son maître, se mit à injurier don Quichotte, lequel, déjà enflammé de colère, baisse sa lance sans attendre davantage et, fondant sur un des habillés de noir, l'envoie rouler sur la poussière, atteint d'un mauvais coup; puis, se ruant à travers la troupe, c'était merveille de voir avec quelle promptitude il les attaquait et les culbutait l'un après l'autre; l'on eût dit qu'il avait en cet instant poussé des ailes à Rossinante, tant il se montrait fier et léger.

Tous ces manteaux blancs étaient des gens timides et sans armes; dès les premiers coups, ils lâchèrent pied et se mirent à courir à travers champs avec leurs torches allumées, si bien qu'on les aurait pris pour une des mascarades qui courent les nuits de carnaval. Quant aux manteaux noirs, ils étaient si empêtrés dans leurs longues jupes qu'ils ne pouvaient remuer. Don Quichotte put donc les bâtonner et les chasser tous devant lui, restant à bon marché maître du champ de bataille; car ils imaginaient tous que ce n'était pas un homme, mais bien le diable en personne qui était venu de l'enfer les attendre au passage, pour leur enlever le corps mort qu'ils menaient dans la litière. Sancho, cependant, regardait tout cela, admirant l'intrépidité de son seigneur, et il disait dans sa barbe : « Sans aucun doute, ce mien maître-là est aussi brave et vaillant qu'il le dit. »

Une torche était restée, brûlant par terre, auprès du premier qu'avait renversé la mule. Don Quichotte, l'apercevant à cette lueur, s'approcha de lui ; et, lui posant la pointe de¹ sa lance sur la gorge, il lui cria de se rendre, ou, sinon, qu'il le tuerait. « Je ne suis que trop rendu, répondit l'homme à terre, puisque je ne puis bouger et que j'ai, je crois, la jambe cassée. Mais, si vous êtes gentilhomme et chrétien, je supplie Votre Grâce de ne pas me tuer ; elle commettrait un grand sacrilège, car je suis licencié et j'ai reçu les premiers ordres. — Et qui diable, étant homme d'Eglise, vous a conduit ici ? s'écria don Quichotte. — Qui, seigneur ? répondit l'autre ; mon malheur. — Eh bien ! répliqua don Quichotte, un autre plus grand vous menace, si vous ne répondez sur-le-champ à toutes les questions que je vous ai faites. — Vous allez être aisément satisfait, reprit le licencié ; et d'abord Votre Grâce saura que, bien que j'aie dit tout à l'heure que j'avais les licences, je ne suis encore que bachelier. Je m'appelle Alonzo Lopez et suis natif d'Alcovendas. Je viens de la ville de Baëza, en compagnie de onze autres prêtres, ceux qui fuyaient avec des torches. Nous allons à Ségovie, accompagnant un corps mort qui est dans cette litière : ce corps mort est celui d'un gentilhomme qui mourut à Baëza, où il a été quelque temps déposé au cimetière ; mais, comme je vous ai dit, nous portons ses os à Ségovie, où est la sépulture de sa famille. — Et qui l'a tué ? demanda don Quichotte. — Dieu, par le moyen d'une fièvre maligne qu'il lui a envoyée, répondit le bachelier. — En ce cas, reprit don Quichotte, le Seigneur m'a dispensé de la peine que j'aurais prise de venger sa mort, si tout autre l'eût tué. Mais, étant frappé de telle main, je n'ai plus qu'à me taire et à plier les épaules, ce que je ferais s'il m'eût frappé moi-même. Mais je veux apprendre à Votre Révérence que je suis un chevalier de la Manche, appelé don Quichotte, et que ma profession est d'aller par le monde redressant les torts et réparant les injustices. — Je ne sais trop, répondit le bachelier, comment vous entendez le redressement des torts, car de droit que j'étais, vous m'avez fait tordu, me laissant avec une jambe cassée, qui ne se verra plus droite en tous les jours de sa vie ; et l'injustice que vous avez réparée en moi, ç'a été de m'en faire une irréparable, et nulle plus grande mésaventure ne pouvait m'arriver que de vous rencontrer cherchant des aventures. — Toutes les choses ne se passent point de la même façon, répliqua don Quichotte ; le mal est venu, seigneur bachelier Alonzo Lopez, de ce que vous cheminiez la nuit, vêtus de surplis blancs, des torches à la main, marmottant entre vos lèvres, et couverts de deuil,

tels enfin que vous ressembliez à des fantômes et à des
gens de l'autre monde. Aussi je n'ai pu me dispenser de
remplir mon devoir en vous attaquant, et je n'aurais pas
manqué de le faire quand bien même vous auriez été
réellement, comme je n'ai cessé de le croire, une troupe
de démons échappés de l'enfer. — Puisque l'a voulu
ainsi ma mauvaise fortune, reprit le bachelier, je vous supplie, seigneur chevalier errant, qui m'empêcherez pour
longtemps d'errer, de m'aider à me dégager de cette mule,
sous laquelle ma jambe est prise entre la selle et l'étrier.
— Vous parliez donc pour demain, à ce qu'il paraît ?
répondit don Quichotte. Et que diable attendiez-vous pour
me conter votre souci ? »

Il cria aussitôt à Sancho de venir ; mais celui-ci n'avait
garde de se presser, parce qu'il s'occupait à dévaliser un
mulet de bât que ces bons prêtres menaient chargé d'excellentes provisions de bouche. Sancho fit de son manteau une manière de havre-sac, et l'ayant farci de tout ce
qu'il put y faire entrer, il en chargea son âne, puis il
accourut aux cris de son maître, auquel il prêta la main
pour tirer le seigneur bachelier de dessous sa mule. Ils
parvinrent à le remettre en selle, lui rendirent sa torche,
et don Quichotte lui dit de suivre le chemin qu'avaient
pris ses compagnons, en le chargeant de leur demander
de sa part pardon de l'offense qu'il n'avait pu s'empêcher
de leur faire. Sancho lui dit encore : « Si par hasard ces
messieurs veulent savoir quel est le brave qui les a mis
en déroute, vous n'avez qu'à leur dire que c'est le fameux
don Quichotte de la Manche, autrement appelé *le chevalier de la Triste Figure.* »

Le bachelier s'éloigna sans demander son reste, et don
Quichotte alors s'informa de Sancho pour quel motif il
l'avait appelé *le chevalier de la Triste Figure,* plutôt à cette
heure qu'à toute autre. « Je vais vous le dire, répondit
Sancho ; c'est que je vous ai un moment considéré à la
lueur de cette torche que porte ce pauvre boiteux ; et
véritablement Votre Grâce a bien la plus mauvaise mine
que j'aie vue depuis longues années ; ce qui doit venir
sans doute, ou des fatigues de ce combat, ou de la perte
de vos dents. — Ce n'est pas cela, répondit don Quichotte ;
mais le sage auquel est confié le soin d'écrire un jour
l'histoire de mes prouesses aura trouvé bon que je prenne
quelque surnom significatif, comme en prenaient tous les
chevaliers du temps passé. L'un s'appelait *le chevalier de
l'Ardente-Épée;* l'autre, *de la Licorne;* celui-ci, *des Demoiselles;* celui-là, *du Phénix;* cet autre, *du Griffon,* et cet
autre, *de la Mort;* et c'est par ces surnoms et ces insignes
qu'ils étaient connus sur toute la surface de la terre. Ainsi
donc, dis-je, le sage dont je viens de parler t'aura mis
dans la pensée et sur la langue ce nom de *chevalier de la
Triste Figure,* que je pense bien porter désormais ; et pour

que ce nom m'aille mieux encore, je veux faire peindre
sur mon écu, dès que j'en trouverai l'occasion, une triste
et horrible figure. — Par ma foi, seigneur, reprit Sancho,
il est bien inutile de dépenser du temps et de l'argent à
faire peindre cette figure-là. Votre Grâce n'a qu'à montrer la sienne, et à regarder en face ceux qui la regarderont,
et je vous réponds que, sans autre image et sans nul écu,
ils vous appelleront tout de suite le *chevalier de la Triste
Figure*. Et croyez bien que je vous dis vrai; car je vous
assure, soit dit en badinage, que la faim et le manque de
dents vous donnent une si piteuse mine qu'on peut, comme
je l'ai dit, très aisément épargner la peinture. »

Don Quichotte se mit à rire de la saillie de son écuyer,
mais pourtant n'en résolut pas moins de prendre ce surnom, en faisant peindre son bouclier comme il l'entend-
dait. « Sais-tu bien, Sancho, lui dit-il ensuite, que me
voilà excommunié pour avoir violemment porté les mains
sur une chose sainte, suivant ce texte : *Si quis suadente
diabolo*, etc. Et cependant, à vrai dire, je n'ai pas porté
les mains, mais cette pique; et d'ailleurs je ne pensais
guère offenser des prêtres et des choses de l'Eglise, que
je respecte et que j'adore comme fidèle chrétien catholique
que je suis, mais au contraire des fantômes et des spectres
de l'autre monde. Et quand il en serait ainsi, je n'ai pas
oublié ce qui arriva au Cid Ruy-Diaz quand il brisa la
chaise de l'ambassadeur d'un certain roi devant Sa Sainteté le pape, qui l'excommunia pour ce fait; ce qui n'empêcha pas que le bon Rodrigo de Vivar n'eût agi ce jour-là
en loyal et vaillant chevalier. »

Le bachelier s'étant éloigné sur ces entrefaites, don
Quichotte avait envie de voir si le corps qui venait dans
la litière était de chair ou d'os; mais Sancho ne voulut
jamais y consentir. « Seigneur, lui dit-il, Votre Grâce a
mis à fin cette aventure à moins de frais que toutes celles
que j'ai vues jusqu'à présent. Il ne faut pas tenter le diable.
Ces gens, quoique vaincus et mis en déroute, pourraient
bien cependant s'apercevoir qu'une seule personne les a
battus; la honte et le dépit pourraient bien les ramener
sur nous prendre leur revanche, et ils nous donneraient
du fil à retordre. Croyez-moi, l'âne est pourvu, la montagne est près, la faim nous talonne; il n'y a rien de mieux
à faire que de nous en aller bravement les pieds l'un
devant l'autre; et, comme on dit, que le mort aille à la
sépulture et le vivant à la pâture. » Là-dessus prenant
son âne par le licou, il pria son maître de le suivre, lequel
obéit, voyant que Sancho avait la raison de son côté.

Après avoir cheminé quelque temps entre deux coteaux,
ils arrivèrent dans un large et frais vallon, où ils mirent
pied à terre. Sancho soulagea bien vite son âne; puis,
maître et valet, étendus sur l'herbe verte, ayant toute la
sauce de leur appétit, déjeunèrent, dînèrent, goûtèrent et

soupèrent tout à la fois pêchant dans plus d'un panier de
viandes froides que messieurs les prêtres du défunt, gens
qui rarement oublient les soins d'ici-bas, avaient eu l'attention de charger sur les épaules du mulet. Mais il leur
arriva une autre disgrâce, que Sancho trouva la pire de
toutes : c'est qu'ils n'avaient pas de vin à boire, pas même
une goutte d'eau pour se rafraîchir la bouche. La soif à
son tour les tourmentait, et Sancho, voyant que le pré
sur lequel ils étaient assis avait beaucoup d'herbe fraîche
et menue, dit à son maître ce qu'on verra dans le chapitre suivant.

CHAPITRE XX

De l'aventure inouïe que mit à fin le valeureux don Quichotte, avec moins de péril que n'en courut en nulle autre nul fameux chevalier.

« Il est impossible, mon seigneur, que ce gazon vert ne rende pas témoignage qu'ici près coule quelque fontaine ou ruisseau qui le mouille et le rafraîchit. Nous ferons donc bien d'avancer un peu, car nous trouverons sans doute de quoi calmer cette terrible soif qui nous obsède et dont le tourment est pire encore que celui de la faim. »

Don Quichotte approuva cet avis : il prit Rossinante par la bride, et Sancho son âne par le licou, après lui avoir mis sur le dos les débris du souper; puis ils commencèrent à cheminer en remontant la prairie à tâtons, car l'obscurité de la nuit ne laissait pas apercevoir le moindre objet. Ils n'eurent pas fait deux cents pas que leurs oreilles furent frappées par un grand bruit d'eau, comme serait celui d'une cascade qui tomberait du haut d'un rocher. Ils sentirent à ce bruit une joie infinie et, s'étant arrêtés pour écouter attentivement d'où il partait, ils entendirent tout à coup un autre vacarme qui calma tout à la fois leur joie et leur soif, surtout pour Sancho, naturellement poltron. Ils entendirent de grands coups sourds, frappés en cadence et accompagnés d'un certain cliquetis de fers et de chaînes qui, joint au bruit du torrent, aurait jeté l'effroi dans tout autre cœur que celui de don Quichotte. La nuit, comme je viens de le dire, était très obscure, et le hasard les avait amenés sous un bouquet de grands arbres, dont les feuilles, agitées par la brise, faisaient un autre bruit à la fois doux et effrayant; si bien que la solitude, le site, l'obscurité, le bruit de l'eau et le murmure des feuilles, tout répandait l'horreur et l'épouvante. Ce fut pis encore quand ils virent que les coups ne cessaient de frapper, ni le vent de souffler, et que le jour tardait à poindre pour leur apprendre du moins où ils se trouvaient.

Mais don Quichotte, soutenu par son cœur intrépide, sauta sur Rossinante, embrassa son écu et, croisant sa lance : « Ami Sancho, s'écria-t-il, apprends que je suis né,

par la volonté du ciel, dans notre âge de fer, pour y ressusciter l'âge d'or. C'est à moi que sont réservés les périls
redoutables, les prouesses éclatantes et les vaillants exploits.
C'est moi, dis-je encore une fois, qui dois ressusciter les
vingt-cinq de la Table-Ronde, les douze de France et les
neuf de la Renommée ; qui dois mettre en oubli les Platir,
les Phébus, les Bélianis, les Tablant, Olivant et Tirant,
et la foule innombrable des fameux chevaliers errants des
siècles passés, faisant en ce siècle où je me trouve de si
grands et de si merveilleux faits d'armes qu'ils obscurcissent les plus brillants dont les autres aient à se vanter.
Remarque bien, écuyer loyal et fidèle, les ténèbres de
cette nuit et son profond silence, le bruit sourd et confus
de ces arbres, l'effroyable tapage de cette eau que nous
étions venus chercher, et qui semble se précipiter du
haut des montagnes de la Lune ; enfin le vacarme incessant
de ces coups redoublés qui nous déchirent les oreilles ;
toutes choses qui, non seulement ensemble, mais chacune
en particulier, sont capables de jeter la surprise, la peur
et l'effroi dans l'âme même du dieu Mars, à plus forte
raison de celui qui n'est pas fait à de tels événements.
Eh bien ! toutes ces choses que je viens de te peindre
sont autant d'aiguillons qui réveillent mon courage, et
déjà le cœur me bondit dans la poitrine du désir que
j'éprouve d'affronter cette aventure, toute périlleuse qu'elle
s'annonce. Ainsi donc, Sancho, serre un peu les sangles
de Rossinante, et reste à la garde de Dieu. Tu m'attendras
ici l'espace de trois jours, au bout desquels, si je ne reviens
pas, tu pourras t'en retourner à notre village, et de là,
pour faire une bonne œuvre et me rendre service, tu iras
au Toboso, où tu diras à Dulcinée, mon incomparable
dame, que son captif chevalier est mort pour accomplir
des choses mémorables qui le rendissent digne de se
nommer ainsi. »

Lorsque Sancho entendit son maître parler de la sorte,
il se prit à pleurer avec le plus profond attendrissement.
« Seigneur, lui dit-il, je ne sais pourquoi Votre Grâce veut
absolument s'engager dans une si périlleuse aventure. Il
est nuit à cette heure, personne ne nous voit ; nous pouvons bien changer de route et échapper au danger, dus-
sions-nous ne pas boire de trois jours ; et puisqu'il n'y a
personne pour nous voir, il n'y en aura pas davantage
pour nous taxer de poltrons. Et d'ailleurs, j'ai souvent
entendu prêcher au curé de notre endroit, ce curé que
Votre Grâce connaît bien, que quiconque cherche le péril
y succombe. Ainsi donc il ne serait pas bien de tenter
Dieu, en se jetant dans une si effroyable affaire qu'on ne
pût s'en tirer que par miracle. C'est bien assez de ceux
qu'a faits le ciel en votre faveur, lorsqu'il vous a préservé
d'être berné comme moi, et qu'il vous a donné pleine
victoire, sans qu'il vous en coûtât la moindre égratignure,

sur tous ces ennemis qui accompagnaient le corps du
défunt. Mais si tout cela ne peut toucher ni attendrir ce
cœur de rocher, qu'il s'attendrisse du moins en pensant
qu'à peine Votre Grâce aura fait un pas pour s'éloigner
d'ici, je rendrai de frayeur mon âme à qui voudra la prendre.
J'ai quitté mon pays, j'ai laissé ma femme et mes enfants
pour suivre et servir Votre Grâce, croyant valoir plutôt
plus que moins. Mais, comme on dit, l'envie d'y trop
mettre rompt le sac : elle a détruit mes espérances; car,
au moment où je me comptais le plus attraper enfin cette île
malencontreuse que Votre Grâce m'a tant de fois promise,
voilà qu'en échange et en payement de mes services vous
voulez maintenant me laisser tout seul dans un lieu si
éloigné du commerce des hommes. Ah! par un seul Dieu,
mon seigneur, n'ayez pas à mon égard tant de cruauté. Et
si Votre Grâce ne veut pas absolument renoncer à courir
cette aventure, attendez au moins jusqu'au matin; car, à ce
que m'apprend la science que j'ai apprise quand j'étais
berger, il ne doit pas y avoir trois heures d'ici à l'aube du
jour : en effet, la bouche de la Petite Ourse est par-dessus
la tête de la Croix, tandis que minuit se marque à la ligne
du bras gauche.

— Mais, Sancho, répondit don Quichotte, comment
peux-tu voir cette ligne, ni où sont la bouche et la tête,
puisque la nuit est si obscure qu'on ne distingue pas une
seule étoile ? — C'est bien vrai, répliqua Sancho; mais la
peur a de bons yeux, et puisqu'elle voit, à ce qu'on dit,
sous la terre, elle peut bien voir en haut dans le ciel;
d'ailleurs il est aisé de conjecturer qu'il n'y a pas loin d'ici
au jour. — Qu'il vienne tôt ou qu'il vienne tard, reprit
don Quichotte, il ne sera pas dit, à cette heure ni dans aucun
temps, que des larmes ou des prières m'aient empêché de
faire ce que je dois en qualité de chevalier. Je te prie donc,
Sancho, de te taire. Dieu, qui m'a mis dans le cœur l'envie
d'affronter cette aventure inouïe et formidable, aura soin
de veiller sur mon salut et de consoler ton affliction. Ce
que tu as à faire, c'est de bien serrer les sangles de Rossinante, et de te tenir ici; je te promets d'être bientôt de
retour, mort ou vif. »

Sancho, voyant l'inébranlable résolution de son maître
et le peu d'influence qu'avaient sur lui ses conseils, ses
prières et ses larmes, résolut de recourir à son adresse,
et de lui faire, s'il était possible, attendre le jour bon gré
mal gré. Pour cela, tandis qu'il serrait les sangles du cheval,
sans faire semblant de rien et sans être aperçu, il attacha
avec le licou de l'âne les deux pieds de Rossinante, de
façon que, lorsque don Quichotte voulut partir, il n'en put
venir à bout, car le cheval ne pouvait bouger, si ce n'est
par sauts et par bonds. Voyant le succès de sa ruse,
Sancho Panza lui dit aussitôt : « Eh bien! seigneur, vous
le voyez : le ciel, touché de mes pleurs et de mes suppli-

cations, ordonne que Rossinante ne puisse bouger de là,
et si vous vous opiniâtrez, si vous tourmentez cette pauvre
bête, ce sera vouloir fâcher la fortune et donner, comme
on dit, du poing contre l'aiguillon. »

Cependant don Quichotte se désespérait; mais, plus il
frappait son cheval de l'éperon, moins il le faisait avancer.
Enfin, sans se douter de la ligature, il trouva bon de se
calmer et d'attendre, ou que le jour vînt, ou que Rossinante remuât. Toutefois, attribuant son refus de marcher
à toute autre cause que l'industrie de Sancho : « Puisqu'il
en est ainsi, lui dit-il, et que Rossinante ne veut pas
avancer, il faut bien me résigner à attendre que l'aube
nous rie, quoique j'aie à pleurer tout le temps qu'elle va
tarder à poindre. — Il n'y a pas de quoi pleurer, répondit
Sancho; j'amuserai Votre Grâce en lui contant des contes
jusqu'au jour; à moins pourtant que vous n'aimiez mieux
descendre de cheval et dormir un peu sur le gazon, à la
mode des chevaliers errants, pour vous trouver demain
mieux reposé et plus en état d'entreprendre cette furieuse
aventure qui vous attend. — Qu'appelles-tu descendre,
qu'appelles-tu dormir ? s'écria don Quichotte. Suis-je par
hasard de ces chevaliers musqués qui prennent du repos
dans les périls ? Dors, toi qui es né pour dormir, et fais
tout ce que tu voudras; mais je ferai, moi, ce qui convient
le plus à mes desseins. — Que Votre Grâce ne se fâche pas,
mon cher seigneur, répondit Sancho; j'ai dit cela pour
rire »; et, s'approchant de lui, il mit une main sur l'arçon
de devant, passa l'autre sur l'arçon de derrière, de sorte
qu'il se tint embrassé à la cuisse gauche de son maître,
sans oser s'en éloigner d'une seule ligne, tant sa frayeur
était grande au bruit des coups qui continuaient à frapper
alternativement.

Don Quichotte dit alors à Sancho de lui conter un conte,
comme il le lui avait promis. « Je le ferais de bon cœur,
répondit l'écuyer, si la peur me laissait la parole; et cependant je vais m'efforcer de vous dire une histoire telle que,
si je parviens à la conter et si je n'en oublie rien, ce sera
la meilleure de toutes les histoires. Que Votre Grâce soit
donc attentive, je vais commencer.

« Il y avait un jour ce qu'il y avait... que le bien qui vient
soit pour tout le monde, et le mal pour celui qui l'est allé
chercher... Et je vous prie de remarquer, mon seigneur,
le commencement que les anciens donnaient à leurs contes
de la veillée; ce n'était pas le premier venu, vraiment, mais
bien une sentence de Caton, l'encenseur romain, qui dit :
« Et le mal pour celui qui l'est allé chercher. » Laquelle
sentence vient ici comme une bague au doigt, pour que
Votre Grâce reste tranquille, et pour qu'elle n'aille chercher le mal d'aucun côté; mais bien plutôt pour que
nous prenions un autre chemin, puisque personne ne
nous force à continuer celui où nous assaillent tant de

frayeurs. — Continue ton conte, Sancho, dit don Quichotte;
et du chemin que nous devons prendre, laisse-m'en le
souci.

— Je dis donc, continua Sancho, que, dans un endroit
de l'Estramadure, il y avait un pâtre chevrier, c'est-à-dire
qui gardait des chèvres, lequel pâtre ou chevrier, comme
dit mon histoire, s'appelait Lope Ruiz, et ce Lope Ruiz
était amoureux d'une bergère qui s'appelait Torralva,
laquelle bergère appelée Torralva était fille d'un riche propriétaire de troupeaux, et ce riche propriétaire de troupeaux... — Mais si c'est ainsi que tu contes ton histoire,
Sancho, interrompit don Quichotte, répétant deux fois ce
que tu as à dire, tu ne finiras pas en deux jours. Conte-la
tout uniment, de suite, et comme un homme d'intelligence;
sinon, tais-toi, et n'en dis pas davantage. — De la manière
que je vous la conte, répondit Sancho, se content dans
mon pays toutes les histoires de veillées; je ne sais pas la
conter autrement, et il n'est pas juste que Votre Grâce
exige que je fasse des modes nouvelles. — Conte donc
comme tu voudras, s'écria don Quichotte, et, puisque le
sort m'a réduit à t'écouter, continue. — Vous saurez donc,
seigneur de mon âme, poursuivit Sancho, que, comme j'ai
déjà dit, ce berger était amoureux de Torralva la bergère,
laquelle était une fille joufflue et rebondie, assez farouche
et même un peu hommasse, car elle avait quelques poils
de moustache, si bien que je crois la voir d'ici. — Tu l'as
donc connue quelque part ? demanda don Quichotte. —
Non, je ne l'ai pas connue, reprit Sancho; mais celui qui
m'a conté l'histoire m'a dit qu'elle était si véritable et si
certaine que, quand je la raconterais à un autre, je pourrais
bien jurer et affirmer que j'avais vu tout ce qui s'y passe.
Or donc, les jours allant et venant, comme on dit, le
diable, qui ne s'endort pas et qui se fourre partout pour
tout embrouiller, fit si bien que l'amour qu'avait le berger
pour la bergère se changea en haine et en mauvais vouloir;
et la cause en fut, selon les mauvaises langues, une certaine quantité de petites jalousies qu'elle lui donna les
unes sur les autres, et telles, ma foi, qu'elles passaient la
plaisanterie. Depuis ce temps, la haine du berger devint
si forte que, pour ne plus voir la bergère, il résolut de
quitter son pays et d'aller jusqu'où ses yeux ne pussent
jamais la revoir. La Torralva, tout aussitôt qu'elle se vit
dédaignée de Lope, l'aima bien plus fort que lui ne l'avait
jamais aimée.

— C'est la condition naturelle des femmes, interrompit
don Quichotte, de dédaigner qui les aime, et d'aimer qui
les dédaigne. Continue.

— Il arriva donc, reprit Sancho, que le berger mit en
œuvre son projet, et, poussant ses chèvres devant lui,
il s'achemina dans les champs de l'Estramadure, pour passer au royaume de Portugal. La Torralva, qui eut vent

de sa fuite, se mit aussitôt à ses trousses; elle le suivait
de loin, à pied, ses souliers dans une main, un bourdon
dans l'autre, et portant à son cou un petit bissac qui contenait, à ce qu'on prétend, un morceau de miroir, la moitié
d'un peigne et je ne sais quelle petite boîte de fard à
farder pour le visage. Mais, qu'elle portât ces choses ou
d'autres, ce que je n'ai pas envie de vérifier à présent,
toujours est-il que le berger arriva avec son troupeau pour
passer le Guadiana, dans le temps que les eaux avaient
tellement cru que la rivière sortait presque de son lit; et
du côté où il arriva, il n'y avait ni barque, ni bateau, ni
batelier, pour le passer lui et ses chèvres, ce qui le fit bien
enrager, parce qu'il voyait déjà la Torralva sur ses talons,
et qu'elle allait lui faire passer un mauvais quart d'heure
avec ses pleurs et ses criailleries. Mais il regarda tant de
côté et d'autre qu'à la fin il aperçut un pêcheur qui avait
auprès de lui un petit bateau, mais si petit qu'il ne pouvait
tenir qu'une chèvre et une personne. Et pourtant il
l'appela et fit marché pour qu'il le passât à l'autre bord,
lui et trois cents chèvres qu'il conduisait. Le pêcheur se
met dans sa barque, vient prendre une chèvre et la passe;
puis revient et en passe une autre, puis revient encore et
en passe encore une autre... Ah çà! que Votre Grâce fasse
bien attention de compter les chèvres que passe le pêcheur;
car si vous en échappez une seule, le conte finira sans
qu'on puisse en dire un mot de plus. Je continue donc,
et je dis que la rive de l'autre côté était escarpée, argileuse
et glissante, de sorte que le pêcheur tardait beaucoup
pour aller et venir. Il revint pourtant chercher une autre
chèvre, puis une autre, puis une autre encore.

— Eh, pardieu! suppose qu'il les a toutes passées!
s'écria don Quichotte, et ne te mets pas à aller et venir de
cette manière, car tu ne finirais pas de les passer en un an.
— Combien y en a-t-il de passées jusqu'à cette heure?
demanda Sancho. — Et qui diable le sait? répondit
don Quichotte. — Je vous le disais bien, pourtant, d'en
tenir bon compte, reprit Sancho. Eh bien! voilà que l'histoire est finie, et qu'il n'y a plus moyen de la continuer.
— Comment cela peut-il être? s'écria don Quichotte; est-il
donc si essentiel à ton histoire de savoir par le menu le
nombre de chèvres qui ont passé, que, si l'on se trompe
d'une seule, tu ne puisses en dire un mot de plus? —
Non, seigneur, en aucune façon, répondit Sancho; car, au
moment où je demandais à Votre Grâce combien de
chèvres avaient passé, et que vous m'avez répondu que
vous n'en saviez rien, tout aussitôt ce qui me restait à
dire s'en est allé de ma mémoire, et c'était, par ma foi,
le meilleur et le plus divertissant. — De façon, reprit
don Quichotte, que l'histoire est finie? — Comme la vie
de ma mère, répondit Sancho. — Je t'assure en vérité,
répliqua don Quichotte, que tu viens de conter là l'un

des plus merveilleux contes, histoires ou historiettes qu'on puisse inventer dans ce monde, et qu'une telle manière de le conter et de le finir ne s'est vue et ne se verra jamais. Je ne devais pas, au surplus, attendre autre chose de ta haute raison. Mais pourquoi m'étonner ? Peut-être que ces coups, dont le bruit ne cesse pas, t'ont quelque peu troublé la cervelle ? — Tout est possible, répondit Sancho ; mais, à propos de mon histoire, je sais qu'il n'y a plus rien à dire, et qu'elle finit juste où commence l'erreur du compte des chèvres qui passent. — A la bonne heure, reprit don Quichotte, qu'elle finisse où tu voudras. Mais voyons si maintenant Rossinante peut remuer. » En disant cela, il se remit à lui donner de l'éperon, et le cheval se remit à faire un saut, sans bouger de place, tant il était bien attaché.

En ce moment il arriva, soit à cause de la fraîcheur du matin qui commençait à se faire sentir, soit parce que Sancho avait mangé la veille au soir quelque chose de laxatif, soit enfin, ce qui est le plus probable, que la nature opérât en lui, il arriva qu'il se sentit envie de déposer une charge dont personne ne pouvait le soulager. Mais telle était la peur qui s'était emparée de son âme qu'il n'osait pas s'éloigner de son maître de l'épaisseur d'un ongle. D'une autre part, essayer de remettre ce qu'il avait à faire était impossible. Dans cette perplexité, il imagina de lâcher la main droite avec laquelle il se tenait accroché à l'arçon de derrière ; puis, sans faire ni bruit ni mouvement, il détacha l'aiguillette qui soutenait ses chausses, lesquelles lui tombèrent aussitôt sur les talons, et lui restèrent aux pieds comme des entraves, ensuite il releva doucement le pan de sa chemise, et mit à l'air les deux moitiés d'un postérieur qui n'était pas de mince encolure. Cela fait, et lorsqu'il croyait avoir achevé le plus difficile pour sortir de cette horrible angoisse, un autre embarras lui survint, plus cruel encore : il lui sembla qu'il ne pouvait commencer sa besogne sans laisser échapper quelque bruit, et le voilà, serrant les dents et pliant les épaules, qui retient son souffle de toute la force de ses poumons. Mais en dépit de tant de précautions, il fut si peu chanceux qu'à la fin il fit un léger bruit, fort différent de celui qui causait sa frayeur. Don Quichotte l'entendit. « Quel est ce bruit ? demanda-t-il aussitôt. — Je ne sais, seigneur, répondit l'autre ; mais ce doit être quelque chose de nouveau, car les aventures et mésaventures ne commencent jamais pour un peu. » Puis il se remit à tenter la fortune, et cette fois avec tant de succès que, sans plus de scandale ni d'alarme, il se trouva délivré du fardeau qui l'avait si fort mis à la gêne.

Mais, comme don Quichotte avait le sens de l'odorat tout aussi fin que celui de l'ouïe, et comme Sancho était si près et si bien cousu à ses côtés que les vapeurs lui montaient à la tête presque en ligne droite, il ne put éviter que

quelques-unes n'arrivassent jusqu'à ses narines. Dès qu'il
les eut senties, il appela ses doigts au secours de son nez,
qu'il serra étroitement entre le pouce et l'index : « Il me
semble, Sancho, dit-il alors d'un ton nasillard, que tu as
grand-peur en ce moment. — C'est vrai, répondit Sancho ;
mais à quoi Votre Grâce s'aperçoit-elle que ma peur est
plus grande à présent que tout à l'heure ? — C'est qu'à
présent tu sens plus fort que tout à l'heure, reprit don Quichotte, et ce n'est pas l'ambre, en vérité. — C'est encore
possible, répliqua Sancho ; mais la faute n'en est pas à
moi : elle est à Votre Grâce, qui m'amène à ces heures
indues dans ces parages abandonnés. — Retire-toi deux
ou trois pas, mon ami, reprit don Quichotte sans lâcher
les doigts qui lui tenaient le nez ; et désormais prends un
peu plus garde à ta personne et à ce que tu dois à la
mienne ; c'est sans doute de la grande liberté que je te laisse
prendre avec moi qu'est née cette irrévérence. — Je gagerais, répliqua Sancho, que Votre Grâce s'imagine que j'ai
fait de ma personne quelque chose que je ne devais point
faire. — Laisse, laisse, s'écria don Quichotte, ce sont
matières qu'il vaut mieux ne pas agiter. »

Ce fut en ces entretiens et d'autres semblables que le
maître et le valet passèrent le reste de la nuit. Dès que
Sancho vit que l'aube allait poindre, il détacha tout doucement les liens de Rossinante, et celui-ci, se voyant libre,
se sentit, à ce qu'il parut, un peu de cœur au ventre.
Quoiqu'il ne fût nullement fougueux de sa nature, il se mit
à piétiner du devant, car, quant à faire des courbettes, je
lui en demande bien pardon, mais il n'en était pas capable.
Don Quichotte, voyant qu'enfin Rossinante remuait, en
tira bon augure et vit là le signal d'entreprendre cette
aventure redoutable.

Pendant ce temps, le jour achevait de venir, et les objets
se montraient distinctement. Don Quichotte vit qu'il était
sous un groupe de hauts châtaigniers, arbres qui donnent
une ombre très épaisse ; mais, quant au bruit des coups,
qui ne cessaient pas un instant, il ne put en découvrir la
cause. Ainsi donc, sans attendre davantage, il fit sentir
l'éperon à Rossinante, et, prenant encore une fois congé
de son écuyer, il lui ordonna de l'attendre en cet endroit
trois jours au plus, comme il lui avait dit précédemment,
au bout desquels, si Sancho ne le voyait pas revenir, il
pourrait tenir pour certain qu'il avait plu à Dieu de lui
faire laisser la vie dans cette périlleuse aventure. Il lui
rappela ensuite l'ambassade qu'il devait présenter de sa
part à sa dame Dulcinée ; enfin il ajouta que Sancho ne
prît aucun souci du payement de ses gages, parce que lui,
don Quichotte, avant de quitter le pays, avait laissé son
testament, où se trouvait l'ordre de lui payer gages et
gratifications au prorata du temps qu'il l'avait servi. « Mais,
continua-t-il, s'il plaît à Dieu de me tirer de ce péril sain

et sauf et sans encombre, tu peux regarder comme archicertaine la possession de l'île que je t'ai promise. » Quand Sancho entendit les touchants propos de son bon seigneur, il se remit à pleurer, et résolut de ne plus le quitter jusqu'à l'entière et complète solution de l'affaire. De ces pleurs et de cette honorable détermination, l'auteur de notre histoire tire la conséquence que Sancho Panza devait être bien né, et tout au moins vieux chrétien. Son affliction attendrit quelque peu son maître, mais pas assez pour qu'il montrât la moindre faiblesse. Au contraire, dissimulant du mieux qu'il put, il s'achemina sans retard du côté d'où semblait venir le bruit continuel de l'eau et des coups.

Sancho le suivait à pied, selon sa coutume, menant par le licou son âne, éternel compagnon de sa bonne et mauvaise fortune. Quand ils eurent marché quelque temps sous le feuillage de ces sombres châtaigniers, ils arrivèrent dans une petite prairie, au pied de quelques roches élevées, d'où tombait avec grand bruit une belle chute d'eau. Au bas de ces roches étaient quelques mauvaises baraques, plus semblables à des ruines qu'à des maisons, du milieu desquelles ils s'aperçurent que partait le bruit de ces coups redoublés qui continuaient toujours. Rossinante s'effraya du bruit que faisaient les coups et la chute de l'eau. Mais don Quichotte, après l'avoir calmé de la voix et de la main, s'approcha peu à peu des masures, se recommandant du profond de son cœur à sa dame, qu'il suppliait de lui accorder faveur en cette formidable entreprise, et, chemin faisant, invoquant aussi l'aide de Dieu. Pour Sancho, qui ne s'éloignait pas des côtés de son maître, il étendait tant qu'il pouvait le cou et la vue par-dessous le ventre de Rossinante, pour voir s'il apercevrait ce qui le tenait depuis si longtemps en doute et en émoi. Ils avaient fait encore une centaine de pas dans cette posture, lorsque enfin, au détour d'un rocher, se découvrit manifestement à leurs yeux la cause de cet infernal tapage qui, pendant la nuit tout entière, leur avait causé de si mortelles alarmes. Et c'était tout bonnement, si cette découverte, ô lecteur, ne te donne ni regret ni dépit, six marteaux de moulin à foulon qui, de leurs coups alternatifs, faisaient tout ce vacarme.

A cette vue, don Quichotte devint muet; il pâlit et défaillit du haut en bas. Sancho le regarda et vit qu'il avait la tête baissée sur sa poitrine, comme un homme confus et consterné. Don Quichotte aussi regarda Sancho : il le vit les deux joues enflées, et la bouche tellement pleine d'envie de rire qu'il semblait vouloir en étouffer; et toute sa mélancolie ne pouvant tenir contre la comique grimace de Sancho, il se laissa lui-même aller à sourire. Dès que Sancho vit que son maître commençait, il lâcha la bonde et s'en donna de si bon cœur qu'il fut obligé de se serrer

les rognons avec les poings pour ne pas crever de rire.
Quatre fois il se calma, et quatre fois il se reprit avec la
même impétuosité que la première. Don Quichotte s'en
donnait au diable, surtout quand il l'entendit s'écrier, par
manière de figue, et contrefaisant sa voix et ses gestes :
« Apprends, ami Sancho, que je suis né, par la volonté
du ciel, dans notre âge de fer pour y ressusciter l'âge d'or :
c'est à moi que sont réservés les périls redoutables, les
prouesses éclatantes et les vaillants exploits »; continuant
de répéter ainsi les propos que lui avait tenus son maître
lorsqu'il entendit la première fois le bruit des coups de
marteau. Voyant donc que Sancho se moquait de lui décidément, don Quichotte fut saisi d'une telle colère qu'il
leva le manche de sa pique et lui en assena deux coups si
violents que, si l'autre les eût reçus sur la tête aussi bien
que sur les épaules, son maître était quitte de lui payer
ses gages, à moins que ce ne fût à ses héritiers. Quand
Sancho vit que ses plaisanteries étaient payées de cette
monnaie, craignant que son maître ne doublât la récompense, il prit une contenance humble et un ton contrit :
« Que Votre Grâce s'apaise! lui dit-il; ne voyez-vous pas
que je plaisante ? — Et c'est justement parce que vous
plaisantez que je ne plaisante pas, répondit don Quichotte.
Venez ici, monsieur le rieur, et répondez : Vous semble-t-il,
par hasard, que si ces marteaux à foulon eussent été aussi
bien une périlleuse aventure, je n'avais pas montré assez
de courage pour l'entreprendre et la mettre à fin ? Et suis-je
obligé, par hasard, chevalier que je suis, à distinguer les
sons et à reconnaître si le bruit que j'entends vient de
marteaux à foulon ou d'autre chose ? Et ne pourrait-il pas
arriver, comme c'est la vérité toute pure, que je n'en aie
jamais vu ni entendu de ma vie, comme vous les avez vus
et entendus, vous, rustre et vilain que vous êtes, né et
élevé dans leur voisinage ? Sinon, faites voir un peu que
ces six marteaux se changent en six géants, et jetez-les-moi
à la barbe l'un après l'autre, ou tous ensemble; et si je
ne les mets pas tous six les quatre fers en l'air, alors je
vous permets de vous moquer de moi tout à votre aise.
— En voilà bien assez, mon cher seigneur, répliqua Sancho;
je confesse que j'ai trop lâché la bride à ma bonne humeur.
Mais, dites-moi, maintenant que nous sommes quittes
et que la paix est faite (que Dieu vous tire de toutes les
aventures aussi sain et sauf que de celle-ci!), dites-moi,
n'y a-t-il pas de quoi rire, et aussi de quoi conter, dans
cette grande frayeur que nous avons eue ? Dans la mienne,
je veux dire, car je sais bien que Votre Grâce n'a jamais
connu le nom même de la peur. — Je ne nie pas, répondit
don Quichotte, que dans ce qui nous est arrivé il n'y ait
réellement matière à rire; mais je ne pense pas qu'il y ait
matière à conter, car tous les gens qui vous écoutent n'ont
pas assez de sens et d'esprit pour mettre les choses à leur

vrai point. — Tout au moins, reprit Sancho, vous avez su mettre à son vrai point le manche de la lance ; car, en me visant sur la tête, vous m'avez donné sur les épaules, grâce à Dieu et au soin que j'ai pris de gauchir à droite. Mais passe : tout s'en va, comme on dit, dans la lessive, et j'ai souvent ouï dire encore : Celui-là t'aime bien qui te fait pleurer ; et d'autant plus que les grands seigneurs, après une mauvaise parole dite à leurs valets, ont coutume de leur donner une nippe. Je ne sais trop ce qu'ils leur donnent quand ils leur ont donné des coups de bâton ; mais j'imagine que les chevaliers errants donnent après le bâton des îles ou des royaumes en terre ferme. — La chance pourrait tourner de telle sorte, répondit don Quichotte, que tout ce que tu dis vînt à se vérifier. Et d'abord, pardonne le passé : tu es raisonnable, et tu sais que les premiers mouvements ne sont pas dans la main de l'homme. Mais je veux aussi que tu sois désormais informé d'une chose, afin que tu te contiennes et t'abstiennes de trop parler avec moi : c'est que, dans tous les livres de chevalerie que j'ai lus, et le nombre en est infini, jamais je n'ai vu qu'aucun écuyer bavardât avec son seigneur aussi hardiment que tu bavardes avec le tien. Et, à vrai dire, nous avons aussi grand tort l'un que l'autre : toi, parce que tu ne me respectes pas assez ; moi, parce que je ne me fais pas assez respecter. Voilà Gandalin, l'écuyer d'Amadis, qui devint comte de l'Ile-Ferme ; eh bien ! on dit de lui que jamais il ne parlait à son seigneur, sinon le bonnet à la main, la tête penchée et le corps incliné, *more turquesco*. Mais que dirons-nous de Gasabal, l'écuyer de don Galaor, lequel fut si discret que, pour nous instruire de son merveilleux talent à garder le silence, son nom n'est cité qu'une fois dans tout le cours de cette grande et véridique histoire ? De tout ce que je viens de dire tu dois inférer, Sancho, qu'il est nécessaire de faire la différence du maître au valet, du seigneur au vassal, du chevalier à l'écuyer. Ainsi donc désormais nous devrons nous traiter avec plus de respect, sans prendre trop de corde et nous permettre trop de badinage. Car enfin, de quelque manière que je vienne à me fâcher contre vous, ce sera toujours tant pis pour la cruche. Les récompenses et les bienfaits que je vous ai promis viendront à leur temps, et s'ils ne viennent pas, du moins, comme je vous l'ai dit, votre salaire ne se perdra point. — Tout ce que dit Votre Grâce est parfaitement bien, répondit Sancho ; mais je voudrais savoir, si le temps des récompenses ne devait jamais venir, et qu'il fallût s'en tenir aux gages, combien gagnait dans ce temps-là un écuyer de chevalier errant, et s'il faisait marché au mois ou à la journée, comme les goujats des maçons. — A ce que je crois, répliqua don Quichotte, les écuyers de ce temps-là n'étaient pas à gages, mais à merci ; et si je t'ai assigné des gages dans le testament clos que j'ai laissé chez moi, c'est en vue de

ce qui pouvait arriver. Car, en vérité, je ne sais pas encore
comment prendra la chevalerie dans les siècles calamiteux
où nous sommes, et je ne voudrais pas que, pour si peu
de chose, mon âme fût en peine dans l'autre monde. Il
faut en effet que tu saches, ami Sancho, qu'en celui-ci,
il n'est pas d'état plus scabreux et plus périlleux que celui
des coureurs d'aventures. — Je le crois bien, reprit Sancho,
puisque le seul bruit des marteaux à foulon a pu troubler
et désarçonner le cœur d'un errant aussi valeureux que
Votre Grâce. Au reste, vous pouvez être bien certain que
désormais je ne desserrerai plus les dents pour badiner
sur vos affaires, mais seulement pour vous honorer comme
mon maître et seigneur naturel. — En ce cas-là, répliqua
don Quichotte, tu vivras, comme on dit, sur la face de la
terre; car, après les parents, ce sont les maîtres qu'on doit
respecter le plus, et comme s'ils avaient les mêmes droits
et la même qualité. »

· CHAPITRE XXI

Qui traite de la haute aventure et de la riche conquête de l'armet de Mambrin, ainsi que d'autres choses arrivées à notre invincible chevalier.

En ce moment, il commença de tomber un peu de pluie, et Sancho aurait bien voulu se mettre à l'abri en entrant dans les moulins à foulon. Mais don Quichotte les avait pris en telle aversion pour le mauvais tour qu'ils venaient de lui jouer qu'il ne voulut en aucune façon consentir à y mettre le pied. Il tourna bride brusquement à main droite, et tous deux arrivèrent à un chemin pareil à celui qu'ils avaient suivi la veille.

A peu de distance, don Quichotte découvrit de loin un homme à cheval, portant sur sa tête quelque chose qui luisait et brillait comme si c'eût été de l'or. A peine l'avait-il aperçu, qu'il se tourna vers Sancho, et lui dit : « Il me semble, Sancho, qu'il n'y a point de proverbe qui n'ait un sens véritable; car que sont-ils, sinon des sentences tirées de l'expérience même, qui est la commune mère de toutes les sciences ? Cela est vrai spécialement du proverbe qui dit : Quand une porte se ferme, une autre s'ouvre. En effet, si la fortune hier soir nous a fermé la porte de l'aventure que nous cherchions, en nous abusant sur le bruit des marteaux à foulon, voilà maintenant qu'elle nous ouvre à deux battants la porte d'une autre aventure meilleure et plus certaine; et cette fois, si je ne réussis pas à en trouver l'entrée, ce sera ma faute, sans que je puisse m'excuser sur mon ignorance des moulins à foulon, ni sur l'obscurité de la nuit. Je dis tout cela, parce que, si je ne me trompe, voilà quelqu'un qui vient de notre côté portant coiffé sur sa tête cet armet de Mambrin à propos duquel j'ai fait le serment que tu n'as pas oublié. — Pour Dieu! seigneur, répondit Sancho, prenez bien garde à ce que vous dites, et plus encore à ce que vous faites; je ne voudrais pas que ce fussent d'autres marteaux à foulon qui achevassent de nous fouler et de nous marteler le bon sens. — Que le diable soit de l'homme! s'écria don Quichotte. Qu'a de commun l'armet avec les marteaux ? — Je n'en sais rien, répondit Sancho; mais, par ma foi, si je pouvais parler comme j'en avais l'habitude,

je vous donnerais de telles raisons que Votre Grâce verrait
bien qu'elle se trompe en ce qu'elle dit. — Comment
puis-je me tromper en ce que je dis, traître méticuleux ?
reprit don Quichotte. Dis-moi, ne vois-tu pas ce chevalier qui vient à nous, monté sur un cheval gris pommelé,
et qui porte sur la tête un armet d'or ? J'avise
et ce que je vois, répondit Sancho, ce n'est rien autre
qu'un homme monté sur un âne gris comme le mien, et
portant sur la tête quelque chose qui reluit. — Eh bien!
ce quelque chose, c'est l'armet de Mambrin, reprit don
Quichotte. Range-toi de côté, et laisse-moi seul avec lui.
Tu vas voir comment, sans dire un mot, pour ménager
le temps, j'achève cette aventure et m'empare de cet
armet que j'ai tant souhaité. — De me ranger à l'écart,
c'est mon affaire, répondit Sancho ; mais Dieu veuille,
dis-je encore, que ce soit la fougère et non des foulons. —
Je vous ai déjà dit, frère, s'écria don Quichotte, que vous
cessiez de me rebattre les oreilles de ces foulons ; car je
jure de par tous les..., vous m'entendez bien, que je vous
foulerai l'âme au fond du corps. » Sancho se tut aussitôt,
craignant que son maître n'accomplît son serment, car il
l'avait assaisonné à se déchirer la bouche.

Or voici ce qu'étaient cet armet, ce cheval et ce chevalier que voyait don Quichotte. Il y avait dans ces environs deux villages voisins ; l'un si petit qu'il n'avait ni
pharmacie ni barbier ; et l'autre plus grand, ayant l'une
et l'autre. Le barbier du grand village desservait le petit,
dans lequel un malade avait besoin d'une saignée, et un
autre habitant de se faire la barbe. Le barbier s'y rendait
pour ces deux offices, portant un plat à barbe en cuivre
rouge ; le sort ayant voulu que la pluie le prît en chemin,
pour ne pas tacher son chapeau, qui était neuf sans doute,
il mit par-dessus son plat à barbe, lequel, étant bien écuré,
reluisait d'une demi-lieue. Il montait un âne gris, comme
avait dit Sancho ; et voilà pourquoi don Quichotte crut
voir un cheval pommelé, un chevalier et un armet d'or ; car
toutes les choses qui frappaient sa vue, il les arrangeait aisément à son délire chevaleresque et à ses errantes pensées.

Dès qu'il vit que le pauvre chevalier s'approchait, sans
entrer en pourparlers, il fondit sur lui, la lance basse, de
tout le galop de Rossinante, bien résolu à le traverser
d'outre en outre ; mais, au moment de l'atteindre, et sans
ralentir l'impétuosité de sa course, il lui cria : « Défends-
toi, chétive créature, ou livre-moi de bonne grâce ce qui
m'est dû si justement. » Le barbier, qui, sans y penser
ni le prévoir, vit tout à coup fondre sur lui ce fantôme,
ne trouva d'autre moyen de se garer du coup de lance
que de se laisser tomber en bas de son âne ; puis, dès
qu'il eut touché la terre, il se releva, plus agile qu'un daim,
et se mit à courir si légèrement à travers la plaine que
le vent même n'eût pu l'attraper. Il laissa son bassin par

terre, et c'est tout ce que demandait don Quichotte,
lequel s'écria que le païen n'était pas bête, et qu'il avait
imité le castor, qui, se voyant pressé par les chasseurs,
coupe de ses propres dents ce que son instinct naturel
lui apprend être l'objet de leurs poursuites.

Il ordonna ensuite à Sancho de ramasser l'armet, et
celui-ci, le pesant dans la main : « Pardieu ! dit-il, ce plat
à barbe est bon, et vaut une piastre comme un maravédi. » Puis il le donna à son maître, qui le mit aussitôt
sur sa tête, le tournant et le retournant de tous côtés
pour en trouver l'enchâssure ; et comme il ne pouvait en
venir à bout : « Il faut, s'écria-t-il, que ce païen, à la
mesure duquel on a forgé pour la première fois cette
fameuse salade, ait eu la tête bien grosse ; et le pis, c'est
qu'il en manque la moitié. » Quand Sancho entendit appeler salade un plat à barbe, il ne put retenir un grand
éclat de rire ; mais la colère de son maître lui revenant
en mémoire, il fit halte à mi-chemin. « De quoi ris-tu,
Sancho ? lui demanda don Quichotte. — Je ris, répondit-il, en considérant quelle grosse tête devait avoir le
païen, premier maître de cet armet, qui ressemble à un
bassin de barbier comme une mouche à l'autre. — Sais-tu
ce que j'imagine, Sancho ? reprit don Quichotte. Que cette
pièce fameuse, cet armet enchanté, a dû, par quelque
étrange accident, tomber aux mains de quelqu'un qui ne
sut ni connaître ni estimer sa valeur, et que ce nouveau
maître, sans savoir ce qu'il faisait, et le voyant de l'or le
plus pur, s'imagina d'en fondre la moitié pour en faire
argent ; de sorte que l'autre moitié est restée sous cette
forme, qui ne ressemble pas mal, comme tu dis, à un plat
de barbier. Mais qu'il en soit ce qu'il en est ; pour moi,
qui le connais, sa métamorphose m'importe peu ; je le
remettrai en état au premier village où je rencontrerai un
forgeron, et de telle façon qu'il n'ait rien à envier au
casque même que fourbit le dieu des fournaises pour le
dieu des batailles. En attendant, je le porterai comme je
pourrai, car mieux vaut quelque chose que rien du tout, et
d'ailleurs il sera bien suffisant pour me défendre d'un coup
de pierre. — Oui, répondit Sancho. pourvu qu'on ne les
lance pas avec une fronde, comme dans la bataille des
deux armées, quand on vous rabota si bien les mâchoires et
qu'on mit en morceaux la burette où vous portiez ce bienheureux breuvage qui m'a fait vomir la fressure. — Je n'ai
pas grand regret de l'avoir perdu, reprit don Quichotte ; car
tu sais bien, Sancho, que j'en ai la recette dans la mémoire. —
Moi aussi, je la sais par cœur, répondit Sancho ; mais si
je le fais ou si je le goûte une autre fois en ma vie, que ma
dernière heure soit venue. Et d'ailleurs je ne pense pas
me mettre davantage en occasion d'en avoir besoin ; au
contraire, je pense me garer avec toute la force de mes
cinq sens, d'être blessé et de blesser personne. Quant à

être une autre fois berné, je n'en dis rien : ce sont de ces
malheurs qu'on ne peut guère prévenir; et quand ils
arrivent, il n'y a rien de mieux à faire que de plier les
épaules, de retenir son souffle, de fermer les yeux et de se
laisser aller où le sort et la couverture vous envoient.

— Tu es un mauvais chrétien, Sancho, dit don Quichotte lorsqu'il entendit ces dernières paroles; car jamais
tu n'oublies l'injure qu'on t'a faite. Apprends donc qu'il
est d'un cœur noble et généreux de ne faire aucun cas de
tels enfantillages. Dis-moi, de quel pied boites-tu ? Quelle
côte enfoncée, ou quelle tête rompue as-tu tirée de la
bagarre, pour ne pouvoir oublier cette plaisanterie ? Car
enfin, en examinant la chose, il est clair que ce ne fut qu'une
plaisanterie et un passe-temps. Si je ne l'entendais pas
ainsi, je serais déjà retourné là-bas, et j'aurais fait pour
te venger plus de ravage que n'en firent les Grecs pour
venger l'enlèvement d'Hélène; laquelle, si elle fût venue
dans cette époque, ou ma Dulcinée dans la sienne, pourrait bien être sûre de n'avoir pas une si grande réputation
de beauté. » En disant cela, il poussa un profond soupir,
qu'il envoya jusqu'aux nuages. « Eh bien! reprit Sancho,
que ce soit donc pour rire, puisqu'il n'y a pas moyen de
les en faire pleurer; mais je sais bien, quant à moi, ce
qu'il y avait pour rire et pour pleurer, et ça ne s'en ira
pas plus de ma mémoire que de la peau de mes épaules.
Mais laissons cela de côté, et dites-moi, s'il vous plaît,
seigneur, ce que nous ferons de ce cheval gris pommelé,
qui semble un âne gris, et qu'a laissé à l'abandon ce Mar-
tin que Votre Grâce a si joliment flanqué par terre. Au
train dont il a pendu ses jambes à son cou, pour prendre
la poudre d'escampette, il n'a pas la mine de revenir jamais
le chercher; et, par ma barbe, le grison n'a pas l'air mauvais. — Je n'ai jamais coutume, répondit don Quichotte,
de dépouiller ceux que j'ai vaincus; et ce n'est pas non
plus l'usage de la chevalerie de leur enlever les chevaux
et de les laisser à pied, à moins pourtant que le vainqueur
n'ait perdu le sien dans la bataille; car alors il lui est permis
de prendre celui du vaincu, comme gagné de bonne guerre.
Ainsi donc, Sancho, laisse ce cheval, ou âne, ou ce que tu
voudras qu'il soit, car dès que son maître nous verra loin
d'ici, il viendra le reprendre. — Dieu sait pourtant si je
voudrais l'emmener, répliqua Sancho, ou tout au moins
le troquer contre le mien, qui ne me semble pas si bon.
Et véritablement les lois de votre chevalerie sont bien
étroites, puisqu'elles ne s'étendent pas seulement à laisser
troquer un âne contre un autre. Mais je voudrais savoir
si je pourrais tout au moins troquer les harnais. — C'est
un cas dont je ne suis pas très sûr, répondit don Quichotte;
de façon que, dans le doute, et jusqu'à plus ample informa-
tion, je permets que tu les échanges, si tu en as un extrême
besoin. — Si extrême, répliqua Sancho, que si ces harnais

étaient pour ma propre personne, je n'en aurais pas un besoin plus grand. » Aussitôt, profitant de la licence, il fit *mutatio capparum*, comme disent les étudiants, et para si galamment son âne qu'il lui en parut avantagé du quart et du tiers.

Cela fait, ils déjeunèrent avec les restes des dépouilles prises sur le mulet des bons pères, et burent de l'eau du ruisseau des moulins à foulon, mais sans tourner la tête pour les regarder, tant ils les avaient pris en aversion pour la peur qu'ils en avaient eue. Enfin, la colère étant passée avec l'appétit, et même la mauvaise humeur, ils montèrent à cheval, et, sans prendre aucun chemin déterminé, pour se mieux mettre à l'unisson des chevaliers errants, ils commencèrent à marcher par où les menait la volonté de Rossinante; car celle du maître se laissait entraîner, et même celle de l'âne, qui le suivait toujours en bon camarade quelque part que l'autre lui servît de guide. De cette manière ils revinrent sur le grand chemin, qu'ils suivirent à l'aventure, et sans aucun parti pris.

Tandis qu'ils cheminaient ainsi tout droit devant eux, Sancho dit à son maître : « Seigneur, Votre Grâce veut-elle me donner permission de deviser un peu avec elle ? Depuis que vous m'avez imposé ce rude commandement du silence, plus de quatre bonnes choses m'ont pourri dans l'estomac, et j'en ai maintenant une sur le bout de la langue, une seule que je ne voudrais pas voir perdre ainsi. — Dis-la, répondit don Quichotte; et sois bref dans tes propos; aucun n'est agréable s'il est long. — Je dis donc, seigneur, reprit Sancho, que, depuis quelques jours, j'ai considéré combien peu l'on gagne et l'on amasse à chercher ces aventures que Votre Grâce cherche par ces déserts et ces croisières de grands chemins, où, quels que soient les dangers qu'on affronte et les victoires qu'on remporte, comme il n'y a personne pour les voir et les savoir, vos exploits restent enfouis dans un oubli perpétuel, au grand détriment des bonnes intentions de Votre Grâce et de leur propre mérite. Il me semble donc qu'il vaudrait mieux, sauf le meilleur avis de Votre Grâce, que nous allassions servir un empereur, ou quelque autre grand prince, qui eût quelque guerre à soutenir, au service duquel Votre Grâce pût montrer la valeur de son bras, ses grandes forces et son intelligence plus grande encore. Cela vu du seigneur que nous servirons, force sera qu'il nous récompense, chacun selon ses mérites. Et là se trouveront aussi des clercs pour coucher par écrit les prouesses de Votre Grâce, et pour en garder mémoire. Des miennes je ne dis rien, parce qu'elles ne doivent pas sortir des limites de la gloire écuyère; et pourtant j'ose dire que, s'il était d'usage dans la chevalerie d'écrire les prouesses des écuyers, je crois bien que les miennes ne resteraient pas entre les lignes.

— Tu n'as pas mal parlé, Sancho, répondit don Quichotte; mais avant que d'en arriver là, il faut d'abord
aller par le monde, comme en épreuves, cherchant les
aventures, afin de gagner par ces hauts faits nom et renom,
tellement que, dès qu'il se présente à la cour d'un grand
monarque, le chevalier soit déjà connu par ses œuvres,
et qu'à peine il ait franchi les portes de la ville, tous les
petits garçons le suivent et l'entourent, criant après lui :
« Voici le chevalier du Soleil », ou bien du Serpent, ou
de quelque autre marque distinctive sous laquelle il
sera connu pour avoir fait de grandes prouesses; « voici,
diront-ils, celui qui a vaincu en combat singulier l'effroyable géant Brocabruno de la grande force, celui qui
a désenchanté le grand Mameluk de Perse d'un long enchantement où il était retenu depuis bientôt neuf cents années. »
Ainsi, de proche en proche, ils iront publiant ces hauts
faits; et bientôt, au tapage que feront les enfants et le
peuple tout entier, le roi de ce royaume se mettra aux
balcons de son royal palais; et, dès qu'il aura vu le chevalier, qu'il reconnaîtra par la couleur des armes et la
devise de l'écu, il devra forcément s'écrier : « Or sus, que
tous les chevaliers qui se trouvent à ma cour sortent pour
recevoir la fleur de la chevalerie qui s'avance! » A cet
ordre, ils sortiront tous, et lui-même descendra jusqu'à
la moitié de l'escalier, puis il embrassera étroitement son
hôte, et lui donnera le baiser de paix au milieu du visage;
aussitôt il le conduira par la main dans l'appartement
de la reine, où le chevalier la trouvera avec l'infante sa
fille, qui ne peut manquer d'être une des plus belles et des
plus parfaites jeunes personnes qu'à grand-peine on
pourrait trouver sur une bonne partie de la face de la
terre. Après cela, il arrivera tout aussitôt que l'infante jettera les yeux sur le chevalier, et le chevalier sur l'infante, et
chacun d'eux paraîtra à l'autre plutôt une chose divine
qu'humaine; et, sans savoir pourquoi ni comment, ils
resteront enlacés et pris dans les lacs inextricables de
l'amour, et le cœur percé d'afflictions de ne savoir comment se parler pour se découvrir leurs sentiments, leurs
désirs et leurs peines. De là, sans doute, on conduira le
chevalier dans quelque salle du palais richement meublée,
où, après lui avoir ôté ses armes, on lui présentera une
riche tunique d'écarlate pour se vêtir; et s'il avait bonne
mine sous ses armes, il l'aura meilleure encore sous un
habit de cour. La nuit venue, il soupera avec le roi, la
reine et l'infante, et n'ôtera pas les yeux de celle-ci, la
regardant en cachette des assistants, ce qu'elle fera de
même et avec autant de sagacité; car c'est, comme je
l'ai dit, une très discrète personne. Le repas desservi,
on verra tout à coup entrer par la porte de la salle un petit
vilain nain et, derrière lui, une belle dame entre deux géants,
laquelle vient proposer une certaine aventure préparée par

un ancien sage, et telle que celui qui en viendra à bout sera tenu pour le meilleur chevalier du monde. Aussitôt le roi ordonnera que tous les chevaliers de sa cour en fassent l'épreuve; mais personne ne pourra la mettre à fin, si ce n'est le chevalier étranger, au grand accroissement de sa gloire, et au grand contentement de l'infante, qui se tiendra satisfaite et même récompensée d'avoir placé en si haut lieu les pensées de son âme. Le bon de l'affaire, c'est que ce roi, ou prince, ou ce qu'il est enfin, soutient une guerre acharnée contre un autre prince aussi puissant que lui, et le chevalier, son hôte, après avoir passé quelques jours dans son palais, lui demandera permission d'aller le servir dans cette guerre. Le roi la lui donnera de très bonne grâce, et le chevalier lui baisera courtoisement les mains pour la faveur qui lui est octroyée. Et cette nuit même, il ira prendre congé de l'infante sa maîtresse, à travers le grillage d'un jardin sur lequel donne sa chambre à coucher. Il l'a déjà entretenue plusieurs fois en cet endroit, par l'entremise d'une damoiselle, leur confidente, à qui l'infante confie tous ses secrets. Il soupire, elle s'évanouit; la damoiselle apporte de l'eau et s'afflige de voir venir le jour, ne voulant pas, pour l'honneur de sa maîtresse, qu'ils soient découverts. Finalement, l'infante reprend connaissance et tend à travers la grille ses blanches mains au chevalier, qui les couvre de mille baisers et les baigne de ses larmes; ils se concertent sur la manière de se faire savoir leurs bonnes ou mauvaises fortunes, et la princesse le supplie d'être absent le moins longtemps possible; il lui en fait la promesse avec mille serments et, après lui avoir encore une fois baisé les mains, il s'arrache d'auprès d'elle avec de si amers regrets qu'il est près de laisser là sa vie; il regagne son appartement, se jette sur son lit, mais ne peut dormir du chagrin que lui cause son départ; il se lève de grand matin, va prendre congé du roi, de la reine et de l'infante; mais les deux premiers, en recevant ses adieux, lui disent que l'infante est indisposée et ne peut recevoir de visite. Le chevalier pense alors que c'est de la peine de son éloignement; son cœur est navré, et peu s'en faut qu'il ne laisse éclater ouvertement son affliction. La confidente est témoin de la scène, elle remarque tout et va le conter à sa maîtresse, qui l'écoute en pleurant et lui dit qu'un des plus grands chagrins qu'elle éprouve, c'est de ne savoir qui est son chevalier, s'il est ou non de sang royal. La damoiselle affirme que tant de grâce, de courtoisie et de vaillance ne peuvent se trouver ailleurs que dans une personne royale et de qualité. La princesse affligée accepte cette consolation; elle essaye de cacher sa tristesse pour ne pas donner une mauvaise opinion d'elle à ses parents, et au bout de deux jours elle reparaît en public. Cependant le chevalier est parti; il prend part à la guerre, combat et défait l'en-

nemi du roi, emporte plusieurs villes, gagne plusieurs victoires. Il revient à la cour, voit sa maîtresse à leur rendez-
vous d'habitude, et convient avec elle qu'il la demandera
pour femme à son père, en récompense de ses services ;
le roi ne le veut pas accepter pour gendre, ne sachant qui
il est ; et pourtant, soit par enlèvement, soit d'autre manière,
l'infante devient l'épouse du chevalier, et son père finit
par tenir cette union à grand honneur, parce qu'on vient
à découvrir que ce chevalier est fils d'un vaillant roi de
je ne sais quel royaume, car il ne doit pas se trouver sur
la carte. Le père meurt, l'infante hérite, et voilà le chevalier roi. C'est alors le moment de faire largesse à son
écuyer et à tous ceux qui l'ont aidé à s'élever si haut. Il
marie son écuyer avec une demoiselle de l'infante, qui
sera sans doute la confidente de ses amours, laquelle est
fille d'un duc de première qualité.

— C'est cela ! s'écria Sancho ; voilà ce que je demande,
et vogue la galère ! Ouf, je m'en tiens à cela, et tout va
nous arriver au pied de la lettre, pourvu que Votre Grâce
s'appelle *le chevalier de la Triste-Figure*. — N'en doute pas,
Sancho, répondit don Quichotte, car c'est par les mêmes
degrés et de la même manière que je viens de te conter
que montaient et que montent encore les chevaliers errants
jusqu'au rang de rois et d'empereurs. Il ne manque plus
maintenant que d'examiner quel roi des chrétiens ou
des païens a sur les bras une bonne guerre et une belle
fille. Mais nous avons le temps de penser à cela ; car,
ainsi que je te l'ai dit, il faut d'abord acquérir ailleurs de
la renommée avant de se présenter à la cour. Pourtant,
il y a bien encore une autre chose qui me manque : en
supposant que nous trouvions un roi avec une guerre
et une fille, et que j'aie gagné une incroyable renommée
dans l'univers entier, je ne sais trop comment il pourrait
se faire que je me trouvasse issu d'un roi, ou pour le
moins cousin issu de germain d'un empereur. Car enfin,
avant d'en être bien assuré, le roi ne voudra pas me donner sa fille pour femme, quelque prix que méritent mes
éclatants exploits ; et voilà que, par ce manque de parenté
royale, je vais perdre ce que mon bras a bien mérité. Il
est vrai que je suis fils d'hidalgo, de souche connue, ayant
possession et propriété, et bon pour exiger cinq cents sous
de réparation. Il pourrait même se faire que le sage qui
écrira mon histoire débrouillât et arrangeât si bien ma
généalogie que je me trouvasse arrière-petit-fils de roi,
à la cinquième ou sixième génération. Car il est bon,
Sancho, que je t'apprenne une chose : il y a deux espèces
de descendances et de noblesses. Les uns tirent leur origine de princes et de monarques ; mais le temps, peu à peu,
les a fait déchoir, et ils finissent en pointe comme les
pyramides ; les autres ont pris naissance en basse extraction, et vont montant de degré en degré jusqu'à devenir

de grands seigneurs. De manière qu'entre eux il y a cette différence, que les uns ont été ce qu'ils ne sont plus, et que les autres sont ce qu'ils n'avaient pas été; et, comme je pourrais être de ceux-là, quand il serait bien avéré que mon origine est grande et glorieuse, il faudrait à toute force que cela satisfît le roi mon futur beau-père; sinon, l'infante m'aimerait si éperdûment qu'en dépit de son père, et sût-il à n'en pouvoir douter que je suis fils d'un porteur d'eau, elle me prendrait encore pour son époux et seigneur. Sinon, enfin, ce serait le cas de l'enlever et de l'emmener où bon me semblerait, jusqu'à ce que le temps ou la mort eût apaisé le courroux de ses parents.

— C'est aussi le cas de dire, reprit Sancho, ce que disent certains vauriens : « Ne demande pas de bon gré ce que tu peux prendre de force. » Quoique cependant cet autre dicton vienne plus à propos : « Mieux vaut le saut de la haie que la prière des braves gens. » Je dis cela parce que, si le seigneur roi, beau-père de Votre Grâce, ne veut pas se laisser fléchir jusqu'à vous donner Madame l'infante, il n'y a pas autre chose à faire, comme dit Votre Grâce, que de l'enlever et de la mettre en lieu sûr. Mais le mal est qu'en attendant que la paix soit faite, et que vous jouissiez paisiblement du royaume, le pauvre écuyer pourra bien rester avec ses dents au crochet dans l'attente des faveurs promises; à moins pourtant que la damoiselle confidente, qui doit devenir sa femme, ne soit partie à la suite de l'infante, et qu'il ne passe avec elle sa pauvre vie, jusqu'à ce que le ciel en ordonne autrement; car, à ce que je crois, son seigneur peut bien la lui donner tout de suite pour légitime épouse. — Et qui l'en empêcherait ? répondit don Quichotte. — En ce cas, reprit Sancho, nous n'avons qu'à nous recommander à Dieu, et laisser courir le sort comme soufflera le vent. — Oui, répliqua don Quichotte, que Dieu fasse ce qui convient à mon désir et à ton besoin, Sancho, et que celui-là ne soit rien qui ne s'estime pour rien. — A la main de Dieu! s'écria Sancho; je suis vieux chrétien, et pour être comte, c'est tout assez. — Et c'est même trop, reprit don Quichotte; tu ne le serais pas que cela ne ferait rien à l'affaire. Une fois que je serai roi, je puis bien te donner la noblesse, sans que tu l'achètes ou que tu la gagnes par tes services; car, si je te fais comte, te voilà du coup gentilhomme, et, quoi que disent les mauvaises langues, par ma foi, ils seront bien obligés, malgré tout leur dépit, de te donner de la seigneurie. — Et quand même! s'écria Sancho, croit-on que je ne saurais pas faire valoir mon titre ? J'ai été dans un temps bedeau d'une confrérie, et, par ma vie, la robe de bedeau m'allait si bien que tout le monde disait que j'avais assez bonne mine pour être marguillier. Que sera-ce, bon Dieu, quand je me mettrai un manteau ducal sur le dos et que je serai tout habillé d'or et de perles, à la mode d'un comte étranger! J'ai dans l'idée qu'on me viendra voir de cent lieues. — Assurément tu auras bonne mine, répondit don Quichotte, mais il sera bon que tu te râpes souvent la barbe; car tu l'as si épaisse, si emmêlée et si crasseuse que, si tu n'y mets pas le rasoir au moins tous les deux jours, on reconnaîtra qui tu es à une portée d'arquebuse. — Eh bien! répliqua Sancho, il n'y a qu'à prendre un barbier et l'avoir à gages à la maison; et même, si c'est nécessaire, je le ferai marcher derrière moi comme l'écuyer d'un grand seigneur. — Et comment sais-tu, demanda don Quichotte, que les grands seigneurs mènent derrière eux leurs écuyers? — Je vais vous le dire, répondit Sancho. Il y a des années que j'ai été passer un mois à la cour; et là, je vis à la promenade un seigneur qui était très petit, et tout le monde disait qu'il était très grand. Un homme le suivait à cheval à tous les tours qu'il faisait, si bien qu'on aurait dit que c'était sa queue. Je demandai pourquoi cet homme ne rejoignait pas l'autre et restait toujours derrière lui. On me répondit que c'était son écuyer, et que les grands avaient coutume de se faire suivre ainsi de ces gens. Voilà comment je le sais depuis ce temps-là, car je n'ai jamais oublié l'aventure. — Je dis que tu as pardieu raison, reprit don Quichotte, et que tu peux fort bien mener ton barbier à ta suite. Les modes ne sont pas venues toutes à la fois; elles s'inventent l'une après l'autre, et tu peux bien être le premier comte qui se fasse suivre de son barbier. D'ailleurs c'est plutôt un office de confiance, celui de faire la barbe, que celui de seller le cheval. — Pour ce qui est du barbier, dit Sancho, laissez-m'en le soin, et gardez celui de faire en sorte d'arriver à être roi et à me faire comte. — C'est ce qui sera, avec l'aide de Dieu », répondit don Quichotte; et, levant les yeux, il aperçut ce qu'on dira dans le chapitre suivant.

CHAPITRE XXII

De la liberté que rendit don Quichotte à quantité de malheureux que l'on conduisait, contre leur gré, où ils eussent été bien aises de ne pas aller.

Cid Hamet Ben-Engeli, auteur arabe et manchois, raconte, dans cette grave, douce, pompeuse, humble et ingénieuse histoire, qu'après que le fameux don Quichotte de la Manche et Sancho Panza, son écuyer, eurent échangé les propos qui sont rapportés à la fin du chapitre XXI, don Quichotte leva les yeux et vit venir, sur le chemin qu'il suivait, une douzaine d'hommes à pied, enfilés par le cou à une longue chaîne de fer, comme les grains d'un chapelet, et portant tous des menottes aux bras. Ils étaient accompagnés de deux hommes à cheval et de deux hommes à pied, ceux à cheval portant des arquebuses à rouet, ceux à pied, des piques et des épées. Dès que Sancho les aperçut, il s'écria : « Voilà la chaîne des galériens, forçats du roi, qu'on mène ramer aux galères. — Comment! forçats? répondit don Quichotte. Est-il possible que le roi fasse violence à personne? — Je ne dis pas cela, reprit Sancho; je dis que ce sont des gens condamnés pour leurs délits à servir par force le roi dans les galères. — Finalement, répliqua don Quichotte, et quoi qu'il en soit, ces gens que l'on conduit vont par force et non de leur plein gré? — Rien de plus sûr, répondit Sancho. — Eh bien! alors, reprit son maître, c'est ici que se présente l'exécution de mon office qui est d'empêcher les violences et de secourir les malheureux. — Faites attention, dit Sancho, que la justice, qui est la même chose que le roi, ne fait ni violence ni outrage à de semblables gens. »

Sur ces entrefaites, la chaîne des galériens arriva près d'eux, et don Quichotte, du ton le plus honnête, pria les gardiens de l'informer de la cause ou des causes pour lesquelles ils menaient de la sorte ces pauvres gens. « Ce sont des forçats, répondit un des gardiens à cheval, qui vont servir Sa Majesté sur les galères. Je n'ai rien de plus à vous dire, et vous, rien de plus à demander. — Cependant, répliqua don Quichotte, je voudrais bien savoir sur chacun d'eux en particulier la cause de leur disgrâce. » A cela il ajouta d'autres propos si polis pour les engager à l'informer de ce qu'il désirait tant savoir que l'autre gardien lui dit enfin : « Nous avons bien ici le registre où sont consignées les condamnations de chacun de ces misérables ; mais ce n'est pas le moment de nous arrêter pour l'ouvrir et en faire lecture. Approchez-vous et questionnez-les eux-mêmes ; ils vous répondront s'ils en ont envie, et bien certainement ils l'auront, car ce sont des gens qui prennent également plaisir à faire et à raconter des tours de coquins. »

Avec cette permission que don Quichotte aurait bien prise si on ne la lui eût accordée, il s'approcha de la chaîne et demanda au premier venu pour quels péchés il allait en si triste équipage. « Pour avoir été amoureux, répondit l'autre. — Quoi ! pas davantage ? s'écria don Quichotte. Par ma foi ! si l'on condamne les gens aux galères pour être amoureux, il y a longtemps que je devrais y ramer. — Oh ! mes amours ne sont pas de ceux qu'imagine Votre Grâce, répondit le galérien. Quant à moi, j'aimai si éperdument une corbeille de lessive remplie de linge blanc, et je la serrai si étroitement dans mes bras que, si la justice ne me l'eût arrachée par force, je n'aurais pas encore, à l'heure qu'il est, cessé mes caresses. Je fus pris en flagrant délit, il n'était pas besoin de question ; la cause fut bâclée : on me chatouilla les épaules de cent coups de fouet, et quand j'aurai, par-dessus le marché, fauché le grand pré pendant trois ans, l'affaire sera faite. — Qu'est-ce que cela, faucher le grand pré ? demanda don Quichotte. — C'est ramer aux galères », répondit le forçat, qui était un jeune homme d'environ vingt-quatre ans, natif, à ce qu'il dit, de Piédraïta.

Don Quichotte fit la même demande au second, qui ne voulut pas répondre un mot, tant il marchait triste et mélancolique. Mais le premier répondit pour lui : « Celui-là, seigneur, va aux galères en qualité de serin de Canarie, je veux dire de musicien et de chanteur. — Comment donc ! s'écria don Quichotte, envoie-t-on les musiciens et les chanteurs aux galères ? — Oui, seigneur, répondit le forçat ; il n'y a rien de pire au monde que de chanter dans le tourment. — Mais, au contraire, reprit don Quichotte ; j'avais toujours entendu dire, avec le proverbe : Qui chante, ses maux enchante. — Eh bien ! c'est tout au rebours ici, repartit le galérien ; qui chante une fois pleure toute sa vie. — Je n'y comprends rien », dit don Quichotte. Mais un des gardiens lui dit : « Seigneur cavalier, parmi ces gens de bien, chanter dans le tourment veut dire confesser à la torture. Ce drôle a été mis à la question et a fait l'aveu de son crime, qui est d'avoir été voleur de bestiaux ; et, sur son aveu, on l'a condamné à six ans de galères, sans compter deux cents coups de fouet qu'il porte déjà sur ses épaules. Il marche toujours triste et honteux, à cause que

s autres voleurs, aussi bien ceux qu'il laisse là-bas que
ceux qui l'accompagnent ici, le méprisent, le bafouent
et le maltraitent, parce qu'il a confessé le délit et n'a pas
eu le courage de tenir bon pour le nier; car ils disent qu'il
n'y a pas plus de lettres dans un *non* que dans un *oui*, et
que c'est trop de bonheur pour un accusé d'avoir sur sa
langue sa vie ou sa mort, et non pas sur la langue des
témoins et des preuves; et, quant à cela, je trouve que tout
le tort n'est pas de leur côté. — C'est bien aussi ce que je
pense », répondit don Quichotte, lequel, passant au troisième, lui fit la même question qu'aux autres; et celui-ci,
sans se faire tirer l'oreille, répondit d'un ton dégagé :
« Moi, je vais faire une visite de cinq ans à mesdames les
galères, faute de dix ducats. — J'en donnerais bien vingt
de bon cœur pour vous préserver de cette peine, s'écria
don Quichotte. — Cela ressemble, reprit le galérien, à
celui qui a sa bourse pleine au milieu de la mer et qui
meurt de faim, ne pouvant acheter ce qui lui manque.
Je dis cela, parce que, si j'avais eu en temps opportun
les vingt ducats que m'offre à présent Votre Grâce, j'aurais
graissé la patte du greffier, avivé l'esprit et la langue de
mon avocat, de manière que je me verrais aujourd'hui
au beau milieu de la place de Zocodover à Tolède, et
non le long de ce chemin, accouplé comme un chien de
chasse. Mais Dieu est grand, la patience bonne, et tout
est dit. »

Don Quichotte passa au quatrième. C'était un homme
de vénérable aspect, avec une longue barbe blanche qui
lui couvrait toute la poitrine; lequel s'entendant demander
pour quel motif il se trouvait à la chaîne, se mit à pleurer
sans répondre un mot; mais le cinquième condamné lui
servit de truchement. « Cet honnête barbon, dit-il, va pour
quatre ans aux galères, après avoir été promené en triomphe
dans les rues à cheval et magnifiquement vêtu. — Cela
veut dire, si je ne me trompe, interrompit Sancho, qu'il
a fait amende honorable, et qu'il est monté au pilori. —
Tout justement, reprit le galérien; et le délit qui lui a
valu cette peine, c'est d'avoir été courtier d'oreille et même
du corps tout entier; je veux dire que ce gentilhomme
est ici en qualité de Mercure galant, et parce qu'il avait
aussi quelques pointes et quelques grains de sorcellerie. —
De ces pointes et de ces grains, je n'ai rien à dire, répondit
don Quichotte; mais, quant à la qualité de Mercure galant
tout court, je dis que cet homme ne mérite pas d'aller aux
galères, si ce n'est pour y commander et pour en être
le général. Car l'office d'entremetteur d'amour n'est pas
comme le premier venu; c'est un office de gens habiles
et discrets, très nécessaire dans une république bien orga-
nisée, et qui ne devrait être exercé que par des gens de
bonne naissance et de bonne éducation. On devrait même
créer des inspecteurs et examinateurs pour cette charge

comme pour les autres, et fixer le nombre des membres en exercice, ainsi que pour les courtiers de commerce. De cette manière on éviterait bien des maux, dont la seule cause est que trop de gens se mêlent du métier ; gens sans tenue et sans intelligence, femmelettes, petits pages, drôles de peu d'années et de nulle expérience, qui, dans l'occasion la plus pressante, et quand il faut prendre un parti, ne savent plus reconnaître leur main droite de la gauche et laissent geler leur soupe de l'assiette à la bouche. Je voudrais pouvoir continuer ce propos et démontrer pourquoi il conviendrait de faire choix des personnes qui exerceraient dans l'Etat cet office si nécessaire ; mais ce n'est ici ni le lieu ni le temps. Quelque jour j'en parlerai à quelqu'un qui puisse y pourvoir. Je dis seulement aujourd'hui que la peine que m'a causée la vue de ces cheveux blancs et de ce vénérable visage, mis à si rude épreuve pour quelques messages d'amour, s'est calmée à cette autre accusation de sorcellerie. Je sais bien pourtant qu'il n'y a dans le monde ni charmes ni sortilèges qui puissent contraindre ou détourner la volonté, comme le pensent quelques simples. Nous avons parfaitement notre libre arbitre ; ni plantes ni enchantements ne peuvent lui faire violence. Ce que font quelques femmelettes par simplicité, ou quelques fripons par fourberie, ce sont des breuvages, des mixtures, de vrais poisons, avec lesquels ils rendent les hommes fous, faisant accroire qu'ils ont le pouvoir de les rendre amoureux, tandis qu'il est, comme je le dis, impossible de contraindre la volonté. — Cela est bien vrai, s'écria le bon vieillard. Et en vérité, seigneur, quant à la sorcellerie, je n'ai point de faute à me reprocher : je ne puis nier quant aux entremises d'amour ; mais jamais je n'ai cru mal faire en cela. Ma seule intention était que tout le monde se divertît, et vécût en paix et en repos, sans querelles comme sans chagrins. Mais ce désir charitable ne m'a pas empêché d'aller là d'où je pense bien ne plus revenir, tant je suis chargé d'années et tant je souffre d'une rétention d'urine qui ne me laisse pas un instant de répit. » A ces mots, le bonhomme se remit à pleurer de plus belle, et Sancho en prit tant de pitié qu'il tira de sa poche une pièce de quatre réaux et lui en fit aumône.

Don Quichotte, continuant son interrogatoire, demanda au suivant quel était son crime ; celui-ci, d'un ton non moins vif et dégagé que le précédent, répondit : « Je suis ici pour avoir trop folâtré avec deux de mes cousines germaines, et avec deux autres cousines qui n'étaient pas les miennes. Finalement, nous avons si bien joué tous ensemble aux petits jeux innocents qu'il en est arrivé un accroissement de famille tel et tellement embrouillé qu'un faiseur d'arbres généalogiques n'aurait pu s'y reconnaître. Je fus convaincu par preuves et témoignages ; la faveur me manqua, l'argent aussi, et je fus mis en danger de périr par la gorge. On m'a condamné à six ans de galères ; je n'ai point appelé : c'est la peine de ma faute. Mais je suis jeune, la vie est longue, et tant qu'elle dure il y a remède à tout. Si Votre Grâce, seigneur chevalier, a de quoi secourir ces pauvres gens, Dieu vous le payera dans le ciel, et nous aurons grand soin sur la terre de prier Dieu dans nos oraisons pour la santé et la vie de Votre Grâce, afin qu'il vous les donne aussi bonne et longue que le mérite votre respectable personne. » Celui-ci portait l'habit d'étudiant, et l'un des gardiens dit qu'il était très éloquent discoureur et fort avancé dans le latin.

Derrière tous ceux-là venait un homme d'environ trente ans, bien fait et de bonne mine, si ce n'est cependant que lorsqu'il regardait il mettait l'un de ses yeux dans l'autre. Il était attaché bien différemment de ses compagnons ; car il portait au pied une chaîne si longue qu'elle lui faisait, en remontant, le tour du corps, puis deux forts anneaux à la gorge, l'un rivé à la chaîne, l'autre comme une espèce de carcan duquel partaient deux barres de fer qui descendaient jusqu'à la ceinture et aboutissaient à deux menottes où il avait les mains attachées par de gros cadenas ; de manière qu'il ne pouvait ni lever ses mains à sa tête, ni baisser sa tête à ses mains. Don Quichotte demanda pourquoi cet homme portait ainsi bien plus de fers que les autres. Le gardien répondit que c'était parce qu'il avait commis plus de crimes à lui seul que tous les autres ensemble, et que c'était un si hardi et si rusé coquin que, même en le gardant de cette manière, ils n'étaient pas très sûrs de le tenir, et qu'ils avaient toujours peur qu'il ne vînt à leur échapper. « Mais quels grands crimes a-t-il donc faits, demanda don Quichotte, s'ils ne méritent pas plus que les galères ? — Il y est pour dix ans, répondit le gardien, ce qui emporte la mort civile. Mais il n'y a rien de plus à dire, sinon que c'est le fameux Ginès de Passamont, autrement dit Ginésille de Parapilla. — Holà ! seigneur commissaire, dit alors le galérien, tout doucement, s'il vous plaît, et ne nous amusons pas à épiloguer sur les noms et surnoms. Je m'appelle Ginès et non Ginésille ; et Passamont est mon nom de famille, non point Parapilla, comme vous dites. Et que chacun à la ronde se tourne et s'examine, et ce ne sera pas mal fait. — Parlez un peu moins haut, seigneur larron de la grande espèce, répliqua le commissaire, si vous n'avez envie que je vous fasse taire par les épaules. — On voit bien, reprit le galérien, que l'homme va comme il plaît à Dieu ; mais, quelque jour, quelqu'un saura si je m'appelle ou non Ginésille de Parapilla. — N'est-ce pas ainsi qu'on t'appelle, imposteur ? s'écria le gardien. — Oui, je le sais bien, reprit le forçat ; mais je ferai en sorte qu'on ne me donne plus ce nom, ou bien je m'arracherai la barbe, comme je le dis entre mes dents. Seigneur chevalier, si vous avez quelque

chose à nous donner, donnez-nous-le vite, et allez à la
garde de Dieu, car tant de questions sur la vie du prochain
commencent à nous ennuyer; et si vous voulez connaître
la mienne, sachez que je suis Ginès de Passamont, dont
l'histoire est écrite par les cinq doigts de cette main. — Il
dit vrai, reprit le commissaire; lui-même a écrit sa vie,
et si bien qu'on ne peut rien désirer de mieux. Mais il
a laissé le livre en gage dans la prison pour deux cents
réaux. — Et je pense bien le retirer, s'écria Ginès, fût-il
engagé pour deux cents ducats. — Est-il donc si bon?
demanda don Quichotte. — Si bon, reprit le galérien, qu'il
fera la barbe à *Lazarille de Tormès* et à tous ceux du
même genre écrits ou à écrire. Ce que je puis dire à Votre
Grâce, c'est qu'il rapporte des vérités, mais des vérités
si gracieuses et si divertissantes qu'aucun mensonge ne
peut en approcher. — Et quel est le titre du livre? demanda
don Quichotte. — *La Vie de Ginès de Passamont*, répondit
l'autre. — Est-il fini? reprit don Quichotte. — Comment
peut-il être fini, répliqua Ginès, puisque ma vie ne l'est
pas? Ce qui est écrit comprend depuis le jour de ma
naissance jusqu'au moment où l'on m'a condamné cette
dernière fois aux galères. — Vous y aviez donc été déjà?
reprit don Quichotte. — Pour servir Dieu et le roi, répondit
Ginès, j'y ai déjà fait quatre ans une autre fois, et
je connais le goût du biscuit et du nerf de bœuf,
et je n'ai pas grand regret d'y retourner encore, car
le temps d'y finir mon livre : il me reste une foule de bonnes
choses à dire, et, dans les galères d'Espagne, on a plus
de loisir que je n'en ai besoin, d'autant plus qu'il ne m'en
faut pas beaucoup pour ce qui me reste à écrire, car je le
sais déjà par cœur. — Tu as de l'esprit, lui dit don Quichotte. — Et du malheur, répondit Ginès, car le malheur
poursuit toujours l'esprit. — Poursuit toujours la scélé-
ratesse! s'écria le gardien. — Je vous ai déjà dit, seigneur
commissaire, répliqua Passamont, de parler plus doux.
Ces messieurs de la chancellerie ne vous ont pas mis cette
verge noire en main pour maltraiter les pauvres gens qui
sont ici, mais pour nous conduire où l'ordonne Sa Majesté.
Sinon, et par la vie de... Mais suffit. Quelque jour les
taches faites dans l'hôtellerie pourraient bien s'en aller
à la lessive; que chacun se taise, et vive bien, et parle
mieux encore; et suivons notre chemin, car c'est bien
assez de fadaises comme cela. » Le commissaire leva
sa baguette pour donner à Passamont la réponse à ses
menaces; mais don Quichotte, se jetant au-devant du coup,
le pria de ne point le frapper : « Ce n'est pas étonnant,
lui dit-il, que celui qui a les mains si bien attachées ait
du moins la langue un peu libre. » Puis, s'adressant à
tous les forçats de la chaîne, il ajouta : « De tout ce que
vous venez de me dire, mes très chers frères, je découvre
clairement que, bien qu'on vous ait punis pour vos fautes,

les châtiments que vous allez subir ne sont pas fort de
votre goût, et qu'enfin vous allez aux galères tout à fait
contre votre gré. Je découvre aussi que le peu de courage
qu'a montré l'un dans la question, le manque d'argent
pour celui-ci, pour celui-là le manque de faveur et, finalement, l'erreur ou la passion du juge, ont été les causes
de votre perdition, et vous ont privés de la justice qui
vous était due. Tout cela maintenant s'offre à ma mémoire
pour me dire et me persuader que je dois montrer à votre
égard pourquoi le ciel m'a mis au monde, pourquoi il
a voulu que je fisse profession dans l'ordre de chevalerie
dont je suis membre, et pourquoi j'ai fait vœu de porter
secours aux malheureux et aux faibles qu'oppriment les
forts. Mais, comme je sais qu'une des qualités de la prudence est de ne pas faire par la violence ce qui peut se
faire par la douceur, je veux prier messieurs les gardiens
et monsieur le commissaire de vouloir bien vous détacher
et vous laisser aller en paix ; d'autres ne manqueront pas
pour servir le roi en meilleures occasions, et c'est, à
vrai dire, une chose monstrueuse de rendre esclaves
ceux que Dieu et la nature ont faits libres. Et d'ailleurs,
seigneurs gardiens, continua don Quichotte, ces pauvres
diables ne vous ont fait nulle offense ; eh bien ! que chacun
d'eux reste avec son péché : Dieu est là-haut dans le ciel,
qui n'oublie ni de châtier le méchant ni de récompenser
le bon, et il n'est pas bien que des hommes d'honneur se
fassent les bourreaux d'autres hommes, quand ils n'ont
nul intérêt à cela. Je vous prie avec ce calme et cette douceur, afin d'avoir, si vous accédez à ma demande, à vous
remercier de quelque chose. Mais si vous ne le faites de
bonne grâce, cette lance et cette épée, avec la valeur de
mon bras, vous feront bien obéir par force.

— Voilà, pardieu, une gracieuse plaisanterie ! s'écria le
commissaire ; c'était bien la peine de tant lanterner pour
accoucher de cette belle idée. Tiens ! ne veut-il pas que
nous laissions aller les forçats du roi, comme si nous
avions le pouvoir de les lâcher, ou qu'il eût celui de nous
en donner l'ordre ! Allons donc, seigneur, passez votre
chemin, et redressez un peu le bassin que vous avez
sur la tête, sans vous mêler de chercher cinq pattes à
notre chat. — C'est vous qui êtes le chat, le rat, le forçat
et le goujat ! » s'écria don Quichotte. Et sans dire gare,
il s'élance sur lui avec tant de furie qu'avant que l'autre ait
eu le temps de se mettre en garde il le jette sur le carreau grièvement blessé d'un coup de lance. Le bonheur
voulut que ce fût justement l'homme à l'arquebuse. Les
autres gardes restèrent d'abord étonnés et stupéfaits à cette
attaque inattendue ; mais, reprenant bientôt leurs esprits, ils
empoignèrent, ceux à cheval leurs épées, ceux à pied
leurs piques, et assaillirent tous ensemble don Quichotte,
qui les attendait avec un merveilleux sang-froid. Et sans

doute il eût passé un mauvais quart d'heure si les galériens, voyant cette belle occasion de recouvrer la liberté,
n'eussent fait tous leurs efforts pour rompre la chaîne
où ils étaient attachés côte à côte. La confusion devint
alors si grande que les gardiens, tantôt accourant aux
forçats qui se détachaient, tantôt attaquant don Quichotte,
dont ils étaient attaqués, ne firent enfin rien qui vaille.
Sancho aidait de son côté à délivrer Ginès de Passamont,
qui prit le premier la clef des champs; et celui-ci, dès qu'il
se vit libre, sauta sur le commissaire abattu, lui prit son
épée et son arquebuse, avec laquelle, visant l'un, visant
l'autre, sans tirer jamais, il eut bientôt fait vider le champ
de bataille à tous les gardes, qui échappèrent, en fuyant,
aussi bien à l'arquebuse de Passamont qu'aux pierres que
leur lançaient sans relâche les autres galériens délivrés.

Sancho s'affligea beaucoup de ce bel exploit, se doutant
bien que ceux qui se sauvaient à toutes jambes allaient
rendre compte de l'affaire à la Sainte-Hermandad, laquelle
se mettrait, au son des cloches et des tambours, à la poursuite des coupables. Il communiqua cette crainte à son
maître, qu'il pria de s'éloigner bien vite du chemin et
de s'enfoncer dans la montagne qui était proche. « C'est
fort bien, répondit don Quichotte, mais je sais ce qu'il
convient de faire avant tout. » Appelant alors tous les
galériens qui couraient pêle-mêle, et qui avaient dépouillé
le commissaire jusqu'à la peau, ces honnêtes gens se
mirent en rond autour de lui pour voir ce qu'il leur voulait.
Don Quichotte leur tint ce discours : « Il est d'un homme
bien né d'être reconnaissant des bienfaits qu'il reçoit, et
l'un des péchés qui offensent Dieu davantage, c'est l'ingratitude. Je dis cela, parce que vous avez vu, seigneurs,
par manifeste expérience, le bienfait que vous avez reçu
de moi, en payement duquel je désire, ou plutôt telle est
ma volonté, que, chargés de cette chaîne dont j'ai délivré
vos épaules, vous vous mettiez immédiatement en chemin
pour vous rendre à la cité du Toboso; que là vous vous
présentiez devant ma dame, Dulcinée du Toboso, à laquelle
vous direz que son chevalier, celui de la Triste-Figure,
lui envoie ses compliments, et vous lui conterez mot
pour mot tous les détails de cette fameuse aventure,
jusqu'au moment où je vous ai rendu la liberté si désirée.
Après quoi vous pourrez vous retirer et vous en aller
chacun à la bonne aventure. »

Ginès de Passamont, se chargeant de répondre pour
tous, dit à don Quichotte : « Ce que Votre Grâce nous
ordonne, seigneur chevalier notre libérateur, est impossible à faire, de toute impossibilité; car nous ne pouvons
aller tous ensemble le long de ces grands chemins, mais,
au contraire, seuls, isolés, chacun tirant à part soi, et
s'efforçant de se cacher dans les entrailles de la terre, pour
n'être pas rencontrés par la Sainte-Hermandad, qui va

sans aucun doute lâcher ses limiers à nos trousses. Ce
que Votre Grâce peut faire, et ce qu'il est juste qu'elle
fasse, c'est de commuer ce service et cette obligation de
passage devant cette dame Dulcinée du Toboso en
quelques douzaines de *Credo* et d'*Ave Maria*, que nous
dirons en votre intention. C'est du moins une pénitence
qu'on peut faire de nuit et de jour, pendant la fuite comme
pendant le repos, en paix comme en guerre. Mais penser
que nous allons maintenant retourner en terre d'Égypte,
je veux dire que nous allons reprendre notre chaîne et
suivre le chemin du Toboso, c'est penser qu'il fait nuit
à présent, quoiqu'il ne soit pas dix heures du matin ; et
nous demander une telle folie, c'est demander des poires
à l'ormeau. — Eh bien ! je jure Dieu, s'écria don Quichotte, s'enflammant de colère, don fils de mauvaise maison, don Ginésille de Paropillo, ou comme on vous
appelle, que vous irez tout seul, l'oreille basse et la queue
entre les jambes, avec toute la chaîne sur le dos. » Passamont, qui n'était pas fort endurant de sa nature, et qui
n'était plus à s'apercevoir que la cervelle de don Quichotte
avait un faux pli, puisqu'il avait commis une aussi grande
extravagance que celle de leur rendre la liberté, se voyant
traiter si cavalièrement, cligna de l'œil à ses compagnons,
lesquels, s'éloignant tout d'une volée, firent pleuvoir sur
don Quichotte une telle grêle de pierres qu'il n'avait pas
assez de mains pour se couvrir de sa rondache ; et quant
au pauvre Rossinante, il ne faisait pas plus de cas de l'éperon que s'il eût été coulé en bronze. Sancho se jeta derrière
son âne et se défendit avec cet écu du nuage de pierres
qui crevait sur tous les deux. Mais don Quichotte ne put
pas si bien s'abriter que je ne sais combien de cailloux
ne l'atteignissent dans le milieu du corps, et si violemment
qu'ils l'emmenèrent avec eux par terre. Dès qu'il fut tombé,
l'étudiant lui sauta dessus, et lui ôta de la tête son plat
à barbe, dont il lui donna trois ou quatre coups sur les
épaules, puis qu'il frappa autant de fois sur la terre et
qu'il mit presque en morceaux. Ces vauriens prirent
ensuite au pauvre chevalier un pourpoint à doubles
manches qu'il portait par-dessus ses armes, et lui auraient
enlevé jusqu'à ses bas si l'armure des grèves n'en eût
empêché. Ils débarrassèrent aussi Sancho de son manteau
court, et le laissèrent en justaucorps ; puis, ayant partagé
entre eux tout le butin de la bataille, ils s'échappèrent
chacun de son côté, ayant plus de soin d'éviter la Sainte-
Hermandad, dont ils avaient grand-peur, que de se mettre
la chaîne au cou, et de se présenter en cet état devant
madame Dulcinée du Toboso. Il ne resta plus sur la place
que l'âne, Rossinante, Sancho et don Quichotte : l'âne,
pensif et tête basse, secouant de temps en temps les
oreilles, comme si l'averse de pierres n'eût pas encore
cessé ; Rossinante, étendu le long de son maître, car une

autre décharge l'avait aussi jeté sur le carreau; Sancho, en
manches de chemise, et tremblant à l'idée de la Sainte-
Hermandad; enfin don Quichotte, l'âme navrée de se voir
ainsi maltraité par ceux-là mêmes qui lui devaient un si
grand bienfait.

CHAPITRE XXIII

De ce qui arriva au fameux don Quichotte dans la Sierra-Morena,
l'une des plus rares aventures que rapporte cette véridique histoire.

Don Quichotte, se voyant en si triste état, dit à son
écuyer : « Toujours, Sancho, j'ai entendu dire que faire
du bien à de la canaille, c'est jeter de l'eau dans la mer.
Si j'avais cru ce que tu m'as dit, j'aurais évité ce déboire;
mais la chose est faite, prenons patience pour le moment,
et tirons expérience pour l'avenir. — Vous tirerez expérience, répondit Sancho, tout comme je suis Turc. Mais,
puisque vous dites que, si vous m'eussiez cru, vous eussiez
évité ce malheur, croyez-moi maintenant, et vous en évi-
terez un bien plus grand encore. Car je vous déclare qu'avec
la Sainte-Hermandad il n'y a pas de chevalerie qui tienne,
et qu'elle ne fait pas cas de tous les chevaliers errants
du monde pour deux maravédis. Tenez, il me semble déjà
que ses flèches me sifflent aux oreilles. — Tu es naturellement poltron, Sancho, reprit don Quichotte, mais,
afin que tu ne dises pas que je suis entêté, et que je ne fais
jamais ce que tu me conseilles, pour cette fois, je veux
suivre ton avis, et me mettre à l'abri de ce courroux qui
te fait si peur. Mais c'est à une condition : que jamais,
en la vie ou en la mort, tu ne diras à personne que je me
suis éloigné et retiré de ce péril par frayeur, mais bien pour
complaire à tes supplications. Si tu dis autre chose, tu
en auras menti, et dès à présent pour alors, comme alors
pour dès à présent, je te donne un démenti et dis que tu
mens et mentiras toutes les fois que tu diras ou penseras
pareille chose. Et ne me réplique rien; car, de penser
seulement que je m'éloigne d'un péril, de celui-ci principalement, où il me semble que je montre je ne sais quelle
ombre de peur, il me prend envie de rester là et d'y attendre
seul, non seulement cette Sainte-Hermandad ou confrérie
qui t'épouvante, mais encore les frères des douze tribus
d'Israël, et les sept frères Machabées, et les jumeaux
Castor et Pollux, et tous les frères, confrères et confréries
qu'il y ait au monde. — Seigneur, répondit Sancho, se
retirer ce n'est pas fuir, et attendre n'est pas sagesse quand
le péril surpasse l'espérance et les forces. Il est d'un homme

sage de se garder aujourd'hui pour demain, et de ne pas s'aventurer tout entier en un jour. Et sachez que, tout rustre et vilain que je suis, j'ai bien quelque idée pourtant de ce qu'on appelle se bien gouverner. Ainsi, ne vous repentez pas d'avoir suivi mon conseil ; montez plutôt sur Rossinante, si vous pouvez, ou sinon je vous aiderai ; et suivez-moi, car le cœur me dit que nous avons plus besoin maintenant de nos pieds que de nos mains. »

Don Quichotte monta sur sa bête sans répliquer un mot ; et, Sancho prenant les devants sur son âne, ils entrèrent dans une gorge de la Sierra-Morena, dont ils étaient proches. L'intention de Sancho était de traverser toute cette chaîne de montagnes et d'aller déboucher au Viso ou bien à Almodovar del Campo, après s'être cachés quelques jours dans ces solitudes, pour échapper à la Sainte-Hermandad, si elle se mettait à leur piste. Ce qui l'encouragea dans ce dessein, ce fut de voir que le sac aux provisions qu'il portait sur son âne avait échappé au pillage des galériens, chose qu'il tint à miracle, tant ces honnêtes gens avaient bien fureté et pris tout ce qui leur convenait.

Les deux voyageurs arrivèrent cette nuit même au cœur de la Sierra-Morena, où Sancho trouva bon de faire halte, et même de passer quelques jours, au moins tant que dureraient les vivres. Ils s'arrangèrent donc pour la nuit entre deux roches et quantité de grands lièges. Mais la destinée, qui selon l'opinion de ceux que n'éclaire point la vraie foi, ordonne et règle tout à sa fantaisie, voulut que Ginès de Passamont, cet insigne voleur qu'avaient délivré de la chaîne la vertu et la folie de don Quichotte, poussé par la crainte de la Sainte-Hermandad, qu'il redoutait avec juste raison, eût aussi songé à se cacher dans ces montagnes. Elle voulut de plus que sa frayeur et son étoile l'eussent conduit précisément où s'étaient arrêtés don Quichotte et Sancho Panza, qu'il reconnut aussitôt, et qu'il laissa paisiblement endormir. Comme les méchants sont toujours ingrats, comme la nécessité est l'occasion qui fait le larron, et que le présent fait oublier l'avenir, Ginès, qui n'avait pas plus de reconnaissance que de bonnes intentions, résolut de voler l'âne de Sancho Panza, se souciant peu de Rossinante, qui lui parut un aussi mauvais meuble à vendre qu'à mettre en gage. Sancho dormait ; Ginès lui vola son âne, et, avant que le jour vînt, il était trop loin pour qu'on pût le rattraper.

L'aurore parut, réjouissant la terre et attristant le bon Sancho Panza ; car, ne trouvant plus son âne, et se voyant sans lui, il se mit à faire les plus tristes et les plus doulou-reuses lamentations, tellement que don Quichotte s'éveilla au bruit de ses plaintes, et l'entendit qui disait en pleu-rant : « O fils de mes entrailles, né dans ma propre maison, jouet de mes enfants, délices de ma femme, envie de mes voisins, soulagement de mes charges, et finalement nourri-

cier de la moitié de ma personne, car, avec vingt-six maravédis que tu gagnais par jour, tu fournissais à la moitié
de ma dépense! » Don Quichotte, qui vit les pleurs de
Sancho et en apprit la cause, le consola par les meilleurs
raisonnements qu'il put trouver et lui promit de lui donner
une lettre de change de trois ânons sur cinq qu'il avait
laissés dans son écurie. A cette promesse, Sancho se
consola, sécha ses larmes, calma ses sanglots, et remercia
son maître de la faveur qu'il lui faisait.

Celui-ci, dès qu'il eut pénétré dans ces montagnes, qui
lui semblaient des lieux tout à fait propres aux aventures
qu'il cherchait, s'était senti le cœur bondir de joie. Il
repassait en sa mémoire ces merveilleux événements qui,
dans de semblables lieux, âpres et solitaires, étaient arrivés
à des chevaliers errants, et ces pensées l'absorbaient et
le transportaient au point qu'il oubliait toute autre chose.
Quant à Sancho, il n'avait d'autre souci, depuis qu'il
croyait cheminer en lieu sûr, que de restaurer son estomac
avec les débris qui restaient du butin fait sur les prêtres
du convoi. Il s'en allait derrière son maître, chargé de
tout ce qu'aurait dû porter le grison, et tirant du sac
pour mettre en son ventre; et il se trouvait si bien de
cette manière d'aller qu'il n'aurait pas donné une obole
pour rencontrer toute autre aventure. En ce moment il
leva les yeux et vit que son maître, s'étant arrêté, essayait
de soulever avec la pointe de sa lance je ne sais quel paquet
qui gisait par terre. Se hâtant alors d'aller lui aider, s'il
en était besoin, il arriva au moment où don Quichotte
soulevait sur le bout de sa pique un coussin et une valise
attachés ensemble, tous deux en lambeaux et à demi pour-
ris. Mais le paquet pesait tant que Sancho fut obligé de
l'aller prendre à la main, et son maître lui dit de voir
ce qu'il y avait dans la valise. Sancho s'empressa d'obéir,
et, quoiqu'elle fût fermée avec une chaîne et son cadenas,
il lui fut facile, par les trous qu'avait faits la pourriture,
de voir ce qu'elle contenait. C'étaient quatre chemises de
fine toile de Hollande, et d'autres hardes aussi élégantes
que propres; et de plus, Sancho trouva dans un mouchoir
un bon petit tas d'écus d'or. Dès qu'il les vit : « Béni soit
le ciel tout entier, s'écria-t-il, qui nous envoie enfin
une aventure à gagner quelque chose. » Il se remit à chercher, et trouva un petit livre de souvenirs richement relié.
« Donne-moi ce livre, lui dit don Quichotte; quant à l'argent, garde-le, je t'en fais cadeau. » Sancho lui baisa les
mains pour le remercier de cette faveur, et dévalisant la
valise, il mit la lingerie dans le sac aux provisions. A la
vue de toutes ces circonstances, don Quichotte dit à son
écuyer : « Il me semble, Sancho, et ce ne peut être autre
chose, que quelque voyageur égaré aura voulu traverser
ces montagnes, et que des brigands, l'ayant surpris au
passage, l'auront assassiné et seront venus l'enterrer

dans cet endroit désert. — Cela ne peut pas être, répondit Sancho; car des voleurs n'auraient point laissé l'argent. — Tu as raison, reprit don Quichotte, et je ne devine vraiment pas ce que ce peut être. Mais, attends, nous allons voir s'il n'y a pas dans ces tablettes quelque note d'où nous puissions dépister et découvrir ce que nous désirons savoir. » Il ouvrit le petit livre, et la première chose qu'il vit écrite, comme en brouillon, quoique d'une belle écriture, fut un sonnet qu'il lut à haute voix pour que Sancho l'entendît. Ce sonnet disait :

« Ou l'amour n'a point assez de discernement, ou il a trop de cruauté, ou bien ma peine n'est point en rapport avec la faute qui me condamne à la plus dure espèce de tourment.

« Mais, si l'amour est un dieu, personne n'ignore, et la raison le veut ainsi, qu'un dieu ne peut être cruel. Qui donc ordonne l'amère douleur que j'endure et que j'adore?

« Si je dis que c'est vous, Philis, je me trompe; car tant de mal ne peut sortir de tant de bien, et ce n'est pas du ciel que me vient cet enfer.

« Il faut donc mourir, voilà le plus certain; car au mal dont la cause est inconnue, ce serait miracle de trouver le remède. »

« Cette chanson-là ne nous apprend rien, dit Sancho; à moins pourtant que, par ce fil dont il y est question, nous ne tirions le peloton de toute l'aventure. — De quel fil parles-tu? demanda don Quichotte. — Il me semble, répondit Sancho, que Votre Grâce a parlé de fil. — De Philis j'ai parlé, reprit Don Quichotte, et c'est sans doute le nom de la dame dont se plaint l'auteur de ce sonnet; et, par ma foi! ce doit être un poète passable, ou je n'entends rien au métier. — Comment donc! s'écria Sancho; est-ce que Votre Grâce s'entend aussi à composer des vers? — Et plus que tu ne penses, répondit don Quichotte. C'est ce que tu verras bientôt, quand tu porteras à Mme Dulcinée du Toboso une lettre écrite en vers du haut en bas. Il faut que tu saches, Sancho, que tous, ou du moins la plupart des chevaliers errants des temps passés, étaient de grands troubadours, c'est-à-dire de grands poètes et de grands musiciens; car ces deux talents, ou ces deux grâces, pour les mieux nommer, sont essentielles aux amoureux errants. Il est vrai que les strophes des anciens chevaliers ont plus de vigueur que de délicatesse. — Lisez autre chose, dit Sancho; peut-être trouverez-vous de quoi nous satisfaire. » Don Quichotte tourna la page. « Ceci est de la prose, dit-il, et ressemble à une lettre. — A une lettre missive? demanda Sancho. — Elle me semble, au commencement, qu'une lettre d'amour, répondit don Quichotte. — Eh bien! que Votre Grâce ait la bonté de lire tout haut, reprit Sancho; j'aime infiniment ces histoires d'amour. — Volontiers », dit

on Quichotte ; et, lisant à haute voix, comme Sancho l'en
avait prié, il trouva ce qui suit :

« La fausseté de tes promesses et la certitude de mon
malheur me conduisent en un lieu d'où arriveront plus
tôt à tes oreilles la nouvelle de ma mort que les expressions
de mes plaintes. Tu m'as trahi, ingrate, pour un homme
qui a plus, mais qui ne vaut pas plus que moi. Si la vertu
était estimée une richesse, je n'envierais pas le bonheur
d'autrui, et je ne pleurerais pas mon propre malheur. Ce
qu'avait fait ta beauté, tes actions l'ont détruit. Par l'une,
je te crus un ange ; par les autres, j'ai reconnu que tu étais
une femme. Reste en paix, toi qui me fais la guerre ; et
fasse le ciel que les perfidies de ton époux demeurent toujours cachées, afin que tu ne te repentes point de ce que tu
as fait, et que je ne tire pas vengeance de ce que je ne désire
plus. »

Quand don Quichotte eut achevé de lire cette lettre :
« Elle nous en apprend encore moins que les vers, dit-il,
si ce n'est pourtant que celui qui l'a écrite est quelque amant
rebuté. » Feuilletant ensuite le livre en entier, il y trouva
d'autres poésies et d'autres lettres, tantôt lisibles, tantôt
effacées. Mais elles ne contenaient autre chose que des
plaintes, des lamentations, des reproches, des plaisirs et des
peines, des faveurs et des mépris, célébrant les unes et
déplorant les autres.

Pendant que don Quichotte faisait l'examen des tablettes,
Sancho faisait celui de la valise, sans y laisser, non plus que
dans le coussin, un coin qu'il ne visitât, un repli qu'il ne
furetât, une couture qu'il ne rompît, un flocon de laine
qu'il ne triât soigneusement, pour que rien ne se perdît
faute de diligence et d'attention ; tant lui avaient éveillé
l'appétit les écus d'or déjà trouvés et dont le nombre passait la centaine ! Bien qu'il ne rencontrât rien de plus que
cette trouvaille, il donna pour bien employés les sauts sur
la couverture, les vomissements du baume de Fierabras,
les caresses des gourdins, les coups de poing du muletier,
l'enlèvement du bissac, le vol du manteau, et toute la faim,
la soif et la fatigue qu'il avait souffertes au service de son
bon seigneur, trouvant qu'il en était plus que payé et
récompensé par l'abandon du trésor découvert.

Le chevalier de la Triste-Figure conservait un grand
désir de savoir quel était le maître de la valise, conjectu-
rant par le sonnet et la lettre, par la monnaie d'or et par
les chemises fines, qu'elle devait avoir appartenu à quelque
amoureux de haut étage, que les dédains et les perfidies
de sa dame avaient conduit à quelque fin désespérée. Mais,
comme en cet endroit âpre et sauvage il ne se trouvait personne dont il pût recueillir des informations, il ne pensa
qu'à passer outre, sans prendre d'autre chemin que celui
qui convenait à Rossinante, c'est-à-dire où la pauvre bête
pouvait mettre un pied devant l'autre, et s'imaginant tou-

jours qu'au travers de ces broussailles devait enfin s'offrir
quelque étrange aventure. Tandis qu'il cheminait dans ces
pensées, il aperçut tout à coup, à la cime d'un monticule
qui se trouvait en face de lui, un homme qui allait sautant
de roche en roche et de buisson en buisson avec une étonnante légèreté. Il crut reconnaître qu'il était à demi nu, la
barbe noire et touffue, les cheveux longs et en désordre, la
tête découverte, les pieds sans chaussures et les jambes
sans aucun vêtement. Des chausses, qui semblaient de
velours jaune, lui couvraient les cuisses, mais tellement en
lambeaux qu'elles laissaient voir la chair en plusieurs
endroits. Bien qu'il eût passé avec la rapidité de l'éclair,
cependant tous ces détails furent remarqués et retenus par
le chevalier de la Triste-Figure. Celui-ci aurait bien voulu
le suivre; mais il n'était pas donné aux faibles jarrets de
Rossinante de courir à travers ces pierrailles, ayant d'ailleurs de sa nature le pas court et l'humeur flegmatique.
Don Quichotte s'imagina aussitôt que ce devait être le
maître de la valise, et il résolut à part soi de se mettre à sa
poursuite, dût-il, pour le trouver, courir toute une année
par ces montagnes. Il ordonna donc à Sancho de prendre
par un côté du monticule, tandis qu'il prendrait par l'autre,
espérant, à la faveur d'une telle manœuvre, rencontrer cet
homme qui avait disparu si vite à leurs yeux. « Je ne puis
faire ce que vous commandez, répondit Sancho; car, dès
que je quitte Votre Grâce, la peur est avec moi, qui m'assaille de mille espèces d'alarmes et de visions. Et ce que je
dis là doit vous servir d'avis pour que dorénavant vous ne
m'éloigniez pas d'un doigt de votre présence. — J'y
consens, reprit le chevalier de la Triste-Figure, et je suis
ravi que tu aies ainsi confiance en mon courage, qui ne te
manquera pas, quand même l'âme te manquerait au corps.
Viens donc derrière moi, pas à pas, ou comme tu pourras,
et fais de tes yeux des lanternes. Nous ferons le tour de ces
collines, et peut-être tomberons-nous sur cet homme que
nous venons d'entrevoir, et qui, sans aucun doute, n'est
autre que le maître de notre trouvaille. — En ce cas, répondit Sancho, il vaut bien mieux ne pas le chercher; car, si
nous le trouvons, et s'il est par hasard le maître de l'argent,
il est clair que me voilà contraint de le lui restituer. Il vaut
mieux, dis-je, sans faire ces inutiles démarches, que je reste
en possession de bonne foi, jusqu'à ce que, sans tant de
curiosité et de diligence, le véritable propriétaire vienne à
se découvrir. Ce sera peut-être après que j'aurai dépensé
l'argent, et alors le roi m'en fera quitte. — Tu te trompes en
cela, Sancho, répondit don Quichotte. Dès que nous soupçonnons que c'est le maître de cet argent que nous avons
eu devant les yeux, nous sommes obligés de le chercher et
de lui faire restitution; et si nous ne le cherchions pas, la
seule puissante présomption qu'il en est le maître nous
mettrait dans la même faute que s'il l'était réellement.

Ainsi donc, ami Sancho, n'aie pas de peine de le chercher
car ce sera m'en ôter une grande si je le trouve. » Cela dit,
il donna de l'éperon à Rossinante, et Sancho le suivit à pied,
portant la charge de l'âne, grâce à Ginès de Passamont.

Quand ils eurent presque achevé le tour de la montagne,
ils trouvèrent, au bord d'un ruisseau, le cadavre d'une mule
portant encore la selle et la bride, à demi dévoré par les
loups et les corbeaux; ce qui confirma davantage leur soupçon que ce fuyard était le maître de la valise et de la mule.
Pendant qu'ils la considéraient, ils entendirent un coup de
sifflet, comme ceux des pâtres qui appellent leurs troupeaux;
puis tout à coup, à leur main gauche, ils virent paraître
une grande quantité de chèvres, et derrière elles parut, sur
le haut de la montagne, le chevrier qui les gardait, lequel
était un homme d'âge. Don Quichotte l'appela aussitôt à
grands cris et le pria de descendre auprès d'eux. L'autre
répondit en criant de même, et leur demanda comment ils
étaient venus dans un lieu qui n'était guère foulé que par
le pied des chèvres, ou des loups et d'autres bêtes sauvages.
Sancho lui répliqua qu'il n'avait qu'à descendre, et qu'on
lui rendrait bon compte de toute chose. Le chevrier descendit donc et, en arrivant auprès de don Quichotte, il lui
dit : « Je parie que vous êtes à regarder la mule de louage
qui est morte dans ce ravin. Eh bien! de bonne foi, il y a
bien six mois qu'elle est à la même place. Mais, dites-moi,
avez-vous rencontré par là son maître ? — Nous n'avons
rencontré personne, répondit don Quichotte, mais seulement un coussin et une valise que nous avons trouvés près
d'ici. — Je l'ai bien aussi trouvée, moi, cette valise, repartit
le chevrier; mais je n'ai voulu ni la relever ni m'en approcher tant seulement, craignant quelque malheur, et qu'on
ne m'accusât de l'avoir eue par vol; car le diable est fin, et il
jette aux jambes de l'homme de quoi le faire trébucher et
tomber, sans savoir pourquoi ni comment. — C'est justement ce que je te disais, répondit Sancho; moi aussi, je l'ai
trouvée, mais je n'ai pas voulu m'en approcher d'un jet de
pierre. Je l'ai laissée là-bas, où elle est comme elle était, car
je n'aime pas attacher des grelots aux chiens. — Dites-moi,
bonhomme, reprit don Quichotte, savez-vous, par hasard,
quel est le maître de ces objets ? — Ce que je saurai vous
dire, répondit le chevrier, c'est qu'il y a au pied de six mois
environ qu'à des huttes de bergers, qui sont comme à
trois lieues d'ici, arriva un jeune homme de belle taille et de
bonne façon, monté sur cette même mule qui est morte par
là, et avec cette même valise que vous dites avoir trouvée et
n'avoir pas touchée. Il nous demanda quel était l'endroit
de la montagne le plus âpre et le plus désert. Nous lui
dîmes que c'était celui où nous sommes à présent; et c'est
bien la vérité, car si vous entriez une demi-lieue plus avant,
peut-être ne trouveriez-vous plus moyen d'en sortir, et je
m'émerveille que vous ayez pu pénétrer jusqu'ici, car il n'y

a chemin ni sentier qui conduise en cet endroit. Je dis donc qu'en écoutant notre réponse, le jeune homme tourna bride et s'achemina vers le lieu que nous lui avions indiqué, nous laissant tous ravis de sa bonne mine et de la hâte qu'il se donnait à s'enfoncer dans le plus profond de la montagne. Et depuis lors nous ne le vîmes plus jamais, jusqu'à ce que, quelques jours après, il coupa le chemin à l'un de nos pâtres; et sans lui rien dire, il s'approcha de lui et lui donna une quantité de coups de pied et de coups de poing. Ensuite, il s'en fut à la bourrique aux provisions, lui prit tout le pain et le fromage qu'elle portait, et, cela fait, il s'enfuit et rentra dans la montagne plus vite qu'un cerf. Quand nous apprîmes cette aventure, nous nous mîmes, quelques chevriers et moi, à le chercher presque pendant deux jours, dans le plus épais des bois de la montagne, au bout desquels nous le trouvâmes blotti dans le creux d'un gros liège. Il vint à nous avec beaucoup de douceur, mais les habits déjà en pièces, et le visage si défiguré, si brûlé du soleil qu'à peine nous le reconnaissions; si bien que ce furent ses habits, tout déchirés qu'ils étaient, qui, par le souvenir que nous en avions gardé, nous firent entendre que c'était bien là celui que nous cherchions. Il nous salua très poliment; puis, en de courtes mais bonnes raisons, il nous dit de ne pas nous étonner de le voir aller et vivre de la sorte, que c'était pour accomplir certaine pénitence que lui avaient fait imposer ses nombreux péchés. Nous le priâmes de nous dire qui il était; mais nous ne pûmes jamais l'y décider. Nous lui dîmes aussi, quand il aurait besoin de nourriture et de provisions, de nous indiquer où nous le trouverions, parce que nous lui en porterions de bon cœur et très exactement; et, si cela n'était pas plus de son goût, qu'il vînt les demander, mais non les prendre de force aux bergers. Il nous remercia beaucoup de nos offres, nous demanda pardon des violences passées et nous promit de demander dorénavant sa nourriture pour l'amour de Dieu sans faire aucun mal à personne. Quant à son habitation, il nous dit qu'il n'en avait pas d'autre que celle qu'il pouvait rencontrer où la nuit le surprenait; enfin, après ces demandes et ces réponses, il se mit à pleurer si tendrement que nous aurions été de pierre, nous tous qui étions à l'écouter, si nous n'eussions fondu en larmes. Il suffisait de considérer comment nous l'avions vu la première fois et comment nous le voyions alors; car, ainsi que je vous l'ai dit, c'était un gentil et gracieux jeune homme, et qui montrait bien, dans la politesse de ses propos, qu'il était de bonne naissance et richement élevé, si bien que nous étions tous rustres, et que, pourtant, sa gentillesse était si grande qu'elle se faisait reconnaître même par la rusticité. Et tout à coup pendant qu'il était au milieu de sa conversation, le voilà qui s'arrête, qui devient muet, qui cloue ses yeux en terre un bon morceau de temps, et nous voilà tous tonnés, inquiets, attendant comment allait finir cette extase, et prenant de lui grande pitié; en effet, comme tantôt il ouvrait de grands yeux, tantôt les fermait, tantôt regardait à terre sans ciller, puis serrait les lèvres et fronçait les sourcils, nous reconnûmes facilement qu'il était pris de quelque accident de folie. Mais il nous fit bien vite voir que nous pensions vrai; car il se releva tout à coup, furieux, de la terre où il s'était couché, et se jeta sur le premier qu'il trouva près de lui, avec tant de vigueur et de rage que, si nous ne le lui eussions arraché des mains, il le tuait à coups de poing et à coups de dents. Et tout en le frappant, il disait : « Ah! traître de Fernand! c'est ici, c'est ici que tu me payeras le tour infâme que tu m'as joué; ces mains vont t'arracher le cœur où logent et trouvent asile toutes les perversités réunies, principalement la fraude et la trahison »; et il ajoutait à cela d'autres propos qui tendaient tous à mal parler de ce Fernand, et à l'appeler traître et perfide. Enfin, nous lui ôtâmes, non sans peine, notre pauvre camarade, et alors, sans dire un mot, il s'éloigna de nous à toutes jambes et disparut si vite entre les roches et les broussailles qu'il nous fut impossible de le suivre. Nous avons de là conjecturé que la folie le prenait par accès, et qu'un particulier nommé Fernand a dû lui faire quelque méchant tour, aussi cruel que le montre l'état où il l'a réduit. Et tout cela s'est confirmé depuis par le nombre de fois qu'il est venu à notre rencontre, tantôt pour demander aux bergers de lui donner une part de leurs provisions, tantôt pour la leur prendre de force; car, quand il est dans ses accidents de folie, les bergers ont beau lui offrir de bon cœur ce qu'ils ont, il ne veut rien recevoir; mais il prend à coups de poing. Au contraire, quand il est dans son bon sens, il demande pour l'amour de Dieu, avec beaucoup de politesse, et quand il a reçu, il fait tout plein de remercîments, sans manquer de pleurer aussi. Et je puis vous dire, en toute vérité, seigneurs, continua le chevrier, qu'hier nous avons résolu, moi et quatre bergers, dont deux sont mes pâtres, et deux mes amis, de le chercher jusqu'à ce que nous le trouvions, et, quand nous l'aurons trouvé, de le conduire, de gré ou de force, à la ville d'Almodovar, qui est à huit lieues d'ici; et là nous le ferons guérir si son mal peut être guéri, ou du moins nous saurons qui il est, quand il aura son bon sens, et s'il a des parents auxquels nous puissions donner avis de son malheur. Voilà, seigneurs, tout ce que je puis vous dire touchant ce que vous m'avez demandé et comptez bien que le maître des effets que vous avez trouvés est justement le même homme que vous avez vu passer avec d'autant plus de légèreté que ses habits ne le gênent guère. »

Don Quichotte qui avait dit, en effet, au chevrier comment il avait vu courir cet homme à travers les broussailles, resta tout surpris de ce qu'il venait d'entendre; et, sentant s'accroître son désir de savoir qui était ce malheureux fou,

il résolut de poursuivre sa première pensée, et de le chercher par toute la montagne, sans y laisser une caverne, une
fente, un trou qu'il ne visitât jusqu'à ce qu'il l'eût trouvé.
Mais la fortune arrangea mieux les choses qu'il ne l'espérait; car, en ce même instant, parut, dans une gorge de la
montagne qui débouchait sur eux, le jeune homme qu'il
voulait chercher. Celui-ci s'avançait en marmottant dans
ses lèvres des paroles qu'il n'eût pas même été possible
d'entendre de près. Son costume était tel qu'on l'a dépeint;
seulement lorsqu'il fut proche, don Quichotte s'aperçut
qu'un pourpoint en lambeaux qu'il portait sur les épaules
était de peau de daim parfumée d'ambre; ce qui acheva de
le convaincre qu'une personne qui portait de tels habits ne
pouvait être de basse condition. Quand le jeune homme
arriva près d'eux, il les salua d'une voix rauque et brusque,
mais avec beaucoup de courtoisie. Don Quichotte lui rendit ses saluts avec non moins de civilité et, mettant pied à
terre, il alla l'embrasser avec une grâce affectueuse et le tint
quelques minutes étroitement serré sur sa poitrine, comme
s'il l'eût connu depuis longues années. L'autre, que nous
pouvons bien appeler le *Déguenillé de la mauvaise mine*,
comme don Quichotte le *chevalier de la Triste-Figure*, après
s'être laissé donner l'embrassade, l'écarta un peu de lui, et,
posant les deux mains sur les épaules de don Quichotte, il
se mit à le regarder comme s'il eût voulu chercher à le
reconnaître, n'étant peut-être pas moins surpris de voir la
figure, l'air et les armes de don Quichotte, que don Quichotte ne l'était de le voir lui-même en cet état. Finalement,
le premier qui parla, après leur longue accolade, ce fut le
Déguenillé, qui dit ce que nous rapporterons plus loin.

CHAPITRE XXIV

Où se continue l'histoire de la Sierra-Morena.

L'histoire rapporte que don Quichotte écoutait avec une extrême attention le misérable chevalier de la Montagne, lequel, poursuivant l'entretien, lui dit : « Assurément, seigneur, qui que vous soyez, car je ne vous connais pas, je vous rends grâce des marques de courtoisie et d'affection que vous me donnez ; et je voudrais me trouver en position de répondre autrement que par ma bonne volonté à celle que vous me témoignez dans l'aimable accueil que je reçois de vous. Mais ma triste destinée ne me donne rien autre chose, pour correspondre aux bons offices qui me sont rendus, que de bons désirs de les reconnaître.

— Les miens, repartit don Quichotte, sont de vous servir, tellement que j'avais résolu de ne pas sortir de ces montagnes jusqu'à ce que je vous eusse découvert, et que j'eusse appris de votre bouche si la douleur dont l'étrangeté de votre vie montre que vous êtes atteint peut trouver quelque espèce de remède, pour le chercher, dans ce cas, avec toute la diligence possible. Et si votre malheur est de ceux qui tiennent la porte fermée à toute espèce de consolation, je voulais du moins vous aider à le supporter, en mêlant aux vôtres mes gémissements et mes pleurs ; car, enfin, c'est un soulagement dans les peines que de trouver quelqu'un qui s'y montre sensible. Si donc mes bonnes intentions méritent d'être récompensées par quelque preuve de courtoisie, je vous supplie, seigneur, par celle que je vois briller en vous, et je vous conjure aussi par l'objet que vous avez aimé, ou que vous aimez le plus au monde, de me dire qui vous êtes et quel motif vous a poussé à vivre et à mourir comme une bête brute au milieu de ces solitudes, où vous séjournez si différent de vous-même, ainsi que le prouvent les dehors de votre personne. Je jure, continua don Quichotte, par l'ordre de chevalerie que j'ai reçu, quoique pécheur indigne, et par la profession de chevalier errant, que si vous consentez, seigneur, à me complaire en cela, je vous servirai avec toute l'ardeur et le dévouement auxquels je suis tenu, étant ce que je suis, soit en soulageant votre disgrâce, s'il s'y trouve quelque remède, soit, comme je vous l'ai promis, en vous aidant à la pleurer. »

Le chevalier de la Forêt, qui entendait parler de cette façon celui de la Triste-Figure, ne faisait autre chose que le regarder, l'examiner, le considérer du haut en bas, et quand il l'eut contemplé tout à son aise : « Si l'on a, dit-il, quelque chose à me donner à manger, qu'on me le donne pour l'amour de Dieu; et quand j'aurai mangé, je ferai et je dirai tout ce qu'on voudra, en reconnaissance des bonnes intentions qui me sont témoignées. » Aussitôt Sancho tira de son bissac et le chevrier de sa panetière ce qu'il fallait au Déguenillé pour apaiser sa faim. Celui-ci se jeta sur ce qu'on lui offrit, comme un être abruti et stupide, et se mit à manger avec une voracité qu'une bouchée n'attendait pas l'autre, et qu'il semblait plutôt les engloutir que les avaler. Tant qu'il mangea, ni lui ni ceux qui le regardaient ne soufflèrent mot; mais dès qu'il eut fini son repas, il leur fit signe de le suivre, et les conduisit dans une petite prairie verte et fraîche qui se trouvait près de là au détour d'un rocher. En arrivant à cet endroit, il s'étendit sur l'herbe, les autres firent de même, et tout cela sans rien dire, jusqu'à ce qu'enfin le chevalier Déguenillé, s'étant bien arrangé dans sa place, leur parla de la sorte : « Si vous voulez, seigneurs, que je vous conte en peu de mots l'immensité de mes malheurs, il faut que vous me promettiez que, par aucune question, par aucun geste, vous n'interromprez le fil de ma triste histoire; car à l'instant où vous le feriez, ce que je raconterais en resterait là. » Ce préambule du chevalier Déguenillé rappela aussitôt à la mémoire de don Quichotte l'histoire que lui avait contée son écuyer, et qui resta suspendue faute d'avoir trouvé le nombre de chèvres qui avaient passé la rivière. Cependant le Déguenillé poursuivit : « Si je prends cette précaution, dit-il, c'est parce que je voudrais passer rapidement sur l'histoire de mes infortunes; car les rappeler à ma mémoire ne peut servir à rien qu'à m'en causer de nouvelles; et moins vous m'interrogerez, plus tôt j'aurai fait de les dire; mais je n'omettrai rien toutefois de ce qui a quelque importance pour satisfaire pleinement votre curiosité. » Don Quichotte lui fit, au nom de tous, la promesse qu'il ne serait point interrompu; et lui, comptant sur cette assurance, commença de la sorte :

« Mon nom est Cardénio, mon pays une des principales villes de l'Andalousie, ma famille noble, mes parents riches, et mon malheur si grand que mes parents l'auront pleuré et que ma famille l'aura ressenti, sans que leur richesse puisse l'adoucir; car pour remédier aux maux que le ciel envoie, les biens de la fortune ont peu de puissance. Dans ce même pays vivait un ange du ciel, en qui l'amour avait placé toutes les perfections, toutes les gloires qu'il me fût possible d'ambitionner. Telle était la beauté de Luscinde,

demoiselle aussi noble, aussi riche que moi, mais plus
heureuse et moins constante que ne méritaient mes honnêtes sentiments. Cette Luscinde, je l'aimai, je l'adorai
dès mes plus tendres années. Elle aussi, elle m'aima avec
cette innocence et cette naïveté que permettait son jeune
âge. Nos parents s'étaient aperçus de notre mutuelle
affection, mais sans regret, car ils voyaient bien qu'en
continuant au delà de l'enfance, elle ne pouvait avoir d'autre
fin que le mariage, chose que semblait arranger d'avance
l'égalité de notre noblesse et de nos fortunes. Pour tous
deux, en effet, l'amour grandit avec l'âge, et le père de
Luscinde crut devoir, par bienséance, me refuser l'entrée
de sa maison, imitant ainsi les parents de cette Thisbé
tant de fois célébrée par les poètes. Cette défense de nous
voir ne fit qu'ajouter un désir au désir, une flamme à la
flamme ; car, bien qu'elle imposât silence à nos lèvres, elle
ne put l'imposer à nos plumes, lesquelles savent, plus
librement que la langue, faire entendre à qui l'on veut les
sentiments que l'âme renferme, puisque souvent la présence de l'objet aimé trouble la résolution la mieux arrêtée
et rend muette la langue la plus hardie. O ciel ! combien de
billets je lui écrivis ! combien de réponses je reçus, honnêtes et tendres ! combien de chansons je composai, et de
vers amoureux, où mon âme déclarait ses sentiments
secrets, peignait ses désirs brûlants, entretenait ses souvenirs, et se délassait de ses transports ! A la fin, me voyant
réduit au désespoir, et sentant que mon âme se consumait
dans l'envie de revoir Luscinde, je résolus de tenter et de
mettre en œuvre ce qui me semblait le plus convenable
pour atteindre le prix si désiré et si mérité de mon amour,
c'est-à-dire de la demander à son père pour légitime
épouse. Je le fis en effet ; il me répondit qu'il était sensible
à l'intention que je montrais de vouloir l'honorer de mon
alliance et m'honorer de la sienne ; mais que, mon père
vivant encore, c'était à lui qu'il appartenait à juste droit
de faire cette demande, car si cette union n'était pleinement
de son agrément et de son goût, Luscinde n'était point une
femme à prendre un mari et à se donner pour épouse à la
dérobée. Comme il me parut avoir raison en tout ce qu'il
disait, je lui rendis grâce de ses bonnes intentions, et j'es-
pérai que mon père donnerait son consentement dès que
je le lui demanderais.

« Dans cet espoir, j'allai à l'instant même dire à mon
père quel était mon désir. Mais au moment où j'entrai dans
son appartement, je le trouvai tenant à la main une lettre
ouverte, qu'il me remit avant que je lui eusse dit une parole.
« Cardénio, me dit-il, tu verras par cette lettre que le duc
Ricardo te veut du bien. » Le duc Ricardo, comme vous
devez le savoir, seigneurs, est un grand d'Espagne qui a
ses terres dans la plus belle contrée de l'Andalousie. Je pris
la lettre, je la lus, et je vis qu'elle était conçue en termes tels

qu'à moi-même il me parut impossible que mon père manquât de condescendre à ce qui lui était demandé. Le duc le priait de m'envoyer aussitôt où il résidait, disant qu'il voulait que je fusse, non point attaché à la personne de son fils aîné, mais son compagnon, et qu'il se chargeait de me placer en une situation qui répondît à l'estime qu'il avait pour moi. Je devins muet à la lecture de cette lettre, et surtout quand j'entendis mon père ajouter : « D'ici à deux jours, Cardénio, tu partiras pour obéir à la volonté du duc, et rends grâces à Dieu, qui t'ouvre un chemin par lequel tu dois atteindre à ce que tu mérites. » A ces propos, il ajouta les conseils que donne un père en cette occasion. Le moment de mon départ arriva. J'avais entretenu Luscinde la nuit précédente et lui avais conté tout ce qui se passait. J'en avais également rendu compte à son père, en le suppliant de me garder quelque temps sa parole et de différer de prendre un parti pour sa fille, au moins jusqu'à ce que je susse ce que Ricardo voulait de moi. Il m'en fit la promesse, et Luscinde la confirma par mille serments, par mille défaillances. Je me rendis enfin auprès du duc Ricardo, et je reçus de lui un accueil si bienveillant qu'aussitôt l'envie s'éveilla parmi les gens de sa maison, car il leur sembla que les marques d'intérêt dont me comblait le duc étaient à leur préjudice. Mais celui de tous qui témoigna le plus de joie de mon arrivée, ce fut son second fils, appelé don Fernand, beau jeune homme, de nobles manières, libéral, et facile à s'éprendre, lequel voulut bientôt que je fusse à tel point son ami que notre liaison fit gloser tout le monde. L'aîné m'aimait sans doute, et me traitait avec distinction, mais sans avoir pour moi, néanmoins, l'affection et l'intimité de don Fernand. Or il arriva que, comme entre amis rien n'est secret, et que la privauté dont je jouissais auprès de don Fernand avait cessé de s'appeler ainsi pour devenir amitié, il me confiait toutes ses pensées, entre autres un sentiment amoureux qui lui causait quelque souci. Il aimait une jeune paysanne, vassale de son père, dont les parents étaient très riches, et si belle, si spirituelle, si sage que ceux qui la connaissaient ne savaient en laquelle de ces qualités elle excellait davantage. Tant d'attraits réunis en la belle paysanne enflammèrent à tel point les désirs de don Fernand qu'il résolut, pour faire sa conquête, et tout autre moyen demeurant sans succès, de lui donner parole de l'épouser. Pour répondre à l'amitié qu'il me portait, je me crus obligé de chercher, par les plus puissantes raisons et les exemples les plus frappants que je pus trouver, à le détourner d'un tel dessein ; et, voyant que mes remontrances étaient vaines, je résolus de tout découvrir au duc son père. Mais don Fernand, adroit et fin, se douta que je prendrais ce parti ; car il vit bien qu'en serviteur loyal je ne pouvais tenir cachée une chose si déshonorante pour le duc mon seigneur. Aussi, voulant me distraire et me

tromper, il me dit qu'il ne trouvait pas de meilleur remède
pour écarter de son souvenir la beauté qui l'avait soumis
que de s'absenter quelques mois, et qu'il voulait en conséquence que nous vinssions tous deux chez mon père, en
donnant au duc le prétexte d'aller acheter quelques bons
chevaux dans ma ville natale, où s'élèvent les meilleurs de
l'univers. Quand je l'entendis ainsi parler, poussé par ma
tendresse, j'aurais approuvé sa résolution, fût-elle moins
sage, comme la plus judicieuse qui se pût imaginer, en
voyant quelle heureuse occasion elle m'offrait de revoir ma
Luscinde. Dans cette pensée et dans ce désir, j'approuvai
son avis, je l'affermis en son dessein, et lui conseillai de le
mettre en pratique sans retard, disant que l'absence, en
dépit des plus fermes sentiments, a d'infaillibles effets. Mais,
comme je l'appris ensuite, don Fernand ne m'avait fait
cette proposition qu'après avoir abusé de la jeune paysanne
sous le faux titre de son époux, et il cherchait une occasion
de se mettre en sûreté avant d'être découvert, craignant le
courroux que ferait éclater son père en apprenant sa faute.
Comme, chez la plupart des jeunes gens, l'amour ne mérite
pas ce nom, que c'est un désir passager qui n'a d'autre but
que le plaisir, et qu'une fois celui-ci obtenu l'autre s'éteint,
ce qui n'arrive point à l'amour véritable, aussitôt que
don Fernand eut possédé la paysanne, ses désirs s'apaisèrent et sa flamme s'éteignit; tellement que, s'il avait
d'abord feint de vouloir s'éloigner pour éviter de prendre
un engagement, il voulait s'éloigner alors pour éviter de le
tenir. Le duc lui donna la permission de partir, et me
chargea de l'accompagner. Nous arrivâmes dans ma ville,
où mon père le reçut comme l'exigeait la qualité d'un tel
hôte. Je revis bientôt Luscinde, et mes feux renaquirent,
sans avoir été ni morts ni refroidis. Pour mon malheur, je
les fis connaître à don Fernand, car il me semblait que la
loi de notre amitié m'obligeait à ne lui garder aucun secret.
Je lui vantai les charmes, les grâces et l'esprit de Luscinde,
avec une telle passion que mes louanges lui donnèrent
l'envie de voir une personne ornée de tant d'attraits. Mon
triste sort voulut que je satisfisse son désir; une nuit, je la
lui fis voir à la lumière d'une bougie, par une fenêtre où
nous avions coutume de nous entretenir. Il la vit, et toutes
les beautés qu'il avait vues jusqu'alors furent mises en
oubli. Il resta muet, absorbé, insensible et, finalement,
épris d'amour au point où vous le verrez dans le cours de
ma triste histoire. Pour enflammer davantage son désir,
qu'il me cachait à moi, et ne découvrait qu'au ciel, la destinée voulut qu'il trouvât un jour un billet qu'elle m'écrivait pour m'engager, à demander sa main à son père,
billet si plein de grâce, de pudeur et d'amour qu'après
l'avoir lu il me dit qu'en la seule Luscinde se trouvaient
réunis tous les charmes de l'esprit et de la beauté répartis
dans le reste des femmes. Il est bien vrai, et je veux l'avouer

à présent, que, tout en voyant avec quels justes motifs don Fernand faisait l'éloge de Luscinde, j'étais fâché d'entendre de telles louanges dans sa bouche, et je commençai justement à me défier de lui. En effet, à tous moments il voulait que nous parlassions de Luscinde, et sans cesse il ramenait l'entretien sur son compte, dût-il le tirer par les cheveux. Tout cela éveillait en mon âme quelque soupçon de jalousie, non que je craignisse aucun revers de la constance et de la loyauté de Luscinde, et pourtant ma destinée me faisait craindre précisément ce qu'elle me préparait. Don Fernand cherchait toujours à lire les billets que j'envoyais à Luscinde et ceux qu'elle me répondait, sous le motif qu'il prenait un grand plaisir à l'ingénieuse expression de notre tendresse.

« Un jour, il arriva que Luscinde m'ayant demandé à lire un livre de chevalerie pour lequel elle avait beaucoup de goût, l'*Amadis de Gaule*... » A peine don Quichotte eut-il entendu prononcer le mot de livre de chevalerie, qu'il s'écria : « Si Votre Grâce m'eût dit, au commencement de son histoire, que Sa Grâce Mlle Luscinde avait du goût pour les livres de chevalerie, vous n'auriez eu nul besoin d'autre éloge pour me faire apprécier l'élévation de son intelligence, qui ne pouvait être ornée d'autant de mérite que vous, seigneur, nous l'avez dépeinte, si elle eût manqué de goût pour une si exquise et si savoureuse lecture. Aussi, quant à moi, n'est-il plus besoin d'entrer en dépense de paroles pour me vanter ses charmes, son mérite et son esprit ; il m'a suffi d'apprendre où se dirigent ses goûts pour la déclarer la plus belle et la plus spirituelle des femmes de ce monde. Seulement j'aurais voulu, seigneur, que Votre Grâce lui eût envoyé, en même temps qu'*Amadis de Gaule*, ce bon *don Rugel de Grèce*, car je suis sûr que Mlle Luscinde se fût beaucoup divertie de Daraïda et Garaya, et des élégants propos du pasteur Darinel, et des admirables vers de ses bucoliques, qu'il chantait et jouait avec tant de grâce, d'esprit et d'enjouement ; mais le temps viendra de réparer facilement cette faute ; et ce sera dès que Votre Grâce voudra bien s'en venir avec moi dans mon village ; car là, je pourrai lui donner plus de trois cents volumes qui font les délices de mon âme et les délassements de ma vie, bien que je croie me rappeler que je n'en ai plus aucun, grâce à la malice et à l'envie des méchants enchanteurs. Et que Votre Grâce me pardonne si j'ai contrevenu à la promesse que nous lui avions faite de ne point interrompre son récit ; mais dès que j'entends parler de chevalerie et de chevaliers errants, il n'est pas plus en mon pouvoir de m'empêcher d'y joindre mon mot qu'il n'est possible aux rayons du soleil de cesser de répandre la chaleur, ou à ceux de la lune, l'humidité. Ainsi donc, excusez, et poursuivez, ce qui viendra maintenant le plus à propos. »

Pendant que don Quichotte débitait le discours qui vient d'être rapporté, Cardénio avait laissé tomber sa tête sur sa poitrine, dans l'attitude d'un homme qui rêve profondément. Et bien que, par deux fois, don Quichotte l'eût prié de continuer son histoire, il ne voulait ni relever la tête ni répondre un mot. Mais enfin, après un long silence, il se redressa et dit : « Je ne puis m'ôter une chose de la pensée, et personne au monde ne me l'en ôtera, et celui-là serait un grand maraud qui croirait ou ferait croire le contraire : c'est que ce belître insigne de maître Elisabad vivait en concubinage avec la reine Madasime. — Oh! pour cela non, de par tous les diables! s'écria don Quichotte, enflammé de colère, et donnant un démenti assaisonné comme de coutume ; c'est une grande malignité, ou plutôt une grande coquinerie de parler ainsi. La reine Madasime fut une noble et vertueuse dame, et l'on ne peut supposer qu'une si haute princesse s'avisât de faire l'amour avec un guérisseur de hernies. Et qui dira le contraire en a menti comme un misérable coquin ; et c'est ce que je lui ferai voir à pied ou à cheval, armé ou désarmé, de jour ou de nuit, et de telle manière qu'il lui fera plaisir. » Cependant Cardénio le regardait fixement, car il venait d'être repris d'un accès de folie, et n'était pas plus en état de continuer son histoire que don Quichotte de l'entendre, tant celui-ci s'était piqué de l'injure faite à Madasime. Chose étrange! il avait pris parti pour elle, tout comme si elle eût été réellement sa véritable et légitime souveraine ; tellement il s'était entêté de ses excommuniés de livres! Or, donc, Cardénio étant redevenu fou, dès qu'il s'entendit donner un démenti et traiter de coquin, avec d'autres gentillesses semblables, il prit mal la plaisanterie et, ramassant un gros caillou qui se trouvait à ses pieds, il en donna un tel coup dans la poitrine à don Quichotte qu'il le culbuta roide sur le dos. Sancho Panza, qui vit ainsi traiter son seigneur, se jeta sur le fou le poing fermé ; mais le fou le reçut de telle sorte que, d'une gourmade, il l'envoya par terre ; et, lui montant sur l'estomac, il lui foula les côtes tout à plaisir. Le chevrier, qui voulut défendre Sancho, courut la même chance, et après les avoir tous trois moulus et rendus, le fou les laissa et s'en fut, avec un merveilleux sang-froid, regagner les bois de la montagne. Sancho se releva ; mais, dans la rage qu'il avait de se voir ainsi rossé sans raison, il s'en prit au chevrier, lui disant que c'était sa faute, puisqu'il ne les avait pas avertis que cet homme avait de temps en temps des accès de folie et que, s'ils l'eussent su, ils se seraient tenus sur leurs gardes. Le chevrier répondit qu'il avait dit cela précisément et que, si l'autre ne l'avait pas entendu, ce n'était pas sa faute. Sancho repartit, le chevrier répliqua, et la fin des reparties et des répliques fut de s'empoigner à la barbe et de se donner de telles gourmades que, si don Quichotte ne les eût séparés, ils se mettaient en pièces. Sancho disait,

tenant le chevrier à la poignée : « Laissez-moi faire, seigneur chevalier de la Triste-Figure; celui-ci est bien vilain
comme moi, et n'est pas armé chevalier; et je puis bien tout
à mon aise me venger du tort qu'il m'a fait, en combattant
avec lui main à main, comme un homme d'honneur. —
C'est vrai, répondit don Quichotte; mais je sais qu'il n'y a
nullement de sa faute dans ce qui nous est arrivé. » En
disant cela, il leur fit faire la paix; puis il demanda de nouveau au chevrier s'il serait possible de trouver Cardénio,
car il mourait d'envie de savoir la fin de son histoire. Le
chevrier lui répéta ce qu'il lui avait déjà dit, qu'il ne savait
au juste où Cardénio faisait sa demeure, mais que, s'il
parcourait avec soin ces alentours, il ne manquerait pas de
le rencontrer, ou raisonnable ou fou.

CHAPITRE XXV

Qui traite des choses étranges qui arrivèrent, dans la Sierra-Morena, au vaillant chevalier de la Manche, et de la pénitence qu'il fit à l'imitation du Beau-Ténébreux.

Don Quichotte, ayant fait ses adieux au chevrier, remonta sur Rossinante et donna ordre à Sancho de le suivre ; lequel obéit, mais de mauvaise grâce, forcé qu'il était d'aller à pied. Ils pénétraient peu à peu dans le plus âpre de la montagne. Sancho mourait d'envie de deviser, tout en marchant, avec son maître ; mais il aurait voulu que celui-ci engageât la conversation, pour ne pas contrevenir aux ordres qu'il en avait reçus. A la fin, ne pouvant supporter un aussi long silence, il lui dit : « Seigneur don Quichotte, que Votre Grâce veuille bien me donner sa bénédiction et mon congé ; je veux m'en aller d'ici, et retourner à ma maison pour y trouver ma femme et mes enfants, avec lesquels je pourrai du moins parler et converser tout à mon aise ; car enfin, prétendre que j'aille avec Votre Grâce à travers ces solitudes de jour et de nuit, sans que je puisse lui parler quand l'envie m'en prend, c'est m'enterrer tout vif. Encore, si le sort voulait que les animaux parlassent, comme au temps d'Isope, le mal ne serait pas si grand, car je causerais avec mon âne, ou la première bête venue, de tout ce qui me passerait par l'esprit, et je prendrais ainsi mon mal en patience. Mais c'est une rude chose, et qu'on ne peut bonnement supporter, que de s'en aller cherchant des aventures toute sa vie, sans trouver autre chose que des coups de poing, des coups de pied ; des coups de pierre et des sauts de couverture, et avec tout cela, il faut se coudre la bouche, sans oser lâcher ce qu'on a sur le cœur, comme si l'on était muet. — Je t'entends, Sancho, répondit don Quichotte, tu meurs d'envie que je lève l'interdit que j'ai jeté sur ta langue. Eh bien ! tiens-le pour levé, et dis tout ce que tu voudras, mais à condition que cette suspension de l'interdit ne durera pas au-delà du temps que nous passerons dans ces montagnes. — Soit, dit Sancho ; pourvu que je parle maintenant, Dieu sait ce qui viendra plus tard. Et pour commencer à jouir de ce sauf-conduit, je vous demanderai à quel propos Votre Grâce s'avisait de prendre le parti de cette reine Marcassine, ou comme elle s'appelle. Et

que diable vous importait que cette Elie l'abbé fût ou non
son bon ami ? Je crois que si vous aviez laissé passer ce
point, dont vous n'étiez pas juge, le fou aurait passé plus
avant dans son histoire, et nous aurions évité, vous le caillou
dans l'estomac, moi plus de dix soufflets sur la face, et
autant de coups de pied sur le ventre. — Par ma foi, Sancho, répondit don Quichotte, si tu savais aussi bien que je
le sais quelle noble et respectable dame fut cette reine
Madasime, je sais que tu dirais que ma patience a été
grande de ne pas briser la bouche d'où étaient sortis de tels
blasphèmes, et c'est un grand blasphème de dire ou de
penser qu'une reine vive en concubinage avec un chirurgien. La vérité de l'histoire est que ce maître Elisabad dont
le fou a parlé était un homme très prudent et de bon
conseil, et qu'il servit autant de gouverneur que de médecin à la reine ; mais s'imaginer qu'elle était sa bonne amie,
c'est une insolence digne du plus sévère châtiment. Et
d'ailleurs, pour que tu conviennes que Cardénio ne savait
ce qu'il disait, tu dois observer que, lorsqu'il parlait ainsi,
il était déjà retombé dans ses accès. — C'est justement ce
que je dis, reprit Sancho, et qu'il ne fallait faire aucun cas
des paroles d'un fou ; car enfin, si votre bonne étoile ne
vous eût secouru, et si le caillou, au lieu de s'acheminer à
l'estomac, eût pris la route de la tête, nous serions frais
maintenant pour avoir voulu défendre cette belle dame que
Dieu a mise en pourriture. — Eh bien! Sancho, répliqua
don Quichotte, mets-toi dans la tête que sa folie même ne
pouvait absoudre Cardénio. Contre les sages et contre les
fous, tout chevalier errant est obligé de prendre parti pour
l'honneur des femmes, quelles qu'elles puissent être ; à plus
forte raison des princesses de haut étage, comme le fut la
reine Madasime, à laquelle je porte une affection toute
particulière pour ses rares qualités ; car, outre qu'elle était
prodigieusement belle, elle se montra prudente, patiente
et courageuse dans les nombreux malheurs qui l'accablèrent.
C'est alors que les conseils et la société de maître Elisabad
lui furent d'un grand secours pour l'aider à supporter ses
peines avec prudence et fermeté. De là le vulgaire ignorant
et malintentionné prit occasion de dire et de croire qu'elle
était sa maîtresse. Mais ils en ont menti, dis-je encore, et ils
en auront encore menti deux cents autres fois, tous ceux
qui oseront dire ou penser telle chose. — Je ne le dis ni ne
le pense, moi, répondit Sancho ; et que ceux qui mordent à
ce conte le mangent avec leur pain. S'ils ont ou non couché
ensemble, c'est à Dieu qu'ils en auront rendu compte.
Moi, je viens de nos vignes, je ne sais rien de rien ; et je
n'aime pas m'enquérir de la vie d'autrui ; et celui qui
achète et ment, dans sa bourse le sent. D'ailleurs, nu je suis
né, nu je me trouve ; je ne perds ni ne gagne. Mais, eussent-
ils été bons amis, que m'importe à moi ? Bien des gens
croient qu'il y a des quartiers de lard où il n'y a pas seule-

ment de crochets pour les pendre. Mais qui peut mettre
des portes aux champs ? n'a-t-on pas glosé de Dieu lui-
même ? — Ah! sainte Vierge, s'écria don Quichotte, combien de niaiseries enfiles-tu, Sancho, les unes au bout des
autres! Eh! quel rapport y a-t-il entre l'objet qui nous
occupe et les proverbes que tu fais ainsi défiler ? Par ta
vie, Sancho, tais-toi une fois pour toutes et ne t'occupe
plus désormais que de talonner ton âne, sans te mêler de ce
qui ne te regarde pas, et mets-toi bien dans la tête, avec
l'aide de chacun de tes cinq sens, que tout ce que je fis, fais
et ferai, est d'accord avec la droite raison, et parfaitement
conforme aux lois de la chevalerie, que je connais mieux que
tous les chevaliers qui en ont fait profession dans le monde.
— Mais, seigneur, répondit Sancho, est-ce une bonne
règle de chevalerie, que nous allions ainsi par ces montagnes comme des enfants perdus, sans chemin ni sentier,
et cherchant un fou, auquel, dès que nous l'aurons trouvé,
il pourrait bien prendre envie de finir ce qu'il a commencé,
non de son histoire, mais de la tête de Votre Grâce et de
mes côtes à moi, je veux dire d'achever de nous les rompre ?
— Tais-toi, Sancho, je te le répète, reprit don Quichotte;
car il faut que tu saches que ce qui m'amène dans ces lieux
déserts, ce n'est pas seulement le désir de rencontrer le fou,
mais bien aussi celui que j'ai d'y faire une prouesse capable
d'éterniser mon nom et de répandre ma renommée sur
toute la face de la terre, telle enfin qu'elle doit mettre le
sceau à tous les mérites qui rendent parfait et fameux un
chevalier errant. — Et cette prouesse est-elle bien périlleuse ? demanda Sancho. — Non, répondit le chevalier de
la Triste-Figure, bien que le dé puisse tourner de manière
que nous ayons, au lieu de chance, du guignon. Mais tout
dépendra de ta diligence. — Comment de ma diligence ?
reprit Sancho. — Oui, reprit don Quichotte, car, si tu
reviens vite, d'où je vais t'envoyer, vite finira ma peine et
vite commencera ma gloire. Mais comme il n'est pas juste
que je te tienne davantage en suspens et dans l'attente du
sujet de mes propos, je veux que tu saches, ô Sancho, que
le fameux Amadis de Gaule fut un des plus parfaits chevaliers errants; que dis-je ? un des plus parfaits! le seul,
l'unique, le premier, le seigneur de tous les chevaliers qui
étaient au monde de son temps. J'en suis bien fâché pour
don Bélianis, et pour tous ceux qui disent qu'il l'égala en
quelque chose, car ils se trompent, sur ma foi. Je dis, d'un
autre côté, que, lorsqu'un peintre veut devenir célèbre
dans son art, il essaye d'imiter les originaux des meilleurs
peintres qu'il connaît; et la même règle doit courir pour
tous les métiers, pour toutes les professions qui servent
à la splendeur des républiques. C'est encore ce que doit
faire et ce que fait celui qui veut gagner une réputation
de prudence et de patience ; il imite Ulysse, dans la personne et les travaux duquel Homère nous a tracé un por-

trait vivant de l'homme prudent et ferme dans le malheur,
de même que Virgile nous a montré, dans la personne
d'Enée, la valeur d'un fils pieux et la sagacité d'un vaillant
capitaine ; le peignant tous deux, non tels qu'ils furent,
mais tels qu'ils devaient être, afin de laisser aux hommes
à venir un modèle achevé de leurs vertus. De la même
manière, Amadis fut le nord, l'étoile et le soleil des chevaliers vaillants et amoureux, et c'est lui que nous devons
imiter, nous tous qui sommes engagés sous les bannières
de l'amour et de la chevalerie. Cela donc étant ainsi, il
me paraît, Sancho, que le chevalier errant qui l'imitera
le mieux sera le plus près d'atteindre à la perfection de la
chevalerie. Or l'une des choses où ce chevalier fit le plus
éclater sa prudence, sa valeur, sa fermeté, sa patience et
son amour, ce fut quand il se retira, dédaigné par sa dame
Oriane, pour faire pénitence sur la Roche-Pauvre, après
avoir changé son nom en celui du Beau-Ténébreux, nom
significatif, à coup sûr, et bien propre à la vie qu'il s'était
volontairement imposée. Ainsi, comme il m'est plus facile
de l'imiter en cela qu'à pourfendre des géants, à décapiter
des andriaques, à défaire des armées, à disperser des flottes
et à détruire des enchantements ; comme, d'ailleurs, ces
lieux sauvages sont admirablement propres à de tels desseins, je n'ai pas envie de laisser passer sans la saisir l'occasion qui m'offre si commodément les mèches de ses cheveux. — En fin de compte, demanda Sancho, qu'est-ce que
Votre Grâce prétend faire dans cet endroit si écarté ? —
Ne t'ai-je pas dit, répondit don Quichotte, que je veux imiter Amadis faisant le désespéré, l'insensé, le furieux, afin
d'imiter en même temps le valeureux don Roland, quand
il trouva sur les arbres d'une fontaine les indices qu'Angélique la belle s'était avilie dans les bras de Médor, ce qui
lui donna tant de chagrin qu'il en devint fou, et qu'il
arracha des arbres, troubla l'eau des claires fontaines, tua
des bergers, détruisit des troupeaux, incendia des chau-
mières, renversa des maisons, traîna sa jument, et fit
cent mille autres extravagances dignes d'éternelle renommée ? Il est vrai que je ne pense pas imiter Roland, ou
Orland, ou Rotoland (car il avait ces trois noms à la fois)
de point en point, dans toutes les folies qu'il fit, dit ou
pensa. Mais j'ébaucherai du moins de mon mieux celles
qui me sembleront les plus essentielles. Peut-être même
viendrai-je à me contenter tout simplement de l'imitation
d'Amadis, qui, sans faire de folies d'éclat et de mal, mais
seulement de pleurs et de désespoir, obtint autant de gloire
que personne. — Quant à moi, dit Sancho, il me semble
que les chevaliers qui en agirent de la sorte y furent provo-
qués, et qu'ils avaient des raisons pour faire ces sottises
et ces pénitences. Mais vous, mon seigneur, quelle raison
avez-vous de devenir fou ? quelle dame vous a rebuté ? ou
quels indices avez-vous trouvés qui fissent entendre que

Mme Dulcinée du Toboso ait fait quelque enfantillage avec More ou chrétien ? — Eh! par Dieu, voilà le point, répondit don Quichotte; et c'est là justement qu'est le fin de mon affaire. Qu'un chevalier errant devienne fou quand il en a le motif, il n'y a là ni gré ni grâce; le mérite est de perdre le jugement sans sujet et de faire dire à ma dame : « S'il fait de telles choses à froid, que ferait-il donc à chaud ? » D'ailleurs, n'ai-je pas un motif bien suffisant dans la longue absence qui me sépare de ma dame et toujours maîtresse Dulcinée du Toboso ? Car, ainsi que tu l'as entendu dire à ce berger de l'autre jour, Ambrosio : « Qui est absent, tous les maux craint ou ressent. » Ainsi donc, ami Sancho, ne perds pas en vain le temps à me conseiller que j'abandonne une imitation si rare, si heureuse, si inouïe. Fou je suis, et fou je dois être jusqu'à ce que tu reviennes avec la réponse d'une lettre que je pense te faire porter à ma dame Dulcinée. Si cette réponse est telle que la mérite ma foi, aussitôt cesseront ma folie et ma pénitence; si le contraire arrive, alors je deviendrai fou tout de bon, et n'aurai plus nul sentiment. Ainsi, de quelque manière qu'elle réponde, je sortirai de la confusion et du tourment où tu m'auras laissé, jouissant du bien que tu m'apporteras, à la faveur de ma raison, ou cessant de sentir le mal, à la faveur de ma folie. Mais, dis-moi, Sancho, as-tu bien précieusement gardé l'armet de Mambrin ? J'ai vu que tu l'as relevé de terre quand cet ingrat voulut le mettre en pièces, et ne put en venir à bout; ce qui démontre bien clairement toute la finesse de sa trempe. » A cela Sancho répondit : « Vive Dieu! seigneur chevalier de la Triste-Figure, je ne puis souffrir ni porter en patience certaines choses que dit Votre Grâce. Elles me font imaginer à la fin que tout ce que vous me dites d'aventures de chevalerie, de gagner des royaumes et des empires, de donner des îles et de faire d'autres faveurs et générosités, à la mode des chevaliers errants, que tout cela, dis-je, n'est que vent et mensonge, et autant de contes à dormir debout. Car, enfin, quiconque entendrait dire à Votre Grâce qu'un plat à barbe de barbier est l'armet de Mambrin, et ne vous verrait pas sortir de cette erreur en plus de quatre jours, qu'est-ce qu'il devrait penser, sinon que celui qui dit et affirme une telle chose doit avoir le cerveau timbré ? Le plat à barbe, je l'ai dans mon bissac, tout aplati et tout bossué, et je l'emporte pour le redresser à la maison, et m'y faire la barbe, si Dieu me fait assez de grâce pour que je me retrouve un jour avec ma femme et mes enfants. — Vois-tu bien, Sancho, reprit don Quichotte, par le même Dieu au nom duquel tu viens de jurer, je te jure que tu as le plus étroit entendement qu'écuyer eut jamais au monde. Est-il possible que, depuis le temps que tu marches à ma suite, tu ne te sois pas encore aperçu que toutes les choses des chevaliers errants semblent autant de chimères, de bille-

vesées et d'extravagances, et qu'elles vont sans cesse au
rebours des autres ? Ce n'est point parce qu'il en est ainsi,
mais parce qu'au milieu de nous s'agite incessamment une
tourbe d'enchanteurs qui changent nos affaires, les
tronquent, les dénaturent et les bouleversent à leur gré,
selon qu'ils ont envie de nous nuire ou de nous prêter
faveur. Voilà pourquoi cet objet, qui te paraît à toi un plat
à barbe de barbier, me paraît à moi l'armet de Mambrin, et
à un autre paraîtra tout autre chose. Et ce fut vraiment une
rare précaution du sage qui est de mon parti, de faire que
tout le monde prît pour un plat à barbe ce qui est bien
réellement l'armet de Mambrin, car cet objet étant de si
grande valeur, tout le monde me poursuivrait pour me
l'enlever. Mais, comme on voit que ce n'est rien autre
chose qu'un bassin de barbier, personne ne s'en met en
souci. C'est ce qu'a bien prouvé celui qui voulait le rompre,
et qui l'a laissé par terre sans l'emporter ; car, ma foi, s'il
eût connu ce que c'était, il ne serait pas parti les mains
vides. Garde-le, ami ; à présent je n'en ai nul besoin, car je
dois au contraire me dépouiller de toutes ces armes, et
rester nu comme lorsque je sortis du ventre de ma mère,
s'il me prend fantaisie d'imiter dans ma pénitence plutôt
Roland qu'Amadis. »

Ils arrivèrent, tout en causant ainsi, au pied d'une haute
montagne qui s'élevait seule, comme une roche taillée en
pic, au milieu de plusieurs autres dont elle était entourée.
Sur son flanc courait un ruisseau limpide, et tout à l'entour
s'étendait une prairie si verte et si molle qu'elle faisait
plaisir aux yeux qui la regardaient. Beaucoup d'arbres dis-
persés çà et là et quelques fleurs des champs embellis-
saient encore cette douce retraite. Ce fut le lieu que choisit
le chevalier de la Triste-Figure pour faire sa pénitence.
Dès qu'il l'eut aperçu, il se mit à s'écrier à haute voix
comme s'il eût déjà perdu la raison : « Voici l'endroit,
ô ciel, que j'adopte et choisis pour pleurer l'infortune où
vous-même m'avez fait descendre ; voici l'endroit où
les pleurs de mes yeux augmenteront les eaux de ce petit
ruisselet, où mes profonds et continuels soupirs agiteront
incessamment les feuilles de ces arbres sauvages, en signe
et en témoignage de l'affliction qui déchire mon cœur
outragé. O vous, qui que vous soyez, dieux rustiques,
qui faites votre séjour dans les lieux inhabités, écoutez
les plaintes de ce misérable amant qu'une longue absence
et d'imaginaires motifs de jalousie ont réduit à venir se
lamenter dans ces déserts et à se plaindre des rigueurs
de cette belle ingrate, modèle et dernier terme de l'humaine beauté. O vous, napées et dryades, qui habitez d'ordinaire dans les profondeurs des montagnes, puissent les
légers et lascifs satyres dont vous êtes vainement adorées
ne troubler jamais votre doux repos, pourvu que vous
m'aidiez à déplorer mes infortunes, ou du moins que vous

ne vous lassiez pas d'entendre mes plaintes! O Dulcinée du Toboso, jour de mes nuits, gloire de mes peines, nord de mes voyages, étoile de ma bonne fortune, puisse le ciel te la donner toujours heureuse en tout ce qu'il te plaira de lui demander, si tu daignes considérer en quels lieux et en quel état m'a conduit ton absence, et répondre par un heureux dénoûment à la constance de ma foi! O vous, arbres solitaires, qui allez désormais tenir compagnie à ma solitude, faites connaître par le doux bruissement de votre feuillage que ma présence ne vous déplaît pas! Et toi, ô mon écuyer, agréable et fidèle compagnon de ma bonne et mauvaise fortune, retiens bien dans ta mémoire ce qu'ici tu me verras faire, pour que tu le transmettes et le racontes à celle qui en est la cause unique! » En disant ces derniers mots, il mit pied à terre, se hâta d'ôter les mors et la selle à Rossinante, et le frappant doucement sur la croupe avec la paume de la main : « Reçois la liberté, lui dit-il, de celui qui l'a perdue, ô coursier aussi excellent par tes œuvres que malheureux par ton sort! Va-t-en, prends le chemin que tu voudras, car tu portes écrit sur le front que nul ne t'a égalé en légèreté et en vigueur, ni l'hippogriffe d'Astolphe, ni le renommé Frontin, qui coûta si cher à Bradamante. » Sancho, voyant cela : « Pardieu! s'écria-t-il, bien en a pris vraiment à celui qui nous a ôté la peine de débâter le grison; on ne manquerait, par ma foi, ni de caresses à lui faire, ni de belles choses à dire à sa louange. Mais s'il était ici, je ne permettrais point que personne le débâtât; car, à quoi bon? Il n'avait que voir aux noms d'amoureux et de désespéré, puisque son maître n'était ni l'un ni l'autre, lequel maître était moi, quand il plaisait à Dieu. En vérité, seigneur chevalier de la Triste-Figure, si mon départ et votre folie ne sont pas pour rire, mais tout de bon, il sera fort à propos de resseller Rossinante, pour qu'il supplée au défaut du grison; ce sera gagner du temps sur l'allée et le retour; car si je fais à pied le chemin, je ne sais ni quand j'arriverai ni quand je reviendrai, tant je suis pauvre marcheur. — Je dis, Sancho, répondit don Quichotte, que tu fasses comme tu voudras, et que ton idée ne me semble pas mauvaise. Et j'ajoute que tu partiras dans trois jours, afin que tu voies d'ici là tout ce que je fais et dis pour elle, et que tu puisses le lui répéter. — Et qu'est-ce que j'ai à voir, reprit Sancho, de plus que je n'ai vu? — Tu n'es pas au bout du compte, répondit don Quichotte. A présent ne faut-il pas que je déchire mes vêtements, que je disperse les pièces de mon armure, et que je fasse des culbutes la tête en bas sur ces rochers, ainsi que d'autres choses de même espèce qui vont exciter ton admiration? — Pour l'amour de Dieu, reprit Sancho, que Votre Grâce prenne bien garde à la manière de faire ces culbutes; vous pourriez tomber sur une telle

roche et en telle posture qu'au premier saut se terminerait toute la machine de cette pénitence. Moi, je suis d'avis
que, puisque Votre Grâce trouve ces culbutes tout à fait
nécessaires, et que l'œuvre ne peut s'en passer, vous vous
contentiez, tout cela n'étant qu'une chose feinte et pour
rire, vous vous contentiez, dis-je, de les faire dans l'eau,
ou sur quelque chose de doux, comme du coton; et laissez-
moi me charger du reste; je saurai bien dire à Mme Dulcinée que Votre Grâce faisait ces culbutes sur une pointe
de rocher plus dure que celle d'un diamant. — Je suis
reconnaissant de ta bonne intention, ami Sancho, répondit
don Quichotte; mais je veux te faire savoir que toutes
ces choses que je fais ici, loin d'être pour rire, sont très
réelles et très sérieuses; car, d'une autre manière, ce serait
contrevenir aux règlements de la chevalerie, qui nous
défendent de dire aucun mensonge, sous la peine des relaps;
et faire une chose pour une autre, c'est la même chose
que mentir. Ainsi donc mes culbutes doivent être franches,
sincères et véritables, sans mélange de sophisme ou de
fantastique. Il sera même nécessaire que tu me laisses
quelques brins de charpie pour me panser, puisque le sort
a voulu que nous perdissions le baume. — Ça été bien
pis de perdre l'âne, reprit Sancho, car avec lui s'en est
allée la charpie et toute la boutique. Et je supplie Votre
Grâce de ne plus se rappeler ce maudit breuvage; il suffit
que j'en entende le nom pour me mettre toute l'âme à
l'envers et l'estomac sens dessus dessous. Je vous supplie,
en outre, de tenir pour passés les trois jours de délai que
vous m'avez accordés afin de voir quelles folies vous
faites; je les donne pour dûment vues et pour passées en
force de chose jugée. J'en dirai des merveilles à madame;
mais écrivez la lettre et dépêchez-moi vite, car j'ai la meilleure envie de revenir tirer Votre Grâce de ce purgatoire
où je la laisse. — Purgatoire, dis-tu Sancho? reprit don
Quichotte. Tu ferais mieux de l'appeler enfer, et pire
encore s'il y a quelque chose de pire. — Qui est en enfer,
répliqua Sancho, *nulla est retentio*, à ce que j'ai ouï dire.
— Je n'entends pas ce que veut dire *retentio*, reprit
don Quichotte. — *Retentio* veut dire, repartit Sancho, que
qui est en enfer n'en sort plus jamais, et n'en peut plus
sortir; ce qui sera tout au rebours pour Votre Grâce,
ou, ma foi, je ne saurais plus jouer des talons, au cas que
je porte des éperons pour éveiller Rossinante. Et plantez-
moi une bonne fois pour toutes dans le Toboso, et en
présence de Mme Dulcinée; je lui ferai un tel récit des
bêtises et des folies (c'est tout un) que Votre Grâce a
faites et qui lui restent encore à faire que je finirai par
la rendre plus souple qu'un gant, dussé-je la trouver plus
dure qu'un tronc de liège. Avec cette réponse douce et
mielleuse, je reviendrai à travers les airs, comme un sor-
cier, et je tirerai Votre Grâce de ce purgatoire, qui paraît

un enfer, bien qu'il ne le soit pas, puisqu'il y a grande espérance d'en sortir, ce que n'ont pas, comme je l'ai dit, ceux qui sont en enfer; et je ne crois pas que Votre Grâce dise autre chose. — Oui, c'est la vérité, répondit le chevalier de la Triste-Figure; mais comment ferons-nous pour écrire la lettre ? — Et puis aussi la lettre de change des ânons, ajouta Sancho. — Tout y sera compris, répondit don Quichotte. Et, puisque le papier manque, il serait bon que nous l'écrivissions, comme faisaient les anciens, sur des feuilles d'arbre, ou sur des tablettes de cire, quoique à vrai dire il ne serait pas plus facile de trouver de la cire que du papier. Mais voilà qu'il me vient à l'esprit où il sera bien et plus que bien de l'écrire : c'est sur le livre de poche qu'a perdu Cardénio. Tu auras soin de le faire transcrire sur une feuille de papier en bonne écriture, dans le premier village où tu trouveras un maître d'école, ou sinon, le premier sacristain venu te la transcrira; mais ne t'avise pas de la faire transcrire par un notaire : ces gens-là ont une écriture de chicane que Satan lui-même ne déchiffrerait pas. — Et que faut-il faire de la signature ? demanda Sancho. — Jamais Amadis n'a signé ses lettres, répondit don Quichotte. — C'est très bien, répliqua Sancho, mais la lettre de change doit être signée forcément. Si je la fais transcrire, on dira que la signature est fausse, et je resterai sans ânons. — La lettre de change, reprit don Quichotte, sera faite et signée sur le livre de poche lui-même, et quand ma nièce la verra, elle ne fera nulle difficulté d'y faire honneur. Quant à la lettre d'amour, tu mettras pour signature : *A vous jusqu'à la mort, le chevalier de la Triste-Figure*. Il importera peu qu'elle soit écrite d'une main étrangère; car, si je m'en souviens bien, Dulcinée ne sait ni lire ni écrire, et de toute sa vie n'a vu lettre de ma main. En effet, mes amours et les siens ont toujours été platoniques, sans s'étendre plus loin qu'à une honnête œillade, et encore tellement de loin en loin que j'oserais jurer d'une chose en toute sûreté de conscience : c'est que, depuis douze ans au moins que je l'aime plus que la prunelle de ces yeux que doivent manger un jour les vers de la terre, je ne l'ai pas vue quatre fois; encore, sur ces quatre fois, n'y en a-t-il peut-être pas une où elle ait remarqué que je la regardais, tant sont grandes la réserve et la retraite où l'ont élevée son père Lorenzo Corchuelo et sa mère Aldonza Nogalès. — Comment, comment! s'écria Sancho, c'est la fille de Lorenzo Corchuelo qui est à cette heure Mme Dulcinée du Toboso, celle qu'on appelle, par autre nom, Aldonza Lorenzo ? — C'est elle-même, répondit don Quichotte, celle qui mérite de régner sur tout l'univers. — Oh! Je la connais bien, reprit Sancho, et je puis dire qu'elle jette aussi bien la barre que le plus vigoureux garçon de tout le village. Tudieu! c'est une fille de tête, faite et parfaite, et de poil à l'esto-

mac, propre à faire la barbe et le toupet à tout chevalier
errant qui la prendra pour dame. Peste! quelle voix
elle a, et quel creux de poitrine! Je puis dire qu'un jour
elle monta au clocher du village pour appeler des valets
de ferme qui travaillaient dans un champ de son père;
et quoiqu'il y eût de là plus d'une demi-lieue, ils l'entendirent aussi bien que s'ils eussent été au pied de la tour.
Et ce qu'elle a de mieux, c'est qu'elle n'est pas du tout
bégueule; elle a beaucoup de bonnes façons; elle badine
avec tout le monde, elle rit et folâtre à tout propos. A
présent, seigneur chevalier de la Triste-Figure, je dis que
non seulement Votre Grâce peut et doit faire des folies
pour elle, mais que vous pouvez à juste titre vous déses-
pérer et vous pendre, et que de ceux qui l'apprendront,
il n'y a personne qui ne dise que vous avez bien fait, dût
le diable vous emporter. Oh! je voudrais déjà me trouver
en chemin, seulement pour le plaisir de la revoir, car
il y a longtemps que je ne l'ai vue; et vraiment elle doit
être bien changée. Rien ne gâte plus vite le teint des
femmes que d'être toujours à travers les champs, à l'air et
au soleil. Il faut pourtant que je confesse à Votre Grâce
une vérité, seigneur don Quichotte; car jusqu'à présent
j'étais resté dans une grande ignorance. Je pensais bien
innocemment que madame Dulcinée devait être quelque
princesse dont Votre Grâce était éprise, ou quelque personne de haut rang et telle qu'elle méritât les riches présents que vous lui avez envoyés, à savoir : celui du Biscayen vaincu, ou celui des galériens délivrés, et beaucoup
d'autres encore, aussi nombreux que les victoires que doit
avoir remportées Votre Grâce dans le temps que je n'étais
pas encore son écuyer. Mais, tout bien considéré, que
diable peut gagner madame Aldonza Lorenzo, je veux
dire madame Dulcinée du Toboso, à voir venir s'agenouiller devant elle les vaincus que Votre Grâce lui envoie,
ou lui doit envoyer ? Car il pourrait bien arriver qu'au
moment où ils paraîtraient, elle fût à peigner du chanvre
ou à battre du blé dans la grange, et qu'en la voyant,
ces gens-là se missent en colère, tandis qu'elle se moque-
rait ou se fâcherait aussi du cadeau. — Je t'ai déjà dit bien
des fois, Sancho, répondit don Quichotte, que tu es un
grand bavard, et qu'avec un esprit lourd et obtus tu te
mêles souvent de badiner et de faire des pointes. Mais
pour que tu reconnaisses combien tu es sot et combien
je suis sage, je veux que tu écoutes une petite histoire.
Apprends donc qu'une jeune veuve, belle, libre et riche,
et surtout fort amie de la joie, s'amouracha d'un frère
lai, gros garçon, frais, réjoui et de large encolure. Son
aîné vint à le savoir, et dit un jour à la bonne veuve, en
manière de semonce fraternelle : « Je suis étonné, madame,
et non sans raison, qu'une femme aussi noble, aussi
belle, aussi riche que Votre Grâce, aille s'amouracher d'un

homme d'aussi bas étage et d'aussi pauvre esprit qu'un tel, tandis qu'il y a dans la même maison tant de docteurs, de maîtres et de théologiens, parmi lesquels vous pourriez choisir comme au milieu d'un cent de poires, et dire : « Celui-ci me convient, celui-là me déplaît. » Mais la dame lui répondit avec beaucoup d'aisance et d'abandon : « Vous êtes bien dans l'erreur, mon très cher seigneur et frère, et vous pensez à la vieille mode, si vous imaginez que j'ai fait un mauvais choix en prenant un tel, quelque idiot qu'il vous paraisse ; car pour ce que j'ai à faire de lui, il sait autant et plus de philosophie qu'Aristote. » De la même manière, Sancho, pour ce que j'ai à faire de Dulcinée, elle vaut autant que la plus haute princesse de la terre. Il ne faut pas croire que tous les poètes qui chantent des dames sous des noms qu'ils leur donnent à leur fantaisie les aient réellement pour maitresses. Penses-tu que les Amaryllis, les Philis, les Sylvies, les Dianes, les Galathées, les Alices et d'autres semblables, dont sont remplis les livres, les romances, les boutiques de barbiers et les théâtres de comédie, fussent de vraies créatures en chair et en os, et les dames de ceux qui les ont célébrées ? Non, vraiment ; la plupart des poètes les imaginent pour donner un sujet à leurs vers, et pour qu'on les croie amoureux, ou du moins capables de l'être. Ainsi donc, il me suffit de penser et de croire que la nommée Aldonza Lorenzo est belle et sage. Quant à la naissance, elle importe peu ; nous n'en sommes pas à faire une enquête, pour lui conférer l'habit de chanoinesse, et je me persuade, moi, qu'elle est la plus haute princesse du monde. Car il faut que tu saches, Sancho, si tu ne le sais pas encore, que deux choses par-dessus toutes excitent à l'amour : ce sont la beauté et la bonne renommée. Or ces deux choses se trouvent dans Dulcinée au degré le plus éminent, car en beauté personne ne l'égale, et en bonne renommée bien peu lui sont comparables. Et pour tout dire en un mot, j'imagine qu'il en est ainsi, sans qu'il faille rien ôter ni rien ajouter, et je la peins dans mon imagination telle que je la désire, aussi bien pour la noblesse que pour les attraits ; à ce point que nulle femme n'approche d'elle, ni les Hélènes, ni les Lucrèces, ni toutes les héroïnes des siècles passés, grecques, romaines ou barbares. Que chacun en dise ce qu'il voudra ; si je suis blâmé par les ignorants, je ne serai pas du moins puni par les gens austères. — Et moi je dis, reprit Sancho, qu'en toute chose Votre Grâce a raison, et que je ne suis qu'un âne. Et je ne sais pourquoi ce nom me vient à la bouche, car il ne faut point parler de corde dans la maison d'un pendu. Mais donnez-moi la lettre, et que je déménage. »

Don Quichotte, prit les tablettes de Cardénio et, se mettant à l'écart, il commença d'un grand sang-froid à écrire la lettre. Quand il l'eut finie, il appela Sancho et lui dit qu'il voulait la lui lire pour qu'il l'apprît par cœur dans le cas où elle se perdrait en route, car il fallait tout craindre de sa mauvaise étoile. « Votre Grâce ferait mieux, répondit Sancho, de l'écrire deux ou trois fois, là, dans le livre, et de me le donner après; je saurai bien le garder; mais penser que j'apprenne la lettre par cœur, c'est une sottise. J'ai la mémoire si mauvaise que j'oublie souvent comment je m'appelle. Toutefois, lisez-la-moi, je serai bien aise de l'entendre, car elle doit être faite comme en lettres moulées. — Ecoute donc, reprit don Quichotte, voici comment elle est conçue :

LETTRE DE DON QUICHOTTE A DULCINÉE DU TOBOSO.

« Haute et souveraine dame,

« Le piqué au vif des pointes de l'absence, le blessé dans l'intime région du cœur, dulcissime Dulcinée du Toboso, te souhaite la bonne santé dont il ne jouit plus. Si ta beauté me dédaigne, si tes mérites cessent d'être portés en ma faveur, et si tes rigueurs entretiennent mes angoisses, bien que je sois passablement rompu à la souffrance, mal pourrai-je me maintenir en une transe semblable, qui n'est pas seulement forte, mais durable à l'avenant. Mon bon écuyer Sancho te fera une relation complète, ô belle ingrate, ô ennemie adorée, de l'état où je me trouve à ton intention. S'il te plaît de me secourir, je suis à toi; sinon fais à ta fantaisie, car, en terminant mes jours, j'aurai satisfait à mon désir et à ta cruauté.

« A toi jusqu'à la mort,

« Le chevalier de la TRISTE-FIGURE. »

— Par la vie de mon père! s'écria Sancho, quand il eut entendu lire cette lettre, voilà bien la plus haute et la plus merveilleuse pièce que j'aie jamais entendue! Peste! comme Votre Grâce lui dit bien là tout ce qu'elle veut lui dire ! et comme vous avez joliment enchâssé dans le parafe *le chevalier de la Triste-Figure!* Je le dis en vérité, vous êtes le diable lui-même, et il n'y a rien que vous ne sachiez. — Tout est nécessaire, reprit don Quichotte, pour la profession que j'exerce. — Or çà, reprit Sancho, mettez maintenant au revers de la page la cédule pour les trois ânons, et signez-la très clairement; pour qu'en la voyant on reconnaisse votre écriture. — Volontiers », dit don Quichotte. Et l'ayant écrite, il en lut ensuite le contenu :

« Veuillez, madame ma nièce, payer sur cette première d'ânons, à Sancho Panza, mon écuyer, trois des cinq que j'ai laissés à la maison, et qui sont confiés aux soins de Votre Grâce; lesquels trois ânons je lui fais payer et délivrer pour un égal nombre reçus ici comptant, et qui, sur cette lettre et sur sa quittance, seront dûment acquittés. Fait dans les entrailles de la Sierra-Morena, le 27 août de la présente année. »

« C'est très bien, s'écria Sancho, Votre Grâce n'a plus qu'à signer. — Il n'est pas besoin de signature, répondit don Quichotte; je vais mettre seulement mon parafe, ce qui vaudra tout autant que la signature, non pour trois ânes, mais pour trois cents. — Je me fie en Votre Grâce, reprit Sancho. Laissez maintenant que j'aille seller Rossinante, et préparez-vous à me donner votre bénédiction; car je veux me mettre en route tout à l'heure, sans voir les extravagances que vous avez à faire, et je saurai bien dire que je vous ai vu faire à bouche que veux-tu. — Pour le moins, je veux, Sancho, repartit don Quichotte, et c'est tout à fait nécessaire, je veux, dis-je, que tu me voies tout nu, sans autre habit que la peau, faire une ou deux douzaines de folies. Ce sera fini en moins d'une demi-heure; mais quant tu auras vu celles-là de tes propres yeux, tu pourras juger en conscience pour toutes celles qu'il te plaira d'ajouter, et je t'assure bien que tu n'en diras pas autant que je pense en faire. — Par l'amour de Dieu, mon bon seigneur, s'écria Sancho, que je ne voie pas la peau de Votre Grâce! j'en aurais trop de compassion, et ne pourrais m'empêcher de pleurer; et pour avoir pleuré hier soir le pauvre grison, j'ai la tête si malade que je ne suis pas en état de me remettre à de nouveaux pleurs. Si Votre Grâce veut à toute force que je voie quelques-unes de ses folies, faites-les tout habillé, courtes et les premières venues. D'ailleurs, quant à moi, rien de cela n'est nécessaire, et, comme je vous l'ai dit, ce serait abréger le voyage et hâter mon retour, qui doit vous rapporter d'aussi bonnes nouvelles que Votre Grâce les désire et les mérite. Sinon, par ma foi, que Mme Dulcinée se tienne bon! Si elle ne répond pas comme la raison l'exige, je fais vœu solennel à qui m'entend de lui arracher la bonne réponse de l'estomac à coups de pied et à coups de poing. Car enfin qui peut souffrir qu'un chevalier errant aussi fameux que Votre Grâce aille devenir fou sans rime ni raison pour une... Que la bonne dame ne me le fasse pas dire, car, au nom de Dieu, je lâche ma langue et lui crache son fait à la figure. Ah! je suis bon, vraiment pour ces gentillesses. Elle ne me connaît guère, et, si elle me connaissait, elle me jeûnerait comme la veille d'un saint. — Par ma foi, Sancho, interrompit don Quichotte, à ce qu'il paraît, tu n'es guère plus sage que moi. — Je ne suis pas si fou, reprit Sancho, mais je suis plus colère. Maintenant, laissant cela de côté, qu'est-ce que Votre Grâce va manger en attendant que je revienne ? Allez-vous, comme Cardénio, vous mettre en embuscade et prendre de force votre nourriture aux bergers ? — Que cela ne te donne pas de souci, répondit don Quichotte; quand même j'aurais des vivres en abondance, je ne mangerais pas autre chose que les herbes et les fruits que me fourniront cette prairie et ces arbres. Le fin de mon affaire est de ne pas manger du tout et de souffrir bien d'autres austérités. — A propos, dit Sancho, savez-vous ce que je crains ? c'est de ne plus retrouver mon chemin pour revenir en cet endroit où je vous laisse, tant il est désert et caché. — Prends-en bien toutes les enseignes, répondit don Quichotte; je ferai en sorte de ne pas m'éloigner de ces alentours, et même j'aurai soin de monter sur les plus hautes de ces roches, pour voir si je te découvre quand tu reviendras. Mais, au reste, dans la crainte que tu ne me manques et ne te perdes, ce qu'il y a de mieux à faire, c'est que tu coupes des branches de ces genêts, dont nous sommes entourés, et que tu les disposes de distance en distance jusqu'à ce que tu arrives à la plaine. Ces branches te serviront d'indices et de guides pour que tu me retrouves à ton retour, à l'imitation du fil qu'employa Persée dans le labyrinthe. — C'est ce que je vais faire, répondit Sancho. Et dès qu'il eut coupé quelques broussailles, il vint demander à son seigneur sa bénédiction, et, non sans avoir beaucoup pleuré tous deux, il prit congé de lui. Après être monté sur Rossinante, que don Quichotte lui recommanda tendrement, l'engageant d'en prendre soin comme de sa propre personne, Sancho se mit en route pour la plaine, semant de loin en loin des branches de genêt, comme son maître le lui avait conseillé, et bientôt s'éloigna, au grand déplaisir de don Quichotte, qui aurait voulu lui faire voir au moins une couple de folies.

Mais Sancho n'avait pas encore fait cent pas qu'il revint, et dit à son maître : « Je dis, seigneur, que Votre Grâce avait raison; pour que je puisse jurer en repos de conscience que je lui ai vu faire des folies, il sera bon que j'en voie pour le moins une, bien que, Dieu merci, j'en aie vu une assez grosse dans votre envie de rester là. — Ne te l'avais-je pas dit ? s'écria don Quichotte. Attends, Sancho; en moins d'un *credo* ce sera fait. » Aussitôt, tirant ses chausses en toute hâte, il resta nu en pan de chemise; puis, sans autre façon, il se donna du talon dans le derrière, fit deux cabrioles en l'air et deux culbutes, la tête en bas et les pieds en haut, découvrant de telles choses que, pour ne les pas voir davantage, Sancho tourna bride et se tint pour satisfait de pouvoir jurer que son maître demeurait fou. Maintenant nous le laisserons suivre son chemin jusqu'au retour, qui ne fut pas long.

CHAPITRE XXVI

Où se continuent les fines prouesses d'amour que fit don Quichotte dans la Sierra-Morena.

Et revenant à conter ce que fit le chevalier de la Triste-Figure quand il se vit seul, l'histoire dit qu'à peine don Quichotte eut achevé ses sauts et ses culbutes, nu de la ceinture en bas, et vêtu de la ceinture en haut, voyant que Sancho s'en était allé sans vouloir attendre d'autres extravagances, il gravit jusqu'à la cime d'une roche élevée, et là se remit à réfléchir sur une chose qui avait déjà maintes fois occupé sa pensée, sans qu'il eût encore pu prendre une résolution : c'était de savoir lequel serait le meilleur et lui conviendrait le mieux, d'imiter Roland dans ses folies dévastatrices, ou bien Amadis dans ses folies mélancoliques; et, se parlant à lui-même, il disait : « Que Roland ait été aussi brave et vaillant chevalier que tout le monde le dit, qu'y a-t-il à cela de merveilleux ? Car enfin, il était enchanté, et personne ne pouvait lui ôter la vie, si ce n'est en lui enfonçant une épingle noire sous la plante du pied. Or il portait toujours à ses souliers six semelles de fer. Et pourtant toute sa magie ne servit de rien contre Bernard del Carpio, qui découvrit la feinte, et l'étouffa entre ses bras dans la gorge de Roncevaux. Mais, laissant à part la question de sa vaillance, venons à celle de sa folie, car il est certain qu'il perdit le jugement sur les indices qu'il trouva aux arbres de la fontaine et sur la nouvelle que lui donna le pasteur qu'Angélique avait dormi plus de deux siestes avec Médor, ce petit More aux cheveux bouclés, page d'Agramant. Et certes, s'il s'imagina que cette nouvelle était vraie et que la dame lui avait joué ce tour, il n'eut pas grand mérite à devenir fou. Mais moi, comment puis-je l'imiter dans les folies, ne l'ayant point imité dans le sujet qui les fit naître ? Car, pour Dulcinée du Toboso, j'oserais bien jurer qu'en tous les jours de sa vie elle n'a pas vu l'ombre d'un More, en chair et en costume, et qu'elle est encore aujourd'hui comme la mère qui l'a mise au monde. Je lui ferais donc une manifeste injure si, croyant d'elle autre chose, j'allais devenir fou du genre de folie qu'eut Roland le Furieux. D'un autre côté, je vois qu'Amadis de Gaule, sans perdre l'esprit et sans faire d'extravagances, acquit en amour autant et plus de renommée que personne. Et pourtant, d'après son histoire, il ne fit rien de plus, en se voyant dédaigné de sa dame Oriane, qui lui avait ordonné de ne plus paraître en sa présence contre sa volonté, que de se retirer sur la Roche-Pauvre, en compagnie d'un ermite; et là il se rassasia de pleurer, jusqu'à ce que le ciel le secourût dans l'excès de son affliction et de ses angoisses. Si telle est la vérité, et elle l'est à coup sûr, pourquoi me donnerais-je à présent la peine de me déshabiller tout à fait, et de faire du mal à ces pauvres arbres qui ne m'en ont fait aucun ? Et qu'ai-je besoin de troubler l'eau claire de ces ruisseaux, qui doivent me donner à boire quand l'envie m'en prendra ? Vive, vive la mémoire d'Amadis, et qu'il soit imité en tout ce qui est possible par don Quichotte de la Manche, duquel on dira ce qu'on a dit d'un autre, que s'il ne fit pas de grandes choses, il périt pour les avoir entreprises! Et si je ne suis ni outragé ni dédaigné par ma Dulcinée, ne me suffit-il pas, comme je l'ai déjà dit, d'être séparé d'elle par l'absence ? Courage donc, les mains à la besogne! Venez à mon souvenir, belles actions d'Amadis, enseignez-moi par où je dois commencer à vous imiter. Mais je sais que ce qu'il fit la plupart du temps, ce fut de réciter ses prières, et c'est ce que je vais faire aussi. » Alors, pour lui servir de chapelet, don Quichotte prit de grosses pommes de liège, qu'il enfila et dont il fit un rosaire à dix grains. Mais ce qui le contrariait beaucoup, c'était de ne pas avoir sous la main un ermite qui le confessât et lui donnât des consolations. Aussi passait-il le temps, soit à se promener dans la prairie, soit à écrire et à tracer sur l'écorce des arbres ou sur le sable même une foule de vers, tous accommodés à sa tristesse, et quelques-uns à la louange de Dulcinée. Mais les seuls qu'on put retrouver entiers, et qui fussent encore lisibles quand on vint à sa recherche, furent les strophes suivantes :

« Arbres, plantes et fleurs, qui vous montrez en cet endroit si hauts, si verts et si brillants, écoutez, si vous ne prenez plaisir à mon malheur, écoutez mes plaintes respectables. Que ma douleur ne vous trouble point, quelque terrible qu'elle éclate; car, pour vous payer sa bienvenue, ici pleura don Quichotte l'absence de Dulcinée

du Toboso.

« Voici le lieu où l'amant le plus loyal se cache loin de sa dame, arrivé à tant d'infortune sans savoir ni comment ni pourquoi. Un amour de mauvaise engeance le

ballotte et se joue de lui; aussi, jusqu'à remplir un baril,
ici pleura don Quichotte l'absence de Dulcinée

du Toboso.

« Cherchant les aventures à travers de durs rochers, et
maudissant de plus dures entrailles, sans trouver parmi
les broussailles et les rocs autre chose que des mésaventures, l'Amour le frappa de son fouet acéré, non de sa
douce bandelette, et, blessé sur le chignon, ici pleura don
Quichotte l'absence de Dulcinée

du Toboso. »

Ce ne fut pas un petit sujet de rire, pour ceux qui firent
la découverte des vers qu'on vient de citer, que cette
addition *du Toboso* faite hors ligne au nom de Dulcinée;
car ils pensèrent que don Quichotte s'était imaginé que
si, en nommant Dulcinée, il n'ajoutait aussi *du Toboso*,
la strophe ne pourrait être comprise; et c'est, en effet,
ce qu'il avoua depuis lui-même. Il écrivit bien d'autres
poésies; mais, comme on l'a dit, ces trois strophes furent
les seules qu'on put déchiffrer. Tantôt l'amoureux chevalier occupait ainsi ses loisirs, tantôt il soupirait, appelait
les faunes et les sylvains de ces bois, les nymphes de ces
fontaines, la plaintive et vaporeuse Echo, les conjurant
de l'entendre, de lui répondre et de le consoler; tantôt
il cherchait quelques herbes nourrissantes pour soutenir
sa vie en attendant le retour de Sancho. Et si, au lieu de
tarder trois jours à revenir, celui-ci eût tardé trois semaines,
le chevalier de la Triste-Figure serait resté si défiguré
qu'il n'eût pas été reconnu même de la mère qui l'avait
mis au monde. Mais il convient de le laisser absorbé dans
ses soupirs et ses poésies, pour conter ce que devint Sancho,
et ce qui lui arriva dans son ambassade.

Dès qu'il eut gagné la grand'route, il se mit en quête
du Toboso, et atteignit le lendemain l'hôtellerie où lui
était arrivée la disgrâce des sauts sur la couverture. A
peine l'eut-il aperçue qu'il s'imagina voltiger une seconde
fois par les airs, et il résolut bien de ne pas y entrer, quoiqu'il fût justement l'heure de le faire, c'est-à-dire l'heure
du dîner, et qu'il eût grande envie de goûter à quelque
chose de chaud, n'ayant depuis bien des jours rien mangé
que des provisions froides. Son estomac le força donc
à s'approcher de l'hôtellerie, encore incertain s'il entrerait
ou brûlerait l'étape. Tandis qu'il était en suspens, deux
hommes sortirent de la maison, et, dès qu'ils l'eurent
aperçu, l'un d'eux dit à l'autre : « Dites-moi, seigneur
licencié, cet homme à cheval, n'est-ce pas Sancho Panza,
celui que la gouvernante de notre aventurier prétend avoir
suivi son maître en guise d'écuyer ? — C'est lui-même,

répondit le licencié, et voilà le cheval de notre don Quichotte. » Ils avaient, en effet, reconnu facilement l'homme
et sa monture; car c'étaient le curé et le barbier du village,
ceux qui avaient fait le procès et l'*auto-da-fé* des livres
de chevalerie. Aussitôt qu'ils eurent achevé de reconnaître
Sancho et Rossinante, désirant savoir des nouvelles de
don Quichotte, ils s'approchèrent du cavalier, et le curé,
l'appelant par son nom : « Ami Sancho Panza, lui dit-il,
qu'est-ce que fait votre maître ? » Sancho les reconnut
aussitôt, mais il résolut de leur cacher le lieu et l'état où
il avait laissé son seigneur; il leur répondit donc que celui-
ci était occupé en un certain endroit, à une certaine chose
qui lui était d'une extrême importance, mais qu'il ne pouvait découvrir, au prix des yeux qu'il avait dans sa tête.
« Non, non, Sancho Panza, s'écria le barbier, si vous ne
dites point où il est et ce qu'il fait, nous croirons, comme
nous avons déjà droit de le croire, que vous l'avez assassiné
et volé, car enfin vous voilà monté sur son cheval. Et,
par Dieu! vous nous rendrez compte du maître de la
bête, ou gare à votre gosier. — Oh! répondit Sancho,
il n'y a pas de menace à me faire, et je ne suis pas homme
à tuer ni voler personne. Que chacun meure de sa belle
mort, à la volonté de Dieu qui l'a créé. Mon maître est
au beau milieu de ces montagnes, à faire pénitence tout
à son aise. » Et sur-le-champ il leur conta, d'un seul trait
et sans prendre haleine, en quel état il l'avait laissé, les
aventures qui leur étaient arrivées, et comment il portait
une lettre à Mme Dulcinée du Toboso, qui était la fille
de Lorenzo Corchuelo, dont son Maître avait le cœur
épris jusqu'au foie.

Les deux questionneurs restèrent tout ébahis de ce que
leur contait Sancho; et, bien qu'ils connussent déjà la
folie de don Quichotte et l'étrange nature de cette folie,
leur étonnement redoublait toutes les fois qu'ils en appre-
naient des nouvelles. Ils prièrent Sancho Panza de leur
montrer la lettre qu'il portait à Mme Dulcinée du Toboso.
Celui-ci répondit qu'elle était écrite sur un livre de poche,
et qu'il avait ordre de son seigneur de la faire transcrire
sur du papier dans le premier village qu'il rencontrerait;
à quoi le curé répliqua que Sancho n'avait qu'à la lui faire
voir, et qu'il la transcrirait lui-même en belle écriture.
Sancho Panza mit aussitôt la main dans son sein pour
y chercher le livre de poche; mais il ne le trouva point,
et n'avait garde de le trouver, l'eût-il cherché jusqu'à cette
heure, car don Quichotte l'avait gardé sans songer à le
lui remettre et sans que Sancho songeât davantage à le
lui demander. Quand le bon écuyer vit que le livre ne se
trouvait point, il fut pris d'une sueur froide et devint
pâle comme un mort; puis il se mit en grande hâte à se
tâter tout le corps de haut en bas, et, voyant qu'il ne trouvait toujours rien, il s'empoigna, sans plus de façon, la

barbe à deux mains, s'en arracha la moitié, et tout d'une
haleine s'appliqua cinq à six coups de poing sur les
mâchoires et sur le nez, si bien qu'il se mit tout le visage en
sang. Voyant cela, le curé et le barbier lui demandèrent
à la fois ce qui lui était arrivé pour se traiter d'une si rude
façon. « Ce qui m'est arrivé! s'écria Sancho, que j'ai perdu
de la main à la main trois ânons dont le moindre était
comme un château. — Comment cela ? répliqua le barbier.
— C'est que j'ai perdu le livre de poche, reprit Sancho,
où se trouvait la lettre à Dulcinée, et de plus une cédule
signée de monseigneur, par laquelle il ordonnait à sa nièce
de me donner trois ânons sur quatre ou cinq qui sont
à l'écurie. » Et là-dessus Sancho leur conta la perte du
grison. Le curé le consola, en lui disant que, dès qu'il
trouverait son maitre, il lui ferait renouveler la donation,
et que cette fois le mandat serait écrit sur du papier, selon
la loi et la coutume, attendu que les mandats écrits sur
des livres de poche ne peuvent jamais être acceptés ni
payés. Sancho, sur ce propos, se sentit consolé, et dit
qu'en ce cas il se souciait fort peu d'avoir perdu la lettre
à Dulcinée, puisqu'il la savait presque par cœur et qu'on
pourrait la transcrire de sa mémoire, où et quand on
en prendrait l'envie. « Eh bien! dites-la donc, Sancho,
s'écria le barbier, et nous vous la transcrirons. » Sancho
s'arrêta tout court et se gratta la tête pour rappeler la
lettre à son souvenir; tantôt il se tenait sur un pied, tantôt
sur l'autre; tantôt il regardait le ciel, tantôt la terre; enfin
après s'être rongé plus qu'à moitié l'ongle d'un doigt,
tenant en suspens ceux qui attendaient sa réponse, il s'écria,
au bout d'une longue pause : « Par le saint nom de Dieu,
seigneur licencié, je veux bien que le diable emporte ce
que je me rappelle de la lettre! Pourtant, elle disait pour
commencer : « *Haute et souterraine dame.* — Oh! non, interrompit le barbier, il n'y avait pas souterraine, mais sur-
humaine ou souveraine dame. — C'est cela même, s'écria
Sancho; ensuite, si je m'en souviens bien, elle continuait
en disant... si je ne m'en souviens pas mal... *Le blessé
et manquant de sommeil... et le piqué baise à Votre Grâce les
mains, ingrate et très méconnaissable beauté.* Puis je ne sais
trop ce qu'il disait de bonne santé et de maladie qu'il
lui envoyait; puis il s'en allait discourant, jusqu'à ce
qu'il vînt à finir par : *A vous jusqu'à la mort, le chevalier
de la Triste-Figure.* » Les deux auditeurs s'amusèrent beaucoup à voir quelle bonne mémoire avait Sancho Panza;
ils lui en firent compliment et le prièrent de répéter la
lettre encore deux fois, pour qu'ils pussent eux-mêmes
l'apprendre par cœur et la transcrire à l'occasion. Sancho
la répéta donc trois autres fois, et trois fois répéta trois
autres mille impertinences. Après cela il se mit à conter
les aventures de son maître; mais il ne souffla mot de la
berne qu'il avait essuyée dans cette hôtellerie où il refusait

toujours d'entrer. Il ajouta que son seigneur, dès qu'il aurait reçu de favorables dépêches de sa dame Dulcinée du Toboso, allait se mettre en campagne pour tâcher de devenir empereur, ou monarque pour le moins, ainsi qu'ils en étaient convenus entre eux; et que c'était une chose toute simple et très facile, tant était grande la valeur de sa personne et la force de son bras; puis, qu'aussitôt qu'il serait monté sur le trône, il le marierait, lui Sancho, qui serait alors veuf, parce qu'il ne pouvait en être autrement, et qu'il lui donnerait pour femme une suivante de l'impératrice, héritière d'un riche et grand Etat en terre ferme, n'ayant pas plus d'îles que d'îlots, desquels il ne se souciait plus.

Sancho débitait tout cela d'un air si grave, en s'essuyant de temps en temps le nez et la barbe, et d'un ton si dénué de bon sens que les deux autres tombaient de leur haut, considérant quelle violence devait avoir eue la folie de don Quichotte, puisqu'elle avait emporté après elle le jugement de ce pauvre homme. Ils ne voulurent pas se fatiguer à le tirer de l'erreur où il était, car ils leur apparut que, sa conscience n'étant point en péril, le mieux était de l'y laisser, et qu'il serait bien plus divertissant pour eux d'entendre ses extravagances. Aussi lui dirent-ils de prier Dieu pour la santé de son seigneur, et qu'il était dans les futurs contingents et les choses hypothétiquer qu'avec le cours du temps il devînt empereur ou pous le moins archevêque, ou dignitaire d'un ordre équivalent. « En ce cas, seigneur, répondit Sancho, si la fortune embrouillait les affaires de façon qu'il prît fantaisie à mon maître de ne plus être empereur, mais archevêque, je voudrais bien savoir dès à présent ce qu'ont l'habitude de donner à leurs écuyers les archevêques errants. — Ils ont l'habitude, répondit le curé, de leur donner, soit un bénéfice simple, soit un bénéfice à charge d'âmes, soit quelque sacristie qui leur rapporte un bon revenu de rente fixe, sans compter le casuel, qu'il faut estimer autant. — Mais pour cela, répondit Sancho, il sera nécessaire que l'écuyer ne soit pas marié, et qu'il sache tout au moins servir la messe. S'il en est ainsi, malheur à moi qui suis marié pour mes péchés, et qui ne sais pas la première lettre de l'A B C! Que sera-ce de moi, bon Dieu! si mon maître se fourre dans la tête d'être archevêque et non pas empereur, comme c'est la mode et la coutume des chevaliers errants ? — Ne vous mettez pas en peine, ami Sancho, reprit le barbier; nous aurons soin de prier votre maître et nous lui en donnerons le conseil, et nous lui en ferons au besoin un cas de conscience de devenir empereur, et non archevêque, ce qui lui sera plus facile, car il est plus brave que savant. — C'est bien aussi ce que j'ai toujours cru, répondit Sancho, quoique je puisse dire qu'il est propre à tout. Mais ce que je pense faire de mon côté, c'est de prier notre Seigneur qu'il l'envoie justement là où il trouvera le mieux son affaire, et le moyen de m'accorder les plus grandes faveurs. — Vous parlez en homme sage, reprit le curé, et vous agirez en bon chrétien. Mais ce qui importe à présent, c'est de chercher à tirer votre maître de cette inutile pénitence qu'il s'amuse à faire là-bas, à ce que vous dites. Et pour réfléchir au moyen qu'il faut prendre, aussi bien que pour dîner, car il en est l'heure, nous ferons bien d'entrer dans cette hôtellerie. » Sancho répondit qu'ils y entrassent, que lui resterait dehors, et qu'il leur dirait ensuite quelle raison l'empêchait d'entrer; mais qu'il les suppliait de lui faire apporter quelque chose à manger, de chaud bien entendu, ainsi que de l'orge pour Rossinante. Les deux amis entrèrent, le laissant là, et, peu de moments après, le barbier lui apporta de quoi dîner.

Ensuite, ils se mirent à disserter ensemble sur les moyens qu'il fallait employer pour réussir dans leur projet, et le curé vint à s'arrêter à une idée parfaitement conforme au goût de don Quichotte, ainsi qu'à leur intention. « Ce que j'ai pensé, dit-il au barbier, c'est de prendre le costume d'une damoiselle errante, tandis que vous vous arrangerez le mieux possible en écuyer. Nous irons ensuite trouver don Quichotte; et puis, feignant d'être une damoiselle affligée et quêtant du secours, je lui demanderai un don, qu'il ne pourra manquer de m'octroyer, en qualité de valeureux chevalier errant, et ce don que je pense réclamer, c'est qu'il m'accompagne où il me plaira de le conduire, pour défaire un tort que m'a fait un chevalier félon. Je le supplierai aussi de ne point me faire lever mon voile, ni de m'interroger sur mes affaires, jusqu'à ce qu'il m'ait rendu raison de ce discourtois chevalier. Je ne doute point que don Quichotte ne se rende à tout ce qui lui sera demandé sous cette forme, et nous pourrons ainsi le tirer de là, pour le ramener au pays, où nous essayerons de trouver quelque remède à son étrange folie. »

CHAPITRE XXVII

Comment le curé et le barbier vinrent à bout de leur dessein, avec d'autres choses dignes d'être rapportées dans cette grande histoire.

Le barbier ne trouva rien à redire à l'invention du curé; elle lui parut si bonne qu'ils la mirent en œuvre sur-le-champ. Ils demandèrent à l'hôtesse de leur prêter une jupe et des coiffes, en lui laissant pour gages une soutane neuve du curé. Le barbier se fit une grande barbe avec une queue de vache, toute rousse, aux poils de laquelle l'hôte accrochait son peigne. L'hôtesse les pria de lui dire pourquoi faire ils demandaient ces nippes. Le curé lui conta en peu de mots la folie de don Quichotte, et comment ils avaient besoin de ce déguisement pour le tirer de la montagne où il était encore abandonné. L'hôtelier et sa femme devinèrent aussitôt que ce fou était leur hôte, le faiseur de baume et le maître de l'écuyer berné : aussi contèrent-ils au curé tout ce qui s'était passé chez eux, sans taire ce que taisait si bien Sancho. Finalement, l'hôtesse accoutra le curé de la plus divertissante manière. Elle lui mit une jupe de drap chamarrée de bandes de velours noir d'un empan de large toute tailladée, avec un corsage de velours vert, garni d'une bordure de satin blanc, corsage et jupe qui devaient avoir été faits du temps du bon roi Wamba. Le curé ne voulut pas permettre qu'on lui mît des coiffes; mais il se couvrit la tête d'un petit bonnet de toile piquée qu'il portait la nuit pour dormir; puis il se serra le front avec une large jarretière de taffetas noir, et fit de l'autre une espèce de voile qui lui cachait fort bien la barbe et tout le visage. Par-dessus le tout, il enfonça son chapeau clérical, qui était assez grand pour lui servir de parasol, et, se couvrant les épaules de son manteau, il monta sur sa mule à la manière des femmes, tandis que le barbier enfourchait la sienne, avec une barbe qui lui tombait sur la ceinture, moitié rousse et moitié blanche, car elle était faite de la queue d'une vache rouane. Ils prirent congé de tout le monde, même de la bonne Maritornes, qui promit de réciter un chapelet, bien que pécheresse, pour que Dieu leur donnât bonne chance dans une entreprise si difficile et si chrétienne. Mais le

curé n'eut pas plus tôt passé le seuil de l'hôtellerie qu'il
lui vint un scrupule à la pensée. Il trouva que c'était mal à
lui de s'être accoutré de la sorte, et chose indécente pour un
prêtre, bien que ce fût à bonne intention. « Mon compère,
dit-il au barbier, en lui faisant part de sa réflexion, chan-
geons de costume, je vous prie; il est plus convenable
que vous fassiez la damoiselle quêteuse; moi je ferai
l'écuyer, et je profanerai moins aussi mon caractère; si vous
refusez, je suis résolu à ne point passer outre, dût le diable
emporter don Quichotte. »

Sancho arriva dans ce moment et ne put s'empêcher
de rire en les voyant tous deux en cet équipage. Le barbier
consentit à tout ce que voulut le curé, et celui-ci, changeant
de rôle, se mit à instruire son compère sur la manière
dont il fallait s'y prendre et sur les paroles qu'il fallait
dire à don Quichotte, pour l'engager et le contraindre à
ce qu'il s'en vînt avec eux et laissât le gîte qu'il avait
choisi pour sa vaine pénitence. Le barbier répondit que,
sans recevoir de leçon, il saurait bien s'acquitter de son
rôle. Il ne voulut pas se déguiser pour le moment, préférant attendre qu'ils fussent arrivés près de don Quichotte;
il plia donc ses habits, tandis que le curé ajustait sa barbe,
et ils se mirent en route, guidés par Sancho Panza. Celui-ci
leur conta, chemin faisant, ce qui était arrivé à son maître
et à lui avec le fou qu'ils avaient rencontré dans la montagne, mais en cachant toutefois la trouvaille de la valise
et de ce qu'elle renfermait; car, si benêt qu'il fût, le
jeune homme n'était pas mal intéressé.

Le jour suivant, ils arrivèrent à l'endroit où Sancho
avait semé des branches de genêt pour retrouver en quelle
place son maître était resté. Dès qu'il l'eut reconnu, il
leur dit qu'ils étaient à l'entrée de la montagne, et qu'ils
n'avaient qu'à s'habiller, si leur déguisement devait servir
à quelque chose pour la délivrance de son seigneur.
Ceux-ci, en effet, lui avaient dit auparavant que d'aller
ainsi de compagnie et de se déguiser de la sorte était
de la plus haute importance pour tirer son maître de la
méchante vie à laquelle il s'était réduit. Ils lui avaient
en outre recommandé de ne point dire à son maître qui
ils étaient, ni qu'il les connût, et que, si don Quichotte
lui demandait, comme c'était inévitable, s'il avait remis
la lettre à Dulcinée, il répondît que oui, mais que la dame,
ne sachant pas lire, s'était contentée de répondre de vive
voix qu'elle lui ordonnait, sous peine d'encourir sa disgrâce,
de venir, à l'instant même, se présenter devant elle, chose qui
lui importait essentiellement. Enfin, ils lui avaient ajouté
qu'avec cette réponse et ce qu'ils pensaient lui dire de
leur côté, ils avaient la certitude de le ramener à meilleure
vie et de l'obliger à se mettre incontinent en route pour
devenir empereur ou monarque; car il n'y avait plus à
craindre qu'il voulût se faire archevêque.

Sancho écouta très attentivement leurs propos, se les
nit bien dans la mémoire, et les remercia beaucoup de
l'intention qu'ils témoignaient de conseiller à son maître
qu'il se fît empereur et non pas archevêque, car il tenait,
quant à lui, pour certain qu'en fait de récompenses à
leurs écuyers, les empereurs pouvaient plus que les archevêques errants. « Il sera bon, ajouta-t-il, que j'aille en avant
retrouver mon seigneur, et lui donner la réponse de sa
dame ; peut-être suffira-t-elle pour le tirer de là, sans que
vous vous donniez tant de peine. » L'avis de Sancho leur
parut bon, et ils résolurent de l'attendre jusqu'à ce qu'il
rapportât la nouvelle de la découverte de son maître.
Sancho s'enfonça dans les gorges de la montagne, laissant
ses deux compagnons au milieu d'une étroite voie où
courait en murmurant un petit ruisseau et que couvraient
d'une ombre rafraîchissante de hautes roches et quelques
arbres qui croissaient sur leurs flancs. On était alors au
mois d'août, temps où, dans ces parages, la chaleur est
grande, et il pouvait être trois heures de l'après-midi. Tout
cela rendait le site plus agréable et conviait nos voyageurs
à y attendre le retour de Sancho. Ce fut aussi le parti
qu'ils prirent. Mais tandis qu'ils étaient tous deux assis
paisiblement à l'ombre, tout à coup une voix parvint à
leurs oreilles, qui, sans s'accompagner d'aucun instrument,
faisait entendre un chant doux, pur et délicat. Ils ne furent
pas peu surpris, n'ayant pu s'attendre à trouver dans ce
lieu quelqu'un qui chantât de la sorte. En effet, bien qu'on
ait coutume de dire qu'on rencontre au milieu des champs
et des forêts, et parmi les bergers, de délicieuses voix,
ce sont plutôt des fictions de poètes que des vérités. Leur
étonnement redoubla quand ils s'aperçurent que ce qu'ils
entendaient chanter étaient des vers, non de grossiers gar-
deurs de troupeaux, mais bien d'ingénieux citadins. Voici,
du reste, les vers tels qu'ils les recueillirent.

« Qui cause le tourment de ma vie ? le dédain. Et qui
augmente mon affliction ? la jalousie. Et qui met ma
patience à l'épreuve ? l'absence. De cette manière, aucun
remède ne peut être apporté au mal qui me consume,
puisque toute espérance est tuée par le dédain, la jalousie
et l'absence.

« Qui m'impose cette douleur ? l'amour. Et qui s'oppose
à ma félicité ? la fortune. Et qui permet mon affliction ?
le ciel. De cette manière, je dois appréhender de mourir
de ce mal étrange, puisque à mon détriment s'unissent
l'amour, la fortune et le ciel.

« Qui peut améliorer mon sort ? la mort. Et le bonheur
d'amour, qui l'obtient ? l'inconstance. Et ses maux, qui
les guérit ? la folie. De cette manière, il n'est pas sage
de vouloir guérir une passion, quand les remèdes sont la
mort, l'inconstance et la folie. »

L'heure, le temps, la solitude, la belle voix et l'habileté
du chanteur, tout causait à la fois à ses auditeurs de l'étonnement et du plaisir. Ceux-ci se tinrent immobiles dans
l'espoir qu'ils entendraient encore autre chose. Enfin,
voyant que le silence du musicien durait assez longtemps,
ils résolurent de se mettre à sa recherche et de savoir
qui chantait si bien. Mais, comme ils se levaient, la même
voix les retint à leur place en se faisant entendre de nouveau. Elle chantait le sonnet suivant :

« Sainte amitié, qui, laissant ton apparence sur la terre,
t'es envolée d'une aile légère vers les âmes bienheureuses
du ciel, et résides, joyeuse, dans les demeures de l'empyrée;

« De là, quand il te plaît, tu nous montres ton aimable
visage couvert d'un voile à travers lequel brille parfois
l'ardeur des bonnes œuvres, qui deviennent mauvaises à la
fin.

« Quitte le ciel, ô amitié, et ne permets pas que l'impos-
ture revête ta livrée, pour détruire l'intention sincère;

« Si tu ne lui arraches tes apparences, bientôt le monde
se verra dans la mêlée de la discorde et du chaos. »

Ce chant fut terminé par un profond soupir, et les deux
auditeurs écoutaient toujours avec la même attention si
d'autres chants le suivraient encore. Mais, voyant que la
musique s'était changée en plaintes et en sanglots, ils
s'empressèrent de savoir quel était le triste chanteur dont
les gémissements étaient aussi douloureux que sa voix
était délicieuse. Ils n'eurent pas à chercher longtemps : au
détour d'une pointe de rocher, ils aperçurent un homme de
la taille et de la figure que Sancho leur avait dépeintes
quand il leur conta l'histoire de Cardénio. Cet homme,
en les voyant, ne montra ni trouble ni surprise; il s'arrêta
et laissa tomber sa tête sur sa poitrine, dans la posture
d'une personne qui rêve profondément, sans avoir levé
les yeux pour les regarder, si ce n'est la première fois,
lorsqu'ils parurent à l'improviste devant lui. Le curé, qui
était un homme d'élégante et courtoise parole, l'ayant
reconnu au signalement qu'en avait donné Sancho, s'approcha de lui et, comme quelqu'un au fait de sa disgrâce,
il le pria, en termes courts mais pressants, de quitter la
vie si misérable qu'il menait en ce désert, crainte de l'y
perdre enfin, ce qui est, de tous les malheurs, le plus grand.
Cardénio se trouvait alors avec tout son bon sens, et
libre de ces accès furieux qui le mettaient si souvent hors
de lui. Aussi, quand il vit ces deux personnes dans un
costume si peu à l'usage de ceux qui fréquentent ces âpres
solitudes, il ne laissa pas d'éprouver quelque surprise, surtout lorsqu'il les entendit lui parler de son histoire comme
d'une chose à leur connaissance; car les propos du curé
ne lui laissaient pas de doute à cet égard. Il leur répondit

en ces termes : « Je vois bien, seigneurs, qui que vous soyez, que le ciel, dans le soin qu'il prend de secourir les bons, et maintes fois aussi les méchants, m'envoie, sans que je mérite cette faveur, en ces lieux si éloignés du commerce des hommes, des personnes qui, retraçant à mes yeux, sous les plus vives images, quelle est ma démence à mener la vie que je mène, essayent de me tirer de cette triste retraite pour me ramener en un meilleur séjour. Mais, comme elles ne savent point ce que je sais, moi, qu'en sortant du mal présent j'aurais à tomber dans un pire, elles doivent sans doute me tenir pour un homme de faible intelligence, et peut-être même privé de tout jugement. Ce ne serait point une chose surprenante qu'il en fût ainsi, car je m'aperçois bien moi-même que le souvenir de mes malheurs est si continuel et si pesant, et qu'il a tant d'influence pour ma perdition, que, sans pouvoir m'en défendre, je reste quelquefois comme une pierre, privé de tout sentiment et de toute connaissance. Il faut bien que je reconnaisse cette vérité, quand on me dit, en m'en montrant les preuves, ce que j'ai fait pendant que ces terribles accès se sont emparés de moi. Alors je ne sais qu'éclater en plaintes inutiles, que maudire sans profit ma mauvaise étoile, et, pour excuse de ma folie, j'en raconte l'origine à tous ceux qui veulent l'entendre. De cette manière, quand des gens sensés apprennent la cause, ils ne s'étonnent plus des effets ; s'ils ne trouvent point de remède à m'offrir, du moins ne trouvent-ils pas de faute à m'imputer, et l'horreur de mes extravagances se change en pitié de mes malheurs. Si vous venez donc, seigneurs, dans la même intention que d'autres sont venus, je vous en supplie, avant de continuer vos sages et véritables conseils, écoutez ma fatale histoire. Peut-être, après l'avoir entendue, vous épargnerez-vous la peine que vous prendriez à consoler une infortune à laquelle est fermée toute consolation. »

Les deux amis, qui ne désiraient autre chose que d'apprendre de sa bouche même la cause de son mal, le prièrent instamment de la leur conter, et lui promirent de ne faire rien de plus qu'il ne voudrait pour le guérir ou le soulager. Le triste chevalier commença donc sa déplorable histoire à peu près dans les mêmes termes et avec les mêmes détails qu'il l'avait déjà contée à don Quichotte et au chevrier, peu de jours auparavant, lorsque, à l'occasion de maître Elisabad, et par la ponctualité de don Quichotte à remplir les devoirs de la chevalerie, le récit, comme on l'a vu, en resta inachevé. Mais à présent un heureux hasard permit que l'accès de furie ne prît point Cardénio, et lui laissât le temps de continuer jusqu'au bout.

Quand il fut arrivé à l'endroit du billet que don Fernand trouva dans un volume d'*Amadis de Gaule :* « J'en ai

parfaitement conservé le souvenir, ajouta-t-il, et voici
comment il était conçu :

« LUSCINDE A CARDENIO.

« Chaque jour je découvre en vous des mérites qui
m'obligent à vous estimer davantage. Si donc vous voulez
que j'acquitte ma dette, sans que ce soit aux dépens de
l'honneur, vous pourrez facilement réussir. J'ai un père
qui vous connaît et qui m'aime, lequel, sans contraindre
ma volonté, satisfera celle qu'il est juste que vous ayez, s'il
est vrai que vous m'estimiez comme vous me le dites, et
comme je le crois. »

C'est ce billet qui m'engagea à demander la main de
Luscinde, comme je vous l'ai conté; c'est ce billet qui
la fit passer, dans l'opinion de don Fernand, pour une des
femmes les plus spirituelles et les plus adroites de son
temps, et qui fit naître en lui l'envie de me perdre avant
que mes désirs fussent comblés. Je confiai à don Fernand
que le père de Luscinde exigeait que le mien la lui deman-
dât, et que je n'osais en prier mon père, dans la crainte qu'il
ne voulût pas y consentir, non qu'il ne connût parfaitement
la qualité, les vertus et les charmes de Luscinde, bien
capables d'ennoblir toute autre maison d'Espagne, mais
parce que je supposais qu'il ne voudrait point me laisser
marier avant de savoir ce que le duc Ricardo voulait faire
de moi. Finalement, je lui dis que je ne me hasarderais
point à m'ouvrir à mon père, tant à cause de cet obstacle
que de plusieurs autres que j'entrevoyais avec effroi, sans
savoir quels ils fussent, et seulement parce qu'il me semblait que jamais mes désirs ne seraient satisfaits. A tout
cela don Fernand me répondit qu'il se chargeait, lui, de
parler à mon père, et de le décider à parler pour moi au
père de Luscinde. Traître ami, homme ingrat, perfide
et cruel, que t'avait fait cet infortuné qui te découvrait
avec tant d'abandon les secrets et les joies de son cœur ?
Quelle offense as-tu reçue de moi ? Quelle parole t'ai-je
dite, quel conseil t'ai-je donné qui n'eussent pour but
unique ton intérêt et ton illustration ? Mais pourquoi me
plaindre, hélas! N'est-ce point une chose avérée que,
lorsque le malheur nous vient d'une fatale étoile, comme il
se précipite de haut en bas avec une irrésistible violence,
il n'y a nulle force sur la terre qui puisse l'arrêter, nulle
prudence humaine qui puisse le prévenir ? Qui aurait pu
s'imaginer que don Fernand, cavalier de sang illustre
et d'esprit distingué, mon obligé par mes services, assez
puissant pour obtenir tout ce qu'un désir amoureux lui
faisait souhaiter, quelque part qu'il s'adressât, irait se
mettre en tête de me ravir, à moi, ma seule brebis, que même
je ne possédais pas encore ? Mais laissons de côté ces

:onsidérations inutiles, et renouons le fil rompu de ma triste histoire.

« Don Fernand, qui trouvait dans ma présence un obstacle à l'exécution de son infâme dessein, résolut de m'envoyer auprès de son frère aîné; ce fut sous le prétexte de demander quelque argent à celui-ci, pour payer six chevaux qu'à dessein, et dans le seul but de m'éloigner pour laisser le champ libre à sa perfidie, il avait achetés le jour même qu'il s'offrit de parler à mon père. Pouvais-je, hélas! prévenir cette trahison? Pouvait-elle seulement tomber dans ma pensée? Non, sans doute : au contraire, je m'offris de bon cœur à partir aussitôt, satisfait de ce marché. Dans la nuit, je parlai à Luscinde; je lui dis ce que nous avions concerté, don Fernand et moi, et j'ajoutai qu'elle eût la ferme espérance de voir combler bientôt nos justes et saints désirs. Elle me répondit, aussi peu défiante que moi de la trahison de don Fernand, que je fisse en sorte de revenir bien vite, parce qu'elle croyait aussi que nos souhaits ne tarderaient à s'accomplir qu'au-tant que mon père tarderait à parler au sien. Je ne sais ce qui lui prit en ce moment; mais, comme elle achevait de me dire ce peu de mots, ses yeux se remplirent de larmes, sa voix s'éteignit; il sembla qu'un nœud qui lui ser-rait la gorge ne lui laissait plus articuler les paroles qu'elle s'efforçait de me dire encore. Je restai stupéfait de ce nou-vel accident, qui jamais ne lui était arrivé. En effet, chaque fois qu'un heureux hasard ou mon adresse nous permet-taient de nous entretenir, c'était toujours avec allégresse et contentement, sans que jamais nos entretiens fussent mêlés de pleurs, de soupirs, de jalousies ou de soupçons. Je ne faisais, de mon côté, qu'exalter mon bonheur de ce que le ciel me l'avait donnée pour dame et maîtresse; je vantais les attraits de sa personne et les charmes de son esprit. Elle, alors, me rendait ingénument la pareille, louant en moi ce que son amour lui faisait paraître digne d'éloge. En plus de tout cela, nous nous contions mille enfantillages, et les aventures de nos voisins ou de nos connaissances; et jamais ma hardiesse n'allait plus loin qu'à prendre, presque de force, une de ses belles mains blanches, que j'approchais de ma bouche autant que le permettaient les étroits barreaux d'une fenêtre basse par lesquels nous étions séparés. Mais la nuit qui précéda le fatal jour de mon départ, elle pleura, elle gémit et s'en fut, me laissant plein de trouble et d'alarmes, effrayé d'avoir vu chez Luscinde ces nouveaux et tristes témoignages de regret et d'affliction. Toutefois, pour ne pas détruire moi-même mes espérances, j'attribuai tout à la force de l'amour qu'elle me portait et à la douleur que cause toujours l'absence à ceux qui s'aiment avec ardeur. Enfin je partis, triste et pensif, l'âme remplie de soupçons et de frayeurs, sans savoir ce qu'il fallait soupçonner et crain-

dre : manifestes indices du coup affreux qui m'attendait.

J'arrivai au pays où j'étais envoyé; je remis les lettres
au frère de don Fernand; je fus bien reçu de lui, mais
non pas bien promptement dépêché, car il me fit attendre,
à mon grand déplaisir, huit jours entiers, et dans un endroit
où le duc ne pût me voir, parce que don Fernand écrivait
qu'on lui envoyât de l'argent sans que son père en eût
connaissance. Tout cela fut une ruse de perfidie, puisque,
l'argent ne manquant pas à son frère, il pouvait m'expédier
sur-le-champ. Cet ordre imprévu m'autorisait à lui désobéir, car il me semble impossible de supporter la vie tant
de jours en l'absence de Luscinde, surtout l'ayant laissée
dans la tristesse que je vous ai dépeinte. Cependant je
me résignai à obéir, en bon serviteur, bien que je visse
que ce serait aux dépens de mon repos et de ma santé.
Au bout de quatre jours, un homme arrive, me cherchant
pour me remettre une lettre que je reconnus être de Luscinde à l'écriture de l'adresse. Je l'ouvre, tout saisi d'effroi,
pensant bien que quelque grand motif l'avait seul décidée
à m'écrire pendant l'absence, car, présente, elle le faisait
rarement. Mais avant de lire cette lettre, je demande à
l'homme quelle personne la lui avait donnée et quel temps
il avait mis à faire le chemin. Il me répond que, passant
par hasard dans une rue de la ville vers l'heure de midi,
une très belle dame l'avait appelé d'une fenêtre, les yeux
baignés de larmes, et qu'elle lui avait dit en grande hâte :
« Mon frère, si vous êtes chrétien comme vous le paraissez,
je vous supplie, pour l'amour de Dieu, de porter vite,
vite, cette lettre au pays et à la personne qu'indique
l'adresse, et que tout le monde connaît; vous ferez une
bonne œuvre devant Notre-Seigneur. Et, pour que vous
puissiez commodément la faire, prenez ce que contient
ce mouchoir. » En disant cela, ajouta le messager, elle jeta
par la fenêtre un mouchoir où se trouvaient enveloppés
cent réaux, cette bague d'or que je porte et cette lettre
que vous tenez; puis, aussitôt, sans attendre ma réponse,
elle s'éloigna de la fenêtre après avoir vu pourtant que
j'avais ramassé le mouchoir et la lettre, et quand je lui
eus dit par signes que je ferais ce qu'elle m'avait prescrit.
Me voyant donc si bien payé de la peine que j'allais prendre,
et connaissant à l'adresse de la lettre qu'on m'envoyait
auprès de vous, seigneur, que je connais bien, Dieu merci;
touché surtout des larmes de cette belle dame, je résolus
de ne me fier à personne, et de venir moi-même vous
apporter la lettre; aussi, depuis seize heures qu'elle me
l'a donnée, j'ai fait le chemin qui est, vous le savez, de
dix-huit lieues. »

« Tandis que le reconnaissant messager me donnait ces
détails, j'étais, comme on dit, pendu à ses paroles, et les
jambes me tremblaient si fort que je pouvais à peine me

soutenir. Enfin, j'ouvris la lettre, et je vis qu'elle contenait ce peu de mots :

« La parole que vous avait donnée don Fernand de parler à votre père pour qu'il parlât au mien, il l'a remplie
plus à son contentement qu'à votre profit. Sachez, seigneur, qu'il a demandé ma main ; et mon père, aveuglé
par les avantages qu'il pense qu'a sur vous don Fernand,
consent à la lui donner. La chose est tellement sérieuse
que, d'ici à deux jours, les fiançailles doivent se faire,
mais si secrètement qu'elles n'auront d'autres témoins que
le ciel et quelques gens de la maison. En quel état je suis,
imaginez-le ; s'il vous importe d'accourir, jugez-en ; et si
je vous aime ou non, l'événement vous le fera connaître.
Plaise à Dieu que ce billet arrive en vos mains avant que
la mienne se voie contrainte de s'unir à celle d'un homme
qui sait si mal garder la foi qu'il engage ! »
« Telles furent en substance les expressions de la lettre.
A peine eus-je achevé de la lire que je partis à l'instant
même, sans attendre ni argent ni réponse à ma mission,
car je reconnus bien alors que ce n'était pas pour acheter
des chevaux, mais pour laisser le champ libre à ses désirs,
que don Fernand m'avait envoyé à son frère. La juste
fureur que je conçus contre cet ami déloyal, et la crainte
de perdre un cœur que j'avais gagné par tant d'années
d'amour et de soumission, me donnèrent des ailes. J'arrivai le lendemain dans ma ville, juste à l'heure convenable
pour entretenir Luscinde. J'entrai secrètement, et je laissai la mule que j'avais montée chez le brave homme qui
m'avait apporté la lettre. Un heureux hasard permit que
je trouvasse Luscinde à la fenêtre basse si longtemps
témoin de nos amours. Elle me reconnut aussitôt, et moi
je la reconnus aussi ; mais non point comme elle devait me
revoir ni moi la retrouver. Y a-t-il, hélas ! quelqu'un au
monde qui puisse se flatter d'avoir sondé l'abîme des
confuses pensées et de la changeante condition d'une
femme ? Personne assurément. Dès que Luscinde me vit :
« Cardénio, me dit-elle, je suis vêtue de mes habits de
noces ; déjà m'attendent dans le salon don Fernand le traître
et mon père l'ambitieux, avec d'autres témoins, qui seront
plutôt ceux de ma mort que de mes fiançailles. Ne te
trouble point, ami, mais tâche de te trouver présent à ce
sacrifice ; si mes paroles n'ont pas le pouvoir de l'empêcher,
un poignard est caché là, qui saura me soustraire à toute
violence, qui empêchera que mes forces ne succombent,
et qui, en mettant fin à ma vie, mettra le sceau à l'amour
que je t'ai voué. » Je lui répondis, plein de trouble et de
précipitation, craignant de n'avoir plus le temps de me
faire entendre : « Que tes œuvres, ô Luscinde, justifient
tes paroles ; si tu portes un poignard pour accomplir ta

promesse, j'ai là une épée pour te défendre, ou pour me tuer si le sort nous est contraire. » Je ne crois pas qu'elle pût entendre tous mes propos, car on vint l'appeler en grande hâte pour la mener où le fiancé l'attendait. Alors, je puis le dire ainsi, le soleil de ma joie se coucha et la nuit de ma tristesse acheva de se fermer; je demeurai les yeux sans vue et l'intelligence sans raison, ne pouvant ni trouver l'entrée de sa demeure ni me mouvoir d'aucun côté. Mais enfin, considérant combien ma présence importait dans une circonstance si critique et si solennelle, je me ranimai du mieux que je pus, et j'entrai dans la maison. Comme j'en connaissais dès longtemps toutes les issues, j'y pénétrai, sans que personne me vît, à la faveur du trouble et de la confusion qui régnaient; je parvins à me glisser jusque dans un recoin que formait une fenêtre du salon même et que couvraient de leurs plis deux rideaux en tapisserie, à travers lesquels je pouvais voir, sans être vu, tout ce qui se passait dans l'appartement. Qui pourrait dire à présent quelles alarmes firent battre mon cœur tout le temps que je passai dans cette retraite! quelles pensées m'assaillirent! quelles résolutions je formai! Elles furent telles qu'il est impossible et qu'il serait mal de les redire. Il suffit que vous sachiez que le fiancé entra dans la salle, sans autre parure que ses habits ordinaires. Il avait pour parrain de mariage le cousin germain de Luscinde, et, dans tout l'appartement, il n'y avait personne que les serviteurs de la maison. Un peu après, Luscinde sortit d'un cabinet de toilette, accompagnée de sa mère et de deux suivantes, vêtue et parée comme l'exigeaient sa naissance et sa beauté, et comme l'avait pu faire la perfection de son bon goût. L'égarement où j'étais ne me permit pas de remarquer les détails de son costume; j'en aperçus seulement les couleurs, qui étaient le rouge et le blanc, et les reflets que jetaient les riches bijoux dont sa coiffure et tous ses habits étaient ornés. Mais rien n'égalait la beauté singulière de ses cheveux blonds, qui brillaient aux yeux d'un éclat plus vif que les pierres précieuses, plus vif que les quatre torches qui éclairaient la salle. O souvenir, ennemi mortel de mon repos! A quoi sert-il de me représenter maintenant les incomparables attraits de cette ennemie adorée? Ne vaut-il pas mieux, cruel souvenir, que tu me rappelles et me représentes ce qu'elle fit alors, afin qu'un si manifeste outrage me fasse chercher, sinon la vengeance, au moins le terme de ma vie? Ne vous lassez point, seigneurs, d'entendre les digressions auxquelles je me laisse aller; mais ma douloureuse histoire n'est pas de celles qui se peuvent conter succinctement, à la hâte; et chacune de ses circonstances me semble, à moi, digne d'un long discours. »

Le curé lui répondit que non seulement ils ne se lassaient point de l'entendre, mais qu'ils prenaient au contraire grand intérêt à tous ces détails, qui méritaient la même attention que le fond même du récit.

Cardénio continua donc : « Aussitôt, dit-il, que tout le monde fut réuni dans la salle, on fit entrer le curé de la paroisse, lequel prit les deux fiancés par la main, pour faire ce qu'exige une telle cérémonie. Lorsqu'il prononça ces mots sacramentels : « Voulez-vous, madame, prendre le seigneur don Fernand, ici présent, pour votre légitime époux, comme l'ordonne la sainte mère Eglise ? » je passai toute la tête et le cou hors de la tapisserie, et me mis, d'une oreille attentive et d'une âme troublée, à écouter ce que répondrait Luscinde, attendant de sa réponse l'arrêt de ma mort ou la confirmation de ma vie. Oh! pourquoi n'ai-je pas alors quitté ma retraite ? Pourquoi ne me suis-je pas écrié : « Luscinde, Luscinde! vois ce que tu fais, vois ce que tu me dois; considère que tu es à moi, et ne peux être à un autre; que prononcer le *oui* et m'ôter la vie, ce sera l'affaire du même instant. Et toi, traître don Fernand, ravisseur de mon bien, meurtrier de ma vie, que veux-tu ? Que prétends-tu ? Ne vois-tu pas que tu ne peux chrétiennement satisfaire tes désirs, puisque Luscinde est ma femme, et que je suis son époux ? » Malheureux insensé! A présent que je suis loin du péril, je dis bien ce que je devais faire et ce que je ne fis pas; à présent que j'ai laissé ravir mon plus cher trésor, je maudis vainement le ravisseur, dont j'aurais pu me venger, si j'avais eu autant de cœur pour frapper que j'en ai maintenant pour me plaindre! Enfin, puisque je fus alors imbécile et lâche, il est juste que je meure maintenant honteux, repentant et insensé. Le curé attendait toujours la réponse de Luscinde, qui resta fort longtemps à la faire; et, lorsque je pensai qu'elle allait tirer son poignard pour tenir sa promesse, ou délier sa langue pour déclarer la vérité et parler dans mes intérêts, j'entends qu'elle prononce, d'une voix faible et tremblante : *Oui, je le prends.* Don Fernand dit la même parole, lui mit au doigt l'anneau de mariage, et ils furent unis d'un indissoluble nœud. Le marié s'approcha pour embrasser son épouse; mais elle, posant la main sur son cœur, tomba évanouie dans les bras de sa mère.

« Il me reste à dire maintenant en quel état je me trouvai lorsque, dans ce *oui* fatal, que j'avais entendu, je vis la perte de mes espérances, la fausseté des promesses et de la parole de Luscinde, et l'impossibilité de recouvrer, en aucun temps, le bien que cet instant venait de me faire perdre. Je restai privé de sens, me croyant abandonné du ciel et devenu pour la terre un objet d'inimitié; car l'air ne fournissait plus d'haleine à mes soupirs, ni l'eau de matière à mes larmes; le feu seul s'était accru, et tout mon cœur brûlait de jalousie et de rage. L'évanouissement de Luscinde avait mis en émoi toute l'assemblée; et sa mère

l'ayant délacée pour lui donner de l'air, on découvrit su.
son sein un papier cacheté que don Fernand saisit aussitôt,
et qu'il se mit à lire à la lueur d'une des torches. Dès qu'il
eut achevé cette lecture, il se jeta sur une chaise et resta
la tête appuyée sur sa main, dans la posture d'un homme
rêveur, sans se mêler aux soins qu'on prodiguait à sa
femme pour la faire revenir de son évanouissement. Pour
moi, quand je vis toute la maison dans cette confusion
et ce trouble, je me hasardai à sortir, sans me soucier d'être
vu, et bien déterminé, dans ce cas, à faire un si sanglant
éclat que tout le monde connût la juste indignation qui
poussait mon cœur au châtiment du traître, et même à
celui de l'inconstante, encore évanouie. Mais mon étoile,
qui me réservait sans doute pour de plus grands maux,
s'il est possible qu'il y en ait, ordonna que j'eusse alors
trop de jugement, elle qui, depuis, m'en a complètement
privé. Ainsi, sans vouloir tirer vengeance de mes plus grands
ennemis, ce qui m'était facile, puisque nul ne pensait à
moi, j'imaginai de la tirer de moi-même et de m'infliger
la peine qu'ils avaient méritée ; et sans doute avec plus
de rigueur que je n'en aurais exercé contre eux, si je leur
eusse en ce moment donné la mort, car celle qui frappe
à l'improviste a bientôt terminé le supplice, tandis que
celle qui se prolonge en tourments interminables tue per-
pétuellement sans ôter la vie. Enfin, je m'échappai de
cette maison et me rendis chez l'homme où j'avais laissé
ma mule. Je la fis aussitôt seller ; et, sans prendre congé
de lui, je quittai la ville, n'osant pas, comme un autre
Loth, tourner la tête pour la regarder. Quand je me vis
seul, au milieu de la campagne, couvert par l'obscurité
de la nuit, et invité par son silence à donner cours à mes
plaintes, sans crainte d'être écouté ou reconnu, je déliai
ma langue et j'éclatai en malédictions contre Luscinde
et Fernand, comme si j'eusse ainsi vengé l'outrage que
j'avais reçu d'eux. Je m'attachais surtout à elle, lui donnant
les noms de cruelle, d'ingrate, de fausse et de parjure, mais
par-dessus tout d'intéressée et d'avaricieuse, puisque c'était
la richesse de mon ennemi qui avait ébloui ses yeux et
lui avait fait préférer celui envers qui la fortune s'était
montrée plus libérale de ses dons ; puis, au milieu de la
fougue de ces emportements et de ces malédictions, je
l'excusais en disant : « Peut-on s'étonner qu'une jeune fille,
élevée dans la retraite, auprès de ses parents, accoutumée
à leur obéir toujours, ait voulu condescendre à leur désir,
lorsqu'ils lui donnaient pour époux un gentilhomme si
noble, si riche, si bien fait de sa personne qu'en le refusant
elle aurait fait croire ou qu'elle avait perdu l'esprit, ou
qu'elle avait déjà donné son cœur, ce qui eût porté une
grave atteinte à sa bonne réputation ? » Puis, je revenais
au premier sentiment, et me disais : « Pourquoi n'a-t-elle
pas dit que j'étais son époux ? On aurait vu qu'elle n'avait

pas fait un choix si indigne qu'elle ne pût s'en justifier ; car, avant que don Fernand s'offrît, ses parents eux-mêmes ne pouvaient, s'ils eussent mesuré leur désir sur la raison, souhaiter mieux que moi pour époux de leur fille. Ne pouvait-elle donc, avant de s'engager dans ce dernier et terrible pas, avant de donner sa main, dire qu'elle avait déjà reçu la mienne, puisque je me serais prêté, dans ce cas, à tout ce qu'elle eût voulu feindre ? » Enfin, je me convainquis que peu d'amour, peu de jugement, beaucoup d'ambition et de désirs de grandeur lui avaient fait oublier les promesses dont elle m'avait bercé, trompé et entretenu dans mon honnête et fidèle espoir. Pendant cette agitation et ces entretiens avec moi-même, je cheminai tout le reste de la nuit, et me trouvai, au point du jour, à l'une des entrées de ces montagnes. J'y pénétrai et continuai de marcher devant moi trois jours entiers, sans suivre aucun chemin ; enfin, j'arrivai à une prairie, dont je ne sais trop la situation, et je demandai à des bergers qui s'y trouvaient où était l'endroit le plus désert et le plus âpre de ces montagnes. Ils m'indiquèrent celui-ci, je m'y acheminai aussitôt avec le dessein d'y finir ma vie. En entrant dans cette affreuse solitude, ma mule tomba morte de faim et de fatigue, ou plutôt, à ce que je crois, pour se débarrasser d'une charge aussi inutile que celle qu'elle portait en ma personne. Je restai à pied, accablé de lassitude, exténué de besoin, sans avoir et sans vouloir chercher personne qui me secourût. Après être demeuré de la sorte, je ne sais combien de temps, étendu par terre, je me levai, n'ayant plus faim, et je vis auprès de moi quelques chevriers, ceux qui avaient sans doute pourvu à mes extrêmes besoins. Ils me racontèrent, en effet, comment ils m'avaient trouvé, et comment je leur avais dit tant de niaiseries et d'extravagances que j'annonçais clairement avoir perdu l'esprit. Hélas ! j'ai bien senti moi-même, depuis ce moment, que je ne l'ai pas toujours libre et sain ; mais, au contraire, si affaibli, si troublé que je fais mille folies, déchirant mes habits, parlant tout haut au milieu de ces solitudes, maudissant ma fatale étoile, et répétant sans cesse le nom chéri de mon ennemie, sans avoir alors d'autre intention que celle de laisser exhaler ma vie avec mes cris. Quand je reviens à moi, je me trouve si fatigué, si rendu qu'à peine puis-je me soutenir. Ma plus commune habitation est le creux d'un liège, capable de couvrir ce misérable corps. Les pâtres et les chevriers qui parcourent ces montagnes avec leurs troupeaux, émus de pitié, me donnent ma nourriture, en plaçant des vivres sur les chemins et sur les rochers où ils pensent que je pourrai les trouver en passant ; car, même dans mes accès de démence, la nécessité parle, et l'instinct naturel me donne le désir de chercher à manger, et la volonté de satisfaire ma faim. D'autres fois, à ce qu'ils me disent quand ils me rencontrent en mon bon sens, je m'embusque sur les chemins, et j'enlève de force, quoiqu'ils me les offrent de bon cœur, les provisions que des bergers apportent du village à leurs cabanes. C'est ainsi que je passe le reste de ma misérable vie, jusqu'à ce qu'il plaise au ciel de la conduire à son dernier terme, ou de m'ôter la mémoire, afin que je perde tout souvenir des charmes et du parjure de Luscinde et des outrages de don Fernand. S'il me faisait cette grâce sans m'ôter la vie, je ramènerais sans doute mes pensées vers la droite raison; sinon, je n'ai plus qu'à le prier de traiter mon âme avec miséricorde, car je ne sens en moi ni le courage ni la force de tirer mon corps des austérités où l'a condamné mon propre choix. Voilà, seigneurs, l'amère histoire de mes infortunes. Dites-moi s'il est possible de la conter avec moins de regret et d'affliction que je ne vous en ai montré; surtout, ne vous fatiguez point à me vouloir persuader, par vos conseils, ce que la raison vous suggérera pour remédier à mes maux; ils ne me seraient pas plus utiles que n'est le breuvage ordonné par le médecin au malade qui ne veut pas le prendre. Je ne veux point de guérison sans Luscinde; et, puisqu'il lui a plu d'appartenir à un autre, étant ou devant être à moi, il me plaît d'appartenir à l'infortune, n'ayant pu être au bonheur. Elle a voulu, par son insouciance, rendre stable ma perdition; eh bien! je voudrai, en me perdant, contenter ses désirs. Et l'on dira désormais qu'à moi seul a manqué ce qu'ont pour dernière ressource tous les malheureux, auxquels sert de consolation l'impossibilité même d'être consolés; c'est au contraire, pour moi, la cause de plus vifs regrets et de plus cruelles douleurs, car j'imagine qu'ils doivent durer même au-delà de la mort. »

Ici, Cardénio termina le long récit de sa triste et amoureuse histoire; et, comme le curé se préparait à lui adresser quelques mots de consolation, il fut retenu par une voix qui frappa tout à coup leurs oreilles, et qui disait, en plaintifs accents, ce que dira la quatrième partie de cette narration; car c'est ici que mit fin à la troisième le sage et diligent historien Cid Hamed Ben-Engéli.

CHAPITRE XXVIII

*Qui traite de la nouvelle et agréable aventure qu'eurent le curé
et le barbier dans la Sierra-Morena.*

Heureux, trois fois heureux furent les temps où vint
au monde l'audacieux chevalier don Quichotte de la
Manche! En effet, parce qu'il prit l'honorable détermination de ressusciter l'ordre presque éteint et mort de la
chevalerie errante, nous jouissons maintenant, dans notre
âge si nécessiteux de divertissements et de gaieté, non
seulement des douceurs de son histoire véridique, mais
encore des contes et des épisodes qu'elle renferme, non
moins agréables, pour la plupart, non moins ingénieux et
véritables que l'histoire elle-même. Celle-ci, poursuivant
le fil peigné, retors et dévidé de son récit, raconte qu'au
moment où le curé se disposait à consoler de son mieux
Cardénio, une voix l'en empêcha, en frappant leurs oreilles
de ces tristes accents. « O mon Dieu, disait cette voix,
est-il possible qu'enfin j'aie trouvé un lieu qui puisse servir
de sépulture cachée à ce corps dont je porte si fort contre
mon gré la charge pesante ? Oui, je le crois, à moins que
la solitude que promettent ces montagnes ne vienne à
me manquer aussi. Hélas! combien ces rochers et ces
broussailles, qui me laissent confier par mes plaintes mes
malheurs au ciel, me tiendront une plus agréable compagnie que celle d'aucun homme de ce monde, car il n'en est
aucun sur la terre de qui l'on puisse attendre un conseil
dans les perplexités, un soulagement dans la tristesse, un
remède dans les maux! » Ces tristes propos furent entendus
par le curé et ceux qui se trouvaient avec lui; et, comme
il leur parut qu'on les avait prononcés tout près d'eux,
ils se levèrent aussitôt pour chercher qui se plaignait de
la sorte. Ils n'eurent pas fait vingt pas qu'au détour du
rocher ils aperçurent, assis au pied d'un frêne, un jeune
garçon, vêtu en paysan, dont ils ne purent alors voir le
visage, parce qu'il l'inclinait en se baignant les pieds dans
un ruisseau qui coulait en cet endroit. Ils étaient arrivés
avec tant de silence que le jeune garçon ne les entendit
point; celui-ci, d'ailleurs, n'était attentif qu'à se laver
les pieds, qu'il avait tels qu'on aurait dit deux morceaux

de blanc cristal de roche mêlés parmi les autres pierres
du ruisseau. Tant de beauté et tant de blancheur les
surprirent étrangement, car ces pieds ne leur semblaient
pas faits pour fouler des mottes de terre derrière une charrue et des bœufs, comme l'indiquaient les vêtements de
l'inconnu. Voyant qu'ils ne s'étaient pas fait entendre,
le curé, qui marchait devant, fit signe aux deux autres
de se blottir derrière des quartiers de roche qui se trouvaient là. Ils s'y cachèrent tous trois, épiant curieusement
le jeune garçon. Celui-ci portait un mantelet à deux pans,
serré autour des reins par une épaisse ceinture blanche. Il
avait aussi de larges chausses en drap brun et, sur la tête,
une *montera* de même étoffe. Ses chausses étaient retrous-
sées jusqu'à la moitié des jambes, qui semblaient, assurément, faites de blanc albâtre. Quand il eut fini de laver ses
beaux pieds, il prit, pour se les essuyer, un mouchoir sous
sa *montera*, et, voulant soulever sa coiffure, il releva la
tête; alors ceux qui l'observaient eurent occasion de voir
une beauté si incomparable que Cardénio dit à voix basse
au curé : « Puisque ce n'est pas Luscinde, ce n'est pas non
plus une créature humaine. » Le jeune homme ôta sa
montera, et, secouant la tête d'un et d'autre côté, il fit
tomber et déployer des cheveux dont ceux du soleil même
devaient être jaloux. Alors nos trois curieux reconnurent
que celui qu'ils avaient pris pour un paysan était une
femme, jeune et délicate, la plus belle qu'eussent encore
vue les yeux des deux amis de don Quichotte, et même
ceux de Cardénio, s'il n'eût pas connu Luscinde, car il
affirma depuis que la seule beauté de Luscinde pouvait le
disputer à celle-là. Ces longs et blonds cheveux non
seulement lui couvrirent les épaules, mais la cachèrent
tout entière sous leurs tresses épaisses, tellement que de
tout son corps on n'apercevait plus que ses pieds. Pour
les démêler, elle n'employa d'autre peigne que les doigts
des deux mains, telles que, si les pieds avaient paru dans
l'eau des morceaux de cristal, les mains ressemblaient dans
les cheveux à des flocons de neige. Tout cela redoublant
l'admiration des trois spectateurs et leur désir de savoir
qui elle était, ils résolurent enfin de se montrer. Mais,
au mouvement qu'ils firent en se levant, la belle jeune
fille tourna la tête et, séparant avec ses deux mains les
cheveux qui lui couvraient le visage, elle regarda d'où
partait le bruit. Dès qu'elle eut aperçu ces trois hommes,
elle se leva précipitamment; puis, sans prendre le temps
de se chausser et de rassembler ses cheveux, elle saisit
un petit paquet de hardes qui se trouvait près d'elle et
se mit à fuir, pleine de trouble et d'effroi. Mais elle n'eut
pas fait quatre pas que, ses pieds délicats ne pouvant souffrir les aspérités des rocailles, elle se laissa tomber par
terre. A cette vue, les trois amis accoururent auprès d'elle,
et le curé, prenant le premier la parole : « Arrêtez-vous,

madame, lui dit-il; qui que vous soyez, sachez que nous n'avons d'autre intention que de vous servir. Ainsi n'essayez pas vainement de prendre la fuite; vos pieds ne sauraient vous le permettre, et nous ne pouvons nous-mêmes y consentir. » A ces propos elle ne répondit mot, stupéfaite et confuse. Ils s'approchèrent, et le curé, la prenant par la main, continua de la sorte : « Ce que nous cachent vos habits, madame, vos cheveux nous l'ont découvert; clairs indices que ce ne sont pas de faibles motifs qui ont travesti votre beauté sous ce déguisement indigne d'elle, et qui vous ont amenée au fond de cette solitude, où nous sommes heureux de vous trouver, sinon pour donner un remède à vos maux, au moins pour vous offrir des conseils. Aucun mal, en effet, ne peut, tant que la vie dure, arriver à cette extrémité que celui qui l'éprouve ne veuille pas même écouter l'avis qui lui est offert avec bonne intention. Ainsi donc, ma chère dame, ou mon cher monsieur, ou ce qu'il vous plaira d'être, remettez-vous de l'effroi que vous a causé notre vue, et contez-nous votre bonne ou mauvaise fortune, sûre qu'en nous tous ensemble, et en chacun de nous, vous trouverez qui vous aide à supporter vos malheurs en les partageant. »

Pendant que le curé parlait ainsi, la belle travestie demeurait interdite et comme frappée d'un charme; elle les regardait tour à tour, sans remuer les lèvres et sans dire une parole, semblable à un jeune paysan auquel on montre à l'improviste des choses rares et qu'il n'a jamais vues. Enfin, le curé, continuant ses propos affectueux, elle laissa échapper un profond soupir et rompit le silence : « Puisque la solitude de ces montagnes, dit-elle, n'a pu me cacher aux regards, et que mes cheveux en s'échappant ne permettent plus à ma langue de mentir, en vain voudrais-je feindre à présent, et dire ce qu'on ne croirait plus que par courtoisie. Cela posé, je dis, seigneurs, que je vous suis très obligée des offres de service que vous m'avez faites, et qu'elles m'ont mise dans l'obligation de vous satisfaire en tout ce que vous m'avez demandé. Je crains bien, à vrai dire, que la relation de mes infortunes, telle que je vous la ferai, ne vous cause autant de contrariété que de compassion, car vous ne trouverez ni remède pour les guérir ni consolation pour en adoucir l'amertume. Mais néanmoins, pour que mon honneur ne soit pas compromis dans votre pensée, après que vous m'avez reconnue pour femme, que vous m'avez vue jeune, seule et dans cet équipage, toutes choses qui peuvent, ensemble ou séparément, détruire tout crédit d'honnêteté, je me décide à vous dire ce que j'aurais voulu qu'il me fût possible de taire. » Ce petit discours fut adressé tout d'une haleine par cette charmante fille aux trois amis, avec une voix si douce et tant d'aisance de langage que la grâce de son esprit ne leur causa pas moins de surprise que sa beauté.

Ils répétèrent leurs offres de service, et lui firent de nouvelles instances pour qu'elle remplît ses promesses; elle alors, sans se faire prier davantage, après avoir décemment remis sa chaussure et relevé ses cheveux, prit pour siège une grosse pierre, autour de laquelle s'assirent les trois auditeurs; puis, se faisant violence pour retenir quelques larmes qui lui venaient aux yeux, d'une voix sonore et posée, elle commença ainsi l'histoire de sa vie :

« Dans cette Andalousie qui nous avoisine, est une petite ville dont un duc prend son titre, et qui le met au rang de ceux qu'on appelle grands d'Espagne. Ce duc a deux fils : l'aîné, héritier de ses Etats, l'est aussi, selon toute apparence, de ses belles qualités; quant au cadet, je ne sais de quoi il est héritier, si ce n'est des ruses de Ganelon ou des trahisons de Vellido. De ce seigneur mes parents sont vassaux, humbles de naissance, mais tellement pourvus de richesses que, si les biens de la nature eussent égalé pour eux ceux de la fortune, ils n'auraient pu rien désirer davantage, et moi, je n'aurais pas eu non plus à craindre de tomber dans la détresse où je me vois réduite, car tout mon malheur naît peut-être de ce qu'ils n'ont pas eu le bonheur de naître illustres. Il est vrai qu'ils ne sont pas d'extraction si basse qu'ils aient à rougir de leur condition; mais elle n'est pas si haute non plus qu'on ne puisse m'ôter de la pensée que de leur humble naissance viennent toutes mes infortunes. Ils sont laboureurs enfin, mais de sang pur, sans aucun mélange de race malsonnante, et, comme on dit, vieux chrétiens de la vieille roche; et si vieux, en effet, que leurs richesses et leur somptueux train de vie leur acquièrent peu à peu le nom d'hidalgos et même de gentilshommes. Cependant la plus grande richesse et la plus grande noblesse dont ils se fissent gloire, c'était de m'avoir pour fille. Aussi, comme ils n'ont pas d'autres enfants pour hériter d'eux, et qu'ils m'ont toujours tendrement chérie, j'étais bien une des filles les plus doucement choyées que jamais choyèrent des parents. J'étais le miroir où ils se miraient, le bâton où s'appuyait leur vieillesse, le but unique où tendaient tous leurs désirs, qu'ils mesuraient sur la volonté du ciel, et dont les miens, en retour de leur bonté, ne s'écartaient sur aucun point. Et de la même manière que j'étais maîtresse de leurs cœurs, je l'étais aussi de leurs biens. C'est moi qui admettais ou congédiais les domestiques, et le compte de tout ce qui était semé ou récolté passait par mes mains. Les moulins d'huile, les pressoirs de vin, les troupeaux de grand et de petit bétail, les ruches d'abeilles, finalement tout ce que peut avoir un riche laboureur comme mon père était remis à mes soins. J'étais le majordome et la dame, et j'en remplissais les fonctions avec tant de sollicitude et de plaisir que je ne saurais parvenir à vous l'exprimer. Les moments de la journée qui me restaient, après avoir donné les ordres aux contre maîtres, aux valets de ferme et aux journaliers, je les employais aux exercices permis et commandés à mon sexe, l'aiguille, le tambour à broder, et le rouet bien souvent. Si, pour me récréer, je laissais ces travaux, je me donnais le divertissement de lire quelque bon livre, ou de jouer de la harpe, car l'expérience m'a fait voir que la musique repose les esprits fatigués et soulage du travail de l'intelligence. Voilà quelle était la vie que je menais dans la maison paternelle ; et si je vous l'ai contée avec tant de détails, ce n'est point par ostentation, pour vous faire entendre que je suis riche, mais pour que vous jugiez combien c'est sans ma faute que je suis tombée de cette heureuse situation au triste état où je me trouve à présent réduite. En vain je passais ma vie au milieu de tant d'occupations, et dans une retraite si sévère qu'elle pourrait se comparer à celle d'un couvent, n'étant vue de personne, à ce que j'imaginais, si ce n'est des gens de la maison, car les jours que j'allais à la messe, c'était de si grand matin, accompagnée de ma mère et de mes femmes, si bien voilée d'ailleurs et si timide qu'à peine mes yeux voyaient plus de terre que n'en foulaient mes pieds. Et néanmoins les yeux de l'amour, ou de l'oisiveté, pour mieux dire, plus perçants que ceux du lynx, me livrèrent aux poursuites de don Fernand. C'est le nom du second fils du duc dont je vous ai parlé. »

A peine ce nom de don Fernand fut-il sorti de la bouche de celle qui racontait son histoire que Cardénio changea de visage et se mit à frémir de tout son corps avec une si visible altération que le curé et le barbier, ayant jeté les yeux sur lui, craignirent qu'il ne fût pris de ces accès de folie dont ils avaient ouï dire qu'il était de temps en temps attaqué. Mais Cardénio, pourtant, ne fit pas autre chose que de suer ou de trembler, sans bouger de place, et d'attacher fixement ses regards sur la belle paysanne, imaginant bien qui elle était. Celle-ci, sans prendre garde aux mouvements convulsifs de Cardénio, continua de la sorte son récit :

« Ses yeux ne m'eurent pas plus tôt aperçue qu'il se sentit, comme il le dit ensuite, enflammé de ce violent amour dont il donna bientôt des preuves. Mais, pour arriver plus vite au terme de l'histoire de mes malheurs, je veux passer sous silence les démarches que fit don Fernand pour me déclarer ses désirs. Il suborna tous les gens de ma maison, il fit mille cadeaux et offrit mille faveurs à mes parents ; les jours étaient de perpétuelles fêtes dans la rue que j'habitais, et, pendant la nuit, les sérénades ne laissaient dormir personne ; les billets en nombre infini qui, sans que je susse comment, parvenaient en mes mains, étaient remplis d'amoureux propos et contenaient moins de syllabes que de promesses et de serments. Tout cela, cependant, loin de m'attendrir, m'endurcissait, comme s'il eût été mon plus mortel ennemi et que tous les efforts qu'il faisait pour me séduire, il les eût faits pour m'irriter. Ce n'est pas que je ne reconnusse tout le mérite personnel de don Fernand, et que je tinsse à outrage les soins qu'il me rendait; j'éprouvais, au contraire, je ne sais quel contentement à me voir estimée et chérie par un si noble cavalier, et je n'avais nul déplaisir à lire mes louanges dans ses lettres; car il me semble qu'à nous autres femmes, quelque laides que nous soyons, il est toujours doux de nous entendre appeler jolies. Mais ce qui m'empêchait de fléchir, c'était le soin de mon honneur, c'étaient les continuels conseils que me donnaient mes parents, lesquels avaient bien facilement découvert l'intention de don Fernand, qui ne se mettait d'ailleurs en peine que tout le monde la connût. Ils me disaient qu'en ma vertu seule reposaient leur honneur et leur considération; que je n'avais qu'à mesurer la distance qui me séparait de don Fernand pour reconnaître que ses vues, bien qu'il dît le contraire, se dirigeaient plutôt vers son plaisir que vers mon intérêt; ils ajoutaient que, si je voulais y mettre un obstacle et l'obliger à cesser ses offensantes poursuites, ils étaient prêts à me marier sur-le-champ avec qui je voudrais choisir, non seulement dans notre ville, mais dans celles des environs, puisqu'on pouvait tout espérer de leur grande fortune et de leur bonne renommée. Ces promesses et leurs avis, dont je sentais la justesse, fortifiaient si bien ma résolution que jamais je ne voulus répondre à don Fernand un mot qui pût lui montrer, même au loin, l'espérance de voir ses prétentions satisfaites. Toutes ces précautions de ma vigilance, qu'il prenait sans doute pour des dédains, durent enflammer davantage ses coupables désirs; c'est le seul nom que je puisse donner à l'amour qu'il me témoignait, car, s'il eût été ce qu'il devait être, je n'aurais pas eu l'occasion de vous en parler à cette heure. Finalement, don Fernand apprit que mes parents cherchaient à m'établir, afin de lui ôter l'espoir de me posséder, ou du moins que j'eusse plus de gardiens pour me défendre. Cette nouvelle ou ce soupçon suffirent pour lui faire entreprendre ce que je vais vous raconter.

« Une nuit, j'étais seule dans mon appartement, sans autre compagnie que celle d'une femme de chambre, ayant eu soin de bien fermer les portes, dans la crainte que la moindre négligence ne mît mon honneur en péril. Tout à coup, sans pouvoir imaginer comment cela se fit, au milieu de tant de précautions, dans la solitude et le silence de ma retraite, tout à coup il parut devant moi. Cette vue me troubla de manière qu'elle m'ôta la lumière des yeux et la parole de la langue; je ne pus pas même jeter des cris pour appeler au secours, et je crois qu'il ne m'aurait pas laissé le temps de crier, car aussitôt il s'approcha de moi,

et; me prenant dans ses bras, puisque je n'avais pas la force
de me défendre, tant j'étais troublée, il se mit à me tenir
de tels propos que je ne sais comment le mensonge peut
être assez habile pour les arranger de manière à les faire
croire des vérités. Le traître faisait d'ailleurs en sorte que
les larmes donnassent crédit à ses paroles, et les soupirs
à ses intentions. Moi, pauvre enfant, seule parmi les miens,
et sans expérience de semblables rencontres, je commençai,
ne sachant comment, à tenir pour vraies toutes ces faus-
setés, non de façon, cependant, qu'elles me donnassent
plus qu'une simple compassion pour ses soupirs et ses
pleurs. Aussi, revenant un peu de ma première alarme, je
retrouvai mes esprits éperdus, et je lui dis avec plus de
courage que je n'avais cru pouvoir en conserver : « Si,
comme je suis dans vos bras, Seigneur, j'étais entre les
griffes d'un lion furieux, et qu'il fallût, pour m'en délivrer
avec certitude, faire ou dire quelque chose au détriment
de ma vertu, il ne me serait pas plus possible de le faire
ou de le dire qu'il n'est possible que ce qui a été ne fût pas.
Ainsi donc, si vous tenez mon corps enserré dans vos bras,
moi, je tiens mon âme retenue par mes bons sentiments,
qui sont aussi différents des vôtres que vous le verriez s'il
vous convenait d'user de violence pour les satisfaire. Je
suis votre vassale, mais non votre esclave : la noblesse de
votre sang ne vous donne pas le droit de mépriser, de
déshonorer l'humilité du mien; et je m'estime autant, moi
paysanne et vilaine, que vous gentilhomme et seigneur.
Vos forces n'ont aucune prise sur moi, ni vos richesses
aucune influence; vos paroles ne peuvent me tromper,
ni vos soupirs et vos larmes m'attendrir. Mais, si je voyais
quelqu'une des choses que je viens d'énumérer dans celui
que mes parents me donneraient pour époux, alors ma
volonté se plierait à la sienne et lui serait vouée à jamais.
De manière que, même à contre-cœur, pourvu que mon
honneur fût intact, je vous livrerais volontairement, seigneur, ce que vous voulez maintenant m'arracher par la
violence. C'est vous dire que jamais personne n'obtiendra
de moi la moindre faveur qu'il ne soit mon légitime époux.
— S'il ne faut que cela pour te satisfaire, me répondit le
déloyal chevalier, vois, charmante Dorothée (c'est le nom
de l'infortunée qui vous parle), je t'offre ma main, et
je jure d'être ton époux, prenant pour témoins de mon
serment les cieux, auxquels rien n'est caché, et cette sainte
image de la mère de Dieu, que voilà devant nous. »
    Au moment où Cardénio l'entendit se nommer Doro-
thée, il fut repris de ses mouvements convulsifs, et acheva
de se confirmer dans la première opinion qu'il avait eue
d'elle. Mais, ne voulant pas interrompre l'histoire dont il
prévoyait et savait presque la fin, il lui dit seulement :
« Quoi! madame, Dorothée est votre nom ? J'ai ouï parler
d'une personne qui le portait, et dont les malheurs vont

de pair avec les vôtres. Mais continuez votre récit : un
temps viendra où je vous dirai des choses qui ne vous cause-
ront pas moins d'étonnement que de pitié. » A ces propos de
Cardénio, Dorothée jeta les yeux sur lui, considéra son
étrange et misérable accoutrement, puis le pria, s'il savait
quelque chose qui la concernât, de le dire aussitôt. « Tout
ce que la fortune m'a laissé, ajouta-t-elle, c'est le courage
de souffrir et de résister à quelque désastre qui m'atteigne,
bien assurée qu'il n'en est aucun dont mon infortune
puisse s'accroître. — Je n'aurais pas perdu un instant,
madame, à vous dire ce que je pense, répondit Cardénio,
si j'étais sûr de ne pas me tromper dans mes suppositions ;
mais l'occasion de les dire n'est pas venue, et il ne vous
importe nullement encore de les connaître. — Comme il
vous plaira, reprit Dorothée ; je reviens à mon histoire.

« Don Fernand, saisissant une image de la Vierge, qui
se trouvait dans ma chambre, la plaça devant nous pour
témoin de nos fiançailles, et m'engagea, sous les serments
les plus solennels et les plus formidables, sa parole d'être
mon mari. Cependant, avant qu'il achevât de les prononcer, je lui dis qu'il prît bien garde à ce qu'il allait faire ;
qu'il considérât le courroux que son père ne manquerait pas
de ressentir en le voyant épouser une paysanne, sa vassale ;
qu'il ne se laissât point aveugler par la beauté que je pouvais avoir, puisqu'il n'y trouverait pas une excuse suffisante
de sa faute, et que, si son amour le portait à me vouloir
quelque bien, il laissât plutôt mon sort se modeler sur
ma naissance ; car jamais des unions si disproportionnées
ne réussissent, et le bonheur qu'elles donnent au commencement n'est pas de longue durée. Je lui exposai toutes
ces raisons que vous venez d'entendre, et bien d'autres
encore dont je ne me souviens plus ; mais elles ne purent
l'empêcher de poursuivre son dessein, de la même manière
que celui qui emprunte, pensant ne pas payer, ne regarde
guère aux conditions du contrat. Dans ce moment, je fis
à part moi un rapide discours et je me dis à moi-même :
« Non, je ne serai pas la première que le mariage élève
d'une humble à une haute condition ; et don Fernand ne
sera pas le premier auquel les charmes de la beauté, ou
plutôt une aveugle passion, ait fait prendre une compagne
disproportionnée à la grandeur de sa naissance. Puisque
je ne veux ni changer le monde, ni faire de nouveaux
usages, j'aurai raison de saisir cet honneur que m'offre
la fortune ; car, dût l'affection qu'il me témoigne ne pas
durer au-delà de l'accomplissement de ses désirs, enfin
je serai son épouse devant Dieu. Au contraire, si je veux
l'éloigner par mes dédains et mes rigueurs, je le vois en un
tel état qu'oubliant toute espèce de devoir il usera de
violence, et je resterai, non seulement sans honneur,
mais sans excuse de la faute que pourra me reprocher
quiconque ne saura pas combien j'en suis exempte.

Quelles raisons auraient, en effet, le pouvoir de persuader à mes parents et aux autres que ce gentilhomme est entré dans ma chambre sans mon consentement ? » Toutes ces demandes et ces réponses, mon imagination se les fit en un instant ; mais ce qui commença surtout à m'ébranler et à me pousser, sans que je le susse, à ma perdition, ce furent les serments et les imprécations de don Fernand, les témoins qu'il invoquait, les larmes qu'il répandit en abondance, et finalement les charmes de sa bonne mine, qui, soutenus par tant de véritable amour, auraient pu vaincre tout autre cœur aussi libre, aussi sage que le mien. J'appelai la fille qui me servait pour qu'elle se joignît sur la terre aux témoins invoqués dans le ciel ; don Fernand renouvela et confirma ses premiers serments ; il prit de nouveaux saints à témoin ; il se donna mille malédictions s'il ne remplissait point sa promesse ; ses yeux se mouillèrent encore de larmes, sa bouche s'enflamma de soupirs ; il me serra davantage entre ses bras, dont je n'avais pu me dégager un seul instant ; enfin, quand ma servante eut de nouveau quitté l'appartement, il mit le comble à mon déshonneur et à sa trahison.

« Le jour qui succéda à la nuit de ma perte ne venait point, à ce que je crois, aussi vite que le souhaitait don Fernand ; car, après avoir assouvi un désir criminel, il n'en est pas de plus vif que celui de s'éloigner des lieux où on l'a satisfait. C'est du moins ce que je pensai quand je vis don Fernand mettre tant de hâte à partir. Cette même servante qui l'avait amené jusqu'en ma chambre le conduisit hors de la maison, avant que le jour parût. Quand il me fit ses adieux, il me répéta, quoique avec moins d'empressement et d'ardeur qu'à son arrivée, que je fusse tranquille sur sa foi, que je crusse ses serments aussi valables que sincères ; et, pour donner plus de poids à ses paroles, il tira de son doigt un riche anneau qu'il mit au mien. Enfin, il me quitta, et moi, je restai, je ne sais trop si ce fut triste ou gaie. Ce que je puis dire, c'est que je demeurai confuse et rêveuse, et presque hors de moi d'un tel événement, sans avoir le courage ou même la pensée de gronder ma fille de compagnie pour la trahison qu'elle avait commise en cachant don Fernand dans ma propre chambre ; car je ne pouvais encore décider si ce qui venait de m'arriver était un bien ou un mal. J'avais dit à don Fernand, au moment de son départ, qu'il pourrait employer la même voie pour me visiter d'autres nuits secrètement, puisque j'étais à lui, jusqu'à ce qu'il lui convînt de publier notre mariage. Mais il ne revint plus, si ce n'est la nuit suivante, et je ne pus plus le voir, ni dans la rue, ni à l'église, pendant tout un mois que je me fatiguai vainement à le chercher, bien que je susse qu'il n'avait pas quitté la ville et qu'il se livrait la plupart du temps à l'exercice de la chasse, qu'il aimait avec passion. Je sais,

hélas! combien ces jours me parurent longs et ces heures
amères; je sais que je commençai à douter de sa bonne
foi, et même à cesser d'y croire; je sais aussi que ma servante entendit alors les reproches que je ne lui avais pas
faits auparavant pour me plaindre de son audace; je sais
enfin qu'il me fallut me faire violence pour retenir mes
pleurs et composer mon visage, afin de ne pas obliger
mes parents à me demander le sujet de mon affliction,
et de ne pas être obligée moi-même de recourir avec eux
au mensonge. Mais cet état forcé dura peu. Le moment
vint bientôt où je perdis toute patience, où je foulai aux
pieds toute considération et toute retenue, où je fis enfin
éclater mon courroux au grand jour. Ce fut lorsque, au
bout de quelque temps, on répandit chez nous la nouvelle
que, dans une ville voisine, don Fernand s'était marié
avec une jeune personne d'une beauté merveilleuse et de
noble famille, mais pas assez riche, néanmoins, pour avoir
put prétendre, avec sa seule dot, à si haute union. On disait
qu'elle se nommait Luscinde, et l'on racontait aussi des
choses étranges arrivées pendant la cérémonie des fiançailles. »

Quand il entendit le nom de Luscinde, Cardénio ne fit
autre chose que de plier les épaules, froncer le sourcil,
se mordre les lèvres, et laisser bientôt couler sur ses joues
deux ruisseaux de larmes. Dorothée n'interrompit point
pour cela le fil de son histoire, et continua de la sorte :
« Cette triste nouvelle arriva promptement jusqu'à moi;
mais, au lieu de se glacer en l'apprenant, mon cœur s'enflamma d'une telle rage qu'il s'en fallut peu que je ne sor-
tisse de la maison et ne parcourusse à grands cris les rues
de la ville pour publier l'infâme trahison dont j'étais victime. Mais cette fureur se calma par la pensée qui me vint
d'un projet que je mis en œuvre dès la nuit suivante. Je
m'habillai de ces vêtements que me donna un domestique
de mon père, de ceux qu'on appelle *zagals* chez les laboureurs, auquel j'avais découvert toute ma funeste aventure
et que j'avais prié de m'accompagner jusqu'à la ville, où
j'espérais rencontrer mon ennemi. Ce zagal, après m'avoir
fait des remontrances sur l'audace et l'inconvenance
de ma résolution, m'y voyant bien déterminée, s'offrit,
comme il le dit, à me tenir compagnie jusqu'au bout du
monde. Aussitôt j'enfermai dans un sac de toile un habil-
lement de femme, ainsi que de l'argent et des bijoux pour
me servir au besoin, et, dans le silence de la nuit, sans rien
dire de mon départ à ma perfide servante, je quittai la
maison, accompagnée du zagal et assaillie de mille pensées
confuses. Je pris à pied le chemin de la ville; mais le désir
d'arriver me donnait des ailes, afin de pouvoir sinon empêcher ce que je croyais achevé sans retour, au moins demander à don Fernand de quel front il en avait agi de la sorte.
J'arrivai en deux jours et demi au but de mon voyage, et,

tout en entrant dans la ville, je m'informai de la maison des parents de Luscinde. Le premier auquel j'adressai cette question me répondit plus que je n'aurais voulu en apprendre. Il m'indiqua leur maison, et me raconta tout ce qui s'était passé aux fiançailles de leur fille, chose tellement publique dans la ville qu'elle faisait la matière de tous les entretiens et de tous les caquets. Il me dit que la nuit où fut célébré le mariage de don Fernand avec Luscinde, celle-ci, après avoir prononcé le *oui* de le prendre pour époux, avait été saisie d'un long évanouissement, et que son époux, l'ayant voulu délacer pour lui donner de l'air, trouva un billet écrit de la main même de Luscinde, où elle déclarait qu'elle ne pouvait être l'épouse de don Fernand, parce qu'elle était celle de Cardénio (un noble cavalier de la même ville, à ce que me dit cet homme), et que, si elle avait donné à don Fernand le *oui* conjugal, c'était pour ne point désobéir à ses parents. Enfin, ce billet faisait entendre, dans le reste de son contenu, qu'elle avait pris la résolution de se tuer à la fin de la cérémonie des épousailles, et donnait les raisons qui l'obligeaient à s'ôter la vie. Cette intention était, dit-on, clairement confirmée d'ailleurs par un poignard qu'on trouva caché sous ses habits de noce. A cette vue, don Fernand, se croyant joué et outragé par Luscinde, se jeta sur elle avant qu'elle fût revenue de son évanouissement et voulut la percer de ce même poignard qu'on avait trouvé dans son sein; ce qu'il aurait fait si les parents et les assistants ne l'eussent retenu. On ajoute que don Fernand sortit aussitôt et que Luscinde ne revint à elle que le lendemain; qu'alors elle conta à ses parents comment elle était la véritable épouse de ce Cardénio dont je viens de parler. J'appris encore, d'après les bruits qui couraient, que Cardénio s'était trouvé présent aux fiançailles et que, voyant sa maîtresse mariée, ce qu'il n'avait jamais cru possible, il avait quitté la ville en désespéré, après avoir écrit une lettre où, se plaignant de l'affront que Luscinde lui faisait, il annonçait qu'on ne le verrait plus. Tout cela était de notoriété publique dans la ville, et l'on n'y parlait pas d'autre chose. Mais on parla bien davantage encore quand on sut que Luscinde avait disparu de la maison de son père, et même de la ville, car on l'y chercha vainement; et ses malheureux parents en perdaient l'esprit, ne sachant quel moyen prendre pour la retrouver. Toutes ces nouvelles ranimèrent un peu mes espérances, et je me crus plus heureuse de n'avoir pas trouvé don Fernand que de l'avoir trouvé marié. Il me sembla, en effet, que mon malheur n'était pas sans remède, et je m'efforçais de me persuader que peut-être le ciel avait mis cet obstacle imprévu au second mariage pour lui rappeler les engagements pris au premier, pour le faire réfléchir à ce qu'il était chrétien, et plus intéressé au salut de son âme qu'à toutes les considérations humaines. Je roulais toutes ces pensées dans ma

tête, me consolant sans sujet de consolation, et rêvant de
lointaines espérances, pour soutenir une vie que j'ai prise
en haine à présent.

« Tandis que je parcourais la ville sans savoir que
résoudre, puisque je n'avais pas rencontré don Fernand,
j'entendis le crieur public annoncer dans les rues une
grande récompense pour qui me trouverait, donnant le
signalement de mon âge, de ma taille, des habits dont j'étais
vêtue. J'entendis également rapporter, comme un ouï-dire,
que le valet qui m'accompagnait m'avait enlevée de la
maison paternelle. Ce nouveau coup m'alla jusqu'à l'âme;
je vis avec désespoir à quel degré de flétrissure était tombée
ma réputation, puisqu'il ne suffisait pas que je l'eusse perdue par ma fuite, et qu'on me donnait pour complice un
être si vil et si indigne de fixer mes pensées. Aussitôt que
j'entendis publier ce ban, je quittai la ville, suivie de mon
domestique, qui commençait à montrer quelque hésitation
dans la fidélité à toute épreuve qu'il m'avait promise. La
même nuit, dans la crainte d'être découverts, nous péné-
trâmes jusqu'au plus profond de ces montagnes; mais,
comme on dit, un malheur en appelle un autre, et la fin
d'une infortune est d'ordinaire le commencement d'une
plus grande. C'est ce qui m'arriva; car dès que mon bon
serviteur, jusque-là si sûr et si fidèle, se vit seul avec moi
dans ce désert, poussé de sa perversité plutôt que de mes
attraits, il voulut saisir l'occasion que semblait lui offrir
notre solitude absolue. Sans respect pour moi et sans crainte
de Dieu, il osa me tenir d'insolents discours; et, voyant
avec quel juste mépris je repoussais ses impudentes propositions, il cessa les prières dont il avait d'abord essayé et
se mit en devoir d'employer la violence. Mais le ciel, juste
et secourable, qui manque rarement d'accorder son regard
et son aide aux bonnes intentions, favorisa si bien les
miennes que, malgré l'insuffisance de mes forces, je le fis,
sans grande peine, rouler dans un précipice, où je le laissai
mort ou vif. Aussitôt, et plus rapidement que ma fatigue
et mon effroi ne semblaient le permettre, je m'enfonçai dans
ces montagnes, sans autre dessein que de m'y cacher et
d'échapper à mes parents ou à ceux qu'ils enverraient à ma
poursuite. Il y a de cela je ne sais combien de mois. Je
rencontrai presque aussitôt un gardien de troupeaux qui
me prit pour berger et m'emmena dans un hameau, au
cœur de la montagne. Je l'ai servi depuis ce temps, faisant
en sorte d'être aux champs tout le jour, pour cacher ces
cheveux qui viennent, bien à mon insu, de me découvrir.
Mais toute mon adresse et toute ma sollicitude furent vaines
à la fin. Mon maître vint à s'apercevoir que je n'étais pas
homme et ressentit les mêmes désirs coupables que mon
valet. Comme la fortune ne donne pas toujours la ressource
à côté du danger, et que je ne trouvais point de précipice
pour y jeter le maître après le serviteur, je crus plus prudent

de fuir encore et de me cacher une seconde fois dans ces
âpres retraites que d'essayer avec lui mes forces ou mes
remontrances. Je revins donc chercher, parmi ces rochers
et ces bois un endroit où je pusse sans obstacle offrir au
ciel mes soupirs et mes larmes, où je pusse le prier de
prendre en pitié mes infortunes et de me faire la grâce, ou
d'en trouver le terme, ou de laisser ma vie dans ces solitudes,
et d'y ensevelir la mémoire d'une infortunée qui a donné si
innocemment sujet à la malignité de la poursuivre et de la
déchirer. »

CHAPITRE XXIX

*Qui traite du gracieux artifice qu'on employa pour tirer notre amou-
reux chevalier de la rude pénitence qu'il accomplissait.*

« Telle est, seigneurs, la véritable histoire de mes tragiques
aventures. Voyez et jugez maintenant si les soupirs que
vous avez entendus s'échapper avec mes paroles, si les
larmes que vous avez vues couler de mes yeux n'avaient
pas de suffisants motifs pour éclater avec plus d'abondance.
En considérant la nature de mes disgrâces, vous reconnaîtrez que toute consolation est superflue, puisque tout
remède est impossible. Je ne vous demande qu'une chose,
qu'il vous sera facile de m'accorder : apprenez-moi où
je pourrai passer ma vie sans être exposée à la perdre à
tout instant par la crainte et les alarmes, tant je redoute que
ceux qui me cherchent ne me découvrent à la fin. Je sais
bien que l'extrême tendresse qu'ont pour moi mes parents
me promet d'eux un bon accueil ; mais j'éprouve une telle
honte, seulement à penser que je paraîtrais en leur présence autrement qu'ils ne devaient l'espérer, que j'aime
mieux m'exiler pour jamais de leur vue plutôt que de lire
sur leur visage la pensée qu'ils ne trouvent plus sur le mien
la pureté et l'innocence qu'ils attendaient de leur fille. »

Elle se tut en achevant ces paroles, et la rougeur qui
couvrit alors son visage fit clairement connaître les regrets
et la confusion dont son âme était remplie. Ce fut au fond
des leurs que ceux qui avaient écouté le récit de ses infortunes ressentirent l'étonnement et la compassion qu'elle
inspirait. Le curé voulait aussitôt lui donner des consolations et des avis, mais Cardénio le prévint : « Quoi,
madame ! s'écria-t-il, vous êtes la belle Dorothée, la fille
unique du riche Clenardo ! » Dorothée resta toute surprise
quand elle entendit le nom de son père et qu'elle vit la
chétive apparence de celui qui le nommait, car on sait déjà
de quelle manière était vêtu Cardénio. « Qui êtes-vous,
mon ami, lui dit-elle, pour savoir ainsi le nom de mon
père ? Jusqu'à présent, si j'ai bonne mémoire, je ne l'ai pas
nommé une seule fois dans le cours de mon récit. — Je suis,
répondit Cardénio, cet infortuné que, suivant vous,
madame, Luscinde a dit être son époux ; je suis le malheu-

reux Cardénio, que la perfidie du même homme qui vous
a mise en l'état où vous êtes a réduit à l'état où vous me
voyez, nu, déchiré, privé de toute consolation sur la terre,
et, ce qui est pire encore, privé de raison, car je n'en ai plus
l'usage que lorsqu'il plaît au ciel de me l'accorder pour
quelques instants. Oui, Dorothée, c'est moi qui fus le
témoin et la victime des perversités de don Fernand ; c'est
moi qui attendis jusqu'à ce que Luscinde, le prenant pour
époux, eût prononcé le *oui* fatal ; mais qui n'eus pas assez
de courage pour voir où aboutiraient son évanouissement
et la découverte du billet caché dans son sein, car mon âme
n'eut pas assez de force pour supporter tant de malheurs
à la fois. Je quittai la maison quand je perdis patience, et,
laissant à mon hôte une lettre que je le priai de remettre
aux mains de Luscinde, je m'en vins dans ce désert avec
l'intention d'y finir ma vie, que j'ai détestée depuis lors
comme mon ennemie mortelle. Mais le ciel n'a pas voulu
me l'ôter, se bornant à m'ôter la raison, et me gardant
peut-être pour le bonheur qui m'arrive de vous rencontrer
aujourd'hui. Car, si tout ce que vous avez conté est vrai,
comme je le crois, il est possible que le ciel ait réservé pour
tous deux une meilleure fin que nous ne pensons à nos
désastres. S'il est vrai que Luscinde ne peut épouser don
Fernand, parce qu'elle est à moi, comme elle l'a hautement déclaré, ni don Fernand l'épouser, parce qu'il est à
vous, nous pouvons encore espérer que le ciel nous restitue
ce qui nous appartient, puisque ces objets existent, et qu'ils
ne sont ni aliénés ni détruits. Maintenant que cette consol-
lation nous reste, non fondée sur de folles rêveries et de
chimériques espérances, je vous supplie, madame, de
prendre, en vos honnêtes pensées, une résolution nouvelle,
telle que je pense la prendre moi-même, et de vous résigner
à l'espoir d'un meilleur avenir. Quant à moi, je vous jure,
foi de gentilhomme et de chrétien, de ne plus vous abandonner que vous ne soyez rendue à don Fernand. Si je
ne pouvais, par le raisonnement, l'amener à reconnaître
vos droits, j'userais alors de celui que me donne ma qualité
de gentilhomme, pour le provoquer à juste titre au combat, en raison du tort qu'il vous cause, mais sans me rappeler mes propres offenses, dont je laisserai la vengeance au
ciel, pour ne m'occuper que de celle des vôtres sur la terre. »
    Ce que venait de dire Cardénio accrut tellement la sur-
prise de Dorothée que, ne sachant quelles grâces rendre
à de telles offres de service, elle voulut se jeter à ses pieds
et les embrasser ; mais Cardénio l'en empêcha. Le bon
licencié prit la parole pour tous deux, approuva le sage
projet de Cardénio, et leur persuada par ses conseils et ses
prières de l'accompagner à son village, où ils pourraient se
fournir des choses qui leur manquaient, et prendre un parti
pour chercher don Fernand, ramener Dorothée à la maison
paternelle, ou faire enfin ce qui semblerait le plus conve-

nable. Cardénio et Dorothée acceptèrent son offre avec des
témoignages de reconnaissance. Le barbier, qui jusqu'alors
avait écouté sans rien dire, fit aussi son petit discours, et
s'offrit d'aussi bonne grâce que le curé à les servir autant
qu'il en était capable. Par la même occasion, il conta brièvement le motif qui les avait amenés en cet endroit, ainsi que
l'étrange folie de don Quichotte, dont ils attendaient l'écuyer,
qu'ils avaient envoyé à sa recherche. Cardénio se ressouvint
alors, mais comme en un songe, du démêlé qu'il avait eu
avec don Quichotte, et raconta cette aventure, sans pouvoir
toutefois indiquer le motif de la querelle. En ce moment,
des cris se firent entendre; le curé et le barbier reconnurent
aussitôt la voix de Sancho Panza, qui, ne les trouvant point
dans l'endroit où il les avait laissés, les appelait à tue-tête.
Ils allèrent tous à sa rencontre et, comme ils lui demandaient
avec empressement des nouvelles de don Quichotte, Sancho leur conta comment il l'avait trouvé nu, en chemise,
sec, maigre, jaune et mort de faim, mais soupirant toujours
pour sa dame Dulcinée. « Je lui ai bien dit, ajouta-t-il,
qu'elle lui ordonnait de quitter cet endroit et de s'en aller
au Toboso, où elle restait à l'attendre; il m'a répondu qu'il
était décidé à ne point paraître en présence de ses charmes
jusqu'à ce qu'il eût fait des prouesses qui le rendissent
méritant de ses bonnes grâces. Mais, en vérité, si cela dure
encore un peu, mon maître court grand risque de ne pas
devenir empereur, comme il s'y est obligé, ni même archevêque, ce qui est bien le moins qu'il puisse faire. Voyez
donc, au nom du ciel, comment il faut s'y prendre pour le
tirer de là. » Le licencié répondit à Sancho qu'il ne se mît
pas en peine, et qu'on saurait bien l'arracher à sa pénitence,
quelque dépit qu'il en eût. Aussitôt il conta à Cardénio et
à Dorothée le moyen qu'ils avaient imaginé pour la guérison de don Quichotte, ou du moins pour le ramener à la
maison. Dorothée s'offrit alors de bonne grâce à jouer elle-
même le rôle de la demoiselle affligée, qu'elle remplirait,
dit-elle, mieux que le barbier, puisqu'elle avait justement
des habits de femme qui lui permettraient de le faire au
naturel, ajoutant qu'on pouvait se reposer sur elle du soin
de représenter ce personnage comme il convenait au succès
de leur dessein, parce qu'elle avait lu assez de livres de
chevalerie pour savoir en quel style les damoiselles désolées
demandaient un don aux chevaliers errants. « A la bonne
heure, donc, s'écria le curé; il n'est plus besoin que de se
mettre à l'œuvre. En vérité, la fortune se déclare en notre
faveur; car, sans penser à vous le moins du monde,
madame et seigneur, voilà qu'elle commence par notre
moyen à rouvrir une porte à votre espérance, et qu'elle nous
fait trouver en vous l'aide et le secours dont nous avions
besoin. » Dorothée tira sur-le-champ de son paquet une
jupe entière de fine et riche étoffe, ainsi qu'un mantelet de
brocart vert, et, d'un écrin, un collier de perles avec

d'autres bijoux. En un instant, elle fut parée de manière à
passer pour une riche et grande dame. Tous ces ajuste-
ments, elle les avait, dit-elle, emportés de la maison de ses
parents pour s'en servir au besoin ; mais elle n'avait encore
eu nulle occasion d'en faire usage. Ils furent tous enchantés
de sa grâce parfaite et de sa beauté singulière, et achevèrent
de tenir don Fernand pour un homme de peu de sens,
puisqu'il dédaignait tant d'attraits. Mais celui qui éprouvait
le plus de surprise et d'admiration, c'était Sancho Panza.
Jamais, en tous les jours de sa vie, il n'avait vu une si belle
créature. Aussi demanda-t-il avec empressement au curé
qui était cette charmante dame, et qu'est-ce qu'elle cherchait à travers ces montagnes. « Cette belle dame, mon ami
Sancho, répondit le curé, est tout bonnement, sans que
cela paraisse, l'héritière en droite ligne, et de mâle en mâle,
du grand royaume de Micomicon ; elle vient à la recherche
de votre maître pour le prier de lui octroyer un don, lequel
consiste à défaire un tort que lui a fait un déloyal géant ;
et c'est au bruit de la renommée de bon chevalier qu'a
votre maître sur toute la surface de la terre que cette princesse s'est mise en quête de lui depuis les côtes de Guinée.
— Heureuse quête et heureuse trouvaille ! s'écria Sancho
transporté, surtout si mon maître est assez chanceux pour
venger cette offense et redresser ce tort, en tuant ce
méchant drôle de géant que Votre Grâce vient de dire. Et
oui, pardieu, il le tuera s'il le rencontre, à moins pourtant
que ce ne soit un fantôme ; car, contre les fantômes, mon
seigneur est sans pouvoir. Mais, seigneur licencié, je veux,
entre autres choses, vous demander une grâce. Pour qu'il
ne prenne pas fantaisie à mon maître de se faire archevêque,
car c'est là tout ce que je crains, vous ferez bien de lui
conseiller de se marier tout de suite avec cette princesse :
il se trouvera ainsi dans l'impossibilité de recevoir les
ordres épiscopaux, et se décidera facilement à s'en tenir au
titre d'empereur, ce qui sera le comble de mes souhaits.
Franchement, j'y ai bien réfléchi, et je trouve, tout compté,
qu'il ne me convient pas que mon maître soit archevêque ;
car enfin je ne suis bon à rien pour l'Eglise, puisque je suis
marié ; et m'en aller maintenant courir après des dispenses
pour que je puisse toucher le revenu d'une prébende,
ayant, comme je les ai, femme et enfants, ce serait à n'en
jamais finir. Ainsi donc, seigneur, tout le joint de l'affaire,
c'est que mon maître se marie tout de suite avec cette dame,
que je ne peux nommer par son nom, ne sachant pas encore
comment elle s'appelle. — Elle s'appelle, répondit le curé,
la princesse Micomicona ; car, son royaume s'appelant
Micomicon, il est clair qu'elle doit s'appeler ainsi. — Sans
aucun doute, reprit Sancho, et j'ai vu bien des gens prendre
pour nom de famille et de terre celui du lieu où ils sont nés,
s'appelant Pedro de Alcala, ou Juan de Ubéda, ou Diégo
de Valladolid ; et ce doit être aussi l'usage, par là en Guinée,

que les reines prennent le nom de leur royaume. — C'est probable, répondit le curé; et, quant au mariage de votre maître, croyez que j'y emploierai toutes les ressources de mon éloquence. » Sancho demeura aussi satisfait de cette promesse que le curé surpris de sa simplicité, en voyant que les contagieuses extravagances de son maître s'étaient si bien nichées dans sa cervelle qu'il croyait très sérieusement le voir devenir empereur quelque beau jour.

Pendant cet entretien, Dorothée s'était mise à cheval sur la mule du curé, et le barbier avait ajusté à son menton la barbe de queue de vache. Ils dirent alors à Sancho de les conduire où se trouvait don Quichotte, mais en l'avertissant bien qu'il ne fît pas semblant de connaître le curé et le barbier, car c'était en cela que consistait tout le prestige pour faire devenir son maître empereur. Pour le curé et Cardénio, ils ne voulurent pas les accompagner, Cardénio dans la crainte que don Quichotte ne se rappelât leur querelle, et le curé parce que sa présence n'était alors d'aucune utilité. Ils les laissèrent prendre les devants, et les suivirent à pied sans presser leur marche. Le curé avait cru prudent d'enseigner à Dorothée comment elle devait s'y prendre; mais celle-ci lui avait répondu d'être sans crainte à cet égard, et que tout se ferait exactement comme l'exigeaient les descriptions et les récits des livres de chevalerie.

Après avoir fait environ trois quarts de lieue, elle et ses deux compagnons découvrirent don Quichotte au milieu d'un groupe de roches amoncelées, habillé déjà, mais non point armé. Dès que Dorothée l'eut aperçu, et qu'elle eut appris de Sancho que c'était don Quichotte, elle pressa son palefroi, suivi du barbu barbier. En arrivant près de lui, l'écuyer sauta de sa mule et prit Dorothée dans ses bras, laquelle ayant mis pied à terre avec beaucoup d'aisance, alla se jeter à genoux aux pieds de don Quichotte, et, bien que celui-ci fît tous ses efforts pour la relever, elle, sans vouloir y consentir, lui parla de la sorte : « D'ici, je ne me lèverai plus, ô valeureux et redoutable chevalier, que votre magnanime courtoisie ne m'ait octroyé un don, lequel tournera à l'honneur et gloire de votre personne et au profit de la plus offensée et plus inconsolable damoiselle que le soleil ait éclairée jusqu'à présent. Et, s'il est vrai que la valeur de votre invincible bras réponde à la voix de votre immortelle renommée, vous êtes obligé de prêter aide et faveur à l'infortunée qui vient de si lointaines régions, à la trace de votre nom célèbre, vous chercher pour remède à mes malheurs. — Je ne vous répondrai pas un mot, belle et noble dame, répondit don Quichotte, et n'écouterai rien de vos aventures que vous ne soyez relevée de terre. — Et moi, je ne me relèverai point, seigneur, répliqua la damoiselle affligée, avant que, par votre courtoisie, ne me soit octroyé le don que j'implore. — Je vous l'octroie et concède, répondit don Quichotte, pourvu qu'il ne doive

pas s'accomplir au préjudice ou au déshonneur de mon roi,
de ma patrie et de celle qui tient la clef de mon cœur et de
ma liberté. — Ce ne sera ni au préjudice ni au déshonneur
de ceux que vous venez de nommer, mon bon seigneur »,
reprit la dolente damoiselle. Mais, comme elle allait continuer, Sancho s'approcha de l'oreille de son maître et lui
dit tout bas : « Par ma foi, seigneur, Votre Grâce peut bien
lui accorder le don qu'elle réclame ; c'est l'affaire de rien ;
il ne s'agit que de tuer un gros lourdaud de géant ; et celle
qui vous demande ce petit service est la haute princesse
Micomicona, reine du grand royaume de Micomicon en
Ethiopie. — Qui qu'elle soit, répondit don Quichotte, je
ferai ce que je suis obligé de faire et ce que me dicte ma
conscience, d'accord avec les lois de ma profession. » Puis,
se tournant vers la damoiselle : « Que votre extrême beauté
se lève, lui dit-il ; je lui octroie le don qu'il lui plaira de me
demander. — Eh bien donc, s'écria la damoiselle, celui
que je vous demande, c'est que votre magnanime personne
s'en vienne sur-le-champ avec moi où je la conduirai, et
qu'elle me promette de ne s'engager en aucune aventure,
de ne s'entremettre en aucune querelle jusqu'à ce qu'elle
m'ait vengée d'un traître qui, contre tout droit du ciel
et des hommes, tient mon royaume usurpé. — Je répète que
je vous l'octroie, reprit don Quichotte ; ainsi, vous pouvez
dès aujourd'hui, madame, chasser la mélancolie qui vous
oppresse, et faire reprendre courage à votre espérance
évanouie. Avec l'aide de Dieu et celle de mon bras, vous
vous verrez bientôt de retour dans votre royaume, et
rassise sur le trône des grands Etats de vos ancêtres, en
dépit de tous les félons qui voudraient y trouver à redire.
Allons donc, la main à la besogne, car c'est, comme on dit,
dans le retard que gît le péril. » La nécessiteuse damoiselle
fit alors mine de vouloir lui baiser les mains ; mais don Quichotte, qui était en toute chose un galant et courtois chevalier, ne voulut jamais y consentir. Au contraire, il la fit
relever et l'embrassa respectueusement ; puis il ordonna
à Sancho de bien serrer les sangles à Rossinante, et de
l'armer lui-même sans délai. L'écuyer détacha les armes,
qui pendaient comme un trophée aux branches d'un chêne,
et, après avoir ajusté la selle du bidet, il arma son maître en
un tour de main. Celui-ci, se voyant en équipage de guerre,
s'écria : « Allons maintenant, avec l'aide de Dieu, prêter la
nôtre à cette grande princesse. » Le barbier se tenait encore
à genoux, prenant grand soin de ne pas éclater de rire ni
de laisser tomber sa barbe, dont la chute aurait pu ruiner
de fond en comble leur bonne intention. Quand il vit que
le don était octroyé, et avec quelle diligence don Quichotte
s'apprêtait à l'aller accomplir, il se leva, prit sa maîtresse
de la main qui n'était point occupée, et la mit sur sa mule,
avec l'aide du chevalier. Celui-ci enfourcha légèrement
Rossinante, et le barbier s'arrangea sur sa monture ; mais

le pauvre Sancho resta sur ses pieds, ce qui renouvela ses regrets et lui fit de nouveau sentir la perte du grison. Toutefois, il prenait son mal en patience, parce qu'il lui semblait que son maître était en bonne voie de se faire empereur, n'ayant plus aucun doute qu'il ne se mariât avec cette princesse, et qu'il ne devînt ainsi pour le moins roi de Micomicon. Une seule chose le chagrinait : c'était de penser que ce royaume était en terre de nègres, et que les gens qu'on lui donnerait pour vassaux seraient tout noirs. Mais son imagination lui fournit bientôt une ressource, et il se dit à lui-même : « Eh! que m'importe, après tout, que mes vassaux soient des nègres ? Qu'ai-je à faire, sinon de les emballer et de les charrier en Espagne, où je les pourrai vendre à bon argent comptant ? et de cet argent je pourrai m'acheter quelque titre ou quelque office qui me fera vivre sans souci tout le reste de ma vie et de mes jours. C'est cela; croyez-vous donc qu'on dorme des deux yeux, et qu'on n'ait ni talent ni esprit pour tirer parti des choses, et pour vendre trente ou dix mille vassaux comme on brûle un fagot de paille ? Ah! pardieu, petit ou grand, je saurai bien en venir à bout, et les rendre blancs ou jaunes dans ma poche, fussent-ils noirs comme l'âme du diable. Venez, venez, et vous verrez si je suce mon pouce. » Plein de ces beaux rêves, Sancho marchait si occupé et si content qu'il oubliait le désagrément d'aller à pied.

Toute cette étrange scène, Cardénio et le curé l'avaient regardée à travers les broussailles, et ne savaient quels moyens prendre pour se réunir au reste de la troupe. Mais le curé, qui était grand trameur d'expédients, imagina bientôt ce qu'il fallait faire pour sortir d'embarras. Avec une paire de ciseaux qu'il portait dans un étui, il coupa fort habilement la barbe à Cardénio, puis il lui mit un mantelet brun dont il était vêtu, ainsi qu'un collet noir, ne gardant pour lui que ses hauts-de-chausses et son pourpoint. Cardénio fut si changé par cette toilette qu'il ne se serait pas reconnu lui-même, se fût-il regardé dans un miroir. Cela fait, et bien que les autres eussent pris les devants pendant qu'ils se déguisaient, les deux amis purent atteindre avant eux le grand chemin, car les roches et les broussailles qui embarrassaient le passage ne permettaient pas aux cavaliers d'aller aussi vite que les piétons. Ceux-ci, ayant une fois gagné la plaine, s'arrêtèrent à la sortie de la montagne; et, dès que le curé vit venir don Quichotte suivi de ses compagnons, il se mit à le regarder fixement, montrant par ses gestes qu'il cherchait à le reconnaître; puis, après l'avoir longtemps examiné, il s'en fut à lui les bras ouverts, et s'écriant de toute la force de ses poumons : « Qu'il soit le bienvenu et le bien trouvé, le miroir de la chevalerie, mon brave compatriote don Quichotte de la Manche, la fleur et la crème de la galanterie, le rempart et l'appui des affligés, la quintessence des chevaliers errants! » En

disant ces mots, il se tenait embrassé au genou de la
jambe gauche de don Quichotte, lequel, stupéfait de
ce qu'il voyait faire et entendait dire à cet homme, se
mit à le considérer avec attention, et le reconnut à la fin.
Etrangement surpris de le rencontrer là, don Quichotte
fit aussitôt tous ses efforts pour mettre pied à terre; mais
le curé ne voulait pas y consentir : « Eh! seigneur licencié,
s'écria-t-il alors, que Votre Grâce me laisse faire; il n'est
pas juste que je reste à cheval, tandis que Votre Révérence
est à pied. — Je ne le souffrirai en aucune manière, répondit le curé; que Votre Grandeur reste à cheval, puisque
c'est à cheval qu'elle affronte les plus grandes aventures et
fait les plus merveilleuses prouesses dont notre âge ait
eu le spectacle. Pour moi, prêtre indigne, il me suffira
de monter en croupe d'une des mules de ces gentilshommes qui cheminent en compagnie de Votre Grâce,
s'ils le veulent bien permettre, et je croirai tout au moins
avoir pour monture le cheval Pégase, ou le zèbre sur lequel
chevauchait ce fameux More Musaraque qui, maintenant
encore, gît enchanté dans la grande caverne Zuléma, auprès
de la grande ville de Compluto. — Je ne m'en avisais
pas, en effet, seigneur licencié, reprit don Quichotte; mais
je suis sûr que madame la princesse voudra bien, pour
l'amour de moi, ordonner à son écuyer qu'il cède à Votre
Grâce la selle de sa mule, et qu'il s'accommode de la
croupe, si tant est que la bête souffre un second cavalier. —
Oui, vraiment, à ce que je crois, répondit la princesse; mais
je sais bien aussi qu'il ne sera pas nécessaire que je donne
des ordres au seigneur mon écuyer, car il est si courtois
et si fait aux beaux usages de la cour qu'il ne souffrira
pas qu'un ecclésiastique aille à pied, pouvant aller à cheval.
— Assurément non », ajouta le barbier; et, mettant aussitôt pied à terre, il offrit la selle au curé, qui l'accepta sans
beaucoup de façons. Mais le mal est que c'était une mule
de louage, ce qui veut assez dire une méchante bête;
et, quand le barbier voulut monter en croupe, elle leva
le train de derrière et lança en l'air deux ruades telles
que, si elle les eût appliquées sur l'estomac ou sur la tête
de maître Nicolas, il aurait bien pu donner au diable la
venue de don Quichotte en ce monde. Ces ruades toutefois
l'ébranlèrent si bien qu'il tomba par terre assez rudement,
et avec si peu de souci de sa barbe qu'elle tomba d'un
autre côté. S'apercevant alors qu'il l'avait perdue, il ne
trouva rien de mieux à faire que de se cacher le visage
dans les deux mains et de se plaindre que la maudite bête
lui avait cassé les mâchoires. Quand don Quichotte vit
ce paquet de poils, n'ayant après eux ni chair ni sang, loin
du visage de l'écuyer tombé : « Vive Dieu, s'écria-t-il, voici
bien un grand miracle! Elle lui a enlevé et arraché la barbe
du menton comme on l'aurait tranchée d'un revers. » Le
curé, qui vit le danger que son invention courait d'être

découverte, se hâta de ramasser la barbe, et la porta où gisait encore maître Nicolas, qui continuait à jeter des cris étouffés; puis, lui prenant la tête contre son estomac, il la lui rajusta d'un seul nœud, en marmottant sur lui quelques paroles qu'il dit être un certain charme très propre à faire reprendre une barbe, comme on allait le voir. En effet, dès qu'il eut attaché la queue, il s'éloigna, et l'écuyer se trouva aussi bien portant et aussi bien barbu qu'auparavant. Don Quichotte fut tout émerveillé d'une telle guérison et pria le curé de lui apprendre, dès qu'il en trouverait le temps, les paroles de ce charme, dont la vertu lui semblait devoir s'étendre plus loin qu'à recoller des barbes; car il était clair que, dans les occasions où les barbes sont arrachées, la chair aussi doit être meurtrie, et que, si le charme guérissait le tout à la fois, il devait servir à la chair comme au poil. Le curé en convint et promit de lui enseigner le charme à la première occasion.

Il fut alors arrêté que le curé monterait seul sur la mule, et que, de loin en loin, le barbier et Cardénio se relayeraient pour prendre sa place, jusqu'à ce qu'on fût arrivé à l'hôtellerie, qui pouvait être à deux lieues de là. Trois étant donc à cheval, à savoir, don Quichotte, le curé et la princesse, et trois à pied, Cardénio, le barbier et Sancho Panza, le chevalier dit à la damoiselle : « Que Votre Grandeur, madame, nous guide maintenant où il lui plaira. » Mais, avant qu'elle répondît, le licencié prit la parole : « Vers quel royaume veut nous guider Votre Seigneurie ? Est-ce, par hasard, vers celui de Micomicon ? C'est bien ce que j'imagine, ou, par ma foi, j'entends peu de chose en fait de royaumes. » Dorothée, dont l'esprit était prêt à tout, comprit bien ce qu'elle devait répondre : « Justement, seigneur, lui dit-elle, c'est vers ce royaume que je me dirige. — En ce cas, reprit le curé, il faut que nous passions au beau milieu de mon village; de là, Votre Grâce prendra le chemin de Carthagène, où elle pourra s'embarquer à la garde de Dieu; si le vent est bon, la mer tranquille et le ciel sans tempêtes, en un peu moins de neuf ans, vous serez en vue du grand lac Méona, je veux dire des Palus-Méotides, qui sont encore à cent journées de route en deçà du royaume de Votre Grandeur. — Votre Grâce, seigneur, me semble se tromper, répondit-elle, car il n'y a pas deux ans que j'en suis partie, sans avoir eu jamais le temps favorable, et cependant je suis parvenue à rencontrer l'objet de mes désirs, le seigneur don Quichotte de la Manche, dont la renommée a frappé mon oreille dès que j'eus mis le pied sur la terre d'Espagne. C'est le bruit de ses exploits qui m'a décidée à me mettre à sa recherche, pour me recommander à sa courtoisie et confier la justice de ma cause à la valeur de son bras invincible. — Assez, assez, madame, s'écria don Quichotte; faites trêve à mes louanges; je suis ennemi de toute espèce

de flatterie, et, n'eussiez-vous pas cette intention, de tels
discours néanmoins offensent mes chastes oreilles. Ce
que je puis vous dire, madame, que j'aie ou non du courage,
c'est que celui que j'ai ou que je n'ai pas, je l'emploierai
à votre service jusqu'à perdre la vie. Et maintenant, laissant cela pour son temps, je prie le seigneur licencié de
vouloir bien me dire quel motif l'a conduit en cet endroit,
seul, sans valet, et vêtu tellement à la légère que j'en
suis effrayé. — A cette question, je répondrai brièvement, repartit le curé. Vous saurez donc, seigneur don
Quichotte, que moi et maître Nicolas, notre ami et notre
barbier, nous allions à Séville toucher certaine somme d'argent que vient de m'envoyer un mien parent, qui est passé
aux Indes, il y a bien des années; et vraiment la somme
n'est pas à dédaigner, car elle monte à soixante mille
piastres de bon aloi; et, comme nous passions hier dans
ces lieux écartés, nous avons été surpris par quatre voleurs
de grands chemins qui nous ont enlevé jusqu'à la barbe,
et si bien jusqu'à la barbe que le barbier a trouvé bon
de s'en mettre une postiche; et, quant à ce jeune homme
qui nous suit (montrant Cardénio), ils l'ont mis comme
s'il venait de naître. Ce qu'il y a de curieux, c'est que le
bruit court dans tous les environs que ces gens qui nous
ont dévalisés sont des galériens qu'a mis en liberté, presque
au même endroit, un homme si valeureux qu'en dépit
du commissaire et des gardiens il leur a donné à tous la
clef des champs. Sans nul doute cet homme avait perdu
l'esprit, ou ce doit être un aussi grand scélérat que ceux
qu'il a délivrés, un homme, enfin, sans âme et sans conscience, puisqu'il a voulu lâcher le loup au milieu des brebis,
le renard parmi les poules et le frelon sur le miel; il
a voulu frustrer la justice, se révolter contre son roi et
seigneur naturel, dont il a violé les justes commandements;
il a voulu, dis-je, ôter aux galères les bras qui les font
mouvoir; et mettre sur pied la Sainte-Hermandad, qui
reposait en paix depuis longues années; il a voulu finalement faire un exploit où se perdit son âme sans que son
corps eût rien à gagner. »

Sancho avait raconté au curé et au barbier l'aventure
des galériens, dont son maître s'était tiré avec tant de
gloire, et c'est pour cela que le curé appuyait si fort en
la rapportant, afin de voir ce que ferait ou dirait don Quichotte. Le pauvre chevalier changeait de visage à chaque
parole et n'osait avouer qu'il était le libérateur de cette
honnête engeance. « Voilà, continua le curé, quelles
gens nous ont détroussés et mis en cet état. Dieu veuille,
en son infinie miséricorde, pardonner à celui qui ne les
a pas laissé conduire au supplice qu'ils avaient mérité! »

CHAPITRE XXX

Qui traite de la finesse d'esprit que montra la belle Dorothée, ainsi que d'autres choses singulièrement divertissantes.

Le curé n'avait pas fini de parler que Sancho lui dit : « Par ma foi, seigneur licencié, savez-vous qui a fait cette belle prouesse ? c'est mon maître. Et pourtant je ne m'étais pas fait faute de lui dire, par avance, qu'il prît garde à ce qu'il allait faire, et que c'était un péché mortel que de leur rendre la liberté, puisqu'on les envoyait tous aux galères, comme de fieffés coquins. — Imbécile, s'écria don Quichotte, est-ce, par hasard, aux chevaliers errants à vérifier si les affligés, les enchaînés et les opprimés qu'ils trouvent sur les grands chemins vont en cet état et dans ces tourments pour leurs fautes ou pour leurs mérites ? Ils n'ont rien à faire qu'à les secourir à titre de malheureux, n'ayant égard qu'à leurs misères, et non point à leurs méfaits. J'ai rencontré un chapelet de pauvres diables, tristes et souffrants, et j'ai fait pour eux ce qu'exige le serment de mon ordre : advienne que pourra. Quiconque y trouverait à redire, sauf toutefois le saint caractère du seigneur licencié et sa vénérable personne, je lui dirai qu'il n'entend rien aux affaires de la chevalerie, et qu'il ment comme un rustre malappris ; je le lui ferai bien voir avec la lance ou l'épée, à pied ou à cheval, ou de telle manière qu'il lui plaira. » En disant cela, don Quichotte s'affermit sur ses étriers et enfonça son morion jusqu'aux yeux ; car, pour le plat à barbe, qui était à son compte l'armet de Mambrin, il le portait pendu à l'arçon de sa selle, en attendant qu'il le remît des mauvais traitements que lui avaient fait essuyer les galériens.

Dorothée, qui était pleine de discrétion et d'esprit, connaissant déjà l'humeur timbrée de don Quichotte, dont elle savait bien que tout le monde se raillait, hormis Sancho Panza, ne voulut point demeurer en reste ; et le voyant si courroucé : « Seigneur chevalier, lui dit-elle, que Votre Grâce ne perde pas souvenance du don qu'elle m'a promis sur sa parole, en vertu de laquelle vous ne pouvez vous entremettre en aucune aventure, quelque pressante qu'elle puisse être. Calmez votre cœur irrité ; car assuré-

ment, si le seigneur licencié eût su que c'était à ce bras
invincible que les galériens devaient leur délivrance, il
aurait mis trois fois le doigt sur sa bouche, et se serait
même mordu trois fois la langue, plutôt que de lâcher
une parole qui pût causer à Votre Grâce le moindre
déplaisir. — Oh! je le jure, sur ma foi, s'écria le curé, et
je me serais plutôt arraché la moustache. — Je me tairai
donc, madame, répondit don Quichotte; je réprimerai la
juste colère qui s'était allumée dans mon âme, et me tiendrai tranquille et pacifique jusqu'à ce que j'aie satisfait
à la promesse que vous avez reçue de moi. Mais, en échange
de ces bonnes intentions, je vous supplie de me dire, si
toutefois vous n'y trouvez nul déplaisir, quel est le sujet
de votre affliction, quels et combien sont les gens de qui
je dois vous donner une légitime, satisfaisante et complète vengeance. — C'est ce que je ferai de bien bon cœur,
répondit Dorothée, s'il ne vous déplaît pas d'entendre
des malheurs et des plaintes. — Non, sans doute, répliqua
don Quichotte. — En ce cas, reprit Dorothée, que Vos
Grâces me prêtent leur attention. »

A peine eut-elle ainsi parlé que Cardénio et le barbier
se placèrent à côté d'elle, désireux de voir comment la
discrète Dorothée conterait sa feinte histoire; et Sancho
fit de même, aussi abusé que son maître sur le compte de
la princesse. Pour elle, après s'être bien affermie sur sa
selle, après avoir toussé et pris les précautions d'un ora-
teur à son début, elle commença de la sorte, avec beaucoup d'aisance et de grâce :

« Avant tout, mes seigneurs, je veux faire savoir à Vos
Grâces qu'on m'appelle... » Ici, elle hésita un moment,
ne se souvenant plus du nom que le curé lui avait donné;
mais celui-ci, comprenant d'où partait cette hésitation, vint
à son aide et lui dit : « Il n'est pas étrange, madame, que
Votre Grandeur se trouble et s'embarrasse dans le récit
de ses infortunes. C'est l'effet ordinaire du malheur d'ôter
parfois la mémoire à ceux qu'il a frappés, tellement qu'ils
oublient jusqu'à leurs propres noms, comme il vient d'arriver à Votre Seigneurie, qui semble ne plus se souvenir
qu'elle s'appelle la princesse Micomicona, légitime héritière du grand royaume de Micomiçon. Avec cette simple
indication, Votre Grandeur peut maintenant rappeler
à sa triste mémoire tout ce qu'il lui plaira de nous raconter. — Ce que vous dites est bien vrai, répondit la damoiselle; mais je crois qu'il ne sera pas désormais nécessaire
de me rien indiquer ni souffler, et que je mènerai à bon
port ma véridique histoire. La voici donc.

« Le roi mon père, qui se nommait Tinacrio le Sage,
fut très versé dans la science qu'on appelle magie. Il
découvrit, à l'aide de son art, que ma mère, nommée la
reine Xaramilla, devait mourir avant lui, et que lui-même,
peu de temps après, passerait de cette vie dans l'autre de

sorte que je resterais orpheline de père et de mère. Il disait toutefois que cette pensée ne l'affligeait pas autant que de savoir, de science certaine, qu'un effroyable géant, seigneur d'une grande île qui touche presque à notre royaume, nommé Pantafilando de la Sombre-Vue (car il est avéré que, bien qu'il ait les yeux à leur place, et droits l'un et l'autre, il regarde toujours de travers, comme s'il était louche, ce qu'il fait par malice, pour faire peur à ceux qu'il regarde); mon père, dis-je, sut que ce géant, dès qu'il apprendrait que j'étais orpheline, devait venir fondre avec une grande armée sur mon royaume, et me l'enlever tout entier pièce à pièce, sans me laisser le moindre village où je pusse trouver asile; mais que je pourrais éviter ce malheur et cette ruine si je consentais à me marier avec lui. Du reste, mon père voyait bien que jamais je ne pourrais me résoudre à un mariage si disproportionné; et c'était bien la vérité qu'il annonçait; car jamais il ne m'est venu dans la pensée d'épouser ce géant, ni aucun autre, si grand et si colossal qu'il pût être. Mon père dit aussi qu'après qu'il serait mort, et que je verrais Panta-filando commencer à envahir mon royaume, je ne son-geasse aucunement à me mettre en défense, ce qui serait courir à ma perte; mais que je lui abandonnasse librement la possession du royaume, si je voulais éviter la mort et la destruction totale de mes bons et fidèles vassaux, puisqu'il m'était impossible de résister à la force diabolique de ce géant. Il ajouta que je devais sur-le-champ prendre avec quelques-uns des miens le chemin des Espagnes, où je trouverais le remède à mes maux dans la personne d'un chevalier errant dont la renommée s'étendrait alors dans tout ce royaume et qui s'appellerait, si j'ai bonne mémoire, don Fricote, ou don Gigote... — C'est don Quichotte qu'il aura dit, madame, interrompit en ce moment Sancho Panza, autrement dit le chevalier de la Triste-Figure. — Justement, reprit Dorothée; il ajouta qu'il devait être haut de stature, sec de visage, et que du côté droit, sous l'épaule gauche, ou près de là, il devait avoir une envie de couleur brune, avec quelques poils en manière de soies de sanglier. — Approche ici, mon fils Sancho, dit aussitôt don Quichotte à son écuyer; viens m'aider à me déshabiller, car je veux voir si je suis le chevalier qu'annonce la prophétie de ce sage roi. — Et pourquoi Votre Grâce veut-elle se déshabiller ainsi? demanda Dorothée. — Pour voir si j'ai bien cette envie dont votre père a parlé, répondit don Quichotte. — Il n'est pas besoin de vous déshabiller pour cela, interrompit Sancho; je sais que Votre Grâce a juste-ment une envie de cette espèce au beau milieu de l'épine du dos, ce qui est un signe de force dans l'homme. — Cela suffit, reprit Dorothée; entre amis, il ne faut pas y regar-der de si près. Qu'elle soit sur l'épaule, qu'elle soit sur l'échine, qu'elle soit où bon lui semble, qu'importe, pourvu

que l'envie s'y trouve ? Après tout, c'est là même chair.
Sans aucun doute, mon bon père a rencontré juste ; et
moi aussi, j'ai bien rencontré en m'adressant au seigneur
don Quichotte, qui est celui dont mon père a parlé, car
le signalement de son visage concorde avec celui de la
grande renommée dont jouit ce chevalier, non seulement
en Espagne, mais dans toute la Manche.

« En effet, j'étais à peine débarquée à Osuna que j'entendis raconter de lui tant de prouesses qu'aussitôt le cœur
me dit que c'était bien celui que je venais chercher. —
Mais comment Votre Grâce est-elle débarquée à Osuna,
interrompit don Quichotte, puisque cette ville n'est pas
un port de mer ? » Avant que Dorothée répondît, le curé
prit la parole : « Madame la princesse, dit-il, a sûrement
voulu dire qu'après être débarquée à Malaga, le premier
endroit où elle entendit raconter de vos nouvelles, ce
fut Osuna. — C'est bien cela que j'ai voulu dire, reprit
Dorothée. — Et maintenant rien n'est plus clair, ajouta
le curé. Votre Majesté peut poursuivre son récit. — Je n'ai
plus rien à poursuivre, répondit Dorothée, sinon qu'à la fin
ç'a été pour moi une si bonne fortune de rencontrer le seigneur don Quichotte que déjà je me regarde et me tiens
pour reine et maîtresse de tout mon royaume ; car, dans
sa courtoisie et sa munificence, il m'a octroyé le don de me
suivre où il me plairait de le mener, ce qui ne sera pas ailleurs qu'en face de Pantafilando de la Sombre-Vue, pour
qu'il lui ôte la vie et me fasse restituer ce que ce traître a
usurpé contre tout droit et toute raison. Tout cela doit arriver au pied de la lettre, comme l'a prophétisé Tinacrio le
Sage, mon bon père, lequel a également laissé par écrit,
en lettres grecques ou chaldéennes (je n'y sais pas lire),
que si le chevalier de la prophétie, après avoir coupé la
tête au géant, voulait se marier avec moi, je devais, sans
réplique, me livrer à lui pour sa légitime épouse, et lui
donner la possession de mon royaume en même temps
que celle de ma personne. — Eh bien ! que t'en semble,
ami Sancho ? dit à cet instant don Quichotte. Ne vois-tu
pas ce qui se passe ? Ne te l'avais-je pas dit ? Regarde si
nous n'avons pas maintenant royaume à gouverner et reine
à épouser ? — J'en jure par ma barbe, s'écria Sancho, et
nargue du bâtard qui ne se marierait pas dès qu'il aurait
ouvert le gosier au seigneur Pend-au-fil-en-dos. La reine
est peut-être une laideron, hein ! Que toutes les puces
de mon lit ne sont-elles ainsi faites ! » En disant cela,
il fit en l'air deux gambades, se frappant le derrière du
talon, avec tous les signes d'une grande joie ; puis il s'en
fut prendre par la bride la mule de Dorothée, la fit arrêter,
et se mettant à genoux devant la princesse, il la supplia
de lui donner ses mains à baiser, en signe qu'il la prenait
pour sa reine et maîtresse.

Qui des assistants aurait pu s'empêcher de rire, en voyant

a folie du maître et la simplicité du valet ? Dorothée,
en effet, présenta sa main à Sancho, et lui promit de le
faire grand seigneur dans son royaume, dès que le ciel
lui aurait accordé la grâce d'en recouvrer la paisible possession. Sancho lui offrit ses remercîments en termes tels
qu'il fit éclater de nouveaux rires. « Voilà, seigneur, poursuivit Dorothée, ma fidèle histoire. Je n'ai plus rien à
vous dire, si ce n'est que de tous les gens venus de mon
royaume à ma suite, il ne me reste que ce bon écuyer
barbu : tous les autres se sont noyés dans une grande
tempête que nous essuyâmes en vue du port. Lui et
moi, nous arrivâmes à terre sur deux planches, et comme
par miracle, car tout est miracle et mystère dans le cours
de ma vie, ainsi que vous l'aurez observé. Si j'ai dit des
choses superflues, si je n'ai pas toujours rencontré aussi
juste que je le devais, il faut vous en prendre à ce qu'a
dit le seigneur licencié au commencement de mon récit,
que les peines extraordinaires et continuelles ôtent la
mémoire à ceux qui les endurent. — Elles ne me l'ôteront
point à moi, haute et valeureuse princesse, s'écria don
Quichotte, quelque grandes et inouïes que soient celles
que je doive endurer à votre service. Ainsi, je confirme
de nouveau le don que je vous ai octroyé, et je jure de
vous suivre au bout du monde, jusqu'à ce que je me voie
en face de votre farouche ennemi, auquel j'espère bien,
avec l'aide de Dieu et de mon bras, trancher la tête orgueil-
leuse sous le fil de cette... je n'ose dire bonne épée, grâce
à Ginès de Passamont, qui m'a emporté la mienne. » Don
Quichotte dit ces derniers mots entre ses dents, et continua de la sorte : « Après que je lui aurai tranché la tête,
et que je vous aurai remise en paisible possession de vos
États, vous resterez avec pleine liberté de faire de votre
personne tout ce que bon vous semblera; car, tant que
j'aurai la mémoire occupée, la volonté captive et l'entendement assujetti par celle... Je ne dis rien de plus, et ne
saurais envisager, même en pensée, le projet de me marier,
fût-ce avec l'oiseau phénix. »

Sancho se trouva si choqué des dernières paroles de
son maître, et de son refus de mariage que, plein de courroux, il s'écria en élevant la voix : « Je jure Dieu, et
je jure diable, seigneur don Quichotte, que Votre Grâce
n'a pas maintenant le sens commun! Comment est-il possible que vous hésitiez à épouser une aussi haute princesse
que celle-là ? Pensez-vous que la fortune va vous offrir
à chaque bout de champ une bonne aventure comme celle
qui se présente ? Est-ce que par hasard Mme Dulcinée
est plus belle ? Non, par ma foi, pas même de moitié,
et j'ai envie de dire qu'elle n'est pas digne de dénouer
les souliers de celle qui est devant nous. J'attraperai,
pardieu! bien le comté que j'attends si Votre Grâce se
met à chercher des perles dans les vignes! Mariez-vous,

mariez-vous vite, de par tous les diables, et prenez c
royaume qui vous tombe dans la main comme *vobis, vobis,*
et quand vous serez roi, faites-moi marquis, ou gouverneur, et qu'ensuite Satan emporte tout le reste. »

Don Quichotte, qui entendit proférer de tels blasphèmes
contre sa Dulcinée, ne put se contenir. Il leva sa pique
par le manche et, sans adresser une parole à Sancho, sans
lui dire gare, il lui déchargea sur les reins deux coups
de bâton tels qu'il le jeta par terre et que, si Dorothée
ne lui eût crié de finir, il l'aurait assurément tué sur la
place. « Pensez-vous, lui dit-il au bout d'un instant, misérable vilain, qu'il soit toujours temps pour vous de me
mettre la main dans l'enfourchure, et que nous n'ayons
d'autre chose à faire que vous de pécher et moi de pardonner ! N'en croyez rien, coquin excommunié ; et sans
doute tu dois l'être, puisque tu as porté la langue sur la
sans pareille Dulcinée. Et ne savez-vous plus, maraud,
bélître, vaurien, que si ce n'était la valeur qu'elle prête
à mon bras, je n'aurais pas la force de tuer une puce ?
Dites-moi, railleur à langue de vipère, qui donc pensez-
vous qui ait gagné ce royaume, et coupé la tête au géant,
et fait de vous un marquis (car tout cela je le donne pour
accompli et passé en force de chose jugée), si ce n'est
la valeur de Dulcinée, laquelle a pris mon bras pour
instrument de ses prouesses ? C'est elle qui combat et qui
triomphe en moi ; et moi, je vis et je respire en elle, et j'y
puise l'être et la vie. O rustre mal né et malappris, que
vous êtes ingrat ! On vous lève de la poussière des champs
pour vous faire seigneur titré, et vous répondez à cette
bonne œuvre en disant du mal de qui vous fait du bien ! »

Sancho n'était pas si maltraité qu'il n'eût fort bien
entendu tout ce que son maître lui disait. Il se releva le plus
promptement qu'il put, alla se cacher derrière le palefroi
de Dorothée et, de là, répondit à son maître : « Dites-
moi, seigneur, si Votre Grâce est bien décidée à ne pas
se marier avec cette grande princesse, il est clair que le
royaume ne sera point à vous, et, s'il n'est pas à vous,
quelle faveur pouvez-vous me faire ? C'est de cela que je
me plains. Croyez-moi, mariez-vous une bonne fois pour
toutes avec cette reine, que nous avons ici comme tombée
du ciel ; ensuite vous pourrez retourner à Mme Dulcinée ;
car il doit s'être trouvé des rois dans le monde qui aient
eu, outre leur femme, des maîtresses. Quant à la beauté,
je ne m'en mêle pas ; et s'il faut dire la vérité, toutes deux
me paraissent assez bien, quoique je n'aie jamais vu
Mme Dulcinée. — Comment ? tu ne l'as jamais vue, traître
blasphémateur ! s'écria don Quichotte. Ne viens-tu pas à
présent de me rapporter une commission de sa part ? — Je
veux dire, répondit Sancho, que je ne l'ai pas vue assez
à mon aise pour avoir observé ses attraits en détail et l'un
après l'autre ; mais comme cela, en masse, elle me semble

ien. — A présent, je te pardonne, reprit don Quichotte,
et pardonne-moi aussi le petit déplaisir que je t'ai causé;
les premiers mouvements ne sont pas dans la main de
l'homme. — Je le vois bien, répondit Sancho; mais chez
moi le premier mouvement est toujours une envie de
parler, et je ne peux m'empêcher de dire une bonne fois
ce qui me vient sur la langue. — Avec tout cela, répliqua
don Quichotte, prends garde, Sancho, aux paroles que
tu dis, car, tant va la cruche à l'eau... Je ne t'en dis pas
davantage. — C'est très bien, reprit Sancho, Dieu est
dans le ciel qui voit les tricheries, et il jugera entre nous
qui fait le plus de mal, ou de moi en ne parlant pas bien,
ou de Votre Grâce en n'agissant pas mieux. — Que ce
soit fini, interrompit Dorothée; courez, Sancho, allez baiser la main de votre seigneur, et demandez-lui pardon;
et désormais soyez plus circonspect dans vos éloges et
dans vos critiques, et surtout ne parlez jamais mal de
cette dame Tobosa, que je ne connais point, si ce n'est
pour la servir; et prenez confiance en Dieu, qui ne vous
laissera pas manquer d'une seigneurie où vous puissiez
vivre comme un prince. »

Sancho s'en alla, humble et tête basse, demander la
main à son seigneur, qui la lui présenta d'un air grave
et posé. Quand l'écuyer lui eut baisé la main, don Quichotte lui donna sa bénédiction, et lui dit de le suivre
un peu à l'écart, qu'il avait des questions à lui faire et
qu'il désirait causer de choses fort importantes. Sancho
obéit, et quand ils eurent tous deux pris les devants, don
Quichotte lui dit : « Depuis que tu es de retour, je n'ai
eu ni le temps ni l'occasion de t'interroger en détail sur
l'ambassade que tu as remplie et sur la réponse que tu
m'as apportée. Maintenant que la fortune nous accorde
cette occasion et ce loisir, ne me refuse pas la satisfaction
que tu peux me donner par de si heureuses nouvelles.
— Votre Grâce peut demander ce qu'il lui plaira, répondit Sancho; tout sortira de ma bouche comme il sera entré
par mon oreille. Mais, je vous en supplie, ne soyez pas
à l'avenir si vindicatif. — Pourquoi dis-tu cela, Sancho ?
répliqua don Quichotte. — Je dis cela, reprit-il, parce
que les coups de bâton de tout à l'heure me viennent bien
plutôt de la querelle que le diable alluma l'autre nuit entre
nous deux que de mes propos sur Mme Dulcinée, laquelle
j'aime et révère comme une relique, quand même elle
ne serait pas bonne à en faire, et seulement parce qu'elle
appartient à Votre Grâce. — Ne reprends pas ce sujet,
Sancho, par ta vie, répondit don Quichotte; il me déplaît
et me chagrine. Je t'ai pardonné tout à l'heure, et tu sais
bien ce qu'on a coutume de dire : à péché nouveau, pénitence nouvelle. »

Tandis qu'ils en étaient là de leur entretien, ils virent
venir, le long du chemin qu'ils suivaient, un homme monté

sur un âne, lequel, en s'approchant, leur parut être u
Bohémien. Mais Sancho Panza, qui ne pouvait voir un
âne sans que son âme s'y portât tout entière avec ses yeux,
n'eut pas plus tôt aperçu l'homme qu'il reconnut Ginès
de Passamont, et par le fil du Bohémien il tira le peloton
de son âne, et c'était bien, en effet, le grison que Passamont avait pour monture. Celui-ci, pour n'être point
reconnu, et pour vendre l'âne à son aise, s'était déguisé
sous le costume des Bohémiens, gens dont le jargon lui
était familier, aussi bien que d'autres langues qu'il parlait
comme la sienne propre. Sancho le vit et le reconnut;
il se mit à lui crier à plein gosier : « Ah! voleur de Ginésille,
laisse mon bien, lâche ma vie, descends de mon lit de
repos, rends-moi mon âme, rends-moi ma joie et mon
orgueil; fuis, garnement; décampe, larron, et restitue ce
qui n'est pas à toi. » Il ne fallait ni tant de paroles ni tant
d'injures; car au premier mot, Ginès sauta par terre, et
prenant un trot qui ressemblait fort au galop de course,
il fut bientôt loin de la compagnie. Sancho courut à son
âne, l'embrassa et lui dit : « Eh bien! comment t'es-tu
porté, mon enfant, mon compagnon, cher grison de mes
yeux et de mes entrailles? » Et, tout en disant cela, il
le baisait et le caressait comme si c'eût été une personne
raisonnable. L'âne se taisait, ne sachant que dire, et se
laissait baiser et caresser par Sancho, sans lui répondre
une seule parole. Toute la compagnie arriva, et chacun
fit compliment à Sancho de ce qu'il avait retrouvé le grison; don Quichotte, entre autres, qui lui dit qu'il n'annu-
lerait pas pour cela la lettre de change des trois ânons,
générosité dont Sancho lui témoigna sa gratitude.

Pendant que le chevalier et l'écuyer s'entretenaient à
part, le curé avait complimenté Dorothée sur le tact et
l'esprit qu'elle avait montrés, aussi bien dans l'invention de
son conte que dans sa brièveté, et dans la ressemblance
qu'elle avait su lui donner avec les livres de chevalerie.
Elle répondit qu'elle s'était fort souvent amusée à en lire,
mais que, ne sachant pas aussi bien où étaient les provinces
et les ports de mer, elle avait dit à tout hasard qu'elle avait
débarqué à Osuna. « Je m'en suis aperçu, reprit le curé,
et c'est pour cela que je me suis empressé de dire ce que
j'ai dit, et qui a tout réparé. Mais n'est-ce pas une chose
étrange que de voir avec quelle facilité ce malheureux
gentilhomme donne tête baissée dans toutes ces inventions
et dans tous ces mensonges, seulement parce qu'ils ont
l'air et le style des niaiseries de ses livres? — Oui, certes,
ajouta Cardénio, c'est une folie tellement bizarre, tellement inouïe que je ne sais si, voulant l'inventer et la
fabriquer à plaisir, on trouverait un esprit assez ingénieux
pour l'imaginer. — Mais il y a, reprit le curé, une autre
chose encore plus étrange; c'est que, hors des extravagances que dit ce bon gentilhomme à propos de sa mono-

manie, on n'a qu'à traiter un autre sujet, il va discourir très pertinemment, et montrera une intelligence claire et sensée en toutes choses. De sorte que, si l'on ne touche à la corde de la chevalerie errante, il n'y aura personne qui ne le prenne pour un homme de bon sens et de droite raison. »

CHAPITRE XXXI

De l'exquise conversation qu'eut don Quichotte avec Sancho Panza, son écuyer, ainsi que d'autres aventures.

Tandis que ceux-ci s'entretenaient de la sorte, don Quichotte continuait sa conversation avec Sancho. « Ami Panza, lui dit-il, oublions nos querelles, faisons la paix, et dis-moi maintenant, sans garder ni dépit ni rancune, où, quand et comment tu as trouvé Dulcinée. Que faisait-elle ? Que lui as-tu dit ? Que t'a-t-elle répondu ? Quelle mine a-t-elle faite à la lecture de ma lettre ? Qui te l'avait transcrite ? Enfin, tout ce qui te semblera digne, en cette aventure, d'être demandé et d'être su, dis-le-moi, sans faire de mensonges, sans rien allonger pour augmenter mon plaisir, mais aussi sans rien accourcir pour me le diminuer. — Seigneur, s'il faut dire la vérité, personne ne m'a transcrit la lettre, car je n'en ai pas porté du tout. — C'est comme tu le dis, reprit don Quichotte ; car, deux jours après ton départ, j'ai trouvé le livre de poche où je l'avais écrite, ce qui me causa une peine extrême, ne sachant ce que tu allais faire quand tu te verrais sans la lettre ; et je croyais toujours que tu reviendrais la chercher dès que tu te serais aperçu qu'elle te manquait. — C'est bien ce que j'aurais fait, répondit Sancho, si je ne l'avais apprise par cœur quand Votre Grâce m'en fit la lecture, de manière que je la récitai à un sacristain, qui me la transcrivit de mémoire sur le papier, si bien mot pour mot qu'il me dit qu'en tous les jours de sa vie, et bien qu'il eût vu force billets d'enterrement, il n'avait jamais lu si gentille lettre que celle-là. — Et la sais-tu encore par cœur, Sancho ? demanda don Quichotte. — Non, seigneur, répondit Sancho ; car, dès que je l'eus donnée au sacristain, comme je vis qu'il ne me servait à rien de la retenir, je me mis à l'oublier. Si quelque chose m'en est resté dans la mémoire, c'est le commencement, la *souterraine*, je veux dire la *souveraine dame*, et la fin, *à vous jusqu'à la mort, le chevalier de la Triste-Figure*. Et, entre ces deux choses, j'ai mis plus de trois cents âmes, vies et beaux yeux.

— Tout ceci ne me déplaît pas, reprit don Quichotte ; continue ton récit. Quand tu es arrivé près d'elle, que

faisait cette reine de beauté ? A coup sûr, tu l'auras trouvée
enfilant un collier de perles, ou brodant avec un fil d'or
quelque devise amoureuse pour ce chevalier son captif. —
Je l'ai trouvée, répondit Sancho, qui vannait deux setiers
de blé dans sa basse-cour. — Eh bien! reprit don Quichotte,
tu peux compter que, touchés par ses mains, les grains
de ce blé se convertissaient en grains de perles. Mais as-tu
fait attention si c'était du pur froment, bien lourd et bien
brun ? — Ce n'était que du seigle blond, répliqua Sancho.
— Je t'assure pourtant, reprit don Quichotte, qu'après
avoir été vanné par ses mains, ce seigle aura fait du pain
de fine fleur de froment. Mais passons outre. Quand tu lui
as donné ma lettre, l'a-t-elle baisée ? L'a-t-elle élevée sur
sa tête ? A-t-elle fait quelque cérémonie digne d'une
telle épître ? Qu'a-t-elle fait enfin ? — Au moment où
j'allais la lui remettre, répondit Sancho, elle était dans
toute la fougue de son opération, et secouait une bonne
poignée de blé qui remplissait son van; alors elle me dit :
« Mon garçon, mettez cette lettre sur ce sac; je ne pense
pas la lire que je n'aie fini de vanner tout ce qui est là. —
O discrète personne! s'écria don Quichotte, c'était pour
la lire à son aise et en savourer toutes les expressions.
Continue, Sancho. Pendant qu'elle achevait sa tâche,
quel entretien eûtes-vous ensemble ? Quelles questions
te fit-elle à mon sujet ? Et que lui répondis-tu ? Achève,
enfin, conte-moi tout, sans me faire tort d'une syllabe. —
Elle ne m'a rien demandé, répliqua Sancho; mais moi,
je lui ai dit de quelle manière Votre Grâce était restée à
faire pénitence pour son service, que vous étiez nu de la
ceinture au cou, perdu au fond des montagnes et des
rochers, comme un vrai sauvage, couchant sur la terre,
sans manger pain sur table, et sans vous peigner la barbe,
mais pleurant, soupirant et maudissant votre fortune. — En
disant que je maudissais ma fortune, tu as mal dit, reprit
don Quichotte; car, au contraire, je la bénis et la bénirai
tous les jours de ma vie, de ce qu'elle m'a rendu digne
de mériter d'aimer une aussi grande dame que Dulcinée
du Toboso. — Elle est si grande, en effet, répondit Sancho,
qu'en bonne conscience elle me passe la tête de trois
doigts. — Mais comment le sais-tu, Sancho ? reprit
don Quichotte; tu t'es donc mesuré avec elle ? — Je me
suis mesuré de cette façon, répondit Sancho, qu'en m'approchant pour l'aider à charger un sac de blé sur un âne,
nous nous trouvâmes si près l'un de l'autre que je pus
bien voir qu'elle avait la tête de plus que moi. — Mais
n'est-il pas vrai, ajouta don Quichotte, qu'elle accompagne
et pare cette grandeur du corps par un million de grâces
de l'esprit ? Il est une chose, du moins, que tu ne me nieras
pas, Sancho : quand tu t'es approché tout près d'elle,
n'as-tu pas senti une odeur exquise, un parfum d'aromates,
je ne sais quoi de doux et d'embaumé, une exhalaison

licieuse, comme si tu eusses été dans la boutique d'un
légant parfumeur ? — Tout ce que je puis dire, répondit
Sancho, c'est que j'ai senti une petite odeur un peu
hommasse, et c'était sans doute parce qu'à force d'exercice
elle suait à grosses gouttes. — Ce n'est pas cela, répliqua
don Quichotte; c'est que tu étais enrhumé du cerveau,
ou bien tu te sentais toi-même; car je sais, Dieu merci,
ce que sent cette rose parmi les épines, ce lis des champs,
cet ambre délayé. — Ça peut bien être, répondit Sancho,
car souvent je sens sortir de moi cette même odeur qui
me semblait s'échapper de Sa Grâce Mme Dulcinée. Mais
il n'y a pas de quoi s'étonner, un diable et un diable se
ressemblent.

   — Eh bien, continua don Quichotte, maintenant qu'elle
a fini de nettoyer son blé et qu'elle l'a envoyé au moulin,
que fit-elle quand elle lut ma lettre ? — La lettre, répondit
Sancho, elle ne l'a pas lue, parce qu'elle dit, dit-elle, qu'elle
ne savait pas lire ni écrire; mais, au contraire, elle la déchira
et la mit en petits morceaux, disant qu'elle ne voulait pas
que personne pût la lire, afin qu'on ne sût pas ses secrets
dans le pays, et que c'était bien assez de ce que je lui avais
dit verbalement touchant l'amour que Votre Grâce a pour
elle, et la pénitence exorbitante que vous faites à son intention. Et finalement, elle me dit de dire à Votre Grâce
qu'elle lui baise les mains, et qu'elle a plus envie de vous
voir que de vous écrire; et qu'ainsi elle vous supplie et
vous ordonne qu'au reçu de la présente vous quittiez
ces broussailles, et que vous cessiez de faire des sottises,
et que vous preniez sur-le-champ le chemin du Toboso,
si quelque affaire plus importante ne vous en empêche,
car elle meurt d'envie de vous voir. Elle a ri de bon cœur
quand je lui ai conté comme quoi Votre Grâce s'appelait
le chevalier de la Triste-Figure. Je lui ai demandé si elle avait
reçu la visite du Biscayen de l'autre fois; elle m'a dit que
oui et que c'était un fort galant homme. Je lui ai fait aussi
la même question à propos des galériens, mais elle m'a
dit qu'aucun d'eux n'avait encore paru. — Tout va bien
jusqu'ici, continua don Quichotte; mais dis-moi, quand
tu pris congé d'elle, de quel bijou te fit-elle présent pour
les nouvelles que tu lui portais de son chevalier ? Car c'est
une ancienne et inviolable coutume parmi les errants et
leurs dames de donner aux écuyers, damoisels ou nains,
qui portent des nouvelles aux chevaliers de leurs dames
et aux dames de leurs chevaliers, quelque riche bijou en
étrennes, pour récompense du message. — Cela peut bien
être, répondit Sancho, et je tiens, quant à moi, la coutume
pour bonne; mais sans doute elle ne se pratiquait que dans
les temps passés, et l'usage doit être aujourd'hui de donner
tout bonnement un morceau de pain et de fromage, car
c'est cela que m'a donné Mme Dulcinée, par-dessus le
mur de la basse-cour, quand j'ai pris congé d'elle, à telles

enseignes que c'était du fromage de brebis. — Elle ▓
libérale au plus haut degré, dit don Quichotte, et, si t
n'a pas reçu d'elle quelque joyau d'or, c'est qu'elle n'er
avait point là sous la main pour t'en faire cadeau. Mais
ce qui est différé n'est pas perdu; je la verrai et tout
s'arrangera. Sais-tu de quoi je suis émerveillé, Sancho?
C'est qu'il me semble que tu as fait par les airs ton voyage
d'allée et de venue, car tu n'as mis guère plus de trois jours
pour aller et venir de ces montagnes au Toboso, et, d'ici
là, il y a trente bonnes lieues au moins. Cela me fait penser
que ce sage magicien qui prend soin de mes affaires,
et qui est mon ami, car il faut bien qu'à toute force
j'en aie un, sous peine de ne point être un bon et vrai
chevalier errant, ce magicien, dis-je, a dû t'aider à cheminer sans que tu t'en aperçusses. En effet, il y a de ces
sages qui vous prennent un chevalier errant au chaud du
lit et, sans savoir comment la chose s'est faite, celui-ci
s'éveille le lendemain à mille lieues de l'endroit où il s'était
couché. S'il n'en était pas ainsi, jamais les chevaliers errants
ne pourraient se secourir les uns les autres dans leurs
périls, comme ils se secourent à tout propos. Il arrivera
que l'un d'eux ait à combattre dans les montagnes de l'Ar-
ménie contre quelque vampire, ou quelque andriaque, ou
bien contre un autre chevalier, et que dans la bataille il
court danger de mort, et voilà que tout à coup, quand il y
pense le moins, arrive sur un nuage ou sur un char de feu
quelque autre chevalier de ses amis qui se trouvait peu
d'heures auparavant en Angleterre; celui-ci prend sa
défense, lui sauve la vie et, à la nuit venue, se retrouve en
son logis, assis à table et soupant tout à son aise; et pourtant, d'un endroit à l'autre, il y a bien deux ou trois mille
lieues. Tout cela se fait par la science et l'adresse de ces
sages enchanteurs qui veillent sur ces valeureux chevaliers.
Aussi, ami Sancho, ne fais-je aucune difficulté de croire que
tu sois réellement allé et venu d'ici au Toboso; ainsi que je
te le disais, quelque sage de mes amis t'aura porté à vol
d'oiseau sans que tu t'en sois aperçu.

— C'est bien possible, répondit Sancho, car Rossinante
allait, par ma foi, d'un tel train qu'on aurait dit un âne
de Bohémien, avec du vif-argent dans les oreilles. — Que
dis-tu? du vif-argent! s'écria don Quichotte; c'était bien
une légion de diables, gens qui cheminent et font cheminer
les autres, sans jamais se lasser, autant qu'ils en ont
fantaisie. Mais, laissant cela de côté, dis-moi, qu'est-ce
qu'il te semble que je doive faire maintenant touchant
l'ordre que m'envoie ma dame d'aller lui rendre visite?
Je vois bien que je suis dans l'obligation d'obéir à son
commandement; mais alors je me vois aussi dans l'impossibilité d'accomplir le don que j'ai octroyé à la princesse
qui nous accompagne, et les lois de la chevalerie m'obligent
à satisfaire plutôt à ma parole qu'à mon plaisir. D'une

part, me presse et me sollicite le désir de revoir ma dame ;
d'une autre part, m'excitent et m'appellent la foi promise
et la gloire dont cette entreprise doit me combler. Mais
voici ce que je pense faire : je vais cheminer en toute hâte
et me rendre bien vite où se trouve ce géant ; en arrivant,
je lui couperai la tête, et je rétablirai paisiblement la princesse dans ses Etats ; cela fait, je pars et viens revoir cet
astre, dont la lumière illumine mes sens. Alors, je lui
donnerai de telles excuses que, loin de s'irriter, elle s'ap-
plaudira de mon retard, voyant qu'il tourne au profit de
sa gloire et de sa renommée, car toute celle que j'ai acquise,
que j'acquiers et que j'acquerrai par les armes dans le
cours de cette vie, vient de la faveur qu'elle m'accorde et
de ce que je lui appartiens. — Sainte Vierge ! s'écria
Sancho, que Votre Grâce est faible de cervelle ! Mais,
dites-moi, seigneur, est-ce que vous pensez faire tout ce
chemin-là pour prendre l'air ? Est-ce que vous laisserez
passer et perdre l'occasion d'un si haut mariage, où la
dot est un royaume qui a plus de vingt mille lieues de tour,
à ce que je me suis laissé dire, qui regorge de toutes les
choses nécessaires au soutien de la vie humaine, et qui est
enfin plus grand que le Portugal et la Castille ensemble ?
Ah ! taisez-vous, pour l'amour de Dieu, et rougissez de
ce que vous avez dit, et suivez mon conseil, et pardonnez-
moi, et mariez-vous dans le premier village où nous trouverons un curé ; et sinon, voici notre licencié qui en fera
l'office à merveille ; et prenez garde que je suis d'âge à
donner des avis, et que celui que je vous donne vous va
comme un gant, car mieux vaut le passereau dans la main
que la grue qui vole au loin, et quand on te donne l'anneau,
tends le doigt. — Prends garde toi-même, Sancho, répondit
don Quichotte : si tu me donnes le conseil de me marier,
pour que je sois roi dès que j'aurai tué le géant, et que
j'aie alors toutes mes aises pour te faire des grâces et te
donner ce que je t'ai promis, je t'avertis que, sans me
marier, je puis très facilement accomplir ton souhait.
Avant de commencer la bataille, je ferai la clause et condition que, si j'en sors vainqueur, on devra, que je me marie
ou non, me donner une partie du royaume, pour que je
puisse la donner à qui me conviendra ; et quand on me
l'aura donnée, à qui veux-tu que je la donne, si ce n'est
à toi ? — Voilà qui est clair, reprit Sancho ; mais que
Votre Grâce fasse bien attention de choisir ce morceau
de royaume du côté de la mer, afin que, si le séjour ne m'en
plaît pas, je puisse embarquer mes vassaux nègres et faire
d'eux ce que j'ai déjà dit. Et ne prenez pas souci d'aller
faire pour le moment visite à Mme Dulcinée ; mais allez
vite tuer le géant, et finissons cette affaire, qui me semble,
en bonne foi de Dieu, de grand honneur et de grand profit. — Je te dis, Sancho, répondit don Quichotte, que tu
es dans le vrai de la chose, et je suivrai ton conseil quant

à ce qui est d'aller plutôt avec la princesse qu'auprès de Dulcinée; mais je t'avertis de ne rien dire à personne, pas même à ceux qui viennent avec nous, de ce dont nous venons de jaser et de convenir; car, puisque Dulcinée a tant de modestie et de réserve qu'elle ne veut pas qu'on sache rien de ses secrets, il serait fort mal qu'on les sût par moi ou par un autre à ma place. — Mais s'il en est ainsi, répliqua Sancho, comment Votre Grâce s'avise-t-elle d'envoyer tous ceux que son bras a vaincus se présenter devant Mme Dulcinée ? N'est-ce pas signer de votre nom que vous l'aimez bien, et que vous êtes son amoureux ? Et puisque vous obligez tous ces gens-là à s'aller jeter à deux genoux devant elle et à lui dire qu'ils viennent de votre part lui prêter obéissance, comment seront gardés vos secrets à tous deux ? — Oh! que tu es simple et benêt! s'écria don Quichotte; ne vois-tu pas, Sancho, que tout cela tourne à sa gloire, à son élévation ? Sache donc que, dans notre style de chevalerie, c'est un grand honneur pour une dame d'avoir plusieurs chevaliers errants à son service, sans que leurs pensées aillent plus loin que le plaisir de la servir, seulement parce que c'est elle, et sans espérer d'autre récompense de leurs vœux et de leurs bons offices sinon qu'elle veuille bien les admettre pour ses chevaliers. — Mais, reprit Sancho, c'est de cette façon d'amour que j'ai entendu prêcher qu'il fallait aimer Notre-Seigneur, pour lui-même, sans que nous y fussions poussés par l'espérance du paradis ou par la crainte de l'enfer, bien que je me contentasse, quant à moi, de l'aimer et de le servir pour quelque raison que ce fût. — Diable soit du vilain! s'écria don Quichotte; quelles heureuses saillies il a parfois! On dirait vraiment que tu as étudié à Salamanque. — Eh bien! ma foi, je ne sais pas seulement lire », répondit Sancho.

En ce moment, maître Nicolas leur cria d'attendre un peu, parce que ses compagnons voulaient se désaltérer à une fontaine qui se trouvait sur le bord du chemin. Don Quichotte s'arrêta, au grand plaisir de Sancho, qui se sentait déjà las de tant mentir, et qui avait grand-peur que son maître ne le prît sur le fait; car, bien qu'il sût que Dulcinée était une paysanne du Toboso, il ne l'avait vue de sa vie. Pendant cet intervalle, Cardénio s'était vêtu des habits que portait Dorothée quand ils les rencontrèrent; lesquels, quoiqu'ils ne fussent pas fort bons, valaient dix fois mieux que ceux qu'il ôtait. Ils mirent tous pied à terre auprès de la fontaine, et des provisions que le curé avait prises à l'hôtellerie ils apaisèrent quelque peu le grand appétit qui les talonnait.

Pendant leur collation, un jeune garçon vint à passer sur le chemin. Il s'arrêta pour regarder attentivement ceux qui étaient assis à la fontaine, puis accourut tout à coup vers don Quichotte et, lui embrassant les jambes, il se it à pleurer à chaudes larmes : « Ah! mon bon seigneur, s'écria-t-il, est-ce que Votre Grâce ne me reconnaît pas ? Regardez-moi bien; je suis ce pauvre André que Votre Grâce délia du chêne où j'étais attaché. »

A ces mots don Quichotte le reconnut et, le prenant par la main, se tourna gravement vers la compagnie : « Afin que Vos Grâces, leur dit-il, voient clairement de quelle importance il est qu'il y ait au monde des chevaliers errants pour redresser les torts et les griefs qu'y commettent les hommes insolents et pervers, il faut que vous sachiez qu'il y a quelques jours, passant auprès d'un bois, j'entendis des cris et des accents plaintifs, comme d'une personne affligée et souffrante. J'accourus aussitôt, poussé par mon devoir, vers l'endroit d'où partaient ces plaintes lamentables, et je trouvai, attaché à un chêne, ce jeune garçon qui est maintenant devant nous; ce dont je me réjouis au fond de l'âme, car c'est un témoin qui ne me laissera pas accuser de mensonge. Je dis donc qu'il était attaché à un chêne, nu de la tête à la ceinture, et qu'un rustre, que je sus, depuis, être son maître, lui déchirait la peau à coups d'étrivières avec les sangles d'une jument. Dès que ce spectacle frappa mes yeux, je demandai au paysan la cause d'un traitement aussi atroce. Le vilain me répondit que c'était son valet, et qu'il le fouettait ainsi parce que certaines négligences qu'il avait à lui reprocher sentaient plus le larron que l'imbécile. A cela cet enfant s'écria : « Seigneur, il ne me fouette que parce que je lui demande mes gages. » Le maître répliqua par je ne sais quelles harangues et quelles excuses, que je voulus bien entendre, mais non pas accepter. A la fin, je fis détacher le pauvre garçon, et jurer par serment au vilain qu'il l'emmènerait chez lui et lui payerait ses gages un réal sur l'autre, même avec intérêts. N'est-ce pas vrai, tout ce que je viens de dire, André, mon enfant ? N'as-tu pas remarqué avec quel empire je commandai à ton maître, avec quelle humilité il me promit de faire tout ce que lui imposait et notifiait ma volonté ? Réponds sans te troubler, sans hésiter en rien, dis à ces seigneurs comment la chose s'est passée, afin qu'on voie bien s'il n'est pas utile, comme je le dis, qu'il y ait des chevaliers errants sur les grands chemins.

— Tout ce que Votre Grâce a dit est la pure vérité, répondit le jeune garçon; mais la fin de l'affaire a tourné bien au rebours de ce que vous imaginez.

— Comment, au rebours ? s'écria don Quichotte; est-ce que ce vilain ne t'a pas payé ?

— Non seulement il ne m'a pas payé, répliqua le jeune homme; mais, dès que Votre Grâce fut sortie du bois et que nous fûmes restés seuls, il me prit, me rattacha au même chêne et me donna de nouveau tant de coups d'étrivières qu'il me laissa écorché comme un saint Barthélemi;

et chaque coup qu'il m'appliquait, il l'assaisonnait d'u
badinage ou d'une raillerie, pour se moquer de Votre
Grâce, tellement que, sans la douleur de mes côtes, j'aurais
ri de bon cœur de ce qu'il disait. Enfin, il me mit en tel
état que, depuis ce temps, je suis resté à l'hôpital pour me
guérir du mal que ce méchant homme me fit alors. Et
de tout cela, c'est Votre Grâce qui en a la faute; car,
si vous aviez suivi votre chemin, sans venir où l'on ne
vous appelait pas, et sans vous mêler des affaires d'autrui,
mon maître se serait contenté de me donner une ou deux
douzaines de coups de fouet, puis il m'aurait lâché et
m'aurait payé tout ce qu'il me devait. Mais Votre Grâce
vint l'insulter si mal à propos, et lui dire tant d'impertinences, que la colère lui monta au nez et, comme il ne
put se venger sur vous, c'est sur moi que le nuage a crevé,
si bien qu'à ce que je crois je ne deviendrai homme en
toute ma vie. — Le mal fut, dit don Quichotte, que je
m'éloignai trop tôt, et que je ne restai pas jusqu'à ce que
tu fusses payé. J'aurais dû savoir, en effet, par longue
expérience, que jamais vilain ne garde sa promesse, à moins
qu'il ne trouve son compte à la garder. Mais tu te rappelles
bien, André, que j'ai juré, s'il ne te payait pas, de revenir
le chercher, et que je le trouverais, se fût-il caché dans le
ventre de la baleine. — Oui, c'est vrai, répondit André, mais
ça n'a servi à rien. — Maintenant tu vas voir si ça sert à
quelque chose », s'écria don Quichotte; et, disant cela,
il se leva brusquement, appela Sancho, et lui commanda
de seller Rossinante, qui s'était mis à paître pendant
que les autres mangeaient. Dorothée demanda alors à
don Quichotte ce qu'il pensait faire. Celui-ci répondit
qu'il pensait aller chercher le vilain, le châtier de sa
brutalité, et faire payer André jusqu'au dernier maravédi,
en dépit de tous les vilains du monde qui voudraient y
trouver à redire. Mais elle lui répliqua qu'il prît garde
que, d'après le don promis, il ne pouvait s'entremettre
en aucune entreprise avant qu'il eût mis la sienne à fin,
et que, sachant cela mieux que personne, il devait calmer
cette juste indignation jusqu'au retour de son royaume.
« J'en conviens, répondit don Quichotte; il faut bien
qu'André prenne patience jusqu'à mon retour, comme
vous dites, madame; mais je jure de nouveau et promets
par serment de ne plus reposer alors qu'il ne soit dûment
vengé et payé.

   — Je me soucie peu de ces jurements, reprit André,
et j'aimerais mieux tenir maintenant de quoi me rendre à
Séville que toutes les vengeances du monde. Donnez-
moi, si vous en avez là, quelque chose à manger ou à mettre
dans ma poche, et que Dieu vous conserve, ainsi que
tous les chevaliers errants, auxquels je souhaite aussi bonne
chance pour eux-mêmes qu'ils l'ont eue pour moi. »
Sancho tira de son bissac un quartier de pain et un morceau

e fromage, et les présentant au jeune homme : « Tenez, lui
dit-il, mon frère André ; de cette manière chacun de nous
attrapera une part de votre disgrâce. — Et quelle part
attrapez-vous ? demanda André. — Cette part de fromage
et de pain que je vous donne, répondit Sancho. Dieu
sait si elle doit ou non me faire faute, car il faut que vous
sachiez, mon ami, que nous autres, écuyers de chevaliers
errants, nous sommes sujets à endurer la faim et la misère,
et d'autres choses encore qui se sentent mieux qu'elles
ne se disent. » André prit le pain et le fromage ; et, voyant
que personne ne se disposait à lui donner autre chose,
il baissa la tête, tourna le dos et, comme on dit, pendit
ses jambes à son cou. Toutefois il se retourna en partant,
et dit à don Quichotte : « Pour l'amour de Dieu, seigneur
chevalier errant, si vous me rencontrez une autre fois,
bien que vous me voyiez mettre en morceaux, ne prenez
pas l'envie de me secourir, mais laissez-moi dans ma disgrâce, qui ne pourra jamais être pire que celle qui me
viendrait du secours de Votre Seigneurie, que je prie Dieu
de confondre et de maudire avec tous les chevaliers errants
que le monde ait vus naître. » Don Quichotte se levait
pour châtier ce petit insolent ; mais l'autre se mit à courir
de façon que personne n'eut l'idée de le suivre. Notre
chevalier resta donc sur la place, tout honteux de l'histoire
d'André, et les autres eurent besoin de faire grande attention à ne point éclater de rire, pour ne pas achever de le
fâcher tout de bon.

CHAPITRE XXXII

Qui traite de ce qui arriva dans l'hôtellerie à toute la quadrille de don Quichotte.

Le splendide festin terminé, on remit bien vite les selles aux montures et, sans qu'il se passât aucun événement digne d'être conté, toute la troupe arriva le lendemain à l'hôtellerie, épouvante de Sancho Panza. Celui-ci aurait bien voulu n'y pas mettre les pieds; mais il ne put éviter ce mauvais pas. L'hôte, l'hôtesse, leur fille et Maritornes, qui virent de loin venir don Quichotte et Sancho, sortirent à leur rencontre et les accueillirent avec de grands témoignages d'allégresse. Notre chevalier les reçut d'un air grave et solennel, et leur dit de lui préparer un lit meilleur que la première fois. L'hôtesse répondit que, pourvu qu'il payât mieux, il trouverait une couche de prince. Don Quichotte l'ayant promis, on lui dressa un lit passable dans ce même galetas qui lui avait déjà servi d'appartement, et sur-le-champ il alla se coucher, car il avait le corps en aussi mauvais état que l'esprit.

Dès qu'il eut fermé sa porte, l'hôtesse s'approcha du barbier, lui sauta au visage et, prenant sa barbe à deux mains : « Par ma foi, dit-elle, vous ne ferez pas plus longtemps une barbe de ma queue, et vous allez me la rendre sur l'heure. Depuis qu'elle est partie, les saletés de mon mari traînent par terre que c'est une honte, je veux dire le peigne que j'accrochais à ma bonne queue. » Mais l'hôtesse avait beau tirer, le barbier ne voulait pas se laisser arracher la barbe; enfin le curé lui dit qu'il pouvait la rendre, qu'il n'avait plus besoin de continuer la ruse et qu'il pouvait se montrer sous sa forme ordinaire : « Vous direz à don Quichotte, ajouta-t-il, qu'après avoir été dépouillé par les galériens, vous êtes venu en fuyant vous réfugier dans cette hôtellerie, et, s'il s'informe de ce qu'est devenu l'écuyer de la princesse, on lui dira qu'elle lui a fait prendre les devants pour annoncer aux gens de son royaume qu'elle s'y rendait accompagnée de leur commun libérateur. » Sur cela, le barbier rendit de bon cœur la queue à l'hôtesse, et on lui restitua de même toutes les nippes qu'elle avait prêtées pour la délivrance de don Quichotte.

Tous les gens de la maison étaient restés émerveillé
de la beauté de Dorothée, et même de la bonne mine du
berger Cardénio. Le curé fit préparer à dîner avec ce qui
se trouvait à l'hôtellerie, et, dans l'espoir d'être grassement
payé, l'hôte leur servit en diligence un passable repas.
Cependant don Quichotte continuait de dormir, et l'on
fut d'avis de ne point l'éveiller, le lit devant lui faire plus
de bien que la table. Au dessert, on s'entretint devant
l'hôtelier, sa femme, sa fille, Maritornes et tous les voyageurs, de l'étrange folie du pauvre don Quichotte et de
l'état où on l'avait trouvé dans la montagne. L'hôtesse
raconta ce qui lui était arrivé avec le muletier galant, et,
voyant que Sancho n'était pas là pour l'entendre, elle conta
aussi l'aventure de sa berne, ce qui divertit fort toute la
compagnie. Le curé prenant occasion de dire que c'étaient
les livres de chevalerie qu'avait lus don Quichotte qui lui
avaient tourné la tête : « Je ne sais comment cela peut se
faire, s'écria l'hôtelier; car pour mon compte, en vérité,
je ne connais pas de meilleure lecture au monde. J'ai là
deux ou trois de ces livres qui m'ont souvent rendu la vie,
non seulement à moi, mais à bien d'autres. Dans le temps
de la moisson, quantité de moissonneurs viennent se réunir
ici les jours de fête, et, parmi eux, il s'en trouve toujours
quelqu'un qui sait lire, et celui-là prend un de ces livres
à la main, et nous nous mettons plus de trente autour de lui,
et nous restons à l'écouter avec tant de plaisir qu'il nous
ôte plus de mille cheveux blancs. Du moins, je puis dire
de moi que, quand j'entends raconter ces furieux et terribles coups d'épée que vous détachent les chevaliers, il me
prend grande envie d'en faire autant, et je voudrais entendre
lire les jours et les nuits. — Et moi tout de même, ajouta
l'hôtesse, puisque je n'ai de bons moments dans ma maison
que ceux que vous passez à entendre lire, car vous êtes
alors si occupé, si ébahi que vous ne vous souvenez pas
seulement de gronder. — Oh! c'est bien vrai, continua
Maritornes, et, en bonne foi de Dieu, j'ai grand plaisir aussi
à écouter ces choses, qui sont fort jolies; surtout quand on
raconte que l'autre dame est sous des orangers, embrassant
son chevalier tout à l'aise, tandis qu'une duègne monte la
garde, morte d'envie et pleine d'effroi. Je dis que tout cela
est doux comme miel. — Et à vous, que vous en semble, ma
belle demoiselle ? dit le curé, s'adressant à la fille de l'hôtesse. — Sur mon âme, seigneur, je ne sais trop, répondit-
elle; mais j'écoute comme les autres, et, bien que je ne
comprenne guère, en vérité, je me divertis aussi d'entendre.
Mais ce ne sont pas les coups dont mon père s'amuse tant
qui m'amusent, moi; ce sont les lamentations que font les
chevaliers quand ils sont loin de leurs dames, et vraiment
j'en pleure quelquefois de la pitié qu'ils me donnent. —
Ainsi, mademoiselle, reprit Dorothée, vous ne les laisseriez
pas se lamenter longtemps, si c'était pour vous qu'ils

fussent à pleurer ? — Je ne sais trop ce que je ferais, répondit la jeune fille ; mais je sais bien qu'il y en a parmi ces dames de si cruelles que leurs chevaliers les appellent tigres, panthères et autres immondices. Ah ! Jésus ! quelle espèce de gens est-ce donc, sans âme et sans conscience, qui, pour ne pas regarder un honnête homme, le laissent mourir ou devenir fou ? Je ne sais pas pourquoi tant de façons ; si elles font tout cela par sagesse, que ne se marient-elles avec eux, puisqu'ils ne demandent pas autre chose ? — Taisez-vous, petite fille, s'écria l'hôtesse ; on dirait que vous en savez long sur ce sujet, et il ne convient pas à votre âge de tant savoir et de tant babiller. — Puisque ce seigneur m'interroge, répondit-elle, il fallait bien lui répondre. — Maintenant, dit le curé, apportez-moi ces livres, seigneur hôtelier, je voudrais les voir. — Très volontiers », répliqua celui-ci ; et, passant dans sa chambre, il en rapporta une vieille malle fermée d'un cadenas, qu'il ouvrit et de laquelle il tira trois gros volumes. Le curé les prit et vit en les ouvrant que le premier était *Don Cirongilio de Thrace*, l'autre *Félix-Mars d'Hyrcanie*, et le troisième, l'*Histoire du grand capitaine Gonzalve de Cordoue*, avec la *Vie de Diégo Garcia de Parédès*. Après avoir lu le titre des deux premiers ouvrages, le curé se tourna vers le barbier : « Compère, lui dit-il, la gouvernante et la nièce de notre ami nous font faute en ce moment. — Oh ! que non, répondit le barbier ; je saurai aussi bien qu'elles les porter à la basse-cour, ou, sans aller plus loin, les jeter dans la cheminée, car il y a vraiment un bon feu. — Est-ce que Votre Grâce veut brûler mes livres ? s'écria l'hôtelier. — Seulement ces deux-ci, répondit le curé : le *Don Cirongilio* et le *Félix-Mars*. Allons donc, reprit l'hôte, est-ce que mes livres sont hérétiques ou *flegmatiques*, que vous voulez les jeter au feu ? — Schismatiques, vous voulez dire, mon ami, interrompit le barbier, et non flegmatiques. — Comme il vous plaira, répondit l'hôtelier ; mais, si vous voulez en brûler quelqu'un, que ce soit du moins celui de ce grand capitaine, et de ce Diégo Garcia ; car je laisserais plutôt brûler ma femme et mes enfants qu'aucun des deux autres. — Mais frère, répondit le curé, ces deux livres sont des contes mensongers, tout farcis de sottises et d'extravagances ; l'autre, au contraire, est une histoire véritable. Il rapporte les faits et gestes de Gonzalve de Cordoue, qui, par ses grands et nombreux exploits, mérita d'être appelé dans tout l'univers le *Grand Capitaine*, surnom illustre, clair, et que lui seul a mérité. Quant à ce Diégo Garcia de Parédès, ce fut un noble chevalier, natif de la ville de Truxillo en Estramadure, guerrier de haute valeur, et de si grande force corporelle qu'avec un doigt il arrêtait une roue de moulin dans sa plus grande furie. Un jour, s'étant placé à l'entrée d'un pont avec une épée à deux mains, il ferma le passage à toute une armée innombrable, et fit d'autres exploits tels que si, au lieu de

les écrire et de les raconter lui-même avec la modestie d'un
chevalier qui est son propre chroniqueur, il les eût laissé
écrire plus librement par un autre, ces exploits mettraient
en oubli ceux des Hector, des Achille et des Roland. — Ah!
pardieu! vous me la donnez belle! s'écria l'hôtelier. Voilà
bien de quoi s'étonner que d'arrêter une roue de moulin!
Faites-moi donc le plaisir de lire maintenant ce que j'ai
ouï dire de Félix-Mars d'Hyrcanie, qui, d'un seul revers,
coupait cinq géants par le milieu du corps, tout de même
que s'ils eussent été faits de chair de rave; comme les petits
moinillons que font les enfants; et, une autre fois, il
attaqua tout seul une très grande et très puissante armée,
où l'on comptait plus d'un million six cent mille soldats,
tous armés de pied en cap, et il vous les taille en pièces
comme si c'eût été des troupeaux de moutons. Et que me
direz-vous de ce brave don Cirongilio de Thrace, qui fut
si vaillant et si téméraire, comme vous le verrez dans son
livre, où l'on raconte qu'un jour, tandis qu'il naviguait sur
une rivière, voilà que du milieu de l'eau sort un dragon de
feu, et, dès qu'il le voit, don Cirongilio lui saute dessus, et
se met à califourchon sur ses épaules écailleuses, et lui
serre des deux mains la gorge avec tant de force que le dragon, voyant qu'il allait l'étrangler, n'eut d'autre ressource que
de se laisser aller au fond de la rivière, emmenant avec lui le
chevalier, qui ne voulut jamais lâcher prise? Et, quand ils
furent arrivés là-bas au fond, il se trouva dans un grand
palais et dans des jardins si jolis que c'était un délice; et le
dragon se changea en un beau vieillard qui lui dit tant et
tant de choses qu'il ne faut qu'ouvrir les oreilles. Allez, allez,
seigneur, si vous entendiez lire tout cela, vous deviendriez
fou de plaisir; et deux figues, par ma foi, pour ce grand
capitaine que vous dites, et pour ce Diégo Garcia. »

Quand Dorothée entendit ce beau discours, elle se pen-
cha vers Cardénio, et lui dit tout bas : « Il s'en faut peu que
notre hôte ne fasse la paire avec don Quichotte. — C'est
ce qu'il me semble, répondit Cardénio, car, à l'entendre,
il tient pour article de foi que tout ce que disent ses livres
est arrivé au pied de la lettre, comme ils le racontent, et je
défie tous les carmes déchaussés de lui faire croire autre
chose. — Mais prenez garde, frère, répétait cependant le
curé, il n'y a jamais eu au monde de Félix-Mars d'Hyrcanie, ni de Cirongilio de Thrace, ni d'autres chevaliers de
même trempe, tels que les dépeignent les livres de chevalerie. Tout cela n'est que mensonge et fiction; ce ne sont
que des fables inventées par des esprits oisifs, qui les
composèrent dans le but que vous dites, celui de faire passer le temps, comme le passent, en les lisant, vos moissonneurs; et je vous jure, en vérité, que jamais il n'y eut de tels
chevaliers dans ce monde, et que jamais ils n'y firent de tels
exploits ni de telles extravagances. — A d'autres! s'écria
l'hôtelier; trouvez un autre chien pour ronger votre os :

t-ce que je ne sais pas où le soulier me blesse, et combien
il y a de doigts dans la main ? Ne pensez pas me faire avaler
de la bouillie, car je ne suis plus au maillot. Vous me la
donnez belle, encore une fois, de vouloir me faire accroire
que tout ce que disent ces bons livres en lettres moulées
n'est qu'extravagance et mensonge, tandis qu'ils sont imprimés avec licence et permission de messieurs du conseil
royal ! Comme si c'étaient des gens capables de laisser
imprimer tant de mensonges à la douzaine, tant de batailles
et d'enchantements qu'on en perd la tête ! — Mais je vous
ai déjà dit, mon ami, répliqua le curé, que tout cela s'écrit
pour amuser nos moments perdus ; et, de même que, dans
les républiques bien organisées, on permet les jeux d'échecs,
de paume, de billard, pour occuper ceux qui ne veulent, ne
peuvent ou ne doivent point travailler, de même on permet
d'imprimer et de vendre de tels livres, parce qu'on suppose
qu'il ne se trouvera personne d'assez ignorant et d'assez
simple pour croire véritable aucune des histoires qui s'y
racontent. Si j'en avais le temps aujourd'hui et un auditoire
à propos, je dirais de telles choses sur les romans de chevalerie et ce qui leur manque pour être bons qu'elles ne
seraient peut-être ni sans profit ni même sans plaisir ; mais
un temps viendra, je l'espère, où je pourrai m'en entendre
avec ceux qui peuvent y mettre ordre. En attendant, seigneur hôtelier, croyez à ce que je viens de dire ; reprenez
vos livres ; arrangez-vous de leurs vérités ou de leurs mensonges, et grand bien vous en fasse ; Dieu veuille que vous
ne clochiez pas du même pied que votre hôte don Quichotte ! — Oh ! pour cela, non, répondit l'hôtelier, je ne
serai pas assez fou pour me faire chevalier errant ; je vois
bien que les choses ne se passent point à présent comme
elles se passaient alors, quand ces fameux chevaliers couraient, à ce qu'on dit, le monde. »

Sancho, qui s'était trouvé présent à la dernière partie
de cet entretien, demeura tout surpris et tout pensif d'entendre dire que les chevaliers errants n'étaient plus de mode,
et que tous les livres de chevalerie n'étaient que sottises et
mensonges ; aussi se proposa-t-il, au fond de son cœur,
d'attendre seulement à quoi aboutirait le voyage actuel de
son maître, bien décidé, si l'issue n'en était point aussi
heureuse qu'il l'avait imaginé, de retourner à sa femme et
à ses enfants, et de reprendre avec eux ses travaux habituels.

Cependant l'hôtelier emportait sa malle et ses livres.
Mais le curé lui dit : « Attendez un peu ; je veux voir ce
que sont ces papiers écrits d'une si belle main. » L'hôtelier
les tira du coffre et, les donnant à lire au curé, celui-ci vit
qu'ils formaient un cahier de huit feuilles manuscrites, et
que, sur la première page, était écrit en grandes lettres le
titre suivant : *Nouvelle du curieux malavisé*. Le curé ayant
lu tout bas trois ou quatre lignes : « En vérité, s'écria-t-il,
le titre de cette nouvelle me tente, et j'ai envie de la lire

tout entière. — Votre Révérence fera bien, répondit l'hô
telier, car il faut que vous sachiez que quelques-uns de
mes hôtes, qui l'ont lue ici, l'ont trouvée très agréable et me
l'ont instamment demandée ; mais je n'ai jamais voulu la
céder, pensant la rendre à celui qui a oublié chez moi cette
malle avec les livres et les papiers. Il pourrait se faire que
leur maître revînt un beau jour par ici et, bien qu'assurément les livres me fissent faute, par ma foi, je les lui ren-
drais, car enfin, quoique hôtelier, je suis chrétien. — Vous
avez grandement raison, mon ami, reprit le curé ; mais pourtant, si la nouvelle me plaît, vous me la laisserez bien
copier ? — Oh ! très volontiers », répliqua l'hôte.

Pendant cette conversation, Cardénio avait pris la nouvelle et, s'étant mis à lire quelques phrases, il en eut la
même opinion que le curé et le pria de la lire à haute voix
pour que tout le monde l'entendît. « Je la lirais de bon
cœur, répondit le curé, s'il ne valait pas mieux employer le
temps au sommeil qu'à la lecture. — Pour moi, dit Dorothée,
ce sera bien assez de repos que de passer une heure ou deux
à écouter quelque histoire, car je n'ai pas encore l'esprit
assez calme pour dormir à mon gré. — S'il en est ainsi,
reprit le curé, je veux bien la lire, ne fût-ce que par curiosité ; peut-être la nôtre ne sera-t-elle pas trompée. »
Maître Nicolas, et jusqu'à Sancho, vinrent aussi lui adresser la même prière ; alors le curé voyant qu'il ferait plaisir
à tous les assistants, et pensant d'ailleurs ne point perdre
sa peine : « Eh bien donc, s'écria-t-il, soyez tous attentifs ;
voici de quelle manière commence la nouvelle :

CHAPITRE XXXIII

Où l'on raconte l'aventure du CURIEUX MALAVISÉ.

A Florence, riche et fameuse ville d'Italie, dans la province qu'on appelle Toscane, vivaient deux gentilshommes d'illustre famille, Anselme et Lothaire, liés ensemble d'une si étroite amitié que tous ceux dont ils étaient connus les appelaient, par excellence, *les deux amis.* Tous deux étaient jeunes et garçons; tous deux avaient le même âge et les mêmes goûts, ce qui suffisait pour qu'ils répondissent l'un à l'autre par une mutuelle affection. Il est bien vrai qu'Anselme était plus enclin aux passe-temps amoureux, et Lothaire plus emporté par les plaisirs de la chasse; mais, à l'occasion, Anselme sacrifiait ses goûts pour suivre ceux de Lothaire, et Lothaire, à son tour, renonçait aux siens pour se livrer à ceux d'Anselme; de cette façon, leurs volontés marchaient si parfaitement d'accord qu'une horloge bien réglée n'offrait pas la même harmonie.

Anselme était éperdument épris d'une noble et belle personne de la même ville, fille de parents si recommandables, et si digne elle-même d'estime, qu'il résolut, avec l'approbation de son ami Lothaire, sans l'avis duquel il ne faisait rien, de la demander en mariage. Ce projet fut aussitôt mis à exécution, et celui qui porta l'ambassade fut Lothaire, lequel conduisit la négociation tellement au gré de son ami qu'en peu de temps Anselme se vit en possession de l'objet de ses désirs, et Camille si satisfaite de l'avoir obtenu pour époux qu'elle ne cessait de rendre grâce au ciel, ainsi qu'à Lothaire, par l'entremise duquel lui était venu tant de bonheur.

Dans les premiers jours (ceux des noces sont toujours brillants et joyeux), Lothaire continua, comme d'habitude, à fréquenter la maison de son ami, pour l'honorer et le fêter de son mieux; mais dès qu'on eut achevé les noces, dès que les visites et les félicitations se furent calmées, Lothaire commença à ralentir peu à peu, par réflexion, ses allées et venues dans la maison de son ami. Il lui semblait, et ce doit être l'opinion de tous les hommes sages et prudents, qu'il ne faut plus visiter un ami marié de la

même manière qu'un ami garçon, car, bien que la bonne
et franche amitié ne puisse et ne doive concevoir aucun
soupçon, l'honneur d'un mari est une chose si délicate
qu'il peut être blessé même par les frères, à plus forte raison par les amis.

Anselme s'aperçut bientôt du refroidissement de
Lothaire. Il lui en fit les plaintes les plus vives, disant que,
s'il eût su que son mariage pouvait enlever leur habitude
de se voir chaque jour, jamais il ne l'aurait conclu, et que,
si la mutuelle affection qu'ils avaient l'un pour l'autre, tant
qu'il était resté garçon, leur avait mérité ce doux surnom
des *deux amis*, il ne fallait point permettre, par une circonspection mal entendue et sans objet, qu'un nom si rare et si
précieux vînt à se perdre ; qu'il le suppliait donc, si ce mot
pouvait s'employer entre eux, de redevenir maître de sa
maison, d'y entrer et d'en sortir sans gêne comme auparavant, l'assurant que son épouse Camille n'avait d'autre
volonté que celle qu'il voulait qu'elle eût, et que, sachant
quelle tendre amitié les avait unis, elle était surprise et
peinée de voir maintenant régner entre eux tant de froideur.
A toutes ces raisons et d'autres encore que fit valoir
Anselme pour persuader à Lothaire de reprendre ses
anciennes habitudes, Lothaire répondit avec tant de prudence et de discrétion qu'Anselme demeura satisfait des
bonnes intentions de son ami. Ils convinrent que, deux fois
par semaine et les jours de fête, Lothaire irait dîner chez
lui. Mais, bien qu'il s'y fût engagé, Lothaire se proposa de
ne rien faire de plus que ce qu'autorisait l'honneur de son
ami, dont la réputation lui était plus chère que la sienne
propre. Il disait, et il disait bien, que le mari à qui le ciel a
donné une femme belle doit être aussi prudent sur le choix
des amis qu'il reçoit dans sa maison que sur celui des amies
que fréquente sa femme ; car ce qui ne peut ni se faire ni se
comploter dans les promenades, dans les temples, dans les
stations dévotes et les fêtes publiques (chose que les maris
ne doivent pas toujours refuser à leurs femmes), se com-
plote et se facilite chez l'amie ou la parente dont on se croit
le mieux assuré. Lothaire disait aussi que les maris auraient
besoin d'avoir chacun quelque ami qui les avertît des
négligences qu'ils pourraient commettre ; car il arrive
d'habitude que le grand amour qu'un mari porte à sa
femme l'empêche, soit par aveuglement, soit par crainte
de l'affliger, de lui recommander qu'elle fasse ou cesse de
faire certaines choses qui méritent l'éloge ou le blâme,
défaut que corrigeraient aisément les conseils d'un ami.
Mais où se trouvera-t-il, cet ami, aussi discret, aussi loyal,
aussi dévoué que le demande Lothaire ? Pour moi, je n'en
sais rien assurément. Lothaire seul pouvait l'être, lui qui
veillait avec tous les soins de sa prudence sur l'honneur de
son ami, lui qui s'efforçait d'éloigner par toutes sortes de
prétextes les jours convenus pour ses visites, afin que les

yeux oisifs et les langues malicieuses ne trouvassent point à redire sur la trop fréquente admission d'un jeune et riche gentilhomme, doué de toutes les qualités qu'il savait avoir, dans la maison d'une aussi belle personne que Camille; car, bien que la vertu de celle-ci pût mettre un frein à toute médisance, il ne voulait exposer ni sa bonne renommée ni l'honneur de son mari. En conséquence, la plupart des jours convenus, il les employait à d'autres choses qu'il disait être indispensables; aussi les plaintes de l'un, les excuses de l'autre prenaient-elles une grande partie de leur temps.

Un jour qu'ils se promenaient tous deux dans une prairie hors de la ville, Anselme prit Lothaire à part et lui parla de la sorte :

« N'aurais-tu point pensé, ami Lothaire, que je dusse répondre par une ingratitude sans bornes aux grâces que Dieu m'a faites en me faisant naître de parents tels que les miens, en me prodiguant d'une main libérale les biens de la nature et ceux de la fortune, surtout à la grâce plus grande encore qu'il a ajoutée en me donnant toi pour ami et Camille pour femme, deux bonheurs que j'estime, sinon autant qu'ils le méritent, du moins autant que je le puis ? Eh bien! avec tous ces avantages dont se forme l'ensemble de satisfactions qui peuvent et doivent rendre les hommes heureux, je passe la vie de l'homme le plus triste, le plus abattu, le plus désespéré qu'il y ait dans l'univers. Depuis je ne sais combien de jours, un désir me presse et me tourmente, si étrange, si bizarre, si hors de l'usage commun que je m'étonne de moi-même, que je m'accuse et me gronde, que je voudrais le taire et le cacher à mes propres pensées. Mais, ne pouvant plus contenir ce secret, je veux du moins le confier en dépôt à ta discrétion, dans l'espoir que, par les soins que tu mettras à me guérir, en ami véritable, je me verrai bientôt délivré des angoisses qu'il me cause, et que ma joie reviendra par ta sollicitude au point où ma tristesse est arrivée par ma folie. »

Lothaire écoutait avec étonnement les paroles d'Anselme, ne sachant à quoi tendait un si long préambule; et, bien qu'il cherchât et roulât dans son imagination quel désir pouvait être celui qui tourmentait à ce point son ami, les coups portaient toujours loin de la cible de la vérité. Enfin, pour sortir promptement de l'agonie où le tenait cette incertitude, il lui dit que c'était faire outrage à sa vive amitié que de chercher tant de détours pour lui exposer ses plus secrètes pensées, puisqu'il pouvait se promettre de trouver en lui, ou des conseils pour le diriger, ou des ressources pour les accomplir. « Tu as raison, répondit Anselme, et, dans cette confiance, je veux t'apprendre, ami Lothaire, que le désir qui me poursuit, c'est de savoir si Camille, mon épouse, est aussi vertueuse, aussi parfaite que je me l'imagine. Or je ne peux m'assurer de la vérité sur ce point qu'en l'éprouvant de manière que l'épreuve démontre la pureté de sa vertu, comme le feu prouve celle de l'or. Je pense en effet, ô mon ami, qu'une femme n'est vertueuse que selon qu'elle est ou n'est pas sollicitée, et que celle-là seulement peut s'appeler forte, qui ne plie ni aux promesses, ni aux dons, ni aux larmes, ni aux continuelles importunités d'un amant empressé. Quel mérite y a-t-il à ce qu'une femme reste sage si personne ne l'engage à cesser de l'être ? Est-il étrange qu'elle soit réservée et craintive, celle à qui l'on ne laisse aucune occasion de s'échapper, celle qui connaît assez son mari pour savoir qu'elle payera de sa vie la première faute où il la surprendra ? Aussi la femme vertueuse par crainte ou faute d'occasion, je ne veux pas la tenir en même estime que celle qui est sollicitée, poursuivie, et qui sort des tentations avec la couronne de la victoire. Enfin, par toutes ces raisons, et beaucoup d'autres que je pourrais ajouter à l'appui de mon opinion, je désire que mon épouse Camille passe par ces difficultés, et qu'elle soit mise au creuset des poursuites et des adorations d'un homme digne de prétendre à ses faveurs. Si, comme je l'espère, elle sort de cette bataille avec la palme du triomphe, alors je tiendrai mon bonheur pour sans égal, je pourrai dire que le vide de mes désirs est comblé et que j'ai reçu en partage la femme forte, celle dont le sage a dit : *Qui la trouvera ?* Mais, quand même l'événement serait au rebours de ce que j'imagine, le plaisir de voir que je ne m'étais pas trompé dans mon opinion me fera supporter la peine que pourra me causer à bon droit une si coûteuse expérience. Il y a plus : comme rien de ce que tu pourras me dire à l'encontre de cette fantaisie ne saurait me détourner de la mettre en œuvre, je veux, ô mon ami Lothaire, que tu te disposes à être l'instrument qui élèvera l'édifice de ma satisfaction. Je te donnerai les occasions d'agir, et rien ne te manquera de ce qui me semblera nécessaire pour ébranler une femme honnête, modeste, chaste et désintéressée. Ce qui me décide, entre autres choses, à te confier plutôt qu'à tout autre une entreprise si épineuse, c'est de voir que, si Camille est vaincue par toi, la victoire n'ira pas jusqu'à ses dernières exigences, mais seulement à tenir pour fait ce qu'il était possible de faire. De cette manière, je ne serai offensé que par l'intention, et mon outrage restera enseveli dans le secret de ton silence, qui, je le sais, sera, pour ce qui me regarde, éternel comme celui de la mort. Ainsi donc, si tu veux que je goûte une vie qui se puisse appeler de ce nom, il faut que tu ouvres sans délai cette campagne amoureuse, non point avec lenteur et timidité, mais avec autant d'empressement et de zèle qu'en exige mon désir et qu'en attend ma confiance en ton amitié. »

Tels furent les propos que tint Anselme à Lothaire, et celui-ci les écoutait avec tant d'attention et de surprise qu'il n'ouvrit pas les lèvres avant que son ami eût cessé de

parler. S'apercevant qu'il gardait le silence, il se mit
d'abord à le regarder fixement, comme il aurait regardé
quelque autre chose inconnue pour lui jusqu'alors, et dont
la vue exciterait son étonnement et son effroi. Enfin, au
bout d'une longue pause, il lui dit : « Je ne peux me persuader, ami Anselme, que tout ce que tu viens de dire ne
soit pas une plaisanterie; certes, si j'avais pensé que tu
parlais sérieusement, je ne t'aurais pas laissé finir; en
cessant de t'écouter, j'aurais coupé court à ta longue
harangue. J'imagine, ou que tu ne me connais point, ou
que je ne te connais point. Mais non; je sais bien que tu es
Anselme, et tu sais bien que je suis Lothaire. Par malheur,
je pense que tu n'es plus le même Anselme, et que tu dois
avoir aussi pensé que je ne suis pas non plus le même
Lothaire; car, ni les choses que tu m'as dites ne sont de cet
Anselme, mon ami, ni celles que tu me demandes ne
s'adressent à ce Lothaire que tu connais. Les bons amis,
en effet, doivent mettre leurs amis à l'épreuve *usque ad aras*,
comme a dit un poète, c'est-à-dire qu'ils ne doivent pas
exiger de leur amitié des choses qui soient contre les préceptes de Dieu. Mais si un gentil a pensé cela de l'amitié,
à combien plus forte raison doit le penser un chrétien, qui
sait que, pour nulle affection humaine, on ne doit perdre
l'affection divine! Et, si l'ami pousse les choses au point
d'oublier ses devoirs envers le ciel pour ses devoirs envers
l'amitié, ce ne doit pas être sur de frivoles motifs, mais
uniquement quand il y va de l'honneur ou de la vie de son
ami. Or, dis-moi, Anselme, laquelle de ces deux choses est
en danger chez toi, pour que je me hasarde à te complaire
et à faire une action détestable comme celle que tu me
demandes ? Aucune, assurément. Tu me demandes, au
contraire, à ce que j'aperçois, que j'essaye, que je m'efforce
de t'ôter l'honneur et la vie, et de me les ôter en même
temps; car enfin, si je t'ôte l'honneur, il est clair que je
t'ôte la vie, puisqu'un homme déshonoré est pire qu'un
homme mort; et si je suis, comme tu le veux, l'instrument
de ton malheur, je deviens également déshonoré, et partant
sans vie. Ecoute, ami Anselme, prends patience, et ne m'in-
terromps point, jusqu'à ce que j'aie fini de te dire tout ce
qui me viendra dans la pensée à l'égard de ta fantaisie. Le
temps ne nous manquera point ensuite, à toi pour me
répondre, à moi pour t'écouter. — Très volontiers, reprit
Anselme, dis ce que tu voudras. » Lothaire, alors, poursuivit de la sorte :

   « Il me semble, ô Anselme, que tu as à présent l'esprit
comme l'ont toujours eu les musulmans, auxquels on ne
peut faire entendre la fausseté de leur secte, ni par des
citations de la sainte Ecriture, ni par des déductions tirées
des raisonnements de l'intelligence ou fondées sur des
articles de foi; il faut leur apporter des exemples palpables,
intelligibles, indubitables; des démonstrations mathé-

matiques qui ne se puissent nier, comme lorsqu'on dit
*Si de deux parties égales nous ôtons des parties égales, celles
qui restent sont encore égales;* et, comme ils n'entendent
même pas cela sur de simples paroles, il faut le leur mettre
sous les yeux, le leur démontrer avec les mains; et pourtant
personne ne peut venir à bout de les convaincre des vérités
de notre sainte religion. C'est précisément ce moyen que
je suis obligé d'employer avec toi; car le désir qui est
né dans ton cœur s'éloigne tellement du chemin de tout
ce qui a une ombre de raison que ce serait assurément
du temps perdu, celui que je dépenserais à te faire connaître
ta simplicité, à laquelle je veux bien, quant à présent,
ne pas donner d'autre nom. Et j'ai même envie de te laisser,
pour t'en punir, dans ton extravagance; mais l'amitié que
je te porte ne me permet point d'user de tant de rigueur
à ton égard; elle m'oblige, au contraire, à te tirer du péril
imminent que tu cours. Et pour que tu le voies bien à
découvert, réponds-moi, Anselme : ne m'as-tu pas dit qu'il
me fallait solliciter une femme vivant dans la retraite ?
toucher une femme honnête ? offrir des dons à une femme
désintéressée ? rendre de bons offices à une femme prudente ? Oui, tu m'as dit tout cela. Eh bien, si tu sais que
tu as une femme retirée, honnête, désintéressée et prudente, que cherches-tu donc ? Si tu penses qu'elle sortira
victorieuse de tous les assauts que je lui livrerai, quels
noms, quels titres espères-tu lui donner après, plus grands
et plus précieux que ceux qu'elle a dès maintenant ?
Sera-t-elle meilleure, enfin, alors qu'aujourd'hui ? Ou tu ne
la tiens pas pour ce que tu dis, ou tu ne sais pas ce que
tu demandes : dans le premier cas, pourquoi veux-tu
l'éprouver ? Il vaut mieux la traiter en mauvaise femme,
et comme il te plaira. Mais si elle est aussi bonne, aussi
sûre que tu le crois, ce serait être malavisé que d'éprouver la vérité même, puisque, l'épreuve faite, elle aurait
tout juste la même estime et le même prix qu'auparavant.
Il est donc de stricte conclusion que vouloir tenter les
choses desquelles il doit résulter plutôt du mal que du
profit, c'est d'un esprit étourdi et téméraire, surtout lorsque
rien n'y force ou n'y engage, surtout lorsqu'il apparaît
clairement que la tentative est une manifeste folie. Les
choses difficiles s'entreprennent pour Dieu, pour le
monde, ou pour tous deux à la fois. Celles qu'on entreprend pour Dieu sont ce qu'ont fait les saints, qui ont
voulu vivre de la vie des anges avec des corps d'hommes;
celles qu'on entreprend pour le monde sont ce que font
ces gens qui traversent tant de mers immenses, tant de
climats divers, tant de pays étrangers, pour acquérir
ce qu'on appelle les biens de la fortune; enfin celles qui
s'entreprennent pour Dieu et pour le monde à la fois
sont les actions de ces vaillants soldats qui, en voyant
aux murailles de l'ennemi un espace ouvert, grand comme

a pu le faire un boulet d'artillerie, secouant toute crainte, sans raisonner, sans voir le péril évident qui les menace, et emportés sur les ailes du désir de bien mériter de leur foi, de leur nation et de leur roi, s'élancent intrépidement au milieu de mille morts qui les attendent en face. Voilà les choses qu'on a coutume d'entreprendre avec honneur, gloire et profit, bien qu'offrant tant d'inconvénients et de périls. Mais celle que tu veux tenter et mettre en pratique ne saurait te faire acquérir ni mérite aux yeux de Dieu, ni biens de la fortune, ni renommée parmi les hommes. Car enfin, si le succès répond à ton désir, tu n'en seras ni plus glorieux, ni plus riche, ni plus honoré qu'à présent, et, si l'issue était autre, tu te verrais dans la plus profonde affliction qui se puisse imaginer. Rien ne te servirait, en effet, de penser que personne ne connaît ta disgrâce; il suffirait, pour te déchirer le cœur, que tu la connusses toi-même. En preuve de cette vérité, je veux te citer une strophe du fameux poète Luigi Tansilo, à la fin de la première partie des *Larmes de saint Pierre*. Elle est ainsi conçue :

« La douleur augmente, et avec elle augmente la honte dans l'âme de Pierre, quand le jour a paru. Et, bien qu'il ne soit aperçu de personne, il a honte de lui-même en voyant qu'il a péché; car, pour un cœur magnanime, ce ne sont pas seulement les yeux d'autrui qui excitent la honte; ne serait-il vu que du ciel et de la terre, il a honte de lui dès qu'il est en faute. »

« Ainsi, le secret ne saurait t'épargner la douleur : au contraire, tu auras à pleurer sans cesse, non les larmes qui coulent des yeux, mais les larmes de sang qui coulent du cœur, comme les pleurait ce crédule docteur que notre poète nous raconte avoir fait l'épreuve du vase qu'avec plus de sagesse le prudent Renaud s'abstint de tenter; et, bien que ce soit une fiction poétique, encore renferme-t-elle des secrets moraux dignes d'être compris et imités. Mais d'ailleurs ce que je vais te dire à présent achèvera de te faire connaître la grande faute que tu veux commettre. Dis-moi, Anselme, si le ciel, ou une faveur de la fortune, t'avait fait maître et possesseur légitime d'un diamant le plus fin, d'un diamant dont les qualités satisfissent tous les lapidaires qui l'auraient vu; si, d'une voix unanime, tous déclaraient que, pour l'éclat et la pureté de l'eau, il est aussi parfait que permet de l'être la nature de cette pierre précieuse, et que tu en eusses toi-même une opinion semblable, sans rien savoir qui pût te l'ôter; dis-moi, serait-il raisonnable qu'il te prît fantaisie d'apporter ce diamant, de le mettre entre une enclume et un marteau, et là, d'essayer à tour de bras s'il est aussi dur et aussi fin qu'on le dit ? Serait-il plus raisonnable que tu misses en œuvre cette fantaisie ? Si la pierre résistait à une si sotte épreuve, elle n'y gagnerait ni valeur ni célé-

brité ; et si elle se brisait, chose qui pourrait arriver, n'aurait-on pas tout perdu ? Oui, certes, et de plus son maître
passerait dans l'esprit de chacun pour un niais imprudent.
Eh bien, mon cher Anselme, sache que Camille est ce fin
diamant, dans ton estime et dans celle d'autrui, et qu'il
n'est pas raisonnable de l'exposer au hasard de se briser,
puisque, restât-elle intacte, elle ne peut hausser le prix ;
mais si elle ne résistait point, et venait à céder, considère
dès à présent ce qu'elle deviendrait après avoir perdu sa
pureté, et comme tu pourrais à bon droit te plaindre
toi-même, pour avoir été cause de sa perdition et de la
tienne. Fais bien attention qu'il n'y a point en ce monde
de bijou qui vaille autant qu'une femme chaste et vertueuse, et que tout l'honneur des femmes consiste dans
la bonne opinion qu'on a d'elles ; et, puisque ton épouse
possède l'extrême degré de sagesse que tu lui connais,
pourquoi veux-tu mettre en doute cette vérité ? Prends
garde, ami, que la femme est un être imparfait ; que, loin
de lui susciter des obstacles qui la fassent trébucher et
tomber, il faut, au contraire, les éloigner avec soin et
débarrasser son chemin de tout encombre, pour qu'elle
marche d'un pas sûr et facile vers la perfection qui lui
manque, et qui consiste dans la vertu. Les naturalistes
racontent que l'hermine est un petit animal qui a la peau
d'une éclatante blancheur, et que les chasseurs emploient
pour la prendre un artifice assuré. Quand ils connaissent
les endroits où elle a coutume de passer, ils les ferment
avec de la boue ; puis, la poussant devant eux, ils la
dirigent sur ces endroits ; dès que l'hermine arrive auprès
de la boue, elle s'arrête et se laisse prendre plutôt que de
passer dans la fange, plutôt que de souiller sa blancheur,
qu'elle estime plus que la liberté et la vie. La femme honnête et chaste est une hermine, sa vertu est plus blanche que
la neige ; celui donc qui veut qu'elle ne la perde pas, mais
qu'elle la garde et la conserve précieusement, ne doit point
agir avec elle comme les chasseurs avec l'hermine ; qu'il
se garde bien de mettre sur son passage la fange des
cadeaux et des galanteries d'amants empressés, car peut-
être, et même sans peut-être, elle n'a point en elle-même
assez de force et de vertu naturelle pour renverser tous
ces obstacles. On doit les aplanir et ne placer devant
elle que la pureté de la vertu, que la beauté qu'enferme
la bonne renommée. La femme vertueuse est comme un
miroir de cristal, clair et brillant, mais qui se tache et
s'obscurcit au moindre souffle qui l'atteint. Il faut en user
avec la femme vertueuse comme avec les reliques, l'adorer
sans la toucher ; il faut la garder comme un beau jardin
rempli de roses et de toutes sortes de fleurs, où le maître ne
permet de porter ni les pas ni la main ; c'est assez que les
passants puissent, de loin et par une grille de fer, jouir de
sa vue et de ses parfums. Finalement, je veux te citer des

vers qui me reviennent à la mémoire, et que j'entendis
réciter dans une comédie moderne; ils viennent tout à
point pour le sujet qui nous occupe. Un prudent vieillard
conseille à un autre, père d'une jeune fille, de la tenir dans
la retraite et de la garder soigneusement sous clef; entre
autres propos, il lui dit :

« La femme est fragile comme le verre; mais il ne faut
pas éprouver si elle peut se briser ou non, car tout pourrait bien arriver.

« Et comme la brisure est probable, il y aurait folie
de s'exposer au péril de rompre ce qui ne peut plus se
souder.

« Telle est l'opinion commune, et bien fondée en raison; car s'il y a des Danaé dans le monde, il y a aussi des
pluies d'or. »

« Tout ce que je t'ai dit jusqu'à présent, ô Anselme!
n'a eu trait qu'à ce qui te touche; il est bon maintenant
de te faire entendre quelque chose de ce qui me regarde;
et, si je suis long, excuse-moi; c'est ce qu'exige le labyrinthe où tu t'es engagé et d'où tu veux que je te tire.
Tu me tiens pour ton ami, et cependant tu veux m'ôter
l'honneur, chose contraire à ton amitié; ce n'est pas tout :
tu veux encore que je te l'ôte à toi-même. Que tu veuilles
me l'ôter, rien de plus clair; car, dès que Camille verra
que je la courtise comme tu me le demandes, elle devra
certes me tenir pour un homme sans honneur et sans
pudeur, puisque je ferais une chose si éloignée de ce
qu'exigent et ce que je suis et ce que tu es pour moi. Que tu
veuilles que je te l'ôte, il n'y a pas plus de doute, puisque
en voyant que je la sollicite, Camille doit penser que j'ai
découvert en elle quelque faiblesse qui m'a donné l'audace
de lui révéler mes désirs coupables; et, si elle se tient
pour déshonorée, son déshonneur te touche, toi à qui
elle appartient. C'est de là que naît cette commune opinion sur le mari de la femme adultère : il a beau ne point
le savoir, ou n'avoir donné nulle occasion, nul prétexte
pour que sa femme lui manque, on ne l'appelle pas moins
d'un nom bas et injurieux, et ceux qui connaissent la mauvaise conduite de sa femme le regardent avec des yeux
de mépris plutôt qu'avec des yeux de pitié, tout en voyant
que ce n'est point par sa faute, mais par le caprice de sa
coupable compagne, que ce malheur l'a frappé. Mais je
veux te dire pourquoi le mari de la femme infidèle est
à bon droit déshonoré, bien qu'il n'en sache rien, bien
qu'il n'y ait de sa part aucune faute, et qu'il n'ait donné
aucune occasion pour qu'elle ait péché. Et ne te lasse pas
de m'entendre, car tout cela doit tourner à ton profit.
Quand Dieu créa notre premier père dans le paradis ter-
restre, la divine Ecriture dit qu'il le jeta dans un profond

sommeil et que, tandis qu'Adam dormait, il lui enleva
une côte du côté gauche, dont il forma notre mère Eve.
Dès qu'Adam se réveilla et l'eut aperçue, il s'écria : « Voilà
la chair de ma chair et les os de mes os. » Et Dieu lui
dit : « Pour cette femme, l'homme quittera son père et
sa mère, et ils seront deux dans la même chair. » C'est
alors que fut institué le divin sacrement du mariage, dont
les liens sont si forts que la mort seule peut les rompre.
Telle est la force et la vertu de ce miraculeux sacrement,
que par lui deux personnes distinctes ne font plus qu'une
seule et même chair. Il fait plus encore dans les bons
ménages, où les époux, bien qu'ils aient deux âmes, n'ont
qu'une seule volonté. De là vient que, comme la chair de
l'épouse ne fait qu'une même chose avec celle de l'époux,
les taches qui la souillent ou les défauts qui la déparent
retombent sur la chair du mari, bien qu'il n'ait donné,
comme je le disais, aucune occasion, aucun prétexte
à ce grief ; car, de même que la douleur du pied, ou de
tout autre membre du corps humain, est ressentie par le
corps tout entier, parce que c'est une seule et même chair ;
de même que la tête sent le mal de la cheville, quoiqu'elle
ne l'ait pas causé ; de même le mari participe au déshonneur de la femme, parce qu'il ne fait qu'une même chose
avec elle. Or, comme tous les honneurs et les déshonneurs
du monde naissent de la chair et du sang, et que ceux de la
femme infidèle sont de cette espèce, force est au mari
d'en prendre sa part et, sans même qu'il le sache, d'être
tenu pour déshonoré. Vois donc, ô Anselme ! vois le
péril auquel tu t'exposes en voulant troubler le calme
où vit ta vertueuse compagne ; vois pour quelle vaine
et imprudente curiosité tu veux éveiller les passions endor-
mies dans son chaste cœur. Fais attention que ce que
tu hasardes de gagner est bien petit, et ce que tu hasardes
de perdre si grand que je n'en dis rien de plus, car les
paroles me manquent pour l'exprimer. Mais si tout ce
que je viens de dire ne suffit pas pour te détourner de ce
mauvais dessein, tu peux chercher un autre instrument
de ton déshonneur et de ton infortune ; car, pour moi,
je ne veux point l'être, dussé-je perdre ton affection, ce
qui est la plus grande perte que je puisse imaginer. »

Le prudent et vertueux Lothaire se tut après avoir ainsi
parlé, et Anselme demeura si troublé, si rêveur que de
longtemps il ne put répondre un mot. Enfin, s'étant remis :
« Tu as vu, dit-il, ami Lothaire, avec quelle attention j'ai
écouté tout ce qu'il t'a plu de me dire ; dans tes raisonnements, tes exemples et tes comparaisons, j'ai reconnu l'esprit judicieux dont le ciel t'a doué et le comble de la
véritable amitié où tu es parvenu. Je reconnais encore et
je confesse que, si je m'éloigne de ton avis pour continuer
à suivre le mien, je fuis le bien et cours après le mal.
Cela convenu, tu dois me regarder comme attaqué d'une

de ces maladies qu'éprouvent quelquefois les femmes
enceintes, lorsqu'elles prennent fantaisie de manger de la
terre, du plâtre, du charbon, et des choses pires encore,
répugnantes à la seule vue, à plus forte raison au goût. Il
faut donc employer quelque artifice pour me guérir, et cela
n'est pas difficile. Que tu commences seulement, même avec
mollesse, même avec dissimulation, à solliciter Camille,
laquelle n'est pas si tendre aux tentations que sa vertu
succombe au premier choc; de ce seul essai je serai satisfait, et tu auras ainsi tenu ce que tu dois à notre amitié,
non seulement en me rendant la vie, mais en me convain-
quant que je ne perdrai point l'honneur. Tu es forcé de
te rendre par une seule raison : c'est qu'étant déterminé
comme je le suis à mettre en œuvre cette épreuve, tu ne
peux pas consentir à ce que je révèle mon extravagant
projet à une autre personne, ce qui me ferait risquer cet
honneur que tu veux m'empêcher de perdre. Quant à
ce que le tien peut être compromis dans l'opinion de
Camille pendant que tu la solliciteras, peu importe vraiment, puisque, bientôt après, trouvant chez elle la résistance
que nous espérons, tu pourras lui dire notre artifice et la
vérité, ce qui te rendra sa première estime. Ainsi donc,
puisque tu hasardes si peu, et qu'en le hasardant tu peux
me donner tant de satisfaction, ne refuse plus de le faire,
quelques obstacles que tu y trouves, certain, comme je te
l'ai dit, qu'à peine commenceras-tu, je tiendrai le procès
pour gagné. »

Lothaire, voyant le parti pris d'Anselme, et ne sachant
plus quels exemples rappeler, ni quels raisonnements faire
valoir pour l'en détourner; voyant aussi que son ami le
menaçait de confier à un autre sa mauvaise pensée, résolut, pour éviter un plus grand mal, de le contenter et
de lui obéir, avec la ferme intention de conduire cette
affaire de façon que, sans troubler l'âme de Camille,
Anselme restât satisfait. Il lui répondit donc de ne communiquer à nul autre son dessein, qu'il se chargeait, lui, de
cette entreprise, et la commencerait dès qu'il le trouverait bon. Anselme le serra tendrement dans ses bras,
et le remercia de son offre comme s'il lui eût fait une
faveur insigne. Ils convinrent tous deux ensuite de se mettre
à l'œuvre dès le lendemain. Anselme promit à Lothaire
de lui fournir le temps et l'occasion d'entretenir Camille
tête à tête, ainsi que l'argent et les bijoux qu'il emploierait
en moyens de séduction. Il lui conseilla de donner des
sérénades à sa femme, et d'écrire des vers à sa louange,
s'offrant, s'il ne voulait prendre cette peine, de les composer lui-même. Lothaire consentit à tout, mais avec une
intention bien différente de celle que lui supposait Anselme.
Après ces arrangements, ils retournèrent chez ce dernier, où
ils trouvèrent Camille attendant avec inquiétude le retour de
son époux, qui avait, ce jour-là, plus tardé que de coutume

Lothaire regagna sa maison, et Anselme demeura dans la sienne, celui-ci aussi satisfait que l'autre s'en allait pensif, ne sachant quel parti prendre pour sortir honorablement de cette impertinente affaire. Dans la nuit, toutefois, il imagina un moyen de tromper Anselme sans offenser Camille. Le lendemain, il alla dîner chez son ami, et fut bien reçu de sa femme, qui l'accueillait toujours affectueusement, en considération de l'amitié que lui portait son mari. Le repas achevé, on desservit, et Anselme pria Lothaire de rester à l'attendre avec Camille tandis qu'il sortirait pour une affaire pressante qui le tiendrait dehors une heure ou deux. Camille voulut retenir son mari, et Lothaire s'offrit à l'accompagner; mais Anselme n'écouta ni l'un ni l'autre; au contraire, il exigea de Lothaire qu'il restât et l'attendît, voulant plus tard traiter avec lui d'une chose de haute importance. Il recommanda également à Camille de ne point laisser Lothaire seul jusqu'à son retour. Enfin, il sut feindre si bien la nécessité de son absence que personne n'aurait pu croire qu'elle était feinte. Anselme sortit, Camille et Lothaire restèrent seuls à table, car tous les gens de la maison avaient été dîner. Voilà donc Lothaire entré dans le champ clos où son ami désirait le voir aux prises; voilà l'ennemi en présence; un ennemi dont la beauté seule aurait pu vaincre un escadron de chevaliers armés. Qu'on juge si Lothaire le craignait à bon droit! Ce qu'il fit alors, ce fut d'appuyer le coude sur le bras de son fauteuil, puis sa joue sur sa main ouverte et, demandant pardon à Camille d'une telle impolitesse, il lui dit qu'il voulait reposer un peu en attendant le retour d'Anselme. Camille lui répondit qu'il dormirait plus à son aise sur des coussins que sur une chaise, et l'engagea à passer dans son salon. Mais Lothaire ne voulut point y consentir et resta endormi à la place jusqu'à ce qu'Anselme revînt. Quand celui-ci trouva Camille dans sa chambre et Lothaire dormant, croyant qu'il avait assez tardé pour leur laisser à tous deux le temps de parler, et même de dormir, il attendit impatiemment que Lothaire s'éveillât pour sortir avec lui et l'interroger sur la situation des choses. Tout arriva comme il le désirait. Lothaire s'éveilla, et tous deux aussitôt quittèrent la maison. Anselme alors le questionna, et Lothaire répondit qu'il lui avait paru peu convenable de se découvrir entièrement dès la première entrevue; qu'ainsi il n'avait rien fait de plus que de louer Camille sur ses attraits, lui disant que, dans toute la ville, on ne parlait d'autre chose que de son esprit et de sa beauté. « Cela m'a semblé, ajouta-t-il, un heureux début pour gagner peu à peu ses bonnes grâces et la disposer à m'entendre volontiers; j'ai usé de l'artifice qu'emploie le démon quand il veut tromper une âme qui est sur ses gardes; il se transforme en ange de lumière, lui, esprit des ténèbres, et se cache derrière de belles apparences; puis, à la fin, il découvre qui il est, et triomphe si, dès le principe, sa supercherie n'a point été découverte. » Tout cela satisfit pleinement Anselme, qui promit à Lothaire de lui donner chaque jour la même occasion d'entretenir sa femme, quand même il ne sortirait pas de la maison, où il saurait s'occuper de façon que Camille ne s'aperçût point de la ruse.

Plusieurs jours se passèrent ainsi, sans que Lothaire adressât une parole à Camille; et cependant il assurait Anselme que, chaque fois, il lui parlait d'une manière plus pressante, mais qu'il n'avait pu obtenir d'elle ni la plus légère faveur, ni la moindre ombre d'espérance, et qu'elle le menaçait, au contraire, s'il ne chassait ces mauvaises pensées, de tout révéler à son mari. « Cela va bien, dit Anselme; jusqu'ici Camille a résisté aux paroles, il faut voir comment elle résistera aux œuvres. Je te donnerai demain deux mille écus d'or que tu lui offriras en cadeau et deux autres mille pour acheter des joyaux et des pierreries dont l'appât puisse l'attirer; car toutes les femmes, surtout quand elles sont belles, et si chastes qu'elles soient, aiment avec passion à se parer et à se montrer dans leurs atours. Si elle résiste à cette nouvelle tentation, je serai satisfait et ne te causerai plus d'ennui. » Lothaire répondit que, puisqu'il avait commencé, il mènerait jusqu'au bout son entreprise, bien qu'il fût certain d'en sortir épuisé et vaincu.

Le lendemain, il reçut les quatre mille écus d'or, et avec eux quatre mille confusions, car il ne savait plus quelle invention trouver pour soutenir son mensonge. Toutefois, il résolut de dire à son ami que Camille était aussi inaccessible aux promesses et aux présents qu'aux paroles, et qu'il était inutile de pousser plus loin l'épreuve, puisque c'était perdre son temps. Mais le sort, qui menait les choses d'une autre façon, voulut qu'un jour Anselme, ayant laissé comme d'habitude Lothaire seul avec Camille, s'enfermât dans une chambre voisine et se mit à regarder par le trou de la serrure ce qui se passait entre eux. Or il vit qu'en plus d'une demi-heure Lothaire ne dit pas un mot à Camille, et qu'il ne lui en aurait pas dit davantage fût-il demeuré un siècle auprès d'elle. Il comprit donc que tout ce que lui rapportait son ami des réponses de Camille n'était que fictions et mensonges. Pour s'en assurer, il sortit de la chambre, et, prenant Lothaire à part, il lui demanda quelles nouvelles il avait à lui donner, et de quelle humeur se montrait Camille. Lothaire répondit qu'il ne voulait plus faire un pas dans cette affaire, parce qu'elle venait de le traiter avec tant d'aigreur et de dureté qu'il n'aurait plus le courage de lui adresser désormais la parole. « Ah! Lothaire, Lothaire, s'écria Anselme, que tu tiens mal ta promesse, et que tu réponds mal à l'extrême confiance que j'ai mise en toi! Je viens de te regarder par le jour que me livrait cette clef, et j'ai

vu que tu n'as pas dit une seule parole à Camille, d'où
je dois conclure que tu es encore à lui dire le premier mot.
S'il en est ainsi, comme je ne puis en douter, pourquoi
donc me trompes-tu, ou pourquoi veux-tu m'ôter par ta
ruse les moyens que je pourrais trouver de satisfaire mon
désir ? »

Anselme n'en dit pas davantage; mais ce peu de mots
suffirent pour rendre Lothaire honteux et confus. Se faisant comme un point d'honneur d'avoir été surpris en
mensonge, il jura à Anselme que, dès cet instant, il prenait
à sa charge le soin de le contenter, et sans plus lui mentir.
« Tu pourras t'en assurer, lui dit-il, si tu m'épies avec
curiosité; mais, au reste, toute diligence de ta part est
inutile, et celle que je vais mettre à te satisfaire aura bientôt
dissipé tes soupçons. » Anselme le crut et, pour lui laisser
le champ libre avec plein repos et pleine commodité, il
résolut de faire une absence de huit jours, et d'aller passer ce temps chez un de ses amis qui demeurait à la campagne, non loin de la ville. Il se fit même inviter formelle-
ment par cet ami, pour avoir auprès de Camille un motif
à son départ. Imprudent et malheureux Anselme! Qu'est-
ce que tu fais ? qu'est-ce que tu trames ? qu'est-ce que tu
prépares ? Prends garde que tu agis contre toi-même en
tramant ton déshonneur et en préparant ta perdition. Ton
épouse Camille est vertueuse, tu la possèdes en paix; personne ne te cause d'alarmes; ses pensées ne vont point
au-delà des murs de sa maison; tu es son ciel sur la terre,
le but de ses désirs, l'accomplissement de ses joies, la
mesure où se règle sa volonté, qu'elle ajuste en toutes choses
sur la tienne et sur celle du ciel; eh bien! si la mine de
son honneur, de sa beauté, de sa vertu, te donne, sans
aucun travail, toutes les richesses qu'elle renferme et que tu
puisses désirer, pourquoi veux-tu creuser encore la terre et
chercher de nouveaux filons d'un trésor inconnu, en courant le risque de la faire écrouler tout entière, puisque enfin
elle ne repose que sur les faibles étais de sa fragile nature ?
Prends garde que celui qui cherche l'impossible se voit
à bon droit refuser le possible, comme l'a mieux exprimé
un poète lorsqu'il a dit :

« Je cherche dans la mort la vie, dans la maladie la
santé, dans la prison la liberté, dans l'enfermé une issue,
dans le traître la loyauté.

« Mais ma destinée, de qui je n'espère jamais aucun
bien, a réglé, d'accord avec le ciel, que, puisque je demande
l'impossible, le possible même me sera refusé. »

Anselme partit le lendemain pour la campagne, après
avoir dit à Camille que, pendant son absence, Lothaire
viendrait prendre soin de ses affaires et dîner avec elle,
et après lui avoir recommandé de le traiter comme lui-
même. Camille, en femme honnête et prudente, s'affligea
de l'ordre que lui donnait son mari; elle le pria de remar-

quer qu'il n'était pas convenable que, lui absent, personne
occupât son fauteuil à table; que s'il en agissait ainsi par
manque de confiance, et dans la crainte qu'elle ne gouver-
nât pas bien sa maison, il n'avait qu'à la mettre cette fois
à l'épreuve et qu'il verrait par expérience qu'elle pouvait
suffire à des soins plus graves. Anselme répliqua que tel
était son bon plaisir et qu'elle n'avait rien de mieux à
faire que de courber la tête et d'obéir, ce que Camille promit de faire, bien que contre son gré.

Anselme partit; Lothaire vint dès le lendemain s'instal-
ler dans sa maison, où il reçut de Camille un affectueux
et honnête accueil. Mais elle s'arrangea de façon à n'être
jamais en tête à tête avec Lothaire, car elle marchait toujours accompagnée de ses gens, et surtout d'une camériste
appelée Léonella, qu'elle affectionnait beaucoup, parce
qu'elles avaient été élevées ensemble depuis l'âge le plus
tendre et qu'elle l'avait amenée avec elle lors de son
mariage. Pendant les trois premiers jours, Lothaire ne lui
dit rien, bien qu'il eût pu parler lorsqu'on desservait la
table et que les gens allaient manger en toute hâte, comme
l'exigeait leur maîtresse. Léonella avait même reçu l'ordre
de dîner avant Camille, afin d'être toujours à ses côtés;
mais la camériste, qui avait la tête occupée d'autres choses
plus de son goût, et qui avait justement besoin de ces
heures-là pour les employer à sa guise, ne remplissait pas
toujours le commandement de sa maîtresse. Au contraire,
elle la laissait le plus souvent seule avec son hôte, comme
si ce fût là ce qu'elle lui avait ordonné. Mais le chaste
maintien de Camille, la gravité de son visage, la modestie de
toute sa personne étaient tels qu'ils mettaient un frein
à la langue de Lothaire. Toutefois, cet avantage que donnaient à tous deux les vertus de Camille, en imposant
silence à Lothaire, finit par tourner à leur détriment; car,
si la langue se taisait, l'imagination avait le champ libre;
elle pouvait contempler à loisir tous les charmes dont
Camille était pourvue, capables de toucher une statue de
marbre, et non seulement un cœur de chair. Lothaire la
regardait, pendant le temps qu'il aurait pu lui parler, et
considérait à quel point elle était digne d'être aimée. Cette
réflexion commença peu à peu à donner l'assaut aux égards
qu'il devait à son ami; cent fois il voulut s'éloigner de la
ville, et fuir si loin qu'Anselme ne le vît plus, et qu'il ne
vît plus Camille; mais déjà il se sentait comme arrêté
et retenu par le plaisir qu'il trouvait à la regarder. Il com-
battait contre lui-même, il se faisait violence pour repousser et ne point sentir la joie que lui causait la vue de Camille.
Il s'accusait, dans la solitude, de sa folle inclination, il
s'appelait mauvais ami et même mauvais chrétien; puis
la réflexion le ramenait à faire des comparaisons entre
Anselme et lui, qui toutes se terminaient par dire qu'il
fallait moins accuser son manque de fidélité que la folie

et l'aveugle confiance de son ami, et que, s'il avait auprès de Dieu les mêmes excuses qu'auprès des hommes, il n'aurait à craindre aucun châtiment pour sa faute. Bref, le mérite et les attraits de Camille, en même temps que l'occasion que lui avait fournie l'imprudent mari, triomphèrent enfin de la loyauté de Lothaire. Trois jours après le départ d'Anselme, pendant lesquels il fut en lutte continuelle pour résister à ses désirs, ne voyant plus que l'objet vers qui l'entraînait sa passion, il la découvrit à Camille, et lui fit une déclaration d'amour avec tant de trouble, avec de si vives instances que Camille resta confondue et ne sut faire autre chose que se lever de la place qu'elle occupait et rentrer dans sa chambre sans lui répondre un seul mot. Mais ce froid dédain n'ôta pas à Lothaire l'espérance, qui naît en même temps que l'amour; au contraire, il en estima davantage la conquête de Camille. Celle-ci, quand elle vit cette action de Lothaire, à laquelle elle s'attendait si peu, ne savait à quoi se résoudre. Enfin, comme il lui parut qu'il n'était ni sûr ni convenable de laisser à l'infidèle ami le temps et l'occasion de l'entretenir une seconde fois, elle résolut d'envoyer cette nuit même un de ses gens à Anselme, avec un billet ainsi conçu :

CHAPITRE XXXIV

Où se continue la nouvelle du CURIEUX MALAVISÉ.

« Comme on a coutume de dire que mal sied l'armée sans son général, et le château sans son châtelain, je dis que plus mal encore sied la femme mariée et jeune sans son mari, quand de justes motifs ne les tiennent pas séparés. Je me trouve si mal loin de vous, et tellement hors d'état de supporter votre absence que, si vous ne revenez au plus tôt, je serai forcée de me réfugier chez mes parents, dussé-je laisser votre maison sans gardien ; car celui que vous m'avez laissé, si toutefois il mérite ce nom, vise, à ce que je crois, plus à son plaisir qu'à vos intérêts. Vous êtes intelligent ; je ne vous dis rien de plus, et même il ne convient pas que j'en dise davantage. »

En recevant cette lettre, Anselme comprit que Lothaire avait enfin commencé l'entreprise, et que Camille devait l'avoir reçu comme il désirait qu'elle le fît. Ravi de semblable nouvelle, il fit répondre verbalement à Camille qu'elle ne quittât sa maison pour aucun motif, et qu'il reviendrait très promptement. Camille fut fort étonnée de cette réponse d'Anselme, qui la mit dans un plus grand embarras qu'auparavant, car elle n'osait ni rester dans sa maison, ni moins encore s'en aller chez ses parents. A rester, elle voyait sa vertu en péril ; à s'en aller, elle désobéissait aux ordres de son mari. Enfin, dans le doute, elle prit le plus mauvais parti, celui de rester, et de plus la résolution de ne point fuir la présence de Lothaire, afin de ne point donner à ses gens matière à causer. Déjà même elle se repentait d'avoir écrit à son époux, dans la crainte qu'il n'imaginât que Lothaire avait vu chez elle quelque hardiesse qui l'avait poussé à manquer au respect qu'il lui devait. Mais, confiante en la solidité de sa vertu, elle se mit sous la garde de Dieu et de sa ferme intention, espérant bien résister, par le silence, à tout ce qu'il plairait à Lothaire de lui dire, sans rien révéler de plus à son mari, pour ne pas le jeter dans les embarras d'une querelle. Elle chercha même un moyen de disculper Lothaire auprès d'Anselme, quand ce dernier lui demanderait le motif qui

lui avait fait écrire son billet. Dans ces pensées, plus
honnêtes que sages, elle resta le lendemain à écouter
Lothaire, lequel pressa tellement son attaque que la fermeté
de Camille commença à fléchir, et que sa vertu eut assez à
faire de veiller sur ses yeux, pour qu'ils ne donnassent
pas quelque indice de l'amoureuse compassion qu'avaient
éveillée dans son sein les propos et les pleurs de Lothaire.
Rien n'échappait à celui-ci, qui s'en enflammait davantage.
Finalement, il lui sembla nécessaire, pendant le temps que
laissait encore l'absence d'Anselme, de pousser vivement
le siège de cette forteresse. Il attaqua le côté de sa présomption par des louanges à sa beauté; car rien ne bat mieux
en brèche et ne renverse plus vite les tours de la vanité
d'une belle que cette même vanité employée par la langue
de l'adulation. En effet, il sut si adroitement miner le roc
de sa chasteté et faire jouer de telles machines de guerre
que Camille, fût-elle toute de bronze, ne pouvait manquer
de succomber. Lothaire pria, supplia, pleura, adula,
pressa, témoigna tant d'ardeur et de sincérité qu'à la fin
il renversa les remparts de la vertu de Camille et conquit
ce qu'il espérait le moins et désirait le plus. Camille se
rendit, Camille fut vaincue. Mais qu'y a-t-il d'étrange?
L'amitié de Lothaire avait-elle tenu bon? Exemple frappant qui nous montre que l'unique manière de vaincre
l'amour, c'est de le fuir, et que personne ne doit se prendre
corps à corps avec un si puissant ennemi; car, pour
résister à ses efforts humains, il faudrait des forces divines.

Léonella connut seule la faute de sa maîtresse, parce
que les deux mauvais amis et nouveaux amants ne purent
la lui cacher. Lothaire se garda bien de révéler à Camille
le projet qu'avait eu Anselme, et de lui dire que c'était
de son mari lui-même qu'il avait tenu les moyens de
réussir auprès d'elle, de peur qu'elle ne cessât d'estimer
autant son amour et qu'elle ne vînt à penser que c'était
par hasard, par occasion et sans dessein, qu'il l'avait
sollicitée. Au bout de quelques jours Anselme revint dans
sa maison; mais il ne vit pas ce qui y manquait, bien que ce
fût ce qu'il estimait et ce qu'il devait regretter le plus. Il
alla sans délai voir Lothaire, qu'il trouva chez lui. Les deux
amis s'embrassèrent, et le nouveau venu demanda aussitôt
à l'autre des nouvelles de sa vie ou de sa mort. « Les nouvelles que j'ai à te donner, ô mon ami! répondit Lothaire,
sont que tu as une femme qui peut être, avec justice,
l'exemple et la gloire de toutes les femmes vertueuses.
Les paroles que je lui ai dites, le vent les a emportées;
les offres, elle les a repoussées; les présents, elle ne les
a point admis; mes larmes feintes, elle en a fait l'objet
de ses railleries. En un mot, de même que Camille est le
sommaire de toute beauté, c'est le temple où l'honnêteté
a son autel, où résident à la fois la politesse et la pudeur,
et toutes les vertus qui peuvent parer une femme de bien.

Reprends, ami, reprends ton argent et tes bijoux; ils sont là sans que j'aie eu besoin d'y toucher, car l'intégrité de Camille ne se rend pas à d'aussi vils objets que les cadeaux et les promesses. Sois satisfait, Anselme, et ne pense plus à tenter d'autre épreuve. Puisque tu as passé à pied sec la mer des embarras et des soupçons que les femmes ont coutume de donner, ne t'embarque plus sur l'océan de nouvelles tempêtes; ne fais plus, avec un autre pilote, l'expérience de la solidité du navire que le ciel t'a donné en partage pour faire la traversée de ce monde; mais persuade-toi, tout au contraire, que tu es arrivé à bon port; affermis-toi bien sur les ancres de la bonne considération, et reste en panne jusqu'à ce qu'on vienne te réclamer la dette dont aucune noblesse humaine n'a le privilège d'éviter le payement. »

Anselme fut ravi des paroles de Lothaire et les crut comme si quelque oracle les eût prononcées. Cependant il le pria de ne pas abandonner complètement l'entreprise, quand même il ne la suivrait que par curiosité et passe-temps, sans faire d'aussi pressantes démarches que par le passé. « Je veux seulement, lui dit-il, que tu écrives quelques vers à sa louange, sous le nom de Chloris, et je ferai croire à Camille que tu es amoureux d'une dame à laquelle tu as donné ce nom, afin de pouvoir célébrer ses attraits sans manquer aux égards qui lui sont dus. Et si tu ne veux pas te donner la peine d'écrire ces vers, je me charge de les composer. — Cela est inutile, reprit Lothaire; les muses ne me sont pas tellement ennemies qu'elles ne me fassent quelques visites dans le cours de l'année. Parle à Camille de mes feintes amours; mais quant aux vers, je les ferai, sinon tels que le mérite leur sujet, au moins du mieux que je pourrai. »

Les deux amis, l'imprudent et le traître, ainsi tombés d'accord, Anselme, de retour à sa maison, fit à Camille la question qu'elle s'étonnait de ne point avoir reçue déjà : à savoir, quel motif lui avait fait écrire ce billet qu'elle lui avait adressé. Camille répondit qu'il lui avait semblé que Lothaire la regardait un peu moins respectueusement que lorsque son mari était à la maison; mais qu'elle était déjà détrompée, et voyait bien que c'était pure imagination de sa part, puisque Lothaire fuyait sa présence et les occasions de se trouver seul avec elle. Anselme lui dit qu'elle pouvait être bien remise de ce soupçon; car il savait que Lothaire était violemment épris d'une noble demoiselle de la ville, qu'il célébrait sous le nom de Chloris; mais que, dans le cas même où son cœur fût libre, il n'y avait rien à craindre de sa loyale amitié. Si Camille n'eût pas été avisée par Lothaire que cet amour pour Chloris était simulé, et qu'il ne l'avait dit à Anselme qu'afin de pouvoir s'occuper quelques instants à célébrer les louanges de Camille elle-même, sans aucun doute elle serait tombée dans les filets cuisants de la jalousie; mais, étant prévenue, elle reçut cette confidence sans alarme.

Le lendemain, comme ils étaient tous trois à table, après le dessert, Anselme pria Lothaire de réciter quelqu'une des poésies qu'il avait composées pour sa bien-aimée Chloris, lui faisant observer que, puisque Camille ne la connaissait pas, il pouvait en dire tout ce qu'il lui plairait. « Encore qu'elle la connût, reprit Lothaire, je n'aurais rien à cacher; car lorsqu'un amant loue sa dame de ses attraits et lui reproche sa cruauté, il ne fait nulle injure à sa bonne renommée. Mais, quoi qu'il en soit, voici le sonnet que j'ai fait hier sur l'ingratitude de Chloris. »

SONNET.

« Dans le silence de la nuit, quand le doux sommeil règne sur les mortels, je rends au ciel et à Chloris le pauvre compte de mes riches douleurs;

« Et quand le soleil commence à se montrer aux portes rosées de l'orient, avec des soupirs et des accents entrecoupés, je renouvelle mon ancienne plainte;

« Et quand le soleil, du haut de son trône étoilé, lance sur la terre de perpendiculaires rayons, mes pleurs augmentent et mes gémissements redoublent.

« La nuit revient, et je reviens à ma triste lamentation; mais toujours, dans cette lutte mortelle, je trouve le ciel sourd et Chloris insensible. »

Le sonnet plut à Camille, et plus encore à Anselme, qui le loua et dit que la dame était trop cruelle, puisqu'elle ne répondit point à de si sincères aveux. « En ce cas, s'écria Camille, tout ce que disent les poètes amoureux est donc la vérité ? — Ce n'est pas comme poètes qu'ils la disent, répondit Lothaire; mais comme amoureux, ils sont toujours aussi insuffisants que véridiques. — Cela ne fait pas le moindre doute », reprit Anselme, qui semblait vouloir expliquer la pensée de Lothaire à Camille, aussi peu soucieuse de l'artifice d'Anselme qu'éperdument éprise de Lothaire. Camille, sachant bien que les vœux et les vers de son amant s'adressaient à elle, et qu'elle était la véritable Chloris, le pria, s'il savait quelque autre sonnet, de le dire encore. « Oui, j'en sais bien un, répondit Lothaire; mais je le crois moins bon que le premier, ou, pour mieux dire, plus mauvais. Au reste, vous allez en juger. »

SONNET.

« Je sais bien que je meurs; et, si je ne suis pas écouté, ma mort est aussi certaine qu'il est certain que je me verrais plutôt mort à tes pieds, ô belle ingrate! que repentant de t'adorer.

« Je pourrai me voir dans la région de l'oubli, déserté par la vie, la gloire et la faveur; alors on pourra voir, dans mon cœur ouvert, comment ton beau visage y est gravé.

« C'est une relique que je garde pour la crise terrible dont me menace ma constance, qui se fortifie de ta rigueur même.

« Malheur à qui navigue, par un ciel obscur, sur une mer inconnue et dangereuse, où nulle étoile, nul port ne s'offrent à sa vue! »

Anselme loua ce second sonnet, comme il avait fait du premier, ajoutant, de cette manière, un anneau sur l'autre à la chaîne avec laquelle il l'enlaçait et serrait son déshonneur. En effet, plus Lothaire le déshonorait, plus il lui disait qu'il était honoré, et chacun des degrés que descendait Camille vers le fond de son avilissement, elle le montait, dans l'opinion de son mari, vers le faîte de la vertu et de la bonne renommée.

Un jour que Camille se trouvait seule avec sa camériste, elle lui dit :

« Je suis confuse, amie Léonella, de voir combien peu j'ai su m'estimer, puisque je n'ai pas même fait acheter par le temps à Lothaire l'entière possession que je lui ai si vite donnée de ma volonté. Je crains qu'il n'accuse ma précipitation ou ma légèreté, sans voir que je n'ai pu résister à sa pressante ardeur. — Que cela ne vous cause point de peine, ma chère dame, répondit Léonella; la chose que l'on donne n'est pas dépréciée pour être donnée vite, si elle est par elle-même précieuse et digne d'être estimée. On a même coutume de dire que celui qui donne vite donne deux fois. — Oui, reprit Camille; mais on dit aussi que ce qui coûte peu s'estime encore moins. — Ce n'est pas à vous que s'adresse ce dicton, repartit Léonella; car l'amour, à ce que j'ai ouï dire, tantôt vole, tantôt marche; il court avec celui-là, se traîne avec celui-ci, refroidit l'un, enflamme l'autre, blesse à gauche, tue à droite. Quelquefois il entreprend la carrière de ses désirs, et au même instant il arrive au bout; le matin, il met le siège à une forteresse, et le soir la fait capituler, car aucune force ne résiste à la sienne. S'il en est ainsi, pourquoi craindre ? Lothaire a dû se dire la même chose, puisque l'amour a pris pour instrument de votre défaite l'absence de notre seigneur. Il fallait que, pendant cette absence, l'amour achevât ce qu'il avait résolu, sans donner, comme on dit, le temps au temps, pour qu'Anselme n'eût pas celui de revenir et de laisser par sa présence l'ouvrage imparfait; car l'amour n'a pas, pour accomplir ses volontés, de meilleur ministre que l'occasion; c'est de l'occasion qu'il se sert pour tous ses exploits, et surtout dans le début. Tout

cela, je le sais fort bien, et plus encore par expérience que
par ouï-dire, ainsi que je vous le conterai quelque jour,
car je suis de chair aussi, et j'ai du sang jeune dans les
veines. Et d'ailleurs, madame, vous ne vous êtes pas rendue
si tôt que vous n'ayez d'abord vu toute l'âme de Lothaire
dans ses regards, dans ses soupirs, dans ses propos, dans
ses présents; que vous n'ayez enfin reconnu combien il
était digne d'être aimé. S'il en est ainsi, ne vous laissez
pas assaillir l'imagination par ces scrupules et ces pensées
de prude; mais soyez assurée que Lothaire vous estime
autant que vous l'estimez, et vivez joyeuse et satisfaite
de ce qu'étant tombée dans les lacs de l'amour, celui qui
vous y retient mérite son triomphe. En effet, il n'a pas
seulement les quatre S.S.S.S. que doivent avoir, à ce qu'on
dit, tous les amants parfaits, mais même un alphabet
tout entier. Ecoutez-moi, et vous allez voir comme je
le sais par cœur. Il est, à ce que je vois et ce que j'imagine :

AIMANT

BON ——— COURAGEUX

DISCRET ——— EMPRESSÉ ——— FIDÈLE

GÉNÉREUX

HABILE ——— ILLUSTRE

JEUNE ——— LOYAL ——— MODESTE

NOBLE

ONNÊTE ——— PRUDENT ——— QUALIFIÉ

RICHE

puis les quatre

S — S — S — S

que nous venons de dire, puis

TENDRE ——— et ——— VÉRIDIQUE; l'X

ne lui va, c'est une lettre rude;

l' — Y

n'a rien qui lui convienne; enfin

ZÉLÉ

pour votre bonheur. »

Camille rit beaucoup de l'alphabet de sa suivante, et
la tint pour plus versée dans les choses d'amour qu'elle
ne voulait le paraître. L'autre en fit l'aveu, et découvrit
à sa maîtresse qu'elle était engagée dans une intrigue amoureuse avec un jeune homme bien né de la même ville.
A cette confidence, Camille se troubla, craignant que ce
ne fût une voie ouverte à son déshonneur. Elle pressa
de questions Léonella, pour savoir si ces entrevues allaient
plus loin que la conversation. Celle-ci, perdant toute
retenue, lui répondit effrontément qu'elle ne s'amusait plus
aux paroles. Il est, en effet, certain que les fautes des dames
ôtent jusqu'à la honte aux suivantes, lesquelles, en voyant
leurs maîtresses faire un faux pas, ne s'inquiètent plus
de boiter des deux pieds, ni même qu'on s'en aperçoive.

Camille ne put faire autre chose que prier Léonella de ne rien révéler de son aventure à celui qu'elle disait être son amant, et de conduire sa propre intrigue dans le plus grand secret, pour qu'il n'en vînt rien à la connaissance d'Anselme ou de Lothaire. Léonella le lui promit bien; mais elle tint parole de manière à confirmer Camille dans la crainte que, par elle, sa réputation ne se perdît.

La coupable et audacieuse Léonella ne vit pas plus tôt que sa maîtresse avait succombé qu'elle eut l'effronterie d'introduire son amant dans la maison, bien assurée que sa maîtresse, le vît-elle, n'oserait pas le découvrir. Telle est, avec beaucoup d'autres, la triste suite qu'ont les faiblesses des dames : elles deviennent esclaves de leurs propres servantes, et se voient forcées de couvrir jusqu'aux méfaits de ces créatures. C'est ce qu'éprouva Camille, qui, bien qu'elle sût maintes fois que sa Léonella s'était enfermée en compagnie dans un appartement de la maison, non seulement n'osait pas l'en gronder, mais, au contraire, prêtait les mains à l'arrivée du galant et veillait à ce qu'il ne fût pas découvert par son mari.

Toutefois elle ne sut pas si bien faire la garde que Lothaire, un jour, ne vît sortir l'amant à l'aube du matin. Ne sachant qui ce pouvait être, il le prit d'abord pour quelque fantôme, mais quand il le vit marcher, s'envelopper dans son manteau et s'échapper avec précaution, il rejeta bien vite cette pensée d'enfant pour s'arrêter à une autre qui devait les perdre tous, si Camille n'eût réparé le mal. Lothaire s'imagina que cet homme qu'il venait de voir sortir à une heure si indue de la maison d'Anselme n'y était pas entré pour Léonella, se rappelait-il même qu'il y eût une Léonella dans le monde ? Il crut seulement que, de la même manière qu'elle avait été facile et inconstante pour lui, Camille l'était devenue pour un autre; car c'est encore une des conséquences qu'entraîne la mauvaise conduite de la femme adultère : elle perd le crédit de son honneur aux yeux de celui-là même à qui elle l'a livré, vaincue par ses poursuites; il croit, à son tour, qu'elle le livre à d'autres avec encore plus de facilité, et donne infailliblement croyance à tout soupçon de cette espèce qui vient l'assaillir. Il sembla qu'en ce moment Lothaire eût perdu tout son bon sens, et que toutes ses prudentes résolutions lui fussent sorties de la mémoire. Sans raisonner, sans réfléchir, impatient, fougueux, aveuglé par la rage de jalousie qui lui rongeait les entrailles, et brûlant de se venger de Camille, qui ne l'avait nullement offensé, il courut chez Anselme avant l'heure de son lever. « Apprends, lui dit-il, apprends, Anselme, que depuis plusieurs jours je lutte avec moi-même, me faisant violence pour ne point t'avouer ce qu'il n'est ni possible ni juste de te cacher davantage; apprends que la forteresse de Camille a capitulé, qu'elle est rendue et prête à faire tout ce qu'il

me plaira. Si j'ai tardé à te découvrir cette vérité fatale,
c'est que je voulais voir si c'était de sa part un coupable
caprice, ou bien si elle ne feignait de se rendre que pour
m'éprouver et s'assurer que je menais sérieusement l'attaque amoureuse commencée avec ta permission. J'ai cru
également que, si elle eût été ce qu'elle devait être, et ce
que nous pensions tous deux, elle t'aurait déjà révélé mes
poursuites. Mais, voyant qu'elle tarde à t'en faire l'aveu,
je dois tenir pour sincère la promesse qu'elle m'a faite
de me recevoir, la première fois que tu t'absenterais de
chez toi, dans le cabinet qui te sert de garde-robe (et c'était
là, en effet, que se rencontraient Camille et Lothaire).
Toutefois, je ne veux pas que tu coures précipitamment
tirer quelque vengeance de l'infidèle, puisque le péché n'est
encore commis que par pensée, et qu'il pourrait arriver
que, d'ici au moment de le commettre par action, cette
pensée de Camille vînt à changer et qu'à sa place naquît
le repentir; ainsi, comme jusqu'à présent tu as ponctuellement suivi mes conseils, hors en un point, suis encore
un avis que je veux te donner maintenant pour que tu
lèves tes doutes sans erreur possible et que tu puisses
agir en pleine connaissance de cause. Feins de t'absenter
pour deux ou trois jours, comme cela t'est maintes fois
arrivé, et fais en sorte de rester enfermé dans ta garde-
robe, où les tapisseries et les meubles t'offriront un commode moyen de te cacher. Alors, tu verras par tes propres
yeux, ainsi que moi par les miens, ce que veut Camille.
Si son intention est coupable, comme c'est à craindre
plus que le contraire à espérer, sans bruit, avec discrétion
et sagacité, tu pourras être le vengeur de ton outrage. »

Le pauvre Anselme resta stupéfait et comme anéanti
à cette confidence de Lothaire. Elle venait, en effet, le
surprendre au moment où il s'y attendait le moins, car il
croyait pieusement Camille victorieuse des feintes attaques
de Lothaire, et commençait à goûter lui-même les joies
du triomphe. Il demeura longtemps les yeux fixés à terre,
immobile et silencieux; enfin il s'écria : « Tu as agi,
Lothaire, comme je l'attendais de ton amitié; en toutes
choses j'ai suivi ton conseil, fais maintenant ce qui te
semblera bon, et surtout garde le secret qu'exige un
événement si inattendu. » Lothaire le lui promit, et, dès
qu'il se fut éloigné, il se repentit amèrement de tout ce
qu'il venait de dire, voyant avec quelle impardonnable
étourderie il avait agi, puisqu'il aurait pu se venger lui-
même de Camille, sans prendre une voie si cruelle et si
déshonorante. Il maudissait son peu de jugement, se
reprochait sa précipitation, et ne savait quel moyen prendre
pour défaire ce qu'il avait fait, ou trouver au moins à
sa sottise une raisonnable issue. A la fin il résolut de tout
révéler à Camille, et, comme les occasions ne lui manquaient pas de la voir en secret, il alla ce jour même la

trouver. Dès qu'elle l'aperçut, elle lui dit : « Sachez, ami Lothaire, que j'ai au fond du cœur un chagrin qui me le déchire et le fera quelque jour éclater dans ma poitrine. L'effronterie de Léonella en est venue à ce point que, toutes les nuits, elle fait entrer un galant dans cette maison, et le garde auprès d'elle jusqu'au jour ; jugez quel danger court ma réputation et quel champ libre aurait pour m'accuser celui qui le verrait sortir de chez moi à ces heures indues. Mais ce qui m'afflige le plus, c'est que je ne peux ni la chasser ni la réprimander ; car de ce qu'elle est la confidente de notre intrigue, j'ai la bouche fermée sur la sienne, et je crains bien que cela n'amène quelque catastrophe. » Aux premières paroles de Camille, Lothaire crut que c'était un artifice pour lui persuader que l'homme qu'il avait vu sortir était venu pour Léonella et non pour elle ; mais quand il la vit pleurer, se désoler et lui demander son secours pour la tirer d'embarras, il reconnut enfin la vérité, ce qui accrut encore son repentir et sa confusion. Cependant il répondit à Camille qu'elle cessât de s'affliger, et qu'il trouverait bien moyen de mettre ordre à l'impudence de Léonella. Ensuite il lui confia tout ce que, dans le transport d'une fureur jalouse, il avait révélé à Anselme, et le complot qu'ils avaient tramé pour que celui-ci se cachât dans sa garde-robe et pût voir clairement de quelle déloyauté sa tendresse était payée. Il lui demanda pardon de cette folie, puis conseil pour la réparer et sortir de l'inextricable labyrinthe où les avait jetés sa fatale irréflexion. Camille fut épouvantée à l'aveu que faisait Lothaire, et commença par lui reprocher, avec un tendre dépit, et sa mauvaise pensée, et la résolution plus mauvaise encore qu'elle lui avait fait prendre. Mais, comme naturellement la femme a l'esprit plutôt prêt que l'homme pour le bien et pour le mal, esprit qui lui échappe lorsqu'elle veut réfléchir mûrement, Camille trouva sur-le-champ le moyen de remédier à une faute si irrémédiable en apparence. Elle dit à Lothaire de faire en sorte qu'Anselme se cachât le lendemain, comme ils en étaient convenus, parce qu'elle espérait tirer de cette épreuve même une facilité pour que leur amour pût désormais se satisfaire sans alarme et sans effroi. Quoiqu'elle refusât de lui révéler entièrement son dessein, elle l'avertit qu'il ne manquât pas, lorsque Anselme serait dans sa cachette, d'entrer dès que Léonella l'appellerait, et qu'il prît garde de répondre à tout ce qu'elle pourrait lui dire, comme il ferait s'il ne savait pas qu'Anselme était caché près d'eux. Lothaire la pressa vainement d'achever de lui expliquer son intention, pour qu'il pût agir avec plus de prudence et de sûreté ; Camille se borna seulement à lui répéter qu'il n'avait autre chose à faire qu'à répondre aux questions qui lui seraient adressées. Elle ne voulait pas le mettre plus au courant de ce qu'elle pensait faire dans la crainte qu'il ne refusât d'exécuter un

projet qu'elle trouvait excellent, et qu'il n'en cherchât
d'autres beaucoup moins profitables.

Lothaire s'éloigna; et, le lendemain, sous prétexte d'aller
à la maison de campagne de son ami, Anselme partit et
revint aussitôt se cacher, ce qu'il put faire aisément,
Camille et Léonella lui en ayant avec adresse préparé les
moyens. Anselme donc, établi dans sa cachette, avec ces
angoisses qu'on peut supposer à l'homme qui va voir
de ses propres yeux faire la dissection des entrailles de
son honneur, se croyait sur le point de perdre le souverain
bien, qu'il plaçait en sa chère Camille. Une fois que
celle-ci et Léonella furent bien assurées qu'Anselme était
caché, elles entrèrent toutes deux dans le cabinet, et, dès
qu'elle y eut mis le pied, Camille s'écria, en laissant
échapper un grand soupir : « Hélas! amie Léonella,
ne vaudrait-il pas mieux, avant que je me décide à mettre
en œuvre ce que je ne veux pas te dire, de peur que tu ne
m'empêches de le faire, que tu prisses cette épée d'Anselme que je t'ai demandée, pour percer le cœur infâme qui
bat dans ma poitrine ? Mais non, il ne serait pas juste que
je portasse la peine de la faute d'autrui. Je veux d'abord
savoir qu'est-ce qu'ont vu en moi les yeux effrontés de
Lothaire pour lui donner l'audace de me découvrir un
désir aussi coupable que celui qu'il n'a pas eu honte de
me témoigner, au mépris de mon honneur et de son amitié
pour Anselme. Ouvre cette fenêtre, Léonella, et donne-
lui le signal : sans doute il est dans la rue, espérant bien
satisfaire sa perverse intention; mais auparavant, je satis-
ferai la mienne, cruelle autant qu'honorable. — Ah! ma
chère dame! répondit aussitôt l'habile Léonella, qui savait
bien son rôle; que pensez-vous faire de cette épée ? Voulez-
vous, par hasard, vous tuer ou tuer Lothaire ? Mais
l'une ou l'autre de ces extrémités doit également compro-
mettre votre bonne réputation. Il vaut bien mieux dissimuler votre outrage, et ne pas permettre que ce méchant
homme entre à présent et nous trouve seules dans la maison. Faites attention que nous sommes de faibles femmes,
qu'il est homme et déterminé, et que, venant poussé par
son aveugle passion, il pourrait bien, avant que vous
missiez votre projet en œuvre, vous faire pis que vous ôter
la vie. Maudite soit la confiance de monseigneur Anselme,
qui a laissé prendre pied dans sa maison à ce fat débauché!
Mais, madame, si vous le tuez, comme je vois que vous
en avez l'envie, qu'est-ce que nous ferons de lui quand
il sera mort ? — Ce que nous ferons ? reprit Camille;
nous le laisserons là pour qu'Anselme l'enterre; car il est
juste qu'il tienne à récréation la peine qu'il prendra pour
ensevelir sous terre son propre déshonneur. Appelons
ce traître, enfin; tout le temps que je tarde à tirer de mon
outrage une légitime vengeance, il me semble que j'offense
la loyauté que je dois à mon époux. »

Anselme écoutait toute cette conversation, et chaque parole que disait Camille renversait toutes ses pensées. Mais quand il entendit qu'elle était résolue à tuer Lothaire, il voulut sortir de sa retraite et se montrer, pour l'empêcher de commettre une telle action. Toutefois il fut retenu par le désir de voir où aboutirait une résolution si énergique et si vertueuse, prêt à paraître à temps pour prévenir toute catastrophe. En cet instant, Camille parut atteinte d'un évanouissement* profond, et sa cameriste l'ayant jetée sur un lit qui se trouvait là, elle se mit à pleurer amèrement. « Ah ! malheureuse ! s'écriait-elle ; est-ce que je suis destinée à voir mourir entre mes bras cette fleur de chasteté, cet exemple de vertu, ce modèle des femmes ! » continuant sur le même ton, de manière à faire croire qu'elle était la plus affligée et la plus loyale des suivantes, et que sa maîtresse était une autre Pénélope. Camille revint bientôt de sa pâmoison, et s'écria tout en ouvrant les yeux : « Pourquoi, Léonella, ne vas-tu pas appeler le plus déloyal ami d'ami véritable que le soleil ait éclairé et que la nuit ait couvert ? Cours, vole, hâte-toi, pour que le retard n'éteigne pas le feu de la colère qui m'enflamme, et que ma juste vengeance ne se passe point en menaces et en malédictions. — Je vais l'appeler, madame, reprit Léonella ; mais auparavant donnez-moi cette épée, pour qu'en mon absence vous ne fassiez pas une chose qui laisserait à pleurer toute la vie à ceux qui vous aiment. — Sois sans crainte, amie Léonella, répondit Camille ; quelque simple et quelque hardie que je te paraisse à prendre ainsi la défense de mon honneur, je ne le serai pas autant que cette Lucrère qui se tua, dit-on, sans avoir commis aucune faute, et sans avoir tué d'abord celui qui causa son infortune. Je mourrai, si je meurs, bien vengée de celui qui m'a fait venir en ce lieu pleurer sur ses hardiesses, dont je suis si peu coupable. » Léonella se fit encore prier avant de sortir pour appeler Lothaire ; mais enfin elle quitta l'appartement ; et, en attendant son retour, Camille, restée seule, disait, comme se parlant à elle-même : « Dieu me pardonne ! n'aurait-il pas été plus prudent de congédier Lothaire, comme j'ai fait tant d'autres fois, plutôt que de lui donner le droit de me tenir pour une femme légère et impudique, ne fût-ce que le temps que je dois mettre à le désabuser ? Oui, ç'aurait été mieux, sans doute ; mais serais-je vengée, et l'honneur de mon mari satisfait, si le traître sortait ainsi, en s'en lavant les mains, du pas où l'ont engagé ses pensées infâmes ? Non ; qu'il paye de sa vie l'audace de ses désirs, et que le monde apprenne, s'il doit le savoir, que non seulement Camille a gardé la foi due à son époux, mais qu'elle l'a vengé de celui qui osait lui faire outrage. Cependant, ne vaudrait-il pas mieux tout révéler à Anselme ? Mais, déjà, je lui ai bien assez clairement parlé dans la lettre qu'il a reçue à la campagne, et je crois que, s'il n'a sur-le-champ mis ordre au mal que je lui

signalais, c'est que, par excès de confiance et de bonté, i
n'a pu croire que le cœur de son indigne ami renfermât la
moindre pensée tournée contre son honneur; moi-même
je n'ai pu le croire de longtemps après, et jamais je ne
l'aurais cru si son insolence n'en fût venue au point d'éclater par les riches cadeaux, les promesses sans bornes et les
larmes continuelles. Mais à quoi bon faire ces réflexions
maintenant? Est-ce qu'une énergique résolution a besoin
d'être si sûrement pesée? Non certes. Eh bien donc! hors
d'ici, trahison! à moi, vengeance! Vienne le traître; qu'il
entre, qu'il meure, puis advienne que pourra. Pure je suis
entrée au pouvoir de celui que le ciel m'a donné pour
époux, et pure je dois en sortir; dussé-je le faire baigner
dans mon chaste sang et le sang impur du plus
déloyal ami qui ait jamais profané dans le monde le nom de
l'amitié. » Tandis qu'elle parlait ainsi, Camille parcourait
l'appartement, l'épée nue à la main, d'un pas si brusque,
et faisant des gestes si furieux qu'elle semblait avoir perdu
l'esprit et s'être changée de femme délicate en bravache
désespéré.

Anselme, couvert par une tapisserie derrière laquelle il
s'était blotti, voyait et entendait tout cela. Surpris, émerveillé, il lui semblait que ce qu'il avait vu et entendu était
bien suffisant pour détruire des soupçons plus grands
même que les siens; aussi désirait-il déjà que l'épreuve de
l'arrivée de Lothaire vînt à manquer, dans la crainte de
quelque fâcheux accident. Comme il se disposait à quitter
sa retraite pour embrasser et désabuser son épouse, il fut
retenu par le retour de Léonella, qu'il vit rentrer amenant
Lothaire par la main. Aussitôt que Camille l'aperçut, elle
fit avec la pointe de l'épée une grande raie devant elle sur le
plancher, et lui parla de la sorte : « Lothaire, prends bien
garde à ce que je vais te dire. Si par malheur tu as l'audace
de passer cette raie que tu vois à terre, ou même de t'en
approcher, à l'instant je me perce le cœur avec cette épée
que je tiens à la main. Avant qu'à cette injonction tu
répondes une seule parole, je veux t'en dire quelques-unes,
et je veux que tu m'écoutes en silence. Après, tu répondras
ce qui te semblera bon. Avant tout, je veux, Lothaire, que
tu me dises si tu connais Anselme, mon époux, et quelle
opinion tu as de lui; puis ensuite, je veux également savoir
si tu me connais, moi qui te parle. Réponds d'abord à cela
sans te troubler, sans hésiter, car ce ne sont pas, j'imagine,
des difficultés que je te propose à résoudre. » Lothaire
n'était pas si simple que, dès le premier instant où Camille
lui avait dit de faire cacher Anselme, il n'eût compris le
tour qu'elle pensait jouer. Aussi se trouva-t-il prêt à
répondre à son intention avec tant d'adresse et d'à-propos
qu'ils auraient pu, entre eux deux, faire passer ce mensonge
pour la plus évidente vérité. Voici de quelle manière il
répondit : « Je ne pensais pas, belle Camille, que tu me

ferais appeler pour m'adresser des questions si étrangères
à l'intention qui m'amène ici. Si tu le fais pour éloigner
encore la récompense promise à mes feux, tu aurais bien
pu t'y prendre de plus loin ; car le désir du bonheur me
presse et me tourmente d'autant plus que l'espérance de
l'atteindre est plus proche. Mais pour que tu ne dises pas
que je refuse de répondre à tes questions, je réponds que je
connais ton époux Anselme, que nous nous connaissons
tous deux depuis notre tendre enfance ; mais je ne veux rien
dire de plus de notre amitié, que tu connais aussi bien que
nous-mêmes, pour ne pas rendre témoignage de l'offense
que l'amour me force à lui faire, l'amour, puissante excuse
pour de plus grandes fautes. Je te connais également, et je
regarde ta possession comme aussi précieuse qu'il la voit
lui-même ; s'il n'en était pas ainsi, irais-je, pour de moindres
attraits que les tiens, manquer à ce que je me dois à moi-
même, étant qui je suis, et trahir les saintes lois de l'amitié,
aujourd'hui violées en moi, et foulées aux pieds par un aussi
redoutable ennemi que l'amour ? — Si c'est là ce que tu
confesses, reprit Camille, mortel ennemi de tout ce qui
mérite justement d'être aimé, de quel front oses-tu te
montrer devant celle que tu sais bien être le miroir où se
mire celui sur qui tu aurais dû porter tes regards pour voir
avec quelle injustice tu l'outrages ! Mais, hélas ! malheureuse que je suis ! je me rends compte à présent de ce qui
t'a fait perdre le respect que tu te dois à toi-même. Ce doit
être quelque trop grande liberté de ma part, que je ne veux
pas appeler indécence, puisqu'elle ne provient pas de propos délibéré mais de ces étourderies auxquelles se laissent
aller les femmes lorsqu'elles pensent n'avoir à se tenir en
garde contre personne ; sinon, dis-moi, traître, quand est-ce
que j'ai répondu à tes prières par un mot, par un geste qui
pût éveiller en toi la moindre espérance de voir exaucer tes
infâmes désirs ? Quand est-ce que tes propos d'amour n'ont
pas été repoussés, réprimandés par les miens avec rigueur
et dureté ? Quand est-ce que j'ai donné croyance à tes
mille promesses, ou accepté tes dons séduisants ? Mais,
comme je ne peux croire qu'on s'obstine longtemps dans
une poursuite amoureuse sans être soutenu par quelque
espoir, il faut bien que je rejette sur moi la faute de ton
impertinence ; sans doute quelque involontaire négligence
de ma part aura soutenu si longtemps ton volontaire projet
de séduction. Aussi, je veux me punir et faire tomber sur
moi le châtiment que mérite ta faute. Mais, afin que tu
voies qu'étant si cruelle avec moi-même je ne peux manquer de l'être également avec toi, j'ai voulu t'amener ici
pour être témoin du sacrifice que je pense faire à l'honneur
offensé de mon digne époux, outragé par toi aussi profondément qu'il t'a été possible ; et par moi aussi, qui n'ai pas
mis assez de soin à fuir toute occasion d'éveiller et d'en-
courager tes criminelles intentions. C'est ce soupçon, je le

répète, que quelque inadvertance de ma part a pu faire
naître en toi de si odieuses pensées qui m'afflige et me tourmente le plus ; c'est lui que je veux punir de mes propres
mains ; car, si je cherchais un autre bourreau que moi-
même, peut-être ma faute en serait-elle plus publique.
Mais je n'entends pas mourir seule ; je veux emmener avec
moi celui dont la mort complètera ma vengeance, et qui
apprendra, quelque part qu'il aille, que la justice atteint
toujours la perversité. »

En achevant ces mots, Camille, avec une force et une
légèreté incroyables, se précipita, l'épée nue, sur Lothaire ;
elle paraissait si résolue à lui percer le cœur qu'il fut
presque à douter si ces démonstrations étaient feintes ou
véritables, et qu'il se vit contraint d'employer son adresse
et sa force pour éviter les coups qu'elle lui portait. Camille
mettait tant d'ardeur dans son étrange artifice que, pour
lui donner encore davantage la couleur de la vérité, elle
voulut le teindre de son propre sang. Voyant qu'elle ne
pouvait atteindre Lothaire, ou plutôt feignant qu'elle ne
le pouvait point : « Puisque le sort, s'écria-t-elle, ne veut
pas que je satisfasse entièrement mon juste désir, il ne
sera pas du moins assez puissant pour m'empêcher de le
satisfaire à demi. » Faisant effort pour dégager des mains
de Lothaire l'épée qu'il avait saisie, elle la tourna contre
elle, et la dirigeant à une place où l'arme ne pouvait entrer
profondément, elle en enfonça la pointe au-dessus du sein
gauche près de l'épaule ; puis elle se laissa tomber par terre,
comme sans connaissance. Lothaire et Léonella étaient
également frappés de surprise et de crainte à la vue d'une
telle aventure, et ne savaient qu'en croire, lorsqu'ils virent
Camille étendue à terre, baignée dans son sang. Hors de
lui, sans haleine, Lothaire se précipita pour arracher l'épée ;
mais quand il vit combien la blessure était légère, il perdit
tout effroi, et admira de nouveau l'adresse et la sagacité
de la belle Camille. Du reste, pour remplir également son
rôle, il se mit à faire une longue et triste lamentation sur le
corps de Camille, comme si elle fût trépassée, s'accablant
de malédictions, et non seulement lui, mais encore celui
qui était la première cause de la catastrophe. Et comme il
savait que son ami Anselme était à l'écouter, il disait de
telles choses que quiconque les aurait entendues aurait
eu plus pitié de lui que de Camille, même la croyant morte.
Léonella, qui la prit dans ses bras, la posa sur le lit, en
suppliant Lothaire d'aller chercher quelqu'un pour la
panser en secret. Elle lui demandait aussi conseil sur ce
qu'il fallait dire à son maître de la blessure de sa maîtresse,
s'il était de retour avant qu'elle fût guérie. Lothaire lui
répondit de dire tout ce qu'il lui plairait, car il n'était guère
en état de donner un conseil profitable ; il ajouta seulement
qu'elle essayât d'arrêter le sang qui coulait, et que, pour
lui, il allait où personne ne pourrait le voir. Alors, avec de

ands témoignages de douleur et de regrets, il quitta précipitamment la maison. Dès qu'il se vit seul, et que personne
ne put l'apercevoir, il se mit à faire des signes de croix par
douzaines, émerveillé qu'il était de l'adresse de Camille et
du jeu parfait de Léonella. Il considérait combien Anselme
devait être persuadé qu'il avait pour femme une seconde
Porcia, et brûlait de le trouver pour célébrer avec lui la
vérité la mieux dissimulée et le mensonge le mieux ourdi jamais
que jamais on pût imaginer.

Léonella, cependant, étanchait le sang de sa maîtresse,
qui n'avait coulé que justement assez pour donner crédit
à sa ruse. Après avoir lavé la blessure avec un peu de vin,
elle la banda le mieux qu'elle put, en répétant de tels propos, tant que dura le pansement, qu'ils auraient suffi, sans
que d'autres les eussent précédés, pour faire croire à
Anselme qu'il possédait dans Camille l'image vivante de la
vertu. Aux paroles de Léonella vinrent se joindre celles
de Camille, qui s'accusait de lâcheté, puisqu'elle avait manqué de cœur au moment où il lui était le plus nécessaire
d'en avoir pour s'ôter une vie qu'elle avait en horreur. Elle
demandait conseil à sa suivante pour savoir s'il fallait ou
non révéler toute l'aventure à son cher époux; mais Léonella lui dit de s'en bien garder, parce qu'elle le mettrait
dans l'obligation de se venger de Lothaire, ce qu'il ne
pouvait faire qu'au péril de sa vie; et que la bonne épouse,
loin de donner à son mari des occasions de querelle, doit
l'en préserver autant qu'elle le peut. Camille répondit que
cet avis lui semblait bon, et qu'elle le suivrait; mais qu'il
fallait, en tout cas, chercher que dire à Anselme sur la cause
de cette blessure qu'il ne pouvait manquer de voir. A cela
Léonella répondit que, même à bonne intention, elle ne
savait pas mentir. « Et moi, s'écria Camille, le sais-je
davantage ? Je n'oserais pas forger ni soutenir un mensonge, quand il s'agirait de ma vie. Si nous ne savons trouver une issue à ces embarras, il vaut mieux lui dire la vérité
toute nue que de nous laisser prendre en délit de mensonge.
— Allons, madame, reprit Léonella, ne vous affligez point
ainsi; d'ici à demain je penserai à ce qu'il convient de lui
dire; peut-être, à cause de la place où elle est, pourrons-
nous cacher la blessure sans qu'il l'aperçoive, et le ciel dai-
gnera favoriser nos honnêtes desseins. Calmez-vous,
madame, et tâchez de vous remettre afin que mon seigneur
ne vous retrouve pas dans cette agitation. Pour le reste,
laissez-le à mes soins et à la bonté de Dieu, qui vient toujours en aide aux bonnes intentions. »

Anselme, comme on le pense bien, avait mis une attention extrême à entendre et à voir représenter la tragédie de
la mort de son honneur, tragédie dont les personnages
avaient joué leurs rôles avec tant de naturel et de vérité
qu'on aurait dit qu'ils s'étaient transformés réellement en
ce qu'ils feignaient d'être. Il attendait impatiemment la

nuit, afin de trouver l'occasion de quitter sa retraite d'aller visiter Lothaire, son excellent ami, pour qu'il pussent se féliciter mutuellement de la pierre précieuse qu'il avait trouvée dans l'épreuve de la vertu de sa femme. Les deux comédiennes ne manquèrent pas de lui offrir un moyen commode de s'échapper, et lui, saisissant l'occasion, courut aussitôt à la demeure de Lothaire; il le trouva chez lui, et l'on ne saurait convenablement raconter, et les embrassements qu'il lui donna, et les choses qu'il dit sur son bonheur, et les louanges dont il accabla Camille. Lothaire écoutait tout cela sans pouvoir donner aucun signe de joie, car sa conscience lui représentait dans quelle erreur était son ami, et lui reprochait de l'avoir offensé. Anselme voyait bien que Lothaire ne répondait point à son allégresse; mais il attribuait cette froideur à ce que son ami avait laissé Camille grièvement blessée, et qu'il était la cause de son mal. Aussi, parmi tous ces propos, il lui dit de n'avoir aucune inquiétude sur l'accident de Camille, et que sa blessure sans doute était légère, puisqu'elle était convenue avec sa suivante de la lui cacher. « Ainsi donc, ajouta-t-il, n'aie rien à craindre sur ce point; il ne te reste plus qu'à te réjouir avec moi, puisque c'est par ton entremise et ton adresse que je me vois élevé au comble de la plus haute félicité dont j'aie pu concevoir le désir. Je veux désormais que tous mes passe-temps ne soient plus occupés qu'à faire des vers à la louange de Camille, pour lui donner une éternelle renommée dans la mémoire des siècles à venir. » Lothaire loua beaucoup l'heureuse détermination de son ami, et lui promit de l'aider, pour sa part, à construire cet illustre édifice à la gloire de sa femme.

Après cette aventure, Anselme resta le mari le plus délicieusement trompé qu'on pût rencontrer dans le monde; lui-même conduisait par la main à sa maison, croyant y mener l'instrument de sa gloire, celui qui était l'instrument de son déshonneur, et Camille recevait celui-ci avec un visage courroucé, mais avec une âme riante et gracieuse. Cette supercherie réussit encore quelque temps; enfin, au bout de peu de mois, la fortune tourna sa roue; l'infamie, jusque-là si bien dissimulée, parut au grand jour, et Anselme paya de sa vie son imprudente curiosité.

CHAPITRE XXXV

Qui traite de l'effroyable bataille que livra don Quichotte à des outres de vin rouge, et où se termine la nouvelle du CURIEUX MALAVISÉ.

Il ne restait que peu de pages à lire de la nouvelle, lorsque tout à coup, du galetas où couchait don Quichotte, Sancho Panza sortit tout effaré en criant à pleine gorge : « Au secours, seigneurs, au secours ! Venez à l'aide de mon seigneur, qui est engagé dans la plus formidable et la plus sanglante bataille que mes yeux aient jamais vue. Vive Dieu ! il a porté un tel revers au géant ennemi de Mme la princesse Micomicona qu'il lui a tranché la tête à rasibus des épaules, comme si c'eût été un navet. — Que dites-vous là, frère ? s'écria le curé, interrompant sa lecture. Avez-vous perdu l'esprit ? Comment diable serait-ce possible, puisque le géant est à plus de deux mille lieues d'ici ? » En ce moment, un grand bruit se fit entendre dans le taudis de don Quichotte, et sa voix par-dessus le bruit. « Arrête, larron ! s'écriait-il ; arrête, félon, bandit, détrousseur de passants ; je te tiens ici, et ton cimeterre ne te sera bon à rien. » Puis on entendait résonner les coups d'épée qui tombaient sur les murailles. « Il ne s'agit pas, reprit Sancho, de rester là les bras croisés et l'oreille au guet ; entrez bien vite séparer les combattants ou secourir mon maître ; encore n'en est-il pas grand besoin, et sans doute le géant est mort à l'heure qu'il est, et rend compte à Dieu de sa mauvaise vie passée ; car j'ai vu le sang couler par terre, et la tête coupée qui roulait dans un coin, grosse, par ma foi, comme une grosse outre de vin. — Que je sois pendu, s'écria aussitôt l'hôtelier, si don Quichotte ou don diable n'a donné quelque coup d'estoc au travers d'une des outres de vin rouge qui sont rangées toutes pleines à la tête de son lit ! et c'est le vin qui en coule que ce bonhomme aura pris pour du sang. »

Tout en disant cela, l'hôte courait au galetas, où le suivit toute la compagnie ; et ils trouvèrent don Quichotte dans le plus étrange accoutrement du monde. Il n'avait que sa chemise, dont les pans n'étaient pas assez longs pour lui couvrir les cuisses plus qu'à la moitié par devant, tandis que, par derrière, elle avait six doigts de moins. Ses jambes

étaient longues, sèches, velues, et de propreté presque douteuse; il portait sur la tête un petit bonnet de couleur
rouge, qui avait longtemps ramassé la graisse sur celle de
l'hôtelier; à son bras gauche était roulée cette couverture
de lit à laquelle Sancho gardait rancune, pour des raisons
à lui connues, et de la main droite il tenait son épée nue,
avec laquelle il s'en allait frappant de tous côtés d'estoc et
de taille, tout en prononçant des paroles, comme s'il eût
réellement combattu quelque géant ennemi. Le bon de
l'affaire, c'est qu'il avait les yeux fermés, car il dormait, et
c'était en dormant qu'il livrait bataille au géant. Son imagination avait été tellement frappée de l'aventure qu'il allait
entreprendre qu'elle lui fit rêver qu'il était arrivé au
royaume de Micomicon et qu'il se mesurait avec son
ennemi. Aussi avait-il donné tant de coups d'épée dans les
outres, croyant frapper le géant, que toute la chambre était
pleine de vin.

   Quand l'hôtelier vit ce dégât, il entra dans une telle
fureur qu'il se jeta sur don Quichotte, les poings fermés,
et commença à son tour à lui donner tant de gourmades que,
si Cardénio et le curé ne le lui eussent ôté des mains, il
mettait fin à la guerre du géant. Et cependant, malgré
cette pluie de coups, le pauvre chevalier ne se réveillait
pas. Il fallut que le barbier apportât du puits un grand
chaudron d'eau froide, qu'il lui lança d'un seul jet sur le
corps. Alors don Quichotte s'éveilla, mais non toutefois si
complètement qu'il s'aperçût de l'état où il était. Dorothée,
qui le vit si légèrement et si court vêtu, ne voulut point
entrer pour assister à la bataille entre son défenseur et son
ennemi. Quant à Sancho, il marchait à quatre pattes, cherchant dans tous les coins la tête du géant, et comme il ne
la trouvait pas : « Je savais déjà bien, s'écria-t-il, que dans
cette maudite maison tout est enchantement; l'autre fois,
au même endroit où je me trouve à présent, on m'a roué de
coups de poing et de coups de pied sans que j'aie su qui
me les donnait, et sans que j'aie pu voir personne; et voilà
que maintenant cette tête ne paraît pas, moi qui l'ai vu
couper de mes propres yeux, si bien que le sang coulait du
corps comme d'une fontaine. — De quel sang et de quelle
fontaine parles-tu, ennemi de Dieu et des saints ? s'écria
l'hôtelier; ne vois-tu pas, larron, que le sang et la fontaine
ne sont autre chose que ces outres criblées de trous et le
vin rouge qui nage dans la chambre ? Puissé-je voir nager
dans l'enfer l'âme de celui qui les a crevées! — Je n'y
entends plus rien, répondit Sancho; tout ce que je sais,
c'est que, faute de trouver cette tête, mon comté va se
fondre comme le sel dans l'eau. » Sancho était pire, éveillé,
que son maître dormant, tant les promesses de don Quichotte lui avaient troublé la cervelle.

   L'hôtelier se désespérait en voyant le sang-froid de
l'écuyer après les dégâts du seigneur; il jurait bien qu'il

n'en serait pas de cette fois-ci comme de l'autre, où ils étaient partis sans payer l'écot, et que maintenant les privilèges de leur chevalerie ne leur serviraient à rien pour se dispenser de payer le tout à la fois, même les coutures et les rapiéçages qu'il faudrait faire aux peaux de bouc. Le curé tenait par les mains don Quichotte, lequel, croyant qu'il avait achevé l'aventure et qu'il se trouvait en présence de la princesse Micomicona, se mit à genoux devant le curé, et lui dit : « De ce jour, Votre Grandeur, haute et charmante dame, peut vivre en sécurité, sans craindre aucun mal de cette créature mal née ; et de ce jour aussi je suis quitte de la parole que je vous donnai, puisque, avec l'aide de Dieu et la faveur de celle pour qui je vis et respire, je l'ai si heureusement accomplie. — Ne l'avais-je pas dit ? s'écria Sancho, dès qu'il entendit ces paroles. Hein ! j'étais ivre peut-être ? Voyez ! est-ce que mon maître n'a pas mis le géant dans le sel ? Pardieu, l'enfant est au monde, et mon comté dans son moule. » Qui n'aurait éclaté de rire à toutes les extravagances de cette paire de fous, maître et valet ? Aussi tout le monde riait, sauf l'hôtelier, qui se donnait au diable. A la fin, tant firent le barbier, le curé et Cardénio, qu'ils parvinrent, non sans grand travail, à remettre en son lit don Quichotte, qui se rendormit aussitôt, comme un homme accablé de fatigue. Ils le laissèrent dormir, et revinrent sous le portail de l'hôtellerie consoler Sancho Panza de ce qu'il n'avait pas trouvé la tête du géant. Mais ils eurent plus de peine encore à calmer l'hôte, désespéré de la mort subite de ses outres. L'hôtesse disait aussi, criant et gesticulant : « A la male heure est entré chez moi ce maudit chevalier errant, qui me coûte si cher. L'autre fois, il s'en est allé emportant la dépense d'une nuit, souper, lit, paille et orge, pour lui, son écuyer, un bidet et un âne, disant qu'il était chevalier aventurier (Dieu lui donne mauvaise aventure, à lui et à tous les aventuriers qui soient au monde !) ; qu'ainsi il n'était tenu de rien payer, parce que c'est écrit dans les tarifs de sa chevalerie errante. Et voilà maintenant qu'à propos de lui, cet autre beau monsieur vient, qui m'emporte ma queue, et me la rend diminuée de moitié, toute pelée qu'elle est, et qui ne peut plus servir à ce qu'en faisait mon mari. Puis, pour couronner l'œuvre, il me crève mes outres et me répand mon vin. Que ne vois-je aussi répandre son sang ! Mais, par les os de mon père et l'éternité de ma grand'mère ! qu'il ne pense pas s'en aller cette fois sans me payer tout ce qu'il doit, un denier sur l'autre, ou, pardieu, je ne m'appellerais pas comme je m'appelle, et ne serais pas fille de qui m'a mise au monde. » A ces propos, que débitait l'hôtesse avec emportement, sa bonne servante Maritornes faisait l'écho ; la fille seule ne disait rien, et souriait de temps en temps.

Enfin, le curé calma cette tempête en promettant de rembourser tout le dégât, tant des outres crevées que du vin répandu, et surtout le déchet de la queue, dont l'hôtesse faisait si grand bruit. Dorothée consola Sancho Panza, en lui disant que, puisqu'il paraissait vrai que son maître avait coupé la tête au géant, elle lui promettait de lui donner, dès qu'elle se verrait pacifiquement rétablie dans son royaume, le meilleur comté qui s'y trouvât. Cette promesse consola Sancho, qui supplia la princesse de tenir pour certain qu'il avait vu la tête du géant, à telles enseignes qu'elle avait une barbe qui lui descendait jusqu'à la ceinture, et que, si on ne la retrouvait pas, c'est que tout se faisait dans cette maison par voie d'enchantement, comme il en avait fait l'épreuve à ses dépens la dernière fois qu'il y avait logé. Dorothée répondit qu'elle n'avait pas de peine à le croire; qu'il cessât donc de s'affliger, et que tout s'arrangerait à bouche que veux-tu.

La paix rétablie et tout le monde content, le curé voulut achever le peu qui restait à lire de la nouvelle. C'est ce que lui demandèrent Cardénio, Dorothée et le reste de la compagnie. Voulant donc leur faire plaisir, et satisfaire aussi celui qu'il trouvait à cette lecture, il continua l'histoire en ces termes :

Ce qui arriva de l'aventure, c'est qu'Anselme, rassuré désormais sur la vertu de sa femme, passait une vie heureuse et tranquille. Camille faisait avec intention mauvaise mine à Lothaire, afin qu'Anselme comprît au rebours les sentiments qu'elle lui portait; et, pour accréditer la ruse de sa complice, Lothaire pria son ami de trouver bon qu'il ne revînt plus chez elle, parce qu'il voyait clairement le déplaisir qu'éprouvait Camille à sa vue. Mais, toujours dupe, Anselme ne voulut aucunement y consentir, se faisant ainsi de mille façons l'artisan de son déshonneur, tandis qu'il croyait l'être de sa félicité. Cependant Léonella, dans la joie que lui donnaient ses amours de qualité, s'y livrait chaque jour avec moins de mesure, confiante en sa maîtresse, qui fermait les yeux sur ses déportements et prêtait même la main à cette intrigue. Une nuit enfin, Anselme entendit marcher dans la chambre de Léonella et, voulant entrer pour savoir qui faisait ce bruit, il s'aperçut qu'on retenait la porte. Irrité de cette résistance, il fit tant d'efforts qu'il parvint à ouvrir, et il entra justement lorsqu'un homme sautait par la fenêtre dans la rue. Anselme s'élança pour le saisir, ou du moins le reconnaître; mais il en fut empêché par Léonella, qui, se jetant au-devant de lui, le tenait embrassé. « Calmez-vous, mon seigneur, disait-elle, ne faites pas de bruit, et ne suivez pas celui qui vient de s'échapper. Il me touche de près, et de si près que c'est mon époux. » Anselme ne voulut pas croire à cette défaite; au contraire, transporté de fureur, il tira sa dague, et fit mine d'en frapper Léonella, en lui disant que, si elle ne déclarait la vérité, il la tuait sur place. L'autre

épouvantée, et ne sachant ce qu'elle disait : « Oh! ne me
tuez pas, seigneur, s'écria-t-elle ; je vous dirai des choses
plus importantes que vous ne pouvez l'imaginer. — Dis-les
sur-le-champ, répondit Anselme, ou sinon tu es morte. —
A présent, ce serait impossible, reprit Léonella, tant je suis
troublée. Mais laissez-moi jusqu'à demain et je vous appren-
drai des choses qui vous étonneront. Et soyez assuré que
celui qui a sauté par la fenêtre est un jeune homme de la
ville qui m'a donné parole d'être mon mari. » Ce peu de
mots apaisèrent Anselme, qui voulut bien accorder le délai
que demandait Léonella, ne pensant guère entendre des
révélations contre Camille, dont il ne pouvait plus suspec-
ter la vertu. Il quitta la chambre, où il laissa Léonella bien
enfermée sous clef, après lui avoir dit qu'elle n'en sortirait
plus qu'il n'eût reçu les confidences qu'elle avait à lui faire.
Puis il se rendit en toute hâte auprès de Camille, pour lui
conter tout ce qui venait de lui arriver avec sa camériste,
ajoutant qu'elle lui avait donné sa parole de lui révéler des
choses de grande importance. Si Camille fut ou non troublée à ce coup inattendu, il est superflu de le dire. L'épouvante qu'elle ressentit fut telle, en s'imaginant, comme
c'était à croire, que Léonella découvrirait à Anselme tout
ce qu'elle savait de sa trahison, qu'elle ne se sentit pas
même assez de courage pour attendre que ce soupçon fût
confirmé. Cette même nuit, dès qu'elle crut qu'Anselme
dormait, elle rassembla ses bijoux les plus précieux, prit
quelque argent, puis, sans être entendue de personne, elle
sortit de la maison et courut chez Lothaire. Arrivée là, elle
lui conta ce qui venait de se passer, et lui demanda de la
mettre en lieu sûr, ou de partir avec elle pour échapper tous
deux au courroux d'Anselme. La confusion où la visite de
Camille jeta Lothaire fut si grande qu'il ne savait que
répondre, ni moins encore quel parti prendre. Enfin il proposa de conduire Camille dans un couvent dont sa sœur
était abbesse. Camille y consentit, et Lothaire, avec toute
la célérité qu'exigeait la circonstance, conduisit sa complice à ce couvent, où il la laissa. Quant à lui, il s'éloigna
sur-le-champ de la ville, sans avertir personne de son
départ.

Dès que le jour parut, Anselme, sans s'apercevoir que
Camille n'était plus à ses côtés, se leva, pressé par le désir
d'apprendre ce qu'avait à lui confier Léonella, et courut
à la chambre où il l'avait enfermée. Il ouvrit, entra, mais
ne trouva plus la camériste ; seulement des draps de lit
noués à la fenêtre lui apprirent qu'elle s'était échappée
par ce chemin. Il revint tristement raconter à Camille sa
mésaventure ; mais, ne la trouvant plus, ni dans le lit ni
dans toute la maison, il resta stupéfait, anéanti. Vainement
il questionna tous les gens de la maison, personne ne put
lui donner de ses nouvelles. Tandis qu'il cherchait Camille
de chambre en chambre, le hasard fit qu'il s'aperçu

que ses coffres étaient ouverts et que la plupart de ses
bijoux ne s'y trouvaient plus. Alors la fatale vérité lui
apparut tout entière, et ce ne fut plus Léonella qu'il
accusa de son infortune. Sans achever même de se vêtir,
il courut, triste et pensif, confier ses nouveaux chagrins
à son ami Lothaire; mais ne le trouvant pas, et apprenant
de ses domestiques qu'il était parti dans la nuit avec tout
l'argent qu'il possédait, Anselme pensa perdre l'esprit.
Pour achever de le rendre fou, lorsqu'il revint chez lui,
il ne trouva plus aucun des valets et des servantes qu'il
y avait laissés : la maison était abandonnée et déserte.
Pour le coup, il ne sut plus que penser, ni que dire, ni
que faire; et peu à peu il sentait sa tête s'en aller. Il
contemplait sa situation et se voyait, en un instant, sans
femme, sans ami, sans domestiques, abandonné du ciel
et de la nature entière, et par-dessus tout déshonoré; car,
dans la fuite de Camille, il vit bien sa perdition. Enfin,
après une longue incertitude, il résolut d'aller à la maison
de campagne de cet ami chez lequel il avait passé le temps
que lui-même avait donné pour la machination de son
infortune. Il ferma les portes de sa maison, monta à cheval
et se mit en route pouvant à peine respirer. Mais il n'eut
pas fait la moitié du chemin qu'assailli et vaincu par ses
tristes pensées, force lui fut de mettre pied à terre et d'attacher son cheval à un arbre, au pied duquel il se laissa
tomber, en poussant de plaintifs et douloureux soupirs.
Il resta là jusqu'à la chute du jour. Alors vint à passer
un homme à cheval qui venait de la ville, et, après l'avoir
salué, Anselme lui demanda quelles nouvelles on disait
à Florence. « Les plus étranges, répondit le passant, qu'on
y ait depuis longtemps entendues. On dit publiquement
que Lothaire, cet ami intime d'Anselme le riche, qui
demeure auprès de Saint-Jean, a enlevé cette nuit Camille,
la femme d'Anselme, et que celui-ci a également disparu.
C'est ce qu'a raconté une servante de Camille que le
gouverneur a trouvée hier soir se glissant avec des draps
de lit d'une fenêtre de la maison d'Anselme. Je ne sais
pas exactement comment s'est passée l'affaire; mais je sais
bien que toute la ville est étonnée d'un tel événement, car
on ne pouvait guère l'attendre de l'étroite amitié qui unis-
sait Anselme et Lothaire, si grande qu'on les appelait,
dit-on, *les deux amis*. — Savez-vous par hasard, demanda
Anselme, quel chemin ont pris Lothaire et Camille ? —
Pas le moins du monde, répondit le Florentin, bien que le
gouverneur ait mis toute la diligence possible à découvrir
leurs traces. — Allez avec Dieu, seigneur, reprit Anselme.
— Restez avec lui », répliqua le passant; et il piqua des
deux.

A de si terribles nouvelles, le pauvre Anselme fut sur
le point de perdre, non seulement l'esprit, mais encore
vie. Il se leva comme il put et se traîna jusqu'à la mai-

son de son ami, qui ne savait point encore son malheur. Quand celui-ci le vit arriver, pâle, effaré, tremblant, il le crut atteint de quelque mal dangereux. Anselme aussitôt pria qu'on le mît au lit et qu'on lui donnât de quoi écrire. On s'empressa de faire ce qu'il demandait; puis on le laissa couché et seul en sa chambre, dont il avait même exigé qu'on fermât les portes. Dès qu'il se vit seul, la pensée de son infortune l'accabla de telle sorte qu'il reconnut clairement, aux angoisses mortelles qui brisaient son cœur, que la vie allait lui échapper. Voulant laisser une explication de sa mort prématurée, il se hâta de prendre la plume; mais avant d'avoir écrit tout ce qu'il voulait, le souffle lui manqua et il expira sous les coups de la douleur que lui avait causée son imprudente curiosité.

Le lendemain, voyant qu'il était tard et qu'Anselme n'appelait point, le maître de la maison se décida à entrer dans sa chambre, pour savoir si son indisposition continuait. Il le trouva étendu sans mouvement, la moitié du corps dans le lit et l'autre moitié sur le bureau, ayant devant lui un papier ouvert et tenant encore à la main la plume avec laquelle il avait écrit. Son hôte s'approcha, l'appela d'abord et, ne recevant point de réponse, le prit par la main, qu'il trouva froide, et reconnut enfin qu'il était mort. Surpris et désespéré, il appela les gens de sa maison pour qu'ils fussent témoins de la catastrophe. Finalement, il lut le papier, qu'il reconnut bien être écrit de la main d'Anselme, et qui contenait ce peu de mots : « Un sot et impertinent désir m'ôte la vie. Si la nouvelle de ma mort arrive aux oreilles de Camille, qu'elle sache que je lui pardonne : elle n'était pas tenue de faire un miracle, et je ne devais pas exiger qu'elle le fît. Ainsi, puisque j'ai été moi-même l'artisan de mon déshonneur, il ne serait pas juste... » Anselme n'en avait pas écrit davantage, ce qui fit voir qu'en cet endroit, sans pouvoir terminer sa phrase, il avait terminé sa vie. Le lendemain, son ami informa de sa mort les parents d'Anselme, lesquels savaient déjà son infortune; ils connaissaient aussi le monastère où Camille était près de suivre son mari dans l'inévitable voyage, par suite des nouvelles qu'elle avait reçues, non de l'époux mort, mais de l'ami absent. On dit que, bien que veuve, elle ne voulut pas quitter le monastère, mais qu'elle ne voulut pas davantage y faire ses vœux, jusqu'à ce que, peu de temps après, elle eût appris que Lothaire avait été tué dans une bataille que livra M. de Lautrec au grand capitaine Gonzalve de Cordoue, dans le royaume de Naples, où s'était rendu l'ami trop tard repentant. A cette nouvelle, Camille se fit religieuse, et termina bientôt sa vie dans les regrets et les larmes. Telle fut la fin déplorable qu'eut pour tous trois un commencement insensé.

« Cette nouvelle, dit le curé, ne me semble pas mal;
mais je ne puis me persuader qu'elle ait un fond véritable.
Si c'est une invention, l'auteur a mal inventé, car on ne
peut croire qu'il se trouve un mari assez sot pour faire
une aussi périlleuse expérience que celle d'Anselme. Que
l'aventure ait été supposée entre un galant et sa belle,
passe encore; mais entre mari et femme, elle a quelque
chose d'impossible; quant à la façon de la raconter, je
n'en suis pas mécontent. »

CHAPITRE XXXVI

Qui traite d'autres étranges aventures arrivées dans l'hôtellerie.

En ce moment l'hôtelier, qui était sur le seuil de sa porte, s'écria : « Vive Dieu! voici venir une belle troupe d'hôtes; s'ils s'arrêtent ici, nous aurons du *gaudeamus.* — Quels sont ces voyageurs ? demanda Cardénio. — Ce sont, répondit l'hôtelier, quatre hommes montés à cheval à l'écuyère, avec des lances et des boucliers, et portant tous quatre des masques noirs; au milieu d'eux se trouve une dame vêtue de blanc, assise sur une selle en fauteuil, et le visage pareillement masqué; puis deux valets de pied par derrière. — Et sont-ils bien près ? demanda le curé. — Si près, répondit l'hôtelier, qu'ils arrivent à la porte. » Quand Dorothée entendit cela, elle se couvrit aussitôt le visage, et Cardénio s'empressa d'entrer dans la chambre où dormait don Quichotte. A peine avaient-ils eu le temps de prendre l'un et l'autre ces précautions que toute la troupe qu'avait annoncée l'hôtelier entra dans l'hôtellerie. Les quatre cavaliers, gens de bonne mine et de riche apparence, ayant mis pied à terre, allèrent descendre la dame de la selle où elle était assise, et l'un d'eux, la prenant dans ses bras, la porta sur une chaise qui se trouvait à l'entrée de la chambre où Cardénio s'était caché. Pendant tout ce temps, ni elle ni eux n'avaient quitté leurs masques, ni prononcé le moindre mot; seulement, lorsqu'on la posa sur sa chaise, la dame, poussant un profond soupir, laissa tomber ses bras, comme une personne malade et défaillante. Les valets de pied menèrent les chevaux à l'écurie. A la vue de ce qui se passait, le curé, désireux de savoir quels étaient ces gens qui gardaient si soigneusement le silence et l'incognito, s'en alla trouver les valets de pied, et questionna l'un d'eux sur ce qu'il avait envie de savoir. « Pardieu, seigneur, répondit celui-ci, je serais bien embarrassé de vous dire qui sont ces cavaliers; seulement ça m'a l'air de gens de distinction, principalement celui qui est venu prendre dans ses bras cette dame que vous avez vue, et, si je le dis, c'est parce que tous les autres lui portent respect et ne font rien que ce qu'il ordonne. —

Et la dame, qui est-elle ? demanda le curé. — Je ne vous
le dirai pas davantage, répondit le valet ; car, en toute
la route, je ne lui ai pas vu un coin de la figure. Pour ce
qui est de soupirer, oh çà, je l'ai entendue bien des fois,
et pousser des gémissements si tristes qu'on dirait qu'avec
chacun d'eux elle veut rendre l'âme. Mais il n'est pas étonnant que nous n'en sachions, mon camarade et moi, pas
plus long que je ne vous en dis, car il n'y a pas plus de
deux jours que nous les accompagnons. Ils nous ont rencontrés sur le chemin, et nous ont priés et persuadés de
les suivre jusqu'en Andalousie, en nous promettant de
nous bien payer. — Avez-vous entendu nommer quelqu'un
d'entre eux ? demanda le curé. — Non, par ma foi, répondit l'autre ; ils cheminent tous en si grand silence qu'on
dirait qu'ils en ont fait vœu. On n'entend rien autre chose
que les soupirs et les sanglots de cette pauvre dame, que
c'est à vous fendre le cœur, et nous croyons sans aucun
doute qu'elle va contre son gré et par violence, en quelque
part qu'on la mène. Autant qu'on en peut juger par sa
robe noire, elle est religieuse, ou va bientôt le devenir,
ce qui est le plus probable, et peut-être est-elle si triste
parce qu'elle n'a pas de goût pour le couvent. — Tout
cela peut bien être », reprit le curé ; et, quittant l'écurie,
il revint trouver Dorothée. Celle-ci, dès qu'elle eut entendu
soupirer la dame voilée, émue de la compassion naturelle
à son sexe, s'approcha d'elle et lui dit : « Qu'avez-vous,
madame ? Quel mal sentez-vous ? Si c'était quelqu'un de
ceux que les femmes ont l'habitude et l'expérience de
soigner, je me mets de bien grand cœur à votre service. »
A tout cela, la plaintive dame se taisait et ne répondait
mot, et, bien que Dorothée renouvelât ses offres avec
plus d'empressement, elle continuait de garder le silence.
Enfin, le cavalier masqué auquel, d'après le dire du valet
de pied, obéissaient tous les autres, revint auprès d'elle,
et dit à Dorothée : « Ne perdez pas votre temps, madame,
à faire des offres de service à cette femme : elle est habituée
à n'avoir nulle reconnaissance de ce qu'on fait pour elle,
et n'essayez pas davantage d'obtenir d'elle une réponse,
à moins que vous ne vouliez entendre sortir de sa bouche
un mensonge. — Jamais je n'en ai dit, s'écria vivement
celle qui s'était tue jusqu'alors ; au contraire, c'est pour
avoir été trop sincère, trop ennemie de tout artifice que
je me vois aujourd'hui si cruellement malheureuse ; et s'il
faut en prendre quelqu'un à témoin, je veux vous choisir
vous-même, puisque c'est mon pur amour de la vérité
qui vous a rendu, vous, faux et menteur. »

Cardénio entendit clairement et distinctement ces propos, car il était si près de celle qui venait de parler que
la seule porte de la chambre de don Quichotte les séparait. Aussitôt jetant un cri perçant : « O mon Dieu ! s'écria-
t-il, que viens-je d'entendre ? Quelle est cette voix qui

a frappé mon oreille ? » A ces cris, la dame tourna la tête
pleine de surprise et de trouble ; et, ne voyant personne,
elle se leva pour entrer dans la chambre voisine ; mais
le cavalier, qui épiait ses mouvements, l'arrêta sans lui
laisser faire un pas de plus. Dans son agitation, elle fit
tomber le masque de taffetas qui lui cachait la figure et
découvrit une incomparable beauté, un visage céleste, bien
que décoloré et presque hagard, car ses yeux se portaient
tour à tour et sans relâche sur tous les endroits où sa vue
pouvait atteindre. Elle avait le regard si inquiet, si troublé
qu'elle semblait privée de raison, et ces signes de folie,
quoiqu'on en ignorât la cause, excitèrent la pitié dans
l'âme de Dorothée et de tous ceux qui la regardaient.
Le cavalier la tenait fortement des deux mains par les
épaules et, tout occupé de la retenir, il ne put relever son
masque, qui se détachait et finit par tomber entièrement.
Levant alors les yeux, Dorothée, qui soutenait la dame
dans ses bras, vit que celui qui la tenait également embrassée était son époux don Fernand. Dès qu'elle l'eut reconnu,
poussant du fond de ses entrailles un long et douloureux soupir, elle se laissa tomber à la renverse, complètement évanouie ; et, si le barbier ne se fût trouvé près
d'elle pour la retenir dans ses bras, elle aurait frappé la
terre. Le curé, accourant aussitôt, lui ôta son voile pour
lui jeter de l'eau sur le visage ; don Fernand la reconnut
alors, car c'était bien lui qui tenait l'autre femme embrassée, et il resta comme mort à cette vue. Cependant il ne
lâchait point prise et continuait à retenir Luscinde (c'était
elle qui s'efforçait de s'échapper de ses bras), laquelle avait
reconnu Cardénio à ses cris, lorsqu'il la reconnaissait lui-
même. Cardénio entendit aussi le gémissement que poussa
Dorothée en tombant évanouie ; et, croyant que c'était
sa Luscinde, il s'élança de la chambre tout hors de lui.
La première chose qu'il vit fut don Fernand, qui tenait
encore Luscinde embrassée. Don Fernand aussi reconnut
sur-le-champ Cardénio, et tous quatre restèrent muets de
surprise, ne pouvant comprendre ce qui leur arrivait. Tous
se taisaient, et tous se regardaient : Dorothée avait les
yeux sur don Fernand, don Fernand sur Cardénio, Cardénio sur Luscinde, et Luscinde sur Cardénio. La première
personne qui rompit le silence fut Luscinde, laquelle,
s'adressant à don Fernand, lui parla de la sorte : « Laissez-
moi, seigneur don Fernand, au nom de ce que vous
devez à ce que vous êtes, si nul autre motif ne vous y
décide ; laissez-moi retourner au chêne dont je suis
le lierre, à celui duquel n'ont pu me séparer vos importunités, vos menaces, vos promesses et vos dons. Voyez
par quels chemins étranges, et pour nous inconnus, le
ciel m'a ramenée devant mon véritable époux. Vous savez
déjà, par mille épreuves pénibles, que la mort seule aurait
la puissance de l'effacer de ma mémoire. Eh bien ! que

vos illusions si clairement détruites changent votre amour
en haine, votre bienveillance en fureur. Otez-moi la vie;
pourvu que je rende le dernier soupir aux yeux de mon
époux bien-aimé, je tiendrai ma mort pour heureuse et
bien employée. Peut-être y verra-t-il la preuve de la fidélité que je lui ai gardée jusqu'au dernier souffle de ma vie. »

Dorothée, cependant, ayant repris connaissance, avait
entendu ces paroles de Luscinde, dont le sens lui avait
fait deviner qui elle était. Voyant que don Fernand ne la
laissait pas échapper de ses bras et ne répondait rien à
de si touchantes prières, elle fit un effort, se leva, alla se
jeter à genoux devant les pieds de son séducteur, et, versant de ses beaux yeux deux ruisseaux de larmes, elle
lui dit d'une voix entrecoupée : « Si les rayons de ce soleil
que tu tiens éclipsé dans tes bras ne t'ôtent plus, ô mon
seigneur, la lumière des yeux, tu auras reconnu que
celle qui s'agenouille à tes pieds est l'infortunée, tant qu'il
te plaira qu'elle le soit, et la triste Dorothée. Oui, c'est
moi qui suis cette humble paysanne que, par ta bonté
ou pour ton plaisir, tu as voulu élever assez haut pour
qu'elle pût se dire à toi; je suis cette jeune fille qui passait,
dans les limites de l'innocence, une vie heureuse et paisible,
jusqu'au moment où, à la voix de tes importunités, de
tes propos d'amour, si sincères en apparence, elle ouvrit
les portes à toute retenue et te livra les clefs de sa liberté :
présent bien mal agréé par toi, puisque tu m'as réduite
à me trouver en ce lieu où tu me trouves à présent, et à
t'y voir dans l'état où je te vois. Mais avant tout, je ne
voudrais pas qu'il te vînt à l'imagination que je suis venue
ici sur les pas de mon déshonneur, tandis que je n'y ai
été conduite que par ma douleur et le regret de me voir
oubliée de toi. Tu as voulu que je fusse à toi, et tu l'as
voulu de telle sorte qu'en dépit du désir que tu peux en
avoir à présent, il ne t'est plus possible de cesser d'être
à moi. Prends garde, mon seigneur, que l'incomparable
affection que je te porte peut bien compenser la beauté
et la noblesse pour lesquelles tu m'abandonnes. Tu ne
peux être à la belle Luscinde, puisque tu es à moi, ni elle
à toi, puisqu'elle est à Cardénio. Fais-y bien attention :
il te sera plus facile de te réduire à aimer celle qui t'adore
que de réduire à t'aimer celle qui te déteste. Tu as surpris
mon innocence, tu as triomphé de ma vertu; ma naissance
t'était connue, et tu sais bien à quelles conditions je me
suis livrée à tes vœux; il ne te reste donc aucune issue,
aucun moyen d'invoquer l'erreur et de te prétendre abusé.
S'il en est ainsi, et si tu n'es pas moins chrétien que
gentilhomme, pourquoi cherches-tu tant de détours pour
éviter de me rendre aussi heureuse à la fin que tu l'avais
fait au commencement ? Si tu ne veux pas de moi pour
ce que je suis, ta véritable et légitime épouse, prends-moi
du moins pour ton esclave; pourvu que je sois en ton

pouvoir, je me tiendrai pour heureuse et bien récompensée.
Ne permets pas, en m'abandonnant, que mon honneur
périsse sous d'injurieux propos ; ne donne pas une si triste
vieillesse à mes parents, car ce n'est pas ce que méritent
les loyaux services qu'en bons vassaux ils ont toujours
rendus aux tiens. S'il te semble que tu vas avilir ton sang
en le mêlant au mien, considère qu'il y a peu de noblesses
au monde qui n'aient passé par ce chemin, et que ce n'est
pas celle des femmes qui sert à relever les illustres races.
Et d'ailleurs, c'est dans la vertu que consiste la vraie
noblesse ; si celle-là vient à te manquer par ton refus de me
rendre ce qui m'appartient, je resterai plus noble que toi.
Enfin, seigneur, ce qui me reste à te dire, c'est que, bon
gré, mal gré, je suis ton épouse. J'en ai pour garant tes
paroles, qui ne peuvent être menteuses, si tu te vantes
encore de ce pour quoi tu me méprises, la signature que
tu m'as donnée, le ciel que tu as pris à témoin de tes promesses ; et quand même tout cela me manquerait, ce qui
ne me manquera pas, c'est ta propre conscience, qui élèvera ses cris silencieux au milieu de tes coupables joies,
qui prendra la défense de cette vérité que je proclame,
et troublera tes plus douces jouissances. »

Ces paroles, et d'autres encore, la plaintive Dorothée
les prononça d'un ton si touchant, et en versant tant de
larmes, que tous ceux qui étaient présents à cette scène,
même les cavaliers de la suite de Fernand, sentirent aussi
se mouiller leurs yeux. Don Fernand l'écouta sans répondre
un seul mot, jusqu'à ce qu'elle eût fini de parler et que
sa voix fût étouffée par tant de soupirs et de sanglots
qu'il aurait fallu avoir un cœur de bronze pour n'être
point attendri des témoignages d'une si profonde douleur.
Luscinde aussi la regardait, non moins touchée de son
affliction qu'étonnée de son esprit et de sa beauté. Elle
aurait voulu s'approcher d'elle et lui dire quelques paroles
de consolation ; mais les bras de don Fernand la retenaient
encore. Celui-ci, plein de trouble et de confusion, après
avoir quelque temps fixé ses regards en silence sur Dorothée, ouvrit enfin les bras et, rendant la liberté à Luscinde :
« Tu as vaincu, s'écria-t-il, belle Dorothée, tu as vaincu !
Comment aurait-on le courage de résister à tant de vérités réunies ? » Encore mal remise de son évanouissement,
Luscinde ne se fut pas plus tôt dégagée qu'elle défaillit
et se laissa tomber à terre ; mais près d'elle était Cardénio,
qui se tenait derrière don Fernand pour n'être pas reconnu
de lui. Oubliant toute crainte, et se hasardant à tout
risque, il s'élança pour soutenir Luscinde ; et la recevant
dans ses bras : « Si le ciel miséricordieux, lui dit-il, permet que tu retrouves quelque repos, belle, constante et
loyale dame, nulle part tu ne l'auras plus sûr et plus tranquille que dans les bras qui te reçoivent aujourd'hui et
qui te reçurent dans un autre temps, alors que la fortune

me permettait de te croire à moi. » A ces mots, Luscinde
jeta les yeux sur Cardénio ; elle avait commencé à le
reconnaître par la voix ; par la vue elle s'assura que c'était
bien lui. Hors d'elle-même, et foulant aux pieds toute
convenance, elle jeta ses deux bras au cou de Cardénio ;
et, collant son visage au sien : « C'est vous, mon seigneur,
s'écria-t-elle ; oh ! oui, c'est bien vous qui êtes le véritable
maître de cette esclave qui vous appartient, en dépit
du destin contraire, en dépit des menaces faites à une vie
qui dépend de la vôtre. » Ce fut un spectacle étrange
pour don Fernand et pour tous les assistants, qu'étonnait un événement si nouveau. Dorothée s'aperçut que
don Fernand changeait de couleur et qu'il semblait vouloir tirer vengeance de Cardénio, car elle lui vit avancer
la main vers la garde de son épée. Aussitôt, rapide comme
l'éclair, elle se jeta à ses genoux, les embrassa, les couvrit
de baisers et de pleurs, et, le tenant si étroitement serré
qu'elle ne le laissait pas mouvoir : « Que penses-tu faire,
lui disait-elle, ô mon unique refuge, dans cette rencontre
inattendue ? Tu as à tes pieds ton épouse, et celle que tu
veux qui le soit est dans les bras de son mari. Vois : te
sera-t-il possible de défaire ce que le ciel a fait ? Ne vaut-il
pas mieux que tu consentes à élever jusqu'à la rendre ton
égale celle qui, malgré tant d'obstacles, et soutenue par
sa constance, a les yeux sur tes yeux et baigne de larmes
amoureuses le visage de son véritable époux ? Je t'en
conjure, au nom de ce qu'est Dieu, au nom de ce que tu es
toi-même, que cette vue, qui te désabuse, n'excite point
ta colère ; qu'elle la calme au contraire à tel point que
tu laisses ces deux amants jouir en paix de leur bonheur,
tout le temps que leur en accordera le ciel. Tu montreras
ainsi la générosité de ton noble cœur, et le monde verra
que la raison a sur toi plus d'empire que tes passions. »

Tandis que Dorothée parlait ainsi, Cardénio, sans cesser de tenir Luscinde étroitement embrassée, ne quittait
pas Fernand des yeux, bien résolu, s'il lui voyait faire
quelque geste menaçant, à se défendre de son mieux contre
lui et contre tous ceux qui voudraient l'attaquer, dût-il
lui en coûter la vie. Mais, en ce même instant, les amis de
don Fernand accoururent d'un côté ; de l'autre, le curé et
le barbier, qui s'étaient trouvés présents à toute la scène,
sans qu'il y manquât le bon Sancho Panza ; tous entouraient don Fernand, le suppliant de prendre pitié des
larmes de Dorothée, et de ne point permettre, si, comme ils
en étaient convaincus, elle avait dit la vérité, que ses justes
espérances fussent déçues. « Considérez, seigneur, ajouta
le curé, que ce n'est point le hasard, ainsi que cela paraît
être, mais une disposition particulière de la Providence,
qui vous a tous réunis dans un endroit où, certes, chacun
de vous y pensait le moins ; considérez que la mort seule
peut enlever Luscinde à Cardénio, et que, dût-on les sépa-

rer avec le tranchant d'une épée, la mort leur semblerait douce en mourant ensemble. Dans les cas désespérés, irrémédiables, c'est le comble de la raison de se vaincre soi-même et de montrer un cœur généreux. Permettez donc, par votre propre volonté, que ces deux époux jouissent d'un bonheur que le ciel leur accorde déjà. D'ailleurs, jetez aussi les yeux sur la beauté de Dorothée, voyez-vous beaucoup de femmes qui puissent, non la surpasser en attraits, mais seulement l'égaler ? A sa beauté se joignent encore son humilité touchante et l'extrême amour qu'elle vous porte. Enfin, considérez surtout que, si vous vous piquez d'être gentilhomme et chrétien, vous ne pouvez faire autre chose que tenir la parole engagée. C'est ainsi que vous apaiserez Dieu et que vous satisferez les gens éclairés, qui savent très bien reconnaître que c'est une prérogative de la beauté, lorsque la vertu l'accompagne, de pouvoir s'élever au niveau de toute noblesse, sans faire déroger celui qui l'élève à sa hauteur, et qui savent aussi qu'en cédant à l'empire de la passion, lorsqu'on ne pèche point pour la satisfaire, on demeure à l'abri de tout reproche. » A ces raisons, chacun ajouta la sienne, si bien que le noble cœur de don Fernand, où battait enfin un sang illustre, se calma, s'attendrit et se laissa vaincre par la puissance de la vérité. Pour témoigner qu'il s'était rendu et qu'il cédait aux bons avis, il se baissa, prit Dorothée dans ses bras et lui dit : « Levez-vous, madame ; il n'est pas juste que je laisse agenouiller à mes pieds celle que je porte en mon âme ; et si, jusqu'à présent, je ne vous ai pas prouvé ce que je viens de dire, c'est peut-être par un ordre exprès du ciel, qui a voulu qu'en voyant avec quelle constance vous m'aimiez, je susse vous estimer autant que vous en êtes digne. Je vous demande une chose : c'est de ne pas me reprocher l'abandon et l'oubli dont vous avez été victime ; car la même force qui me contraignit à faire en sorte que vous fussiez à moi, m'a poussé ensuite à tâcher de n'être plus à vous. Si vous en doutez, tournez les yeux et regardez ceux de Luscinde, maintenant satisfaite ; vous y trouverez l'excuse de toutes mes fautes. Puisqu'elle a trouvé ce qu'elle désirait, et moi ce qui m'appartient, qu'elle vive, tranquille et contente, de longues années avec son Cardénio ; moi, je prierai le ciel à genoux qu'il m'en laisse vivre autant avec ma Dorothée. » En disant ces mots, il la serra de nouveau dans ses bras, et joignit son visage au sien avec un si tendre transport qu'il lui fallut se faire violence pour que les larmes ne vinssent pas aussi donner leur témoignage de son amour et de son repentir. Luscinde et Cardénio ne retinrent point les leurs, non plus que ceux qui se trouvaient présents, et tout le monde se mit si bien à pleurer, les uns de leur propre joie, les autres de la joie d'autrui, qu'on aurait dit que quelque grave et subit accident les avait tous frap-

pés. Sancho lui-même fondait en larmes, mais il avoua
depuis qu'il n'avait pleuré que parce que Dorothée n'était
pas, comme il l'avait cru, la reine Micomicona, de laquelle
il attendait tant de faveurs.

Pendant quelque temps les pleurs durèrent, ainsi que
la surprise et l'admiration. Enfin Luscinde et Cardénio
allèrent se jeter aux genoux de don Fernand, et lui rendirent grâce de la faveur qu'il leur accordait, en termes si
touchants que don Fernand ne savait que répondre, et
que, les ayant fait relever, il les embrassa avec les plus vifs
témoignages de courtoisie et d'affection. Ensuite il pria
Dorothée de lui dire comment elle était venue en un
endroit si éloigné de son pays natal. Dorothée lui conta,
en termes succincts et élégants, tout ce qu'elle avait précédemment raconté à Cardénio; et don Fernand, ainsi
que les cavaliers qui l'accompagnaient, furent si charmés
de son récit qu'ils auraient voulu qu'il durât davantage,
tant la belle paysanne avait de grâces à conter ses infortunes. Dès qu'elle eut fini, don Fernand raconta à son
tour ce qui lui était arrivé dans la ville, après avoir trouvé
sur le sein de Luscinde le papier où elle déclarait qu'elle
était l'épouse de Cardénio et ne pouvait être la sienne.
« Je voulus la tuer, dit-il, et je l'aurais fait si ses parents
ne m'eussent retenu; alors je quittai sa maison, confus
et courroucé, avec le dessein de me venger d'une manière
éclatante. Le lendemain, j'appris que Luscinde s'était
échappée de chez ses parents, sans que personne pût dire
où elle était allée. Enfin, au bout de plusieurs mois, je sus
qu'elle s'était retirée dans un couvent, témoignant la
volonté d'y rester toute sa vie, si elle ne pouvait la passer
avec Cardénio. Dès que je sus cela, je choisis pour m'accompagner ces trois gentilshommes, et je me rendis au
monastère où elle s'était réfugiée. Sans vouloir lui parler,
dans la crainte que, sachant mon arrivée, on ne fît bonne
garde au couvent, j'attendis qu'un jour le parloir fût ouvert;
alors, laissant deux de mes compagnons garder la porte,
j'entrai avec l'autre pour chercher Luscinde dans la maison. Nous la trouvâmes au cloître, causant avec une religieuse, et, l'enlevant par force, sans lui donner le temps
d'appeler au secours, nous la conduisîmes au premier village où nous pûmes nous munir de ce qui était nécessaire
pour l'emmener. Tout cela s'était fait aisément, le couvent étant isolé au milieu de la campagne et loin des habi-
tations. Quand Luscinde se vit en mon pouvoir, elle perdit
d'abord connaissance; et, depuis qu'elle fut revenue de
cet évanouissement, elle n'a fait autre chose que verser
des larmes et pousser des soupirs, sans vouloir prononcer
un mot. C'est ainsi, dans le silence et les larmes, que nous
sommes arrivés à cette hôtellerie, qui est pour moi comme
si je fusse arrivé au ciel, où se terminent et s'oublient
toutes les disgrâces de la terre. »

CHAPITRE XXXVII

Où se poursuit l'histoire de la fameuse infante Micomicona, avec d'autres gracieuses aventures.

Sancho écoutait tous ces propos, non sans avoir l'âme navrée, car il voyait s'en aller en fumée les espérances de sa dignité, depuis que la charmante princesse Micomicona s'était changée en Dorothée et le géant Pantafilando en don Fernand; et cela, tandis que son maître dormait comme un bienheureux, sans se douter de tout ce qui se passait. Dorothée ne pouvait se persuader que son bonheur ne fût pas un songe; Cardénio avait la même pensée, que Luscinde partageait aussi. Pour don Fernand, il rendait grâce au ciel de la faveur qu'il lui avait faite, en le tirant de ce labyrinthe inextricable, où il courait si grand risque de son honneur et de son salut. Finalement, tous ceux qui se trouvaient dans l'hôtellerie faisaient éclater leur joie de l'heureux dénouement qu'avaient eu à la fois tant d'aventures enlacées ensemble, et qui paraissaient désespérées. Le curé, en homme d'esprit, faisait ressortir ce miraculeux enchaînement, et félicitait chacun de la part qu'il avait acquise dans ce bonheur général. Mais c'était encore l'hôtesse qui se réjouissait le plus haut, à cause de la promesse que lui avaient faite le curé et Cardénio de lui payer tous les dommages et intérêts auxquels don Quichotte lui avait donné droit.

Seul, comme on l'a dit, Sancho s'affligeait; seul il était triste et désolé. Aussi, avec un visage long d'une aune, il entra près de son maître, qui venait enfin de s'éveiller, et lui dit : « Votre Grâce, seigneur Triste-Figure, peut bien dormir tant qu'il lui plaira, sans se mettre en peine de tuer le géant, ni de rendre à la princesse son royaume; car tout est fait et conclu. — Je le crois pardieu bien, répondit don Quichotte, car j'ai livré au géant la plus démesurée et la plus épouvantable bataille que je pense jamais avoir à soutenir en tous les jours de ma vie; et d'un revers, crac, je lui ai fait voler la tête, et le sang a jailli en telle abondance que des ruisseaux en coulaient par terre comme si c'eût été de l'eau. — Vous feriez mieux de dire comme si c'eût été du vin, repartit Sancho; car

il faut que Votre Grâce apprenne, si elle ne le sait pas
encore, que le géant mort est une outre crevée, que le
sang répandu sont les trente pintes de vin rouge qu'elle
avait dans le ventre, et que la tête coupée est la gueuse
qui m'a mis au monde, et, maintenant, que la machine s'en
aille à tous les diables ! — Que dis-tu là, fou ! s'écria don
Quichotte ; as-tu perdu l'esprit ? — Levez-vous, seigneur,
répondit Sancho, vous verrez la belle besogne que vous
avez faite, et que nous avons à payer. Et vous verrez aussi
la reine Micomicona changée en une simple dame qui
s'appelle Dorothée, et d'autres aventures encore qui vous
étonneront, si vous y comprenez quelque chose. — Rien
de cela ne m'étonnerait, reprit don Quichotte ; car, si tu
as bonne mémoire, l'autre fois que nous nous sommes
arrêtés dans ce logis, ne t'ai-je pas dit que tout ce qui s'y
passait était chose de magie et d'enchantement ? Il ne
serait pas étonnant qu'il en fût de même cette fois. —
Je pourrais croire à tout cela, répondit Sancho, si ma
berne avait été de la même espèce ; mais elle fut, par ma
foi, bien réelle et bien véritable. J'ai vu, de mes deux yeux,
que l'hôtelier, le même qui est là au jour d'aujourd'hui,
tenait un coin de la couverture, et qu'il me faisait sauter
vers le ciel, riant et se gaussant de moi, avec autant de
gaieté que de vigueur. Et je m'imagine, tout simple et
pécheur que je suis, qu'où l'on reconnaît les gens il n'y
a pas plus d'enchantement que sur ma main, mais seulement des coups à recevoir et des marques à garder. —
Allons, mon enfant, dit don Quichotte, Dieu saura bien
y remédier ; mais donne que je m'habille, et laisse-moi
sortir d'ici pour aller voir ces aventures et ces transforma-
tions dont tu parles. »

Sancho lui donna ses habits, et, pendant qu'il lui aidait
à les mettre, le curé conta à don Fernand et à ses compagnons les folies de don Quichotte, ainsi que la ruse qu'on
avait employée pour le tirer de la Roche-Pauvre, où il
s'imaginait avoir été conduit par les rigueurs de sa dame.
Il leur conta aussi presque toutes les aventures qu'il avait
apprises de Sancho, ce qui les surprit et les amusa beaucoup, car il leur sembla, comme il semblait à tout le monde,
que c'était la plus étrange espèce de folie qui pût entrer
dans une cervelle dérangée. Le curé ajouta que l'heureuse
métamorphose de la princesse ne permettant plus de mener
à bout leur dessein, il fallait chercher et inventer quelque
autre artifice pour pouvoir ramener don Quichotte jusque
chez lui. Cardénio s'offrit à continuer la pièce commencée,
dans laquelle Luscinde pourrait convenablement jouer le
personnage de Dorothée. « Non, non, s'écria don Fernand,
il n'en sera point ainsi ; je veux que Dorothée continue
son rôle, et, si le pays de ce bon gentilhomme n'est pas
trop loin, je serai ravi de servir à sa guérison. — Il n'y a
pas d'ici plus de deux journées de marche, dit le curé.

— Quand même il y en aurait davantage, reprit don Fernand, je les ferais volontiers en échange de cette bonne œuvre. »

En cet instant, don Quichotte parut armé de toutes pièces, l'armet de Mambrin sur sa tête, bien que tout bossué, sa rondache au bras, et dans la main sa pique de messier. Cette étrange apparition frappa de surprise don Fernand et tous les nouveaux venus. Ils regardaient avec étonnement ce visage d'une demi-lieue de long, sec et jaune, l'assemblage de ces armes dépareillées, cette contenance calme et fière, et ils attendaient en silence ce qu'il allait leur dire. Don Quichotte, d'un air grave et d'une voix lente, fixant les yeux sur Dorothée, lui parla de la sorte :

« Je viens d'apprendre, belle et noble dame, par mon écuyer ici présent, que Votre Grandeur s'est annihilée, que votre être s'est anéanti, puisque, de reine et grande dame que vous aviez coutume d'être, vous vous êtes changée en une simple damoiselle. Si cela s'est fait par ordre du roi négromant votre père, dans la crainte que je ne vous donnasse pas l'assistance convenable, je dis qu'il n'a jamais su et ne sait pas encore la moitié de la messe, et qu'il fut peu versé dans la connaissance des histoires de chevalerie ; car, s'il les avait lues et relues avec autant d'attention et aussi souvent que j'ai eu soin de les lire et de les relire, il aurait vu, à chaque pas, comment des chevaliers d'un renom moindre que le mien avaient mis fin à des entreprises plus difficiles. Ce n'est pas grand-chose en effet, que de tuer un petit géant, quelque arrogant qu'il soit ; il n'y a pas bien des heures que je me suis vu tête à tête avec lui, et... Je ne veux rien dire de plus, pour qu'on ne dise pas que j'en ai menti ; mais le temps, qui découvre toutes choses, le dira pour moi, quand nous y penserons le moins. — C'est avec deux outres, et non un géant, que vous vous êtes vu tête à tête, s'écria l'hôtelier, auquel don Fernand ordonna aussitôt de se taire et de ne plus interrompre le discours de don Quichotte. — Je dis enfin, dit-il, haute dame déshéritée, que si c'est pour une telle raison que votre père a fait cette métamorphose en votre personne, vous ne devez lui prêter aucune croyance, car il n'y a nul péril sur la terre à travers lequel cette épée ne s'ouvre un chemin, cette épée qui, mettant à vos pieds la tête de votre ennemi, vous remettra en même temps votre couronne sur la tête. »

Don Quichotte n'en dit pas davantage, et attendit la réponse de la princesse. Dorothée, qui savait la résolution qu'avait prise don Fernand de continuer la ruse jusqu'à ce qu'on eût ramené don Quichotte dans son pays, lui répondit avec beaucoup d'aisance, et non moins de gravité : « Qui que ce soit, valeureux chevalier de la Triste-Figure, qui vous ait dit que j'avais changé d'être, ne vous

a pas dit la vérité ; car ce que j'étais hier, je le suis encore
aujourd'hui. Il est vrai que quelque changement s'est fait
en moi, à la faveur de certains événements d'heureuse
conjecture, qui m'ont donné tout le bonheur que je pouvais souhaiter. Mais, toutefois, je n'ai pas cessé d'être
celle que j'étais auparavant, ni d'avoir la pensée que j'ai
toujours eue de recourir à la valeur de votre invincible
bras. Ainsi donc, mon seigneur, ayez la bonté de faire
réparation d'honneur au père qui m'engendra, et tenez-le
désormais pour un homme prudent et avisé, puisqu'il a
trouvé, par sa science, un moyen si facile et si sûr de remédier à mes malheurs ; car je crois, en vérité, seigneur, qu'à
moins d'avoir fait votre rencontre, jamais je n'aurais atteint
le bonheur où je suis parvenue. Je dis vrai que je prends
à témoin de mes paroles la plupart des seigneurs que voici
présents. Ce qui reste à faire, c'est de nous mettre en route
demain matin : aujourd'hui l'étape serait trop courte ; et,
pour l'heureuse issue de l'entreprise, je l'abandonne à Dieu
et à la vaillance de votre noble cœur. »

La gentille Dorothée cessa de parler, et don Quichotte,
se tournant vers Sancho avec un visage courroucé : « Maintenant, mon petit Sancho, lui dit-il, j'affirme que vous
êtes le plus grand maraud qu'il y ait dans toute l'Espagne.
Dis-moi, larron vagabond, ne viens-tu pas de me dire
que cette princesse s'étaient changée en une damoiselle du
nom de Dorothée, et que la tête que j'imagine bien avoir
coupée au géant était la gueuse qui t'a mis au monde, avec
cent autres extravagances qui m'ont jeté dans la plus horrible confusion où je me sois vu en tous les jours de ma
vie ? Par le Dieu !... (et il regardait le ciel en grinçant
des dents) je ne sais qui me tient de faire sur toi un tel
ravage que le souvenir en mette du plomb dans la tête
à tout autant d'écuyers menteurs qu'il y en aura désormais
par le monde au service des chevaliers errants. — Que
Votre Grâce s'apaise, mon cher seigneur, répondit Sancho ;
il se pourrait bien que je me fusse trompé quant à ce
qui regarde la transformation de Mme la princesse
Micomicona ; mais quant à ce qui regarde la tête du géant,
ou plutôt la décollation des outres, et à dire que le sang
était du vin rouge, oh ! vive Dieu, je ne me trompe pas,
car les peaux de bouc sont encore au chevet de votre lit,
percées de part en part, et la chambre est un lac de vin.
Sinon, vous le verrez quand il faudra faire frire les œufs,
je veux dire quand sa Grâce le seigneur hôtelier viendra
vous demander le payement de tout le dégât. Du reste,
je me réjouis au fond de l'âme de ce que madame la reine
soit restée ce qu'elle était ; car j'ai ma part du profit comme
chaque enfant de la commune. — Eh bien ! Sancho,
reprit don Quichotte, je dis seulement que tu es un imbécile ; pardonne-moi et n'en parlons plus. — C'est cela,
s'écria don Fernand ; qu'il n'en soit plus question ; et,

puisque madame la princesse veut qu'on ne se mette en
marche que demain, parce qu'il est trop tard aujourd'hui,
faisons ce qu'elle ordonne. Nous pourrons passer la nuit
en agréable conversation, jusqu'à l'arrivée du jour. Alors
nous accompagnerons tous le seigneur don Quichotte,
parce que nous voulons être témoins des exploits inouïs
qu'accomplira sa valeur dans le cours de cette grande entreprise dont il a bien voulu prendre le fardeau. — C'est
moi qui dois vous accompagner et vous servir, répondit
don Quichotte ; et je suis très sensible à la grâce qui m'est
faite, et très obligé de la bonne opinion qu'on a de moi,
laquelle je m'efforcerai de ne pas démentir, dût-il m'en coûter la vie, et plus encore, s'il est possible. »

Don Quichotte et don Fernand continuaient à échanger
des politesses et des offres de service, lorsqu'ils furent
interrompus par l'arrivée d'un voyageur qui entra tout
à coup dans l'hôtellerie, et dont la vue fit taire tout le
monde. Son costume annonçait un chrétien nouvellement
revenu du pays des Mores. Il portait un justaucorps de
drap bleu, avec des pans très courts et des demi-manches,
mais sans collet ; les hauts-de-chausses étaient également
de drap bleu, et le bonnet de la même étoffe. Il portait
aussi des brodequins jaunes, et un cimeterre moresque
pendu à un baudrier de cuir qui lui passait sur la poitrine.
Derrière lui entra, assise sur un âne, une femme vêtue
à la moresque, le visage voilé et la tête enveloppée d'une
large coiffe. Elle portait, par-dessous, une petite toque
de brocart, et une longue robe arabe la couvrait des
épaules jusqu'aux pieds. L'homme était d'une taille
robuste et bien prise ; son âge semblait dépasser un peu
quarante ans ; il avait le visage brun, la moustache longue
et la barbe élégamment disposée. En somme, il montrait
dans toute sa tenue qu'avec de meilleurs vêtements on
l'eût pris pour un homme de qualité. Il demanda, en
entrant, une chambre particulière, et parut fort contrarié
quand on lui dit qu'il n'en restait aucune dans l'hôtellerie.
S'approchant néanmoins de celle qui semblait à son
costume une femme arabe, il la prit dans ses bras et la mit
à terre. Aussitôt Luscinde, Dorothée, l'hôtesse, sa fille
et Maritornes, attirées par ce nouveau costume qu'elles
n'avaient jamais vu, entourèrent la Moresque ; et Dorothée,
qui était toujours aimable et prévenante, s'apercevant
qu'elle semblait partager le déplaisir qu'avait son compagnon de ne point trouver une chambre, lui dit avec bonté :
« Ne vous affligez point, madame, du peu de commodité
qu'offre cette maison : c'est le propre des hôtelleries de
n'en avoir aucune. Mais, cependant, s'il vous plaisait de
partager notre gîte (montrant du doigt Luscinde), peut-
être que, dans le cours de votre voyage, vous n'auriez pas
souvent trouvé meilleur accueil. » L'étrangère, toujours
voilée, ne répondit rien ; mais elle se leva du siège où

on l'avait assise et, croisant ses deux mains sur sa poitrine,
elle baissa la tête et plia le corps, en signe de remercie-
ment. Son silence acheva de faire croire qu'elle était
Moresque, et qu'elle ne savait pas la langue des chrétiens.
En ce moment revint le captif, qui s'était jusqu'alors
occupé d'autres choses. Voyant que toutes ces femmes
entouraient celle qu'il avait amenée avec lui, et que celle-ci
ne répondait mot à tout ce qu'on lui disait : « Mesdames,
leur dit-il, cette jeune fille entend à peine notre langue,
et ne sait parler que celle de son pays; c'est pour cela
qu'elle n'a pu répondre à ce que vous lui avez demandé.
— Nous ne lui demandons rien autre chose, répondit Luscinde, que de vouloir bien accepter notre compagnie pour
cette nuit, et de partager la chambre où nous la passerons.
Elle y sera reçue aussi bien que le permet un tel lieu, et
avec tous les égards qu'on doit à des étrangers, surtout
lorsque c'est une femme qui en est l'objet. — Pour elle
et pour moi, madame, répliqua le captif, je vous baise
les mains, et j'estime à son prix la faveur que vous m'offrez;
dans une telle occasion, et de personnes telles que vous,
elle ne peut manquer d'être grande. — Dites-moi, seigneur,
interrompit Dorothée, cette dame est-elle chrétienne ou
musulmane ? Son costume et son silence nous font penser
qu'elle est ce que nous ne voudrions pas qu'elle fût. —
Par le costume et par le corps, répondit le captif, elle est
musulmane; mais dans l'âme elle est grandement chrétienne, car elle a grand désir de l'être. — Elle n'est donc
pas baptisée ? reprit Luscinde. — Pas encore, répliqua
le captif; elle n'a pas eu l'occasion de l'être depuis notre
départ d'Alger, sa patrie; et jusqu'à présent elle ne s'est
pas trouvée en péril de mort si imminent qu'il ait fallu
la baptiser avant qu'elle eût appris les cérémonies qu'exige
notre sainte mère l'Eglise. Mais Dieu permettra qu'elle
soit bientôt baptisée avec toute la décence que mérite
la qualité de sa personne, plus grande que ne l'annoncent
son costume et le mien. »

Ces propos donnèrent à tous ceux qui les avaient entendus le désir de savoir qui étaient la Moresque et le captif;
mais personne n'osa le demander pour l'instant, voyant
bien qu'il était plutôt temps de leur procurer du repos
que de les questionner sur leur histoire. Dorothée prit
l'étrangère par la main, et, la faisant asseoir auprès d'elle,
elle la pria d'ôter son voile. Celle-ci regarda le captif,
comme pour lui demander ce qu'on venait de lui dire
et ce qu'il fallait faire. Il répondit en langue arabe qu'on
la priait d'ôter son voile, et qu'elle ferait bien d'obéir.
Aussitôt elle le détacha et découvrit un visage si ravissant
que Dorothée la trouva plus belle que Luscinde, et Luscinde plus belle que Dorothée; et tous les assistants
convinrent que, si quelque femme pouvait égaler l'une et
l'autre par ses attraits, c'était la Moresque; il y en eut

même qui lui donnèrent sur quelques points la préférence. Et, comme la beauté a toujours le privilège de se concilier les esprits et de s'attirer les sympathies, tout le monde s'empressa de servir et de fêter la belle Arabe. Don Fernand demanda au captif comment elle s'appelait, et il répondit, Lella Zoraïda; mais, dès qu'elle entendit son nom, elle comprit ce qu'avait demandé le chrétien, et s'écria sur-le-champ, pleine à la fois de dépit et de grâce : *No, no, Zoraïda; Maria, Maria*, voulant faire entendre qu'elle s'appelait Marie, et non Zoraïde. Ces paroles et l'accent pénétré avec lequel la Moresque les prononça firent répandre plus d'une larme à quelques-uns de ceux qui l'écoutaient, surtout parmi les femmes, qui sont de leur nature plus tendres et plus compatissantes, Luscinde l'embrassa avec transport, en lui disant : « Oui, oui, Marie, Marie »; et la Moresque répondit : « *Si, si Maria. Zoraïda macangé* »; c'est-à-dire *plus de Zoraïde.*

Cependant la nuit approchait, et, sur l'ordre des compagnons de don Fernand, l'hôtelier avait mis tous ses soins et toute sa diligence à préparer le souper de ses hôtes le mieux qu'il lui fut possible. L'heure venue, ils s'assirent tous à l'entour d'une longue table étroite, faite comme pour un réfectoire, car il n'y en avait ni ronde ni carrée dans toute la maison. On offrit le haut bout à don Quichotte, qui essaya vainement de refuser cet honneur, et voulut qu'on mît à ses côtés la princesse Micomicona, puisqu'il était son chevalier gardien. Ensuite s'assirent Luscinde et Zoraïde, et, en face d'elles, dont Fernand et Cardénio; au-dessous d'eux, le captif et les autres gentilshommes; puis, à la suite des dames, le curé et le barbier. Ils soupèrent ainsi avec appétit et gaieté, et leur joie s'accrut quand ils virent que don Quichotte, cessant de manger et, poussé du même esprit qui lui fit autrefois adresser aux chevriers un si long discours, s'apprêtait à parler :

« En vérité, dit-il, mes seigneurs, il faut convenir que ceux qui ont fait profession dans l'ordre de la chevalerie errante voient des choses étranges, merveilleuses, inouïes. Sinon, dites-moi, quel être vivant y a-t-il au monde qui, entrant à l'heure qu'il est par la porte de ce château, et nous voyant attablés de la sorte, pourrait juger et croire que nous sommes qui nous sommes ? Qui dirait que cette dame assise à mes côtés est la grande reine que nous connaissons tous, et que je suis ce chevalier de la Triste-Figure dont la bouche de la Renommée répand le nom sur la terre ? A présent, il n'en faut plus douter, cet exercice, ou plutôt cette profession, surpasse toutes celles qu'ont jamais inventées les hommes, et il faut lui porter d'autant plus d'estime qu'elle est sujette à plus de dangers. Qu'on ôte de ma présence ceux qui prétendraient que les lettres l'emportent sur les armes; car je leur dirais, quels

qu'ils fussent, qu'ils ne savent ce qu'ils disent. En effet, la
raison que ces gens ont coutume de donner, et dont ils
ne sortent jamais, c'est que les travaux de l'esprit sur-
passent ceux du corps, et que, dans les armes, le corps
seul fonctionne; comme si cet exercice était un vrai
métier de portefaix qui n'exigeât que de bonnes épaules;
ou comme si, dans ce que nous appelons les armes, nous
dont c'est la profession, n'étaient pas comprises les actions
de l'art militaire, lesquelles demandent la plus haute
intelligence; ou comme si le guerrier qui commande une
armée en campagne et celui qui défend une place assiégée
ne travaillaient point de l'esprit comme du corps. Est-ce,
par hasard, avec les forces corporelles qu'on parvient à
pénétrer les intentions de l'ennemi, à deviner ses projets,
ses stratagèmes, ses embarras, à prévenir le mal qu'on
redoute, toutes choses qui sont du ressort de l'entendement,
et où le corps n'a, certes, rien à voir ? Maintenant, s'il est
vrai que les armes exigent, comme les lettres, la coopé-
ration de l'esprit, voyons lequel des deux esprits a le plus à
faire, de celui de l'homme de lettres ou celui de l'homme
de guerre. Cela sera facile à connaître par la fin et le
but que se proposent l'un et l'autre, car l'intention qui
se doit le plus estimer est celle qui a le plus noble objet.
La fin et le but des lettres (je ne parle point à présent des
lettres divines, dont la mission est de conduire et d'acheminer les âmes au ciel; car, à une fin sans fin comme celle-
là, nulle autre ne peut se comparer; je parle des lettres
humaines), c'est, dis-je, de faire triompher la justice
distributive, de rendre à chacun ce qui lui appartient,
d'appliquer et de faire observer les bonnes lois. Cette fin,
assurément, est grande, généreuse et digne d'éloge;
mais non pas autant, toutefois, que celle des armes,
lesquelles ont pour objet et pour but la paix, c'est-à-dire
le plus grand bien que puissent désirer les hommes en
cette vie. Ainsi, les premières bonnes nouvelles que reçut
le monde furent celles que donnèrent les anges, dans cette
nuit qui devint notre jour, lorsqu'ils chantaient au milieu
des airs : *Gloire soit à Dieu dans les hauteurs célestes, et
paix sur la terre aux hommes de bonne volonté !* De même,
le meilleur salut qu'enseigna à ses disciples bien-aimés
le plus grand maître de la terre et du ciel, ce fut de dire,
lorsqu'ils entreraient chez quelqu'un : *Que la paix soit en
cette maison !* Et maintes fois encore il leur a dit : *Je vous
donne ma paix, je vous laisse ma paix, que la paix soit avec
vous,* comme le plus précieux bijou que pût donner et
laisser une telle main, bijou sans lequel, ni sur la terre,
ni dans le ciel, il ne peut exister aucun bonheur. Or cette
paix est la véritable fin de la guerre, et la guerre est la
même chose que les armes. Une fois cette vérité admise,
que la fin de la guerre c'est la paix, et qu'en cela elle l'emporte sur la fin des lettres, venons maintenant aux travaux

de corps du lettré et à ceux de l'homme qui fait profession des armes, et voyons quels sont les plus rudes. »

Don Quichotte poursuivait son discours avec tant de méthode et en si bons termes qu'il forçait alors tous ceux qui l'entendaient à ne plus le prendre pour un fou ; au contraire, comme ils étaient, pour la plupart, des gentilshommes destinés par leur naissance à l'état des armes, ils l'écoutaient avec beaucoup de plaisir. « Je dis donc, continua-t-il, que voici les travaux et les peines de l'étudiant : d'abord, et par-dessus tout, la pauvreté, non pas que tous les étudiants soient pauvres, mais pour prendre leur condition dans tout ce qu'elle a de pire. Quand j'ai dit que l'étudiant souffre la pauvreté, il me semble que je n'ai rien de plus à dire de son triste sort ; car qui est pauvre n'a rien de bon au monde. Cette pauvreté, il la souffre quelquefois par parties ; tantôt c'est la faim, tantôt le froid, tantôt la nudité, quelquefois aussi ces trois choses à la fois. Cependant il n'est jamais si pauvre qu'il ne trouve à la fin quelque chose à manger, bien que ce soit un peu plus tard que l'heure, bien que ce ne soient que les restes des riches ; et c'est là la plus grande misère de l'étudiant, ce qu'ils appellent entre eux *aller à la soupe.* D'une autre part, ils ne manquent pas de quelque cheminée de cuisine, de quelque *brasero* dans la chambre d'autrui, où ils puissent, sinon se réchauffer, au moins se dégourdir un peu ; et enfin, la nuit venue, ils dorment tous sous des toits de maisons. Je ne veux pas descendre jusqu'à d'autres menus détails, à savoir, le manque de chemises et la non-abondance de souliers, la vétusté et la maigreur de l'habit, et ce goût pour s'empiffrer jusqu'à la gorge, quand la bonne fortune leur envoie quelque banquet. C'est par ce chemin que je viens de peindre, âpre et difficile, qu'en bronchant par-ci et tombant par-là, se relevant d'un côté pour retomber de l'autre, ils arrivent aux degrés qu'ils ambitionnent. Une fois ce but atteint, nous en avons vu beaucoup qui, après avoir passé à travers ces écueils, entre ces Charybde et ces Scylla, arrivent, comme emportés par le vol de la fortune favorable, à gouverner le monde du haut d'un fauteuil, ayant changé leur faim en satiété, leur froid en douce fraîcheur, leur nudité en habits de parade, et leur natte de joncs en draps de toile de Hollande et en rideaux de damas ; prix justement mérité de leur science et de leur vertu. Mais si l'on compare et si l'on balance leurs travaux avec ceux du guerrier, de combien ils restent en arrière ! C'est ce que je vais facilement démontrer. »

CHAPITRE XXXVIII

Don Quichotte prit haleine un moment, et continua
de la sorte : « Puisque nous avons commencé, à propos
de l'étudiant, par la pauvreté et ses diverses parties,
examinons si le soldat est plus riche, et nous verrons qu'il
n'y a personne de plus pauvre que lui dans la pauvreté
même. En effet, il est toujours réduit, ou à la misère de
sa solde, qui arrive tard ou jamais, ou à ce qu'il pille de
ses mains, au notable péril de sa vie et de son âme. Quelquefois son dénûment arrive à ce point qu'un justaucorps
de peau tailladé lui sert à la fois d'uniforme et de chemise ;
et, au beau milieu de l'hiver, étant en rase campagne,
qu'a-t-il pour se défendre de l'inclémence du ciel ? Uniquement le souffle de sa bouche, lequel, sortant d'un lieu
vide, doit infailliblement en sortir froid, selon toutes les
règles de la nature. Maintenant, que la nuit vienne,
pour qu'il puisse réparer les souffrances du jour dans le
lit qui l'attend. Par ma foi, ce sera bien sa faute si ce lit
pèche par défaut de largeur, car il peut mesurer sur la
terre autant de pieds qu'il lui en faut, puis s'y tourner et
retourner tout à son aise, sans crainte de chiffonner les
draps. Vienne à présent le jour et l'heure de recevoir les
degrés de sa profession, c'est-à-dire vienne un jour de
bataille ; on lui mettra sur la tête, en guise de bonnet de
docteur, une compresse de charpie pour lui panser quelque
blessure de balle qui lui aura peut-être traversé les deux
tempes, ou bien qui le laissera estropié d'une jambe, ou
d'un bras. Si cela n'arrive point ; si le ciel, en sa miséricorde, le conserve vivant et sain de tous ses membres, il
pourra bien se faire qu'il reste dans la même pauvreté
qu'auparavant ; il faudra que d'autres rencontres se présentent, que d'autres batailles se livrent, et qu'il en sorte
toujours vainqueur pour arriver à quelque chose : ce sont
des miracles qui ne se voient pas souvent. Mais, dites-
moi, seigneurs, si vous y avez jamais fait attention, combien
sont moins nombreux ceux qu'a récompensés la guerre
que ceux qui ont péri dans ses hasards ! Sans doute vous

allez me répondre qu'il n'y a point de comparaison à
faire, que les morts sont innombrables, et que les vivants
récompensés peuvent se compter avec trois chiffres. Tout
cela est au rebours chez les lettrés; car, avec le pan de leur
robe, je ne veux pas dire avec leurs manches, ils trouvent
toujours de quoi vivre; aussi, bien que la peine du soldat
soit beaucoup plus grande, la récompense l'est beaucoup
moins. A cela, l'on ne manquera pas de répondre qu'il
est plus facile de rémunérer convenablement deux mille
lettrés que trente mille soldats, car on récompense les
premiers en leur conférant des offices qui doivent à
toute force appartenir aux gens de leur profession, tandis
que les autres ne peuvent être récompensés qu'aux dépens
du seigneur qu'ils servent; mais cette impossibilité fortifie
d'autant plus la raison que j'ai pour moi. Au reste, laissons cela de côté, car c'est un labyrinthe de fort difficile
issue, et revenons à la prééminence des armes sur les
lettres. La question est encore à décider, entre les raisons
que chacune des parties allègue en sa faveur. Les lettres
disent, pour leur part, que, sans elles, les armes ne pourraient subsister, car la guerre aussi a ses lois, auxquelles
elle est soumise, et toutes les lois tombent dans le domaine
des lettres et des lettrés. A cela les armes répondent
que, sans elles, les lois ne pourraient pas subsister davantage, car c'est avec les armes que les républiques se
défendent, que les royaumes se conservent, que les villes
se gardent, que les chemins deviennent sûrs, que les
mers sont purgées de pirates; finalement, sans leur
secours, les républiques, les royaumes, les monarchies,
les cités, les chemins de terre et de mer seraient perpétuel-
lement en butte aux excès et à la confusion qu'entraîne
la guerre, tout le temps qu'elle dure et qu'elle use de ses
privilèges et de ses violences. C'est un fait reconnu que,
plus une chose coûte, plus elle s'estime et doit s'estimer.
Or, pour qu'on devienne éminent dans les lettres, qu'en
coûte-t-il ? Du temps, des veilles, la faim, la nudité,
des maux de tête, des indigestions d'estomac, et d'autres
choses de même espèce que j'ai déjà rapportées en partie.
Mais à celui qui veut devenir au même degré bon soldat,
il en coûte autant de souffrances qu'à l'étudiant, sauf
qu'elles sont incomparablement plus grandes, puisqu'à
chaque pas il court risque de la vie. Quelle crainte du dénûment ou de la pauvreté peut tourmenter un étudiant qui
approche de celle que ressent un soldat, lorsque, se trouvant enfermé dans une place assiégée, et faisant sentinelle à
l'angle de quelque ravelin, il entend que l'ennemi creuse
une mine dans la direction de son poste, et qu'il ne peut
remuer de là pour rien au monde, ni fuir le péril qui le
menace de si près ? Tout ce qu'il peut faire, c'est d'avertir
son capitaine de ce qui se passe, pour qu'on remédie au
danger par une contre-mine; et lui reste là, attendant que

tout à coup l'explosion le fasse voler aux nues sans ailes, et retomber dans l'abîme sans sa volonté. Si ce péril ne semble pas encore assez formidable, voyons s'il n'est pas surpassé dans l'abordage de deux galères qui s'accrochent par leurs proues au milieu du vaste Océan, ne laissant, dans leur enlacement mutuel, d'autre espace au soldat que les deux pieds de la planche d'éperon. Il voit devant lui autant de ministres de la mort qu'il y a de bouches de canon et d'arquebuses braquées sur le pont ennemi, à la longueur d'une lance; il voit qu'au premier faux pas, il ira visiter les profondeurs de l'empire de Neptune; et cependant, d'un cœur intrépide, emporté par l'honneur qui l'excite, il s'offre pour but à toute cette mousqueterie, et tâche de s'élancer par cet étroit passage sur la galère opposée. Et ce qu'il faut le plus admirer, c'est qu'un soldat n'est pas plus tôt tombé là d'où il ne se relèvera plus qu'à la fin du monde qu'un autre aussitôt le remplace; si celui-là tombe aussi à la mer, qui l'attend comme une proie, un autre lui succède, puis un autre encore, sans leur laisser le temps de mourir : audace et vaillance que rien ne peut surpasser dans les chances de la guerre. Oh! bienheureux les siècles qui ne connaissaient point la furie épouvantable de ces instruments de l'artillerie, dont je tiens l'inventeur pour damné au fond des enfers, où il reçoit le prix de sa diabolique invention! C'est elle qui est cause qu'un bras infâme et lâche ôte la vie au plus valeureux chevalier; que, sans savoir ni d'où, ni comment, au milieu de l'ardeur et du transport qui enflamment un cœur magnanime, arrive une balle égarée, tirée peut-être par tel qui s'est enfui, épouvanté du feu de sa maudite machine; et voilà qu'elle détruit les pensées et tranche la vie de tel autre qui méritait d'en jouir de longues années. Aussi, quand j'y fais réflexion, il me prend envie de dire que je regrette au fond de l'âme d'avoir embrassé cette profession de chevalier errant, dans un âge aussi détestable que celui où nous avons le malheur de vivre. Certes, aucun péril ne me fait sourciller; mais cependant il me chagrine de penser qu'un peu de poudre et de plomb va m'ôter l'occasion de me rendre célèbre sur toute la face de la terre par la valeur de mon bras et le tranchant de mon épée. Mais que le ciel fasse ce qui lui plaira; si j'arrive où je prétends, je serai d'autant plus digne d'estime que j'aurai affronté de plus grands périls que ceux qu'affrontèrent les chevaliers errants des siècles passés. »

Toute cette longue harangue, don Quichotte la débita pendant que les autres soupaient, oubliant lui-même de porter, comme on dit, bouchée à la bouche, bien que Sancho Panza lui eût rappelé à plusieurs reprises de souper aussi, et qu'ensuite il aurait le temps de prêcher autant qu'il lui plairait. Quant à ceux qui l'avaient écouté, ils éprouvèrent une nouvelle compassion en voyant qu'un

homme d'une si saine intelligence, et qui discourait si bien
sur tous les sujets, eût perdu l'esprit sans ressource à propos
de sa maudite et fatale chevalerie. Le curé lui dit qu'il avait
eu parfaitement raison en tout ce qu'il avait avancé à
l'avantage des armes, et que lui-même, quoique lettré et
gradué, était précisément du même avis. Le souper fini,
on leva la nappe, et pendant que l'hôtesse, sa fille et Maritornes arrangeaient le galetas de don Quichotte, où l'on
avait décidé que les dames se réfugieraient ensemble pour
la nuit, don Fernand pria le captif de raconter l'histoire de
sa vie. Elle ne pouvait, disait-il, manquer d'être intéressante
et curieuse, à en juger par l'échantillon qu'en donnait la
compagne qu'il ramenait avec lui. Le captif répondit qu'il
ferait de bon cœur ce qu'on lui demandait; qu'il craignait
seulement que son histoire ne leur causât point autant de
plaisir qu'il souhaitait; mais qu'après tout, pour ne point
leur désobéir, il était prêt à la conter. Le curé et les autres
assistants le remercièrent et le prièrent de nouveau. Alors,
se voyant sollicité par tant de monde : « Il n'est pas besoin
de prières, dit le captif, à qui peut donner des ordres. Que
Vos Grâces me prêtent leur attention; vous entendrez une
relation véritable, dont n'approchent pas peut-être les
fables que l'on compose avec des efforts étudiés d'imagination. » À ces mots tous les assistants s'arrangèrent sur leurs
sièges, et firent bientôt un grand silence. Quand le captif
vit que tout le monde se taisait, attendant qu'il parlât, d'un
son de voix agréable et mesuré, il commença de la sorte.

CHAPITRE XXXIX

Où le captif raconte sa vie et ses aventures.

C'est dans une bourgade des montagnes de Léon qu'est la souche de ma famille, pour qui la nature se montra plus libérale que la fortune. Néanmoins, au milieu de ces pays pauvres, mon père avait acquis la réputation d'être riche, et réellement il l'aurait été s'il eût mis autant de soin à conserver son patrimoine qu'il en mettait à le dissiper. Cette humeur généreuse et dépensière, il l'avait prise étant soldat, pendant les années de sa jeunesse; car l'état militaire est une école où le chiche devient libéral, et le libéral prodigue; et si quelque soldat se montre avare, c'est comme un de ces phénomènes qui se voient bien rarement. Pour mon père, il passait les limites de la libéralité et touchait à celles de la profusion, ce qui ne peut que nuire à un homme marié, qui a des enfants pour lui succéder dans son nom et dans son existence. Mon père en avait trois, tous garçons et tous d'âge à prendre un état. Voyant donc, comme il le disait lui-même, qu'il ne pouvait résister à son humeur, il voulut se priver de la cause qui le rendait si prompt à la dépense et aux largesses; il voulut se dépouiller de son bien, chose sans laquelle Alexandre lui-même ne semblerait qu'un ladre. Un jour donc, nous ayant appelés tous trois et enfermés dans sa chambre, il nous tint à peu près le discours que je vais rapporter : « Mes chers fils, pour comprendre que je veux votre bien, il suffit de dire et de savoir que vous êtes mes enfants; d'un autre côté, pour croire que je veux votre mal, il suffit de voir que je ne sais pas tenir la main à la conservation de votre patrimoine. Eh bien! pour que vous soyez désormais persuadés que je vous aime comme un père, et ne peux désirer votre ruine, je veux faire à votre égard une chose à laquelle il y a long-temps que je pense et que j'ai mûrement préparée. Vous voilà tous trois en âge de prendre un état dans le monde, ou du moins de choisir une profession qui vous donne, lorsque vous serez tout à fait hommes, honneur et profit. Ce que j'ai pensé, c'est de faire quatre parts de mon bien. Je vous en donnerai trois, à chacun la sienne parfaitement

égale, et je garderai l'autre pour vivre le reste des jours
qu'il plaira au ciel de m'accorder. Seulement, je voudrais
que chacun de vous, après avoir reçu la part de fortune qui
lui reviendra, suivît une des carrières que je vais dire. Il y a
dans notre Espagne un vieux proverbe, à mon avis sage et
véridique, comme ils le sont tous, puisque ce sont de
courtes maximes tirées d'une longue expérience; celui-là
dit : *Eglise, ou mer, ou maison du roi*, ce qui signifie plus
clairement : qui veut réussir et devenir riche doit entrer
dans l'Eglise, ou naviguer pour faire le commerce, ou se
mettre au service des rois dans leurs palais; car on dit
encore : *Mieux vaut miette de roi que grâce de seigneur*. Je
voudrais donc, et telle est ma volonté, que l'un de vous
suivît les lettres, un autre le négoce, et que le troisième
servît le roi dans ses armées, puisqu'il est fort difficile de le
servir dans sa maison, et que si la guerre ne donne pas beaucoup de richesse, en revanche elle procure beaucoup de
lustre et de renommée. D'ici à huit jours, je vous donnerai
toutes vos parts en argent comptant, sans vous faire tort
d'un maravédi, comme les comptes vous le prouveront;
maintenant, dites-moi si vous consentez à suivre mon opinion et mon conseil au sujet de la proposition que je vous ai
faite. »

Mon père, alors, m'ordonna de répondre, comme étant
l'aîné. Après l'avoir engagé à ne pas se défaire de son bien
et à en dépenser tout ce qu'il lui plairait; après lui avoir dit
que nous étions assez jeunes pour avoir le temps d'en
gagner, j'ajoutai que j'obéirais à son désir, et que le mien
était de suivre le métier des armes, pour y servir Dieu et le
roi. Mon second frère fit les mêmes offres, et choisit d'aller
aux Indes pour y porter en marchandises la somme qui
formerait son lot. Le plus jeune et, je le crois aussi, le plus
entendu, répondit qu'il voulait suivre la carrière de
l'Eglise, ou du moins aller terminer ses études à Salamanque. Dès que nous eûmes fini de nous mettre d'accord
et de choisir nos professions, mon père nous embrassa
tendrement et mit en œuvre, avec autant de célérité qu'il
l'avait dit, tout ce qu'il venait de nous promettre. Il donna
à chacun sa part, qui fut (je ne l'ai pas oublié) de trois mille
ducats, et en argent, parce qu'un de nos oncles, ayant
acheté tout le patrimoine pour qu'il ne sortît pas de la
famille, le paya comptant. Nous prîmes tous trois ensemble
congé de notre bon père et, ce même jour, trouvant qu'il y
aurait à moi de l'inhumanité à laisser mon père avec si
peu de bien pour ses vieux jours, je lui fis prendre deux
mille ducats sur mes trois mille, le reste suffisant pour
me munir de tout ce qui est nécessaire à un soldat. Mes
deux frères, poussés par mon exemple, lui donnèrent chacun mille ducats, de façon qu'il restât quatre mille ducats en
argent à mon père, outre les trois mille que valait la portion
de patrimoine qu'il avait voulu conserver en biens-fonds;

enfin nous prîmes congé de lui et de cet oncle dont j'ai
parlé, non sans regrets et sans larmes mutuelles. Ils nous
engagèrent, surtout, à leur faire connaître, chaque fois que
nous en aurions l'occasion, notre bonne ou mauvaise fortune. Nous le promîmes et, quand ils nous eurent donné le
baiser d'adieu et leur bénédiction, l'un de nous prit le
chemin de Salamanque, l'autre celui de Séville, et moi celui
d'Alicante, où j'avais appris que se trouvait un vaisseau
génois faisant un chargement de laine pour retourner en
Italie. Il y a, cette année, vingt-deux ans que j'ai quitté la
maison de mon père, et pendant tout ce long intervalle,
bien que j'aie écrit plusieurs lettres, je n'ai reçu aucune
nouvelle de lui ni de mes frères.

Maintenant, je vais brièvement raconter ce qui m'est
arrivé depuis cette époque. Je m'embarquai au port d'Alicante; j'arrivai à Gênes, après une heureuse traversée; de
là, je me rendis à Milan, où j'achetai des armes et quelques
équipements de soldat, et je voulus aller faire mon enrôle-
ment dans les troupes du Piémont; mais, tandis que j'étais
en route pour Alexandrie, j'appris que le grand duc d'Albe
passait en Flandre. Aussitôt, changeant d'avis, je partis à sa
suite : je le servis dans les batailles qu'il livra, j'assistai à la
mort des comtes de Horn et d'Egmont, et parvins à être
nommé enseigne d'un fameux capitaine, natif de Guada-
laxara, qu'on appelait Diégo de Urbina. Quelque temps après
mon arrivée en Flandre, on y apprit la ligue formée par
Sa Sainteté le pape Pie V, d'heureuse mémoire, avec
Venise et l'Espagne, contre l'ennemi commun de la chrétienté, le Turc, qui venait d'enlever avec sa flotte la fameuse
île de Chypre, appartenant aux Vénitiens, perte fatale et
lamentable. On eut la certitude que le général de cette
ligue serait le sérénissime infant don Juan d'Autriche, frère
naturel de notre grand roi Philippe II. La nouvelle se répandit aussi des immenses préparatifs de guerre qui se faisaient. Tout cela me donna une si extrême envie de prendre
part à la campagne navale qui allait s'ouvrir que, bien que
j'eusse l'espoir et l'assurance d'être promu au grade de
capitaine à la première occasion, j'aimai mieux tout abandonner et m'en aller en Italie; ce que je fis en effet. Ma
bonne étoile permit que j'y arrivasse au moment où le
seigneur don Juan d'Autriche, ayant débarqué à Gênes, se
rendait à Naples pour s'y réunir à la flotte de Venise, jonction qui eut lieu plus tard à Messine. Que dirai-je enfin ?
Devenu capitaine d'infanterie, honorable emploi que me
valut mon bonheur plutôt que mes mérites, je me trouvai
à cette grande et mémorable journée de Lépante. Mais en ce
jour, si heureux pour la chrétienté, puisque toutes les
nations du monde furent désabusées de l'erreur qui leur
faisait croire les Turcs invincibles sur mer; en ce jour où
fut brisé l'orgueil ottoman, parmi tant d'heureux qu'il fit
(car les chrétiens qui y périrent eurent plus de bonheur

encore que ceux qui restèrent vivants et vainqueurs), moi
seul je fus malheureux. Au lieu de recevoir, comme au
siècle de Rome, une couronne navale, je me vis, dans la
nuit qui suivit cette fameuse journée, avec des fers aux
pieds et des menottes aux mains. Voici comment m'arriva
cette cruelle disgrâce. Uchali, roi d'Alger, heureux et hardi
corsaire, ayant attaqué et pris à l'abordage la galère capitane
de Malte, où trois chevaliers restèrent seuls vivants, et tous
trois grièvement blessés, la capitane de Jean-André Doria
vint à son secours. Je montai cette galère avec ma compagnie, et, faisant ce que je devais en semblable occasion, je
sautai sur le pont de la galère ennemie ; mais elle s'éloigna
brusquement de celle qui l'attaquait et mes soldats ne
purent me suivre. Je restai seul, au milieu des ennemis,
dans l'impuissance de résister longtemps à leur nombre.
Ils me prirent, à la fin, couvert de blessures, et comme vous
savez, seigneurs, qu'Uchali parvint à s'échapper avec toute
son escadre, je restai son prisonnier. Ainsi, je fus le seul
triste parmi tant d'heureux, et le seul captif parmi tant de
délivrés, puisqu'en ce jour quinze mille chrétiens qui
ramaient sur les bancs des galères turques recouvrèrent leur
chère liberté.

On me conduisit à Constantinople, où le Grand-Seigneur Sélim fit mon maître général de la mer, parce qu'il
avait fait son devoir dans la bataille, ayant remporté pour
trophée de sa valeur l'étendard de l'ordre de Malte. Je me
trouvai l'année suivante, qui était 1572, à Navarin, ramant
dans la capitane appelée *les Trois-Fanaux*. Là, je fus témoin
de l'occasion qu'on perdit de prendre dans le port toute la
flotte turque, puisque les Levantins et les janissaires qui se
trouvaient là sur les bâtiments, croyant être attaqués dans
l'intérieur même du port, préparèrent leurs hardes et leurs
babouches pour s'enfuir à terre, sans attendre le combat,
tant était grande la peur qu'ils avaient de notre flotte. Mais
le ciel en ordonna d'une autre façon, non par la faiblesse ou
la négligence du général qui commandait les nôtres, mais à
cause des péchés de la chrétienté, et parce que Dieu permet
que nous ayons toujours des bourreaux prêts à nous punir.
En effet, Uchali se réfugia à Modon, qui est une île près de
Navarin ; puis, ayant jeté ses troupes à terre, il fit fortifier
l'entrée du port et se tint en repos jusqu'à ce que don Juan
se fût éloigné. C'est dans cette campagne que tomba au
pouvoir des chrétiens la galère qu'on nommait *la Prise*,
dont le capitaine était un fils du fameux corsaire Barberousse. Elle fut emportée par la capitane de Naples appelée
la Louve, que commandait ce foudre de guerre, ce père
des soldats, cet heureux et invincible capitaine don
Alvaro de Bazan, marquis de Santa-Cruz. Je ne veux pas
manquer de vous dire ce qui se passa à cette prise de *la
Prise*. Le fils de Barberousse était si cruel et traitait si mal
ses captifs que ceux qui occupaient les bancs de sa chiourme

ne virent pas plus tôt la galère *la Louve* se diriger sur eux et prendre de l'avance qu'ils lâchèrent tous à la fois les rames, en saisirent leur capitaine, qui leur criait du gaillard d'arrière de ramer plus vite ; puis, se le passant de banc en banc, de la poupe à la proue, ils lui donnèrent tant de coups de dents qu'avant d'avoir atteint le mât il avait rendu son âme aux enfers, tant étaient grandes la cruauté de ses traitements et la haine qu'il inspirait.

Nous retournâmes à Constantinople, et l'année suivante, 1573, on y apprit que le seigneur don Juan d'Autriche avait emporté Tunis d'assaut et qu'il avait livré cette ville à Muley-Hamet, ôtant ainsi toute espérance d'y recouvrer le trône à Muley-Hamida, le More le plus cruel et le plus vaillant qu'ait vu le monde. Le Grand-Turc sentit vivement cette perte et, avec la sagacité naturelle à tous les gens de sa famille, il demanda la paix aux Vénitiens, qui la désiraient plus que lui. L'année suivante, 1574, il attaqua la Goulette et le fort que don Juan avait élevé auprès de Tunis, le laissant à demi construit. Pendant tous ces événements de la guerre, je restai attaché à la rame sans nul espoir de recouvrer la liberté, du moins par ma rançon, car j'étais bien résolu de ne pas écrire à mon père la nouvelle de mes malheurs. Enfin, la Goulette fut prise, puis le fort. On compta à l'attaque de ces deux places jusqu'à 65 000 soldats turcs payés, et plus de 400 000 Mores et Arabes, venus de toute l'Afrique. Cette foule innombrable de combattants traînait tant de munitions et de matériel de guerre, elle était suivie de tant de maraudeurs qu'avec leurs seules mains et des poignées de terre ils auraient pu couvrir la Goulette et le fort. Ce fut la Goulette qui tomba la première au pouvoir de l'ennemi, elle qu'on avait crue jusqu'alors imprenable, et non par la faute de sa garnison, qui fit pour la défendre tout ce qu'elle devait et pouvait faire, mais parce que l'expérience montra combien il était facile d'élever des tranchées dans ce désert de sable, où l'on prétendait que l'eau se trouvait à deux pieds du sol, tandis que les Turcs n'en trouvèrent pas à deux aunes. Aussi, avec une immense quantité de sacs de sable, ils élevèrent des tranchées tellement hautes qu'elles dominaient les murailles de la forteresse et, comme ils tiraient du terre-plein, personne ne pouvait se montrer ni veiller à sa défense. L'opinion commune fut que les nôtres n'auraient pas dû s'enfermer dans la Goulette, mais attendre l'ennemi en rase campagne et au débarquement. Ceux qui parlent ainsi parlent de loin et n'ont guère l'expérience de semblables événements, puisque, dans la Goulette et dans le fort, il y avait à peine sept mille hommes. Comment, en si faible nombre, eussent-ils été plus braves encore, pouvaient-ils s'aventurer en plaine et en venir aux mains avec une foule comme celle de l'ennemi ? Et comment est-il possible de conserver une forteresse qui n'est point secourue, quand elle est enveloppée de tant d'ennemis acharnés, et dans leur propre pays ? Mais il parut à bien d'autres, et à moi tout le premier, que ce fut une grâce particulière que fit le ciel à l'Espagne, en permettant la destruction totale de ce réceptacle de perversités, de ce ver rongeur, de cette insatiable éponge qui dévorait tant d'argent dépensé sans fruit, rien que pour servir à conserver la mémoire de sa prise par l'invincible Charles Quint, comme s'il était besoin, pour la rendre éternelle, que ces pierres la rappelassent.

On perdit aussi le fort ; mais du moins les Turcs ne l'emportèrent que pied à pied. Les soldats qui le défendaient combattirent avec tant de valeur et de constance qu'ils tuèrent plus de vingt-cinq mille ennemis, en vingt-deux assauts généraux qui leur furent livrés. Aucun ne fut pris sain et sauf des trois cents qui restèrent en vie ; preuve claire et manifeste de leur indomptable vaillance et de la belle défense qu'ils firent pour conserver ces places. Un autre petit fort capitula : c'était une tour bâtie au milieu de l'île de l'Estagno, où commandait don Juan Zanoguera, gentilhomme valencien et soldat de grand mérite. Les Turcs firent prisonnier don Pedro Puertocarrero, général de la Goulette, qui fit tout ce qui était possible pour défendre cette place forte et regretta tellement de l'avoir laissé prendre qu'il mourut de chagrin dans le trajet de Constantinople, où on le menait captif. Ils prirent aussi le général du fort, appelé Gabrio Cervellon, gentilhomme milanais, célèbre ingénieur et vaillant guerrier. Bien des gens de marque périrent dans ces deux places, entre autres Pagano Doria, chevalier de Saint-Jean, homme de caractère généreux, comme le montra l'extrême libéralité dont il usa envers son frère, le fameux Jean-André Doria. Ce qui rendit sa mort plus douloureuse encore, c'est qu'il périt sous les coups de quelques Arabes auxquels il s'était confié, voyant le fort perdu sans ressource, et qui s'étaient offerts pour le conduire, sous un habit moresque, à Tabarca, petit port qu'ont les Génois sur ce rivage pour la pêche du corail. Ces Arabes lui tranchèrent la tête et la portèrent au général de la flotte turque. Mais celui-ci accomplit sur eux notre proverbe castillan, *bien que la trahison plaise, le traître déplaît*, car on dit qu'il fit pendre tous ceux qui lui présentèrent ce cadeau, pour les punir de ne lui avoir pas amené le prisonnier vivant.

Parmi les chrétiens qui furent pris dans le fort, il s'en trouva un, nommé don Pedro de Aguilar, natif de je ne sais quelle ville d'Andalousie, qui avait été porte-enseigne du fort : c'était un soldat de grande bravoure et de rare intelligence, doué surtout d'un talent particulier pour ce qu'on appelle la poésie. Je puis le dire, car son mauvais sort l'amena dans ma galère et sur mon banc, esclave du même patron que moi ; et, avant que nous quittassions ce port, il composa deux sonnets en manière d'épitaphes, l'un sur la

Goulette et l'autre sur le fort. En vérité, j'ai même envie de vous les dire, car je les sais par cœur, et je crois qu'ils vous donneront plus de plaisir que d'ennui.

Au moment où le captif prononça le nom de don Pedro de Aguilar, don Fernand regarda ses compagnons, qui, tous trois, se mirent à sourire, et quand il vint à parler des sonnets, l'un d'eux lui dit : « Avant que Votre Grâce continue, je vous supplie de me dire ce qu'est devenu ce don Pedro de Aguilar, dont vous parlez. — Tout ce que je sais, répondit le captif, c'est qu'après avoir passé deux ans à Constantinople, il s'enfuit en costume d'Arnaute, avec un espion grec ; mais j'ignore s'il parvint à recouvrer sa liberté, bien que je le suppose ; car, moins d'un an après, je revis ce Grec à Constantinople, mais sans pouvoir lui demander des nouvelles de leur voyage. — Eh bien, je puis vous en donner, répliqua le gentilhomme, car ce don Pedro est mon frère ; il est maintenant dans notre pays, bien portant, riche, marié et père de trois enfants. — Grâces soient rendues à Dieu, reprit le captif, pour tant de faveurs qu'il lui a faites ! Car, à mon avis, il n'y a pas sur la terre de contentement égal à celui de recouvrer la liberté perdue. — Au reste, continua le gentilhomme, je sais également les sonnets qu'a faits mon frère. — Alors, répondit le captif, je les laisserai dire à Votre Grâce, qui saura les citer mieux que moi. — Volontiers, répondit le gentilhomme ; voici celui de la Goulette :

CHAPITRE XL

Où se continue l'histoire du captif.

SONNET.

« Ames heureuses, qui, libres, par vos belles actions, de l'enveloppe mortelle, vous êtes élevées de la bassesse de la terre à la hauteur du ciel;

« Vous qui, brûlant de zèle et de noble colère, avez exercé la force de vos corps; qui de votre sang et du sang d'autrui avez rougi les flots de la mer et le sable du sol;

« La vie a manqué avant la valeur à vos bras fatigués, qui, en mourant, tout vaincus qu'ils sont, remportent la victoire;

« Et, dans cette triste chute mortelle, vous avez acquis, entre la muraille et le fer, la renommée que donne le monde, et la gloire éternelle des cieux. »

— C'est précisément ainsi que je le sais, dit le captif. — Quant à celui du fort, reprit le gentilhomme, si j'ai bonne mémoire, voici comment il est conçu :

SONNET.

« Du milieu de cette terre stérile et bouleversée, du milieu de ces bastions, renversés à terre, les saintes âmes de trois mille soldats montèrent vivantes à un meilleur séjour;

« Ils avaient d'abord vainement exercé la force de leurs bras courageux, jusqu'à ce qu'enfin, de lassitude et de petit nombre, ils rendirent la vie au fil de l'épée.

« Voilà le sol qu'ont incessamment rempli mille souvenirs lamentables, dans les siècles passés et dans le temps présent.

« Mais jamais, dans son âpre sein, de plus pures âmes
n'auront monté au ciel, et jamais il n'aura porté des corps
plus vaillants. »

Les sonnets ne furent pas trouvés mauvais, et le captif,
après s'être réjoui des bonnes nouvelles qu'on lui donnait
de son compagnon, reprit le fil de son histoire.

Après la reddition de la Goulette et du fort, dit-il, les
Turcs ordonnèrent que la Goulette fût démantelée; car
pour le fort, il n'en restait plus rien à jeter par terre. Afin
d'aller plus vite en besogne, on la mina par trois côtés;
mais on ne put en aucun endroit faire sauter ce qui semblait
le moins solide, c'est-à-dire les murailles antiques, tandis
que toutes les nouvelles fortifications qu'avait élevées le
Fratin furent aisément abattues. Finalement, la flotte, victorieuse et triomphante, regagna Constantinople, où peu de
temps après, mourut mon maître Uchali. On l'appelait
Uchali Fartax, qui veut dire, en langue turque, le *renégat
teigneux*, parce qu'il l'était effectivement, et c'est l'usage
parmi les Turcs de donner aux gens les noms des défauts
ou des qualités qu'ils peuvent avoir. Chez eux, en effet, il
n'y a que quatre noms de famille, qui viennent également
de la maison ottomane; les autres, comme je l'ai dit,
prennent leurs noms des vices du corps ou des vertus de
l'âme. Ce teigneux, étant esclave, avait ramé quatorze ans
sur les galères du Grand-Seigneur, et, quand il eut
trente-quatre ans passés, il se fit renégat, de dépit de ce
qu'un Turc lui avait donné un soufflet pendant qu'il
ramait; et, pour s'en pouvoir venger, il renia sa foi. Sa
valeur fut si grande que, sans passer par les routes viles et
basses que prennent pour s'élever la plupart des favoris du
Grand-Seigneur, il devint roi d'Alger, et ensuite général de
la mer, ce qui est la troisième charge de l'empire. Il était
Calabrais de nation, et fut moralement homme de bien; il
traitait avec beaucoup d'humanité ses captifs, dont le
nombre s'éleva jusqu'à trois mille. Après sa mort, et suivant l'ordre qu'il en donna dans son testament, ceux-ci
furent répartis entre ses renégats et le Grand-Seigneur
(qui est aussi l'héritier de tous ceux qui meurent et qui
prend part comme tous les autres enfants à la succession du
défunt). Je tombai en partage à un renégat vénitien
qu'Uchali avait fait prisonnier étant mousse sur un vaisseau
chrétien et qu'il aima tant qu'il en fit un de ses plus chers
mignons. Celui-ci, le plus cruel renégat qu'on vît jamais,
s'appelait Hassan-Aga; il devint très riche et fut fait roi
d'Alger. Je le suivis de Constantinople à cette ville, satisfait
d'être si près de l'Espagne; non que je pensasse à écrire à
personne ma douloureuse situation, mais pour voir si la
fortune ne me serait pas plus favorable à Alger qu'à Constantinople, où j'avais, de mille manières, essayé de m'enfuir,
sans qu'aucune eût réussi. Je pensais, dans Alger, cher-

cher d'autres moyens d'arriver à ce que je désirais tant, car
jamais l'espoir de recouvrer ma liberté ne m'abandonna ; et
quand, en ce que j'imaginais ou mettais en œuvre, le succès
ne répondait pas à l'intention, aussitôt, sans m'abandonner
à la douleur, je me forgeais une autre espérance qui, si
faible qu'elle fût, soutînt mon courage.

C'est ainsi que j'occupais ma vie, enfermé dans la prison
que les Turcs appellent *bagne*, où ils gardent tous les captifs chrétiens, aussi bien ceux du roi que ceux des particuliers, et ceux encore qu'on appelle de l'*almacen*, comme on
dirait de la municipalité, parce qu'ils appartiennent à la
ville et servent aux travaux publics. Pour ces derniers, il
est difficile que la liberté leur soit rendue ; car étant à tout
le monde et n'ayant point de maître particulier, ils ne
savent avec qui traiter de leur rançon, même quand ils en
auraient une. Dans ces bagnes, comme je l'ai dit, beaucoup
de particuliers conduisent leurs captifs, surtout lorsque
ceux-ci sont pour être rachetés, parce qu'ils les y tiennent
en repos et en sûreté jusqu'au rachat. Il en est de même des
captifs du roi quand ils traitent de leur rançon ; ils ne vont
point au travail de la chiourme, à moins que la rançon ne
tarde à venir, parce qu'alors, pour les forcer d'écrire d'une
manière plus pressante, on les fait travailler et on les envoie
comme les autres chercher du bois, ce qui n'est pas une
petite besogne. J'étais donc parmi les captifs du rachat ;
car, lorsqu'on sut que j'étais capitaine, j'eus beau déclarer
que je n'avais ni ressources ni fortune, cela n'empêcha
point qu'on ne me rangeât parmi les gentilshommes et les
gens à rançon. On me mit une chaîne, plutôt en signe de
rachat que pour me tenir en esclavage, et je passais ma vie
dans ce bagne avec une foule d'hommes de qualité désignés
aussi pour le rachat. Bien que la faim et le dénûment nous
tourmentassent quelquefois, et même à peu près toujours,
rien ne nous causait autant de tourment que d'être témoins
des cruautés inouïes que mon maître exerçait sur les chrétiens. Chaque jour il en faisait pendre quelqu'un ; on empa-
lait celui-là, on coupait les oreilles à celui-ci, et cela pour si
peu de chose, ou plutôt tellement sans motif, que les Turcs
eux-mêmes reconnaissaient qu'il ne faisait le mal que pour
le faire, et parce que son humeur naturelle le portait à être
le meurtrier de tout le genre humain. Un seul captif s'en
tira bien avec lui : c'était un soldat espagnol, nommé un tel
de Saavedra, lequel fit des choses qui resteront de longues
années dans la mémoire des gens de ce pays, et toutes pour
recouvrer sa liberté. Cependant jamais Hassan-Aga ne lui
donna un coup de bâton, ni ne lui en fit donner, ni ne lui
adressa une parole injurieuse, tandis qu'à chacune des
nombreuses tentatives que faisait ce captif pour s'enfuir,
nous craignions tous qu'il ne fût empalé, et lui-même en
eut la peur plus d'une fois. Si le temps me le permettait,
je vous dirais à présent quelqu'une des choses que fit ce

soldat; cela suffirait pour vous intéresser et pour vous surprendre bien plus assurément que le récit de mon histoire.
Mais il faut y revenir.

Au-dessus de la cour de notre prison donnaient les
fenêtres de la maison d'un More riche et de haute naissance. Selon l'usage du pays, c'étaient plutôt des lucarnes
rondes que des fenêtres ; encore étaient-elles couvertes par
des jalousies épaisses et serrées. Un jour je me trouvais
sur une terrasse de notre prison avec trois de mes camarades, essayant, pour passer le temps, de sauter avec nos
chaînes, et seuls alors, car tous les autres chrétiens étaient
allés au travail. Je levai les yeux par hasard et je vis sortir,
par l'une de ces lucarnes si bien fermées, une canne de
jonc au bout de laquelle pendait un petit paquet ; et le
jonc s'agitait de haut en bas, comme si l'on nous eût fait
signe de venir le prendre. Nous regardâmes attentivement
et l'un de ceux qui se trouvaient avec moi alla se mettre
sous la canne, pour voir ce que l'on ferait et si on la laisserait tomber. Mais dès qu'il fut près de la muraille, on
releva la canne et on la remua de droite à gauche, comme
si l'on eût dit *non* par un signe de tête. Le chrétien s'en
revint près de nous et l'on recommença à baisser la canne
avec les mêmes mouvements que d'abord. Un autre de
mes compagnons alla tenter l'épreuve, et il lui arriva
comme au premier ; le troisième ensuite, qui ne fut pas plus
heureux que les deux autres. Quand je vis cela, je voulus
à mon tour courir la chance, et je ne fus pas plus tôt arrivé
sous la canne de jonc qu'on la laissa tomber à mes pieds
dans le bagne. Je courus aussitôt détacher le petit paquet,
et j'y trouvai un mouchoir noué qui contenait dix *cianis*,
monnaie d'or de bas aloi dont les Mores font usage et
qui valent chacun dix de nos réaux. Combien me réjouit
la trouvaille, il est inutile de le dire ; car ma joie fut égale
à la surprise que j'éprouvai en pensant d'où pouvait nous
venir cette bonne fortune, ou plutôt à moi, puisqu'en
ne voulant lâcher la canne qu'à mon approche on avait
clairement fait entendre que c'était à moi que s'adressait
le bienfait. Je pris mon précieux argent, je brisai le jonc,
je retournai sur la terrasse pour regarder de nouveau la
fenêtre, et j'en vis sortir une très blanche main, qui l'ouvrit et la ferma précipitamment. Cela nous fit comprendre, ou du moins imaginer, que c'était de quelque
femme habitant cette maison que nous avions reçu cette
aumône, et en signe de reconnaissance nous fîmes des révérences à la manière moresque, en inclinant la tête, pliant le
corps et croisant les bras sur la poitrine. Un moment après,
on fit paraître par la même lucarne une petite croix faite
de morceaux de jonc, qu'on retira aussitôt. Ce signe nous
confirma dans la pensée que quelque chrétienne devait
être esclave en cette maison et que c'était elle qui nous
faisait ce bien. Mais la blancheur de la main et les brace-

lets dont elle était ornée détruisirent cette supposition.
Alors nous imaginâmes que ce devait être une chrétienne
renégate, de celle que leurs maîtres eux-mêmes ont coutume de prendre pour épouses légitimes, chose qu'ils
tiennent à grand honneur, car ils les estiment plus que les
femmes de leur nation.

Dans toutes nos conjectures, nous donnions bien loin
de la vérité; et, depuis lors, notre unique occupation était
de regarder la fenêtre, ce pôle où nous était apparue l'étoile
de la canne de roseau. Mais il se passa bien quinze jours
sans que nous la revissions, ni la main non plus, ni signal
d'aucune espèce. Et bien que, dans cet intervalle, nous
eussions mis tous nos soins, toute notre sollicitude à
savoir qui habitait cette maison, s'il s'y trouvait quelque
chrétienne renégate, nous ne pûmes rencontrer personne
qui nous dît autre chose sinon que là demeurait un More
riche et de qualité, appelé Agi-Morato, qui avait été kayd
du fort de Bata, emploi de haute importance dans le pays.
Mais, quand nous étions le plus loin de croire que d'autres
cianis viendraient à pleuvoir par là, nous vîmes tout
à coup reparaître la canne de jonc, avec un autre paquet
au bout, plus gros que le premier. C'était un jour que le
bagne se trouvait, comme la fois précédente, complètement
vide. Nous fîmes l'épreuve accoutumée, chacun de mes
trois compagnons allant se présenter avec moi; mais le
jonc ne se rendit à aucun d'eux, et ce fut seulement quand
j'approchai qu'on le laissa tomber à terre. Je trouvai dans
le mouchoir quarante écus d'or espagnols et un billet
écrit en arabe, à la fin duquel on avait fait une grande croix.
Je baisai la croix, je pris les écus, je revins à la terrasse;
nous fîmes tous nos révérences, la main se montra de
nouveau, puis je fis signe que je lirais le billet, et l'on
ferma la fenêtre. Nous restâmes tous étonnés et ravis de
l'événement; mais comme aucun de nous n'entendait
l'arabe, si notre désir était grand de savoir ce que contenait le papier, plus grande encore était la difficulté de trouver quelqu'un qui pût le lire. Enfin je résolus de me confier
à un renégat, natif de Murcie, qui s'était donné pour
mon grand ami et duquel j'avais pris des garanties qui
l'obligeassent à garder le secret que je lui confierais.
Il y a des renégats, en effet, qui ont coutume, lorsqu'ils
ont l'intention de retourner en pays de chrétiens, d'emporter avec eux quelques attestations des captifs de qualité,
où ceux-ci certifient, dans la forme qu'ils peuvent employer,
que ce renégat est homme de bien, qu'il a rendu service
aux chrétiens et qu'il a l'intention de s'enfuir à la première
occasion favorable. Il y en a qui recherchent ces certificats
avec bonne intention; d'autres, par adresse et pour en
tirer parti. Ils viennent voler en pays chrétiens; et, s'ils
font naufrage, ou s'ils sont arrêtés, ils tirent leurs certificats et disent qu'on verra par ces papiers qu'ils avaient

le dessein de revenir à la foi chrétienne, et que c'est pour
cela qu'ils étaient venus en course avec les autres Turcs.
Ils se préservent ainsi du premier mouvement d'horreur,
se réconcilient avec l'Eglise, sans qu'il leur en coûte rien,
et, dès qu'ils trouvent leur belle, ils retournent en Berbérie faire le même métier qu'auparavant. D'autres font
réellement usage de ces papiers, les recherchent à bonne
intention et restent dans les pays chrétiens. Un de ces
renégats était l'ami dont je viens de parler, lequel avait
des attestations de tous nos camarades, où nous rendions
de lui le meilleur témoignage qu'il fût possible. Si les
Mores eussent trouvé sur lui ces papiers, ils l'auraient brûlé
tout vif. J'appris qu'il savait assez bien l'arabe, non seulement pour le parler, mais pour l'écrire. Toutefois, avant
de m'ouvrir entièrement à lui, je le priai de me lire ce
papier que j'avais par hasard trouvé dans une fente de
mon hangar. Il l'ouvrit, le regarda quelque temps avec
soin et se mit à l'épeler entre ses dents; je lui demandai
s'il le comprenait. « Très bien, me dit-il, et, si vous voulez que je vous le traduise mot pour mot, donnez-moi
une plume et de l'encre, ce me sera plus facile. » Nous
lui donnâmes aussitôt ce qu'il demandait, et il se mit à
traduire peu à peu. Quand il eut fini : « Tout ce qui est ici en
espagnol, dit-il, c'est ce que contient le papier, sans qu'il
y manque une lettre. Il faut seulement prendre garde qu'où
il y a *Lella Maryem*, cela veut dire *Notre-Dame la Vierge
Marie*. » Nous lûmes alors le billet qui était ainsi conçu :

« Quand j'étais enfant, mon père avait une esclave qui
m'apprit dans ma langue l'azala chrétienne et qui me
dit bien des choses de Lella Maryem; la chrétienne mourut,
et je sais qu'elle n'est point allée au feu, mais auprès d'Allah, car depuis je l'ai vue deux fois, et elle m'a dit d'aller
en pays de chrétiens pour voir Lella Maryem, qui m'aime
beaucoup. Je ne sais comment y aller. J'ai vu bien des
chrétiens par cette fenêtre, mais aucun ne m'a paru gentilhomme, si ce n'est toi. Je suis belle et jeune et j'ai beaucoup
d'argent à emporter avec moi. Vois si tu peux faire en
sorte que nous nous en allions; là tu seras mon mari, si
tu veux l'être; et, si tu ne veux pas, cela me sera égal,
car Lella Maryem me donnera bien quelqu'un avec qui
me marier. C'est moi qui écris cela, mais prends garde à
qui tu le feras lire, et ne te fie à aucun More, car ils sont
tous trompeurs. Cela me fait grand-peine et je voudrais
que tu ne te découvrisses à personne; car, si mon père
le sait, il me jettera sur-le-champ dans un puits et me
couvrira de pierres. Je mettrai un fil au jonc, attaches-y
ta réponse, et si tu n'as personne qui te l'écrive en arabe,
fais-la-moi par signes : Lella Maryem fera que je t'en-
tendrai. Qu'elle et Allah te conservent, ainsi que cette
croix, que je baise souvent, comme me l'a recommandé
la captive. »

Maintenant, seigneurs, voyez s'il était juste que le contenu de ce billet nous surprît et nous enchantât. Notre étonnement et notre joie éclatèrent de façon que le renégat s'aperçut bien que ce papier n'avait pas été trouvé par hasard, mais qu'il avait été réellement écrit à l'un de nous. Il nous conjura donc, si ce qu'il soupçonnait était la vérité, de nous fier et de nous ouvrir à lui, nous promettant de hasarder sa vie pour notre délivrance. En parlant ainsi, il tira de son sein un petit crucifix de métal, et, versant d'abondantes larmes, il nous jura, par le Dieu que représentait cette image et auquel, bien que pécheur et méchant, il avait fidèlement conservé sa croyance, de nous garder le plus loyal secret sur tout ce qu'il nous plairait de lui découvrir. Il lui semblait, à ce qu'il nous dit, ou plutôt il pressentait que, par le moyen de celle qui avait écrit ce billet, nous devions tous obtenir notre liberté, et lui, l'objet de ses ardents désirs, qui était de rentrer dans le giron de la sainte Eglise sa mère, dont il était séparé comme un membre pourri, par son ignorance et son péché. C'était avec tant de larmes et avec de telles marques de repentir que le renégat parlait de la sorte que tous, d'un commun avis, nous consentîmes à lui révéler la vérité de l'aventure, et nous lui en rendîmes en effet un compte exact, sans lui rien cacher. Nous lui fîmes voir la petite fenêtre par où se montrait le bâton de roseau, et, lui, remarquant avec soin la maison, promit qu'il mettrait tous ses soins à s'informer des gens qui l'habitaient. Nous pensâmes aussi qu'il serait bon de répondre sur-le-champ au billet de la Moresque et, comme nous avions maintenant quelqu'un qui savait le faire, le renégat écrivit aussitôt la réponse que je lui dictai, et dont je vais vous dire ponctuellement les propres expressions; car, de tous les détails importants de cette aventure, aucun ne m'est sorti de la mémoire, ni ne m'en sortira tant qu'il me restera un souffle de vie. Voici donc ce que je répondis à la Moresque :

« Que le véritable Allah te conserve, madame, ainsi que cette bienheureuse Maryem, qui est la véritable mère de Dieu, et celle qui t'a mis dans le cœur de t'en aller en pays de chrétiens, parce qu'elle t'aime tendrement. Prie-la de vouloir bien te révéler comment tu pourras mettre en œuvre ce qu'elle t'ordonne; elle est si bonne qu'elle le fera. De ma part, et de celle de tous les chrétiens qui se trouvent avec moi, je t'offre de faire pour toi tout ce que nous pourrons jusqu'à mourir. Ne manque pas de m'écrire pour m'informer de ce que tu penses faire; je te répondrai toujours. Le grand Allah nous a donné un chrétien captif qui sait parler et écrire ta langue aussi bien que tu le verras par ce billet. Ainsi, sans avoir aucune inquiétude, tu peux nous informer de tout ce que tu voudras. Quant à ce que tu dis que, si tu arrives en pays de chrétiens, tu dois être

ma femme, je te le promets comme bon chrétien, et tu
sais que les chrétiens tiennent mieux que les Mores ce
qu'ils promettent. Qu'Allah et Maryem, sa mère, t'aient
en leur sainte garde. »

Quand ce billet fut écrit et cacheté, j'attendis deux jours
que le bagne fût vide, comme d'habitude, et j'allai aussitôt
à la promenade ordinaire de la terrasse pour voir si la canne
de jonc paraîtrait ; elle ne tarda pas beaucoup à se montrer.
Dès que je la vis, bien que je ne pusse voir qui la tenait,
je montrai le papier, comme pour faire entendre qu'on
attachât le fil. Mais déjà il pendait au bâton. J'y liai le
billet, et peu de moments après nous vîmes paraître de
nouveau notre étoile, avec sa blanche bannière de paix,
le petit mouchoir. On le laissa tomber, j'allai le ramasser
aussitôt, et nous y trouvâmes, en toutes sortes de mon-
naies d'or et d'argent, plus de cinquante écus, lesquels
doublèrent cinquante fois notre allégresse et nous affer-
mirent dans l'espoir de la délivrance. Cette même nuit,
notre renégat revint au bagne. Il nous dit qu'il avait appris
que, dans cette maison, vivait en effet le More qu'on nous
avait indiqué, nommé Agi-Morato ; qu'il était prodigieusement riche ; qu'il avait une fille unique, héritière de
tous ses biens, qui passait unanimement dans la ville pour
la plus belle femme de toute la Berbérie, et que plusieurs
des vice-rois qui étaient venus dans la province l'avaient
demandée pour femme, mais qu'elle n'avait jamais voulu
se marier ; enfin, qu'elle avait eu longtemps une esclave
chrétienne, morte depuis peu. Tout cela se rapportait parfaitement au contenu du billet. Nous tînmes ensuite conseil
avec le renégat sur le parti qu'il fallait prendre pour enlever de chez elle la Moresque et venir tous en pays chrétien. Il fut d'abord résolu qu'on attendrait le second avis
de Zoraïde (c'est ainsi que s'appelait celle qui veut à présent s'appeler Marie), car nous reconnûmes bien qu'elle
seule, et personne autre, pouvait trouver une issue à ces
difficultés. Après nous être arrêtés à cela, le renégat nous
dit de prendre courage, et qu'il perdrait la vie ou nous
rendrait la liberté.

Pendant quatre jours entiers le bagne resta plein de
monde, ce qui fut cause que le bâton de jonc tarda quatre
jours à paraître. Au bout de ce temps, et dans la solitude
accoutumée, il se montra enfin, avec un paquet si gros
qu'il promettait une heureuse portée. Le jonc s'inclina
devant moi, et je trouvai dans le mouchoir un autre billet
avec cent écus d'or, sans aucune monnaie. Le renégat se
trouvait présent ; nous lui donnâmes à lire le papier dans
notre chambrée. Voici ce qu'il contenait :

« Je ne sais, mon seigneur, quel parti prendre pour que
nous allions en Espagne, et Lella Maryem ne me l'a pas
dit, bien que je le lui aie demandé. Ce qui se pourra faire,
c'est que je vous donne par cette fenêtre beaucoup de

pièces d'or. Rachetez-vous avec cet argent, toi et tes amis, et qu'un de vous s'en aille en pays de chrétiens, qu'il y achète une barque, et qu'il revienne chercher les autres. On me trouvera, moi, dans le jardin de mon père, qui est à la porte de Bab-Azoun, près du bord de la mer, où je passerai tout l'été avec mon père et mes serviteurs. De là, pendant la nuit, vous pourrez m'enlever facilement et me conduire à la barque. Et fais bien attention que tu dois être mon mari; car sinon, je prierai Maryem qu'elle te punisse. Si tu ne te fies à personne assez pour l'envoyer chercher la barque, rachète-toi, et vas-y; je sais que tu reviendras plutôt qu'un autre, puisque tu es gentilhomme et chrétien. Tâche de savoir où est le jardin; quand tu viendras te promener par là, je saurai qu'il n'y a personne au bagne, et je te donnerai beaucoup d'argent. Qu'Allah te conserve, mon seigneur. »

Tel était le contenu du second billet; et, dès que nous en eûmes tous pris connaissance, chacun s'offrit pour être racheté et remplir la mission, promettant d'aller et de revenir avec la plus grande ponctualité. Moi-même je m'offris comme les autres. Mais le renégat s'opposa à toutes ces propositions, disant qu'il ne permettrait pas qu'aucun de nous fût mis en liberté avant que tous les autres le fussent en même temps, parce que l'expérience lui avait appris combien, une fois libre, on tenait mal les paroles données dans l'esclavage. Très souvent, disait-il, des captifs de grande naissance avaient employé ce moyen, rachetant quelqu'un de leurs compagnons pour qu'il allât, avec de l'argent, à Valence ou à Mayorque, armer une barque et revenir chercher ceux qui lui avaient fourni sa rançon; mais jamais on ne les avait revus, parce que le bonheur d'avoir recouvré la liberté et la crainte de la perdre encore effaçaient de leur souvenir toutes les obligations du monde. Pour preuve de cette vérité, il nous raconta brièvement une aventure qui était arrivée depuis peu à des gentilshommes chrétiens, la plus étrange qu'on ait ouï conter dans ces parages, où chaque jour se passent des choses étonnantes. Enfin il finit par nous dire que ce qu'il fallait faire c'était de lui donner, à lui, l'argent destiné à la rançon du chrétien, pour acheter une barque à Alger même; sous prétexte de se faire marchand et de négocier avec Tétouan et les villes de la côte; et que, lorsqu'il serait maître de la barque, il trouverait facilement le moyen de nous tirer du bagne et de nous mettre tous à bord. « D'ailleurs, ajoutait-il, si la Moresque, ainsi qu'elle le promet, donne assez d'argent pour vous racheter tous, rien ne sera plus facile, une fois libres, que de vous embarquer au beau milieu du jour. La plus grande difficulté qui s'offre, c'est que les Mores ne permettent à aucun renégat d'acheter ou d'avoir une barque en leur possession, mais seulement de grands navires pour aller en course, parce qu'ils craignent que celui qui achète une barque, surtout s'il est Espagnol, ne la veuille avoir uniquement pour se sauver en pays chrétien. Mais je lèverai cet obstacle en mettant un More tagarin de moitié dans l'acquisition de la barque et les bénéfices du négoce. Sous l'ombre de son nom, je deviendrai maître de la barque, et je tiens dès lors tout le reste pour accompli. »

Bien qu'il nous eût paru préférable, à mes compagnons et à moi, d'envoyer chercher la barque à Mayorque, ainsi que le disait la Moresque, nous n'osâmes point contredire le renégat, dans la crainte que, si nous ne faisions pas ce qu'il demandait, il ne nous découvrît et ne mît en danger de mort nous et Zoraïde, pour la vie de qui nous aurions donné toutes les nôtres. Ainsi nous résolûmes de remettre notre sort dans les mains de Dieu et dans celles du renégat. On répondit à l'instant même à Zoraïde, en lui disant que nous ferions tout ce qu'elle nous conseillait, parce que son idée était aussi bonne que si Lella Maryem la lui eût communiquée, et que c'était à elle seule qu'il appartenait d'ajourner ce projet ou de le mettre immédiatement en œuvre. Je renouvelai enfin, à la suite de cette lettre, la promesse d'être son époux; et, un autre jour que le bagne se trouvait solitaire, elle nous descendit, en différentes fois, avec la canne et le mouchoir, jusqu'à deux mille écus d'or. Elle disait dans un billet que le prochain *dgiuma*, qui est le vendredi, elle allait au jardin de son père; mais qu'avant de partir elle nous donnerait encore de l'argent; que, si cela ne suffisait pas, nous n'avions qu'à l'en avertir, qu'elle nous en donnerait autant que nous lui en demanderions, parce que son père en avait tant qu'il n'y ferait pas attention, et que d'ailleurs elle tenait les clefs de toutes choses. Nous remîmes aussitôt cinq cents écus au renégat pour l'achat de la barque. Avec huit cents écus je me rachetai. J'avais donné l'argent à un marchand valencien qui se trouvait en ce moment à Alger. Celui-ci me racheta du roi, mais sur parole, et en s'engageant à payer ma rançon à l'arrivée du premier vaisseau qui viendrait de Valence : car, s'il eût aussitôt déboursé l'argent, ç'aurait été donner au roi le soupçon que ma rançon était depuis plusieurs jours à Alger et que, pour faire un bénéfice, le marchand n'en avait rien dit. Finalement, mon maître était si madré que je n'osai point lui faire compter l'argent tout d'abord.

La veille du vendredi où la belle Zoraïde devait aller au jardin d'été, elle nous donna encore mille écus d'or, et nous informa de son prochain départ, en me priant, dès que je serais racheté, de me faire indiquer le jardin de son père, et de chercher, en tout cas, l'occasion d'y aller et de la voir. Je lui répondis en peu de mots que je ne manquerais pas de faire ainsi, et qu'elle eût bien soin de nous recommander à Lella Maryem, avec toutes les oraisons que l'esclave lui avait enseignées. Cela fait, on prit des mesures pour que mes trois compagnons se rachetassent aussi, afin de faciliter leur sortie du bagne, et que, me voyant racheté et eux non, tandis qu'il y avait de l'argent pour le faire, le diable n'allât pas leur monter la tête et leur persuader de faire quelque sottise au détriment de Zoraïde. Bien que leur qualité pût me préserver de cette crainte, cependant je ne voulus pas laisser courir une telle chance à l'affaire. Je les fis donc racheter par le même moyen que j'avais pris pour moi, en remettant d'avance l'argent de la rançon au marchand, pour qu'il pût s'engager en toute sécurité; mais jamais nous ne lui découvrîmes notre secret complot; cette confidence eût été trop dangereuse.

CHAPITRE XLI

Où le captif continue son histoire.

Quinze jours ne se passèrent point sans que notre renégat eût acheté une bonne barque, capable de tenir trente personnes. Pour colorer la chose et prévenir tout soupçon, il résolut de faire, et fit en effet le voyage d'un pays appelé Sargel, qui est à vingt lieues d'Alger, du côté d'Oran, où il se fait un grand commerce de figues sèches. Il recommença deux ou trois fois ce voyage, en compagnie du Tagarin dont il nous avait parlé. On appelle *Tagarins*, en Berbérie, les Mores de l'Aragon, et *Mudejarès* ceux de Grenade. Ces derniers se nomment *Elchès* dans le royaume de Fez, et ce sont eux que le roi de ce pays emploie le plus volontiers à la guerre. Chaque fois que le renégat passait avec sa barque, il jetait l'ancre dans une petite cale qui n'était pas à deux portées d'arquebuse du jardin où demeurait Zoraïde. Là, avec les jeunes Mores qui ramaient dans son bâtiment, il se mettait à dessein, tantôt à dire l'*azala*, tantôt à essayer, comme pour rire, ce qu'il pensait bien faire tout de bon. Ainsi, il allait au jardin de Zoraïde demander des fruits, et le père lui en donnait sans le connaître. Il aurait bien voulu parler à Zoraïde, comme il me le confia depuis, pour lui dire que c'était lui qui devait, par mon ordre, la mener en pays chrétien, et qu'elle attendît patiemment, en toute confiance; mais il ne put jamais y parvenir, parce que les femmes moresques ne se laissent voir d'aucun More ni Turc, à moins que ce ne soit par ordre de leur père ou de leur mari. Quant aux captifs chrétiens, elles se laissent voir et entretenir par eux peut-être plus qu'il ne serait raisonnable. Pour moi, j'aurais été fâché qu'il lui eût parlé, car elle se serait effrayée sans doute en voyant son sort confié à la langue d'un renégat. Mais Dieu, qui ordonnait les choses d'autre façon, ne donna point au désir du renégat l'occasion de se satisfaire. Celui-ci, voyant qu'il allait et venait en toute sûreté, dans ses voyages à Sargel; qu'il jetait l'ancre où, quand et comme il lui plaisait; que son associé le Tagarin n'avait d'autre volonté que la sienne; qu'enfin j'étais racheté et qu'il ne man-

quait plus que de trouver des chrétiens pour le service
des rames, me dit de choisir ceux que je voulais emmener
avec moi, outre les gentilshommes rachetés, et de les tenir
prévenus pour le premier vendredi, jour où il avait décidé
qu'aurait lieu notre départ. En conséquence, je parlai à
douze Espagnols, tous vigoureux rameurs, et de ceux qui
pouvaient le plus librement sortir de la ville. Ce n'était
pas facile d'en trouver autant à cette époque, car vingt
bâtiments étaient sortis en course, et l'on avait emmené
tous les hommes des chiourmes. Ceux-ci ne se rencontrèrent que parce que leur maître ne s'était pas mis en
course de toute la saison, ayant à terminer une galiote qui
était sur le chantier. Je ne leur dis rien autre chose sinon
que, le premier vendredi, dans le tantôt, ils sortissent
secrètement un à un et qu'ils prissent le chemin du jardin
d'Agi-Morato, où ils m'attendraient jusqu'à ce que j'arrivasse. Je donnai à chacun cet avis en particulier, en leur
recommandant, s'ils voyaient là d'autres chrétiens, de leur
dire simplement que je leur avais commandé de m'attendre
en cet endroit.

Cette démarche faite, il m'en restait une autre à faire
qui me convenait encore davantage : c'était d'informer
Zoraïde de l'état où se trouvaient nos affaires, pour qu'elle
fût prête et sur le qui-vive, et qu'elle ne s'effrayât point
si nous l'enlevions à l'improviste avant le temps que, dans
sa pensée, devait mettre à revenir la barque des chrétiens.
Je résolus donc d'aller au jardin et de voir si je pourrais
lui parler. Sous prétexte d'aller cueillir quelques herbages,
j'y entrai la veille de mon départ, et la première personne
que je rencontrai fut son père, lequel s'adressa à moi dans
cette langue qu'on parle entre captifs et Mores, sur toutes
les côtes de Berbérie, et même à Constantinople, qui n'est
ni l'arabe, ni le castillan, ni la langue d'aucune nation,
mais un mélange de toutes les langues, avec lequel nous
parvenions à nous entendre tous. Il me demanda donc,
en cette manière de langage, qui j'étais et ce que je cherchais dans son jardin. Je lui répondis que j'étais esclave
d'Arnaute Mami (et cela, parce que je savais que c'était
un de ses amis les plus intimes) et que je cherchais des
herbes pour faire une salade. Il me demanda ensuite si
j'étais ou non un homme de rachat, et combien mon
maître exigeait pour ma rançon. Pendant ces questions
et ces réponses, la belle Zoraïde sortit de la maison du
jardin. Il y avait déjà longtemps qu'elle ne m'avait vu,
et, comme les Moresques, ainsi que je l'ai dit, ne font
aucune façon de se montrer aux chrétiens et ne cherchent
pas davantage à les éviter, rien ne l'empêcha de s'avancer auprès de nous. Au contraire, voyant qu'elle venait
à petits pas, son père l'appela et la fit approcher. Ce
serait chose impossible que de vous dire à présent avec
quelle extrême beauté, quelle grâce parfaite et quels

riches atours parut à mes yeux ma bien-aimée Zoraïde. Je dirai seulement que plus de perles pendaient à son beau cou, à ses oreilles, à ses boucles de cheveux qu'elle n'avait de cheveux sur la tête. Au-dessus des cous-de-pied, qu'elle avait nus et découverts à la mode de son pays, elle portait deux *carcadj* (c'est ainsi qu'on appelle en arabe les anneaux ou bracelets des pieds) d'or pur, avec tant de diamants incrustés que son père, à ce qu'elle m'a dit depuis, les estimait dix mille doublons, et les bracelets qu'elle portait aux poignets des mains valaient une somme égale. Les perles étaient très fines et très nombreuses, car la plus grande parure des femmes moresques est de se couvrir de perles en grains ou en semences. Aussi y a-t-il plus de perles chez les Mores que chez toutes les autres nations. Le père de Zoraïde avait la réputation d'en posséder un grand nombre, et des plus belles qui fussent à Alger. Il passait aussi pour avoir dans son trésor plus de deux cent mille écus espagnols, et c'est de tout cela qu'était maîtresse celle qui l'est à présent de moi. Si elle se montrait belle avec tous ses ornements, on peut se faire idée, par les restes de beauté que lui ont laissés tant de souffrances et de fatigues, de ce qu'elle devait être en ce temps de prospérité. On sait que la beauté de la plupart des femmes a ses jours et ses époques; que les accidents de leur vie la diminuent ou l'augmentent, et qu'il est naturel que les passions de l'âme l'élèvent ou l'abaissent, bien que d'ordinaire elles la flétrissent. Enfin, elle se montra parée et belle au dernier point; du moins elle me parut la plus riche et la plus ravissante femme qu'eussent encore vue mes yeux. Et, joignant à cela les sentiments de reconnaissance que m'avaient inspirés ses bienfaits, je crus avoir devant moi une divinité du ciel descendue sur la terre pour mon plaisir et mon salut. Dès qu'elle approcha, son père lui dit dans sa langue que j'étais esclave de son ami Arnaute Mami et que je venais chercher une salade. Elle prit alors la parole et, dans cette langue mêlée dont je vous ai parlé, elle me demanda si j'étais gentilhomme, et pourquoi je ne m'étais pas encore racheté; je lui répondis que je venais de l'être et qu'elle pouvait voir, par le prix de ma rançon, combien mon maître m'estimait, puisqu'il avait exigé et touché quinze cents zoltanis. « En vérité, dit-elle, si tu avais appartenu à mon père, j'aurais fait en sorte qu'il ne te donnât pas pour deux fois autant; car vous autres chrétiens, vous mentez en tout ce que vous dites, et vous vous faites pauvres pour tromper les Mores. — Cela peut bien être, madame, répondis-je; mais je te proteste que j'ai dit à mon maître la vérité, que je la dis et la dirai à toutes les personnes que je rencontre en ce monde. — Et quand t'en vas-tu ? demanda Zoraïde. — Demain, à ce que je crois, lui dis-je. Il y a ici un vaisseau de France qui met demain à la voile, et je pense partir avec lui. — Ne vaudrait-il pas mieux, répliqua Zoraïde, attendre qu'il arrivât des vaisseaux d'Espagne pour t'en aller avec eux, plutôt qu'avec des Français, qui ne sont pas vos amis ? — Non, répondis-je, si toutefois il y avait des nouvelles certaines qu'un bâtiment arrive d'Espagne, je me déciderais à l'attendre ; mais il est plus sûr de m'en aller dès demain ; car le désir que j'ai de me voir en mon pays, auprès des personnes que j'aime, est si fort, qu'il ne me laissera pas attendre une autre occasion, pour peu qu'elle tarde, quelque bonne qu'elle puisse être. — Tu dois sans doute être marié dans ton pays ? demanda Zoraïde ; et c'est pour cela que tu désires tant aller revoir ta femme. — Non, répondis-je, je ne suis pas marié ; mais j'ai donné ma parole de me marier en arrivant. — Est-elle belle, la dame à qui tu l'as donnée ? demanda Zoraïde. — Si belle, répliquai-je, que, pour la louer dignement et te dire la vérité, j'affirme qu'elle te ressemble beaucoup. » A ces mots, le père de Zoraïde se mit à rire de bon cœur et me dit : « Par Allah, chrétien, elle doit être bien belle, en effet, si elle ressemble à ma fille, qui est la plus belle personne de tout ce royaume ; si tu en doutes, regarde-la bien, et tu verras que je t'ai dit la vérité. » C'était Agi-Morato qui nous servait d'interprète dans le cours de cet entretien, comme plus habile à parler cette langue bâtarde dont on fait usage en ce pays ; car Zoraïde, quoiqu'elle l'entendît également, exprimait plutôt ses pensées par signes que par paroles.

Tandis que la conversation continuait ainsi, arrive un More tout essoufflé, disant à grands cris que quatre Turcs ont sauté par-dessus les murs du jardin, et qu'ils cueillent les fruits, bien que tout verts encore. A cette nouvelle, le vieillard tressaillit de crainte, et sa fille aussi, car les Mores ont une peur générale et presque naturelle des Turcs, surtout des soldats de cette nation, qui sont si insolents et exercent un tel empire sur les Mores leurs sujets qu'ils les traitent plus mal que s'ils étaient leurs esclaves. Agi-Morato dit aussitôt à Zoraïde : « Fille, retourne vite à la maison, et renferme-toi pendant que je vais parler à ces chiens ; toi, chrétien, cherche tes herbes à ton aise, et qu'Allah te ramène heureusement en ton pays. » Je m'inclinai, et il alla chercher les Turcs, me laissant seul avec Zoraïde, qui fit d'abord mine d'obéir à son père ; mais, dès qu'il eut disparu derrière les arbres du jardin, elle revint auprès de moi et me dit, les yeux pleins de larmes : « *Ataméji, ataméji ?* » ce qui veut dire : « Tu t'en vas, chrétien, tu t'en vas ? — Oui, madame, lui répondis-je ; mais jamais sans toi. Attends-moi le premier *dgiuma*, et ne t'effraye pas de nous voir, car, sans aucun doute, nous t'emmènerons en pays de chrétiens. » Je lui dis ce peu de mots de façon qu'elle me comprît très bien, ainsi que d'autres propos que nous échangeâmes. Alors, jetant un

bras autour de mon cou, elle commença d'un pas tremblant
à cheminer vers la maison. Le sort voulut, et ce pouvait
être pour notre perte, si le ciel en eût ordonné autrement,
que, tandis que nous marchions ainsi embrassés, son père,
qui venait déjà de renvoyer les Turcs, nous vît dans cette
posture, et nous vîmes bien aussi qu'il nous avait aperçus.
Mais Zoraïde, adroite et prudente, ne voulut pas ôter les
bras de mon cou; au contraire, elle s'approcha plus près
encore, et posa sa tête sur ma poitrine, en pliant un peu les
genoux et donnant tous les signes d'un évanouissement
complet. Moi, de mon côté, je feignis de la soutenir contre
mon gré. Son père vint en courant à notre rencontre, et
voyant sa fille en cet état, il lui demanda ce qu'elle avait;
mais comme elle ne répondait pas : « Sans doute, s'écria-t-il,
que l'effroi que lui a donné l'arrivée de ces chiens l'aura fait
évanouir. » Alors, l'ôtant de dessus ma poitrine, il la pressa
contre la sienne. Elle jeta un soupir et, les yeux encore
mouillés, se tourna de mon côté et me dit : « *Améji*, chrétien, *améji* », c'est-à-dire : « Va-t'en, chrétien, va-t'en. » A
quoi son père répondit : « Peu importe, fille, que le chrétien
s'en aille, car il ne t'a point fait de mal; et les Turcs sont
partis. Que rien ne t'effraye maintenant, et que rien ne te
chagrine, puisque les Turcs, ainsi que je te l'ai dit, se sont,
à ma prière, en allés par où ils étaient venus. — Ce sont eux,
seigneur, dis-je à son père, qui l'ont effrayée, comme tu
l'as pensé. Mais puisqu'elle dit que je m'en aille, je ne veux
pas lui causer de peine. Reste en paix et, avec ta permission,
je reviendrai, au besoin, cueillir des herbes dans le jardin;
car, à ce que dit mon maître, on n'en saurait trouver en
aucun autre de meilleures pour la salade. — Tu pourras
revenir toutes les fois qu'il te plaira, répondit Agi-Morato;
ma fille ne dit pas cela parce que ta vue ou celle des autres
chrétiens la fâche; c'était pour dire que les Turcs s'en
allassent qu'elle t'a dit de t'en aller, ou bien parce qu'il était
temps de chercher tes herbes. » A ces mots, je pris sur-le-
champ congé de tous les deux, et Zoraïde, qui semblait à
chaque pas se sentir arracher l'âme, s'éloigna avec son père.
Moi, sous prétexte de chercher les herbes de ma salade, je
parcourus à mon aise tout le jardin; je remarquai bien les
entrées et les sorties, le fort et le faible de la maison, et les
commodités qui se pouvaient offrir pour le succès de notre
entreprise. Cela fait, je revins, et rendis compte de tout ce
qui s'était passé au renégat et à mes compagnons, soupirant
après l'heure où je me verrais en paisible jouissance du
bonheur que m'offrait le ciel dans la belle et charmante
Zoraïde.

Enfin, le temps s'écoula, et amena le jour par nous si
désiré. Nous suivîmes ponctuellement tous ensemble l'ordre
arrêté dans nos conciliabules après de mûres réflexions,
et le succès répondit pleinement à notre espoir. Le vendredi qui suivit le jour où j'avais entretenu Zoraïde dans

le jardin, le renégat vint, à l'entrée de la nuit, jeter l'ancre
avec sa barque presque en face de la demeure où nous
attendait l'aimable fille d'Agi-Morato. Déjà les chrétiens
qui devaient occuper les bancs des rameurs étaient avertis
et cachés dans divers endroits des environs. Ils étaient tous
vigilants et joyeux dans l'attente de mon arrivée, et impa-
tients d'attaquer le navire qu'ils avaient devant les yeux;
car, ne sachant point la convention faite avec le renégat,
ils croyaient que c'était par la force de leurs bras qu'il fallait
gagner la liberté, en ôtant la vie aux Mores qui occupaient
la barque. Il arriva donc qu'à peine je me fus montré avec
mes compagnons, tous les autres qui étaient cachés, guet-
tant notre arrivée, accoururent auprès de nous. C'était
l'heure où les portes de la ville venaient d'être fermées, et
personne n'apparaissait dans toute cette campagne. Quand
nous fûmes réunis, nous hésitâmes pour savoir s'il valait
mieux aller d'abord chercher Zoraïde, ou faire, avant tout,
prisonniers les Mores bagarins qui ramaient dans la barque.
Pendant que nous étions encore à balancer, arriva notre
renégat, qui nous demanda à quoi nous perdions le temps,
ajoutant que l'heure était venue d'agir et que tous ses
Mores, la plupart endormis, ne songeaient guère à se tenir
sur leurs gardes. Nous lui dîmes ce qui causait notre hésitation; mais il répondit que ce qui importait le plus, c'était
d'abord de s'emparer de la barque, chose très facile et sans
nul danger, puis qu'ensuite nous pourrions aller enlever
Zoraïde. Son avis fut unanimement approuvé, et, sans
tarder davantage, guidés par lui, nous arrivâmes au petit
navire. Il sauta le premier à bord, saisit son cimeterre et
s'écria en langue arabe : « Que personne de vous ne bouge,
s'il ne veut qu'il lui en coûte la vie. » En ce moment,
presque tous les chrétiens étaient entrés à sa suite. Les
Mores, qui n'étaient pas gens de résolution, furent frappés
d'effroi en écoutant ainsi parler leur *arraez*, et, sans qu'aucun d'eux étendît la main sur le peu d'armes qu'ils avaient,
ils se laissèrent en silence garrotter par les chrétiens. Ceux-
ci firent cette besogne avec célérité, menaçant les Mores,
si l'un d'eux élevait la voix, de les passer au fil de l'épée.
Quand cela fut fait, la moitié de nos gens restèrent pour
les garder, et je revins avec les autres, ayant toujours le
renégat pour guide, au jardin d'Agi-Morato. Le bonheur
voulut qu'en arrivant à la porte nous l'ouvrissions avec
autant de facilité que si elle n'eût pas été fermée. Nous
approchâmes donc en grand silence jusqu'auprès de la
maison, sans donner l'éveil à personne. La belle Zoraïde
nous attendait à une fenêtre, et, dès qu'elle entendit que
quelqu'un était là, elle demanda d'une voix basse si nous
étions *nazarani*, c'est-à-dire chrétiens. Je lui répondis que
oui et qu'elle n'avait qu'à descendre. Quand elle me reconnut, elle n'hésita pas un moment; sans répliquer un mot,
elle descendit en toute hâte, ouvrit la porte et se fit voir à

tous les yeux, si belle et si richement vêtue que je ne pourrais l'exprimer. Dès que je la vis, je lui pris une main et je
la baisai; le renégat fit de même ainsi que mes deux compagnons, et les deux autres aussi, qui, sans rien savoir de
l'aventure, firent ce qu'ils nous virent faire, si bien qu'il
semblait que tous nous lui rendissions grâce, et la recon-
nussions pour maîtresse de notre liberté. Le renégat lui
demanda en langue moresque si son père était dans le jardin. Elle répondit que oui et qu'il dormait. « Alors il faudra
l'éveiller, reprit le renégat, et l'emmener avec nous, ainsi
que tout ce qu'il y a de précieux dans ce beau jardin. —
Non, s'écria-t-elle, on ne touchera point à un cheveu de
mon père; et dans cette maison il n'y a rien de plus que ce
que j'emporte, et c'est bien assez pour que vous soyez tous
riches et contents. Attendez un peu et vous allez voir. »
A ces mots, elle rentra chez elle, en disant qu'elle reviendrait
aussitôt, et que nous restassions tranquilles, sans faire
aucun bruit. Je questionnai le renégat sur ce qui venait de
se passer entre eux, et quand il me l'eut conté, je lui dis
qu'il fallait ne faire en toute chose que la volonté de
Zoraïde. Celle-ci revenait déjà, chargée d'un coffret si
plein d'écus d'or qu'elle pouvait à peine le soutenir. La
fatalité voulut que son père s'éveillât en ce moment et qu'il
entendît le bruit qui se faisait dans le jardin. Il s'approcha
de la fenêtre, et reconnut sur-le-champ que ceux qui
entouraient sa maison étaient chrétiens. Aussitôt, jetant des
cris perçants, il se mit à dire en arabe : « Aux chrétiens, aux
chrétiens! aux voleurs, aux voleurs! » Ces cris nous mirent
tous dans une affreuse confusion. Mais le renégat, voyant le
péril que nous courions, et combien il lui importait de
terminer l'entreprise avant que l'éveil fût donné, monta, en
courant à toutes jambes, à l'appartement d'Agi-Morato.
Quelques-uns des nôtres le suivirent, car je n'osai, quant
à moi, abandonner Zoraïde, qui était tombée comme évanouie dans mes bras. Finalement, ceux qui étaient montés
mirent si bien le temps à profit qu'un moment après ils
descendirent, amenant Agi-Morato, les mains liées et un
mouchoir attaché sur la bouche et le menaçant de lui faire
payer un seul mot de la vie. Quand sa fille l'aperçut, elle se
couvrit les yeux pour ne point le voir, et lui resta frappé de
stupeur, ne sachant pas avec quelle bonne volonté elle
s'était remise en nos mains. Mais comme alors les pieds
étaient le plus nécessaires, nous regagnâmes en toute hâte
notre barque, où ceux qui étaient restés nous attendaient,
fort inquiets qu'il ne nous fût arrivé quelque malheur.

A peine deux heures de la nuit s'étaient écoulées que nous
étions tous réunis dans la barque. On ôta au père de
Zoraïde les liens des mains et le mouchoir de la bouche;
mais le renégat lui répéta encore que, s'il disait un mot,
c'en était fait de lui. Dès qu'il aperçut là sa fille, Agi-
Morato commença à pousser de plaintifs sanglots, surtout

quand il vit que je la tenais étroitement embrassée, et
qu'elle, sans se plaindre, sans se défendre, sans chercher à
s'échapper, demeurait tranquille entre mes bras; mais
toutefois il gardait le silence, dans la crainte que le renégat
ne mît ses menaces à effet. Au moment où nous allions
jeter les rames à l'eau, Zoraïde, voyant dans la barque son
père et les autres Mores qui étaient attachés, dit au renégat
de me demander que je lui fisse la grâce de relâcher ces
Mores et de rendre à son père la liberté, parce qu'elle se
précipiterait plutôt dans la mer que de voir devant ses
yeux, et par rapport à elle, emmener captif un père qui
l'avait si tendrement aimée. Le renégat me transmit sa
prière, et je répondis que j'étais prêt à la contenter. Mais
il répliqua que cela n'était pas possible. « Si nous les laissons ici, me dit-il, ils vont appeler au secours, mettre la
ville en rumeur, et ils seront cause qu'on enverra de légères
frégates à notre poursuite, qu'on nous cernera par terre
et par mer, et que nous ne pourrons nous échapper. Ce
qu'on peut faire, c'est de leur donner la liberté en arrivant
au premier pays chrétien. » Nous nous rendîmes tous à cet
avis, et Zoraïde, à laquelle on expliqua les motifs qui nous
obligeaient à ne point faire sur-le-champ ce qu'elle désirait,
s'en montra satisfaite.

Aussitôt, en grand silence, mais avec une joyeuse célérité, chacun de nos vigoureux rameurs saisit son aviron, et
nous commençâmes, en nous recommandant à Dieu du
profond de nos cœurs, à voguer dans la direction des îles
Baléares, qui sont le pays chrétien le plus voisin. Mais
comme le vent d'est soufflait assez fort et que la mer était
un peu houleuse, il devint impossible de suivre la route de
Mayorque, et nous fûmes obligés de longer le rivage du
côté d'Oran, non sans grande inquiétude d'être découverts
de la petite ville de Sargel, qui, sur cette côte, n'est pas à
plus de soixante milles d'Alger. Nous craignions aussi de
rencontrer dans ces parages quelque galiote de celles qui
amènent des marchandises de Tétouan, bien que chacun
de nous comptât assez sur lui et sur les autres pour espérer,
si nous rencontrions une galiote de commerce qui ne fût
point armée en course, non seulement de ne pas être pris,
mais, au contraire, de prendre un bâtiment où nous pourrions achever plus sûrement notre voyage. Tandis qu'on
naviguait ainsi, Zoraïde restait à mes côtés, la tête cachée
dans mes mains pour ne pas voir son père, et j'entendais
qu'elle appelait tout bas Lella Maryem, en la priant de nous
assister.

Nous avions fait environ trente milles quand le jour
commença de poindre; mais nous étions à peine à trois portées d'arquebuse de la terre, que nous vîmes entièrement
déserte et sans personne qui pût nous découvrir. Cependant, à force de rames, nous gagnâmes la pleine mer, qui
s'était un peu calmée, et, quand nous fûmes à deux lieues

environ de la côte, on donna l'ordre de ramer de quart pendant que nous prendrions quelque nourriture, car la barque était abondamment pourvue. Mais les rameurs répondirent qu'il n'était pas encore temps de prendre du repos, qu'on pouvait donner à manger à ceux qui n'avaient point à faire, et qu'ils ne voulaient pour rien au monde déposer les rames. On leur obéit, et, presque au même instant, un grand vent s'éleva, qui nous força d'ouvrir les voiles et de laisser la rame, en mettant le cap sur Oran, car il n'était pas possible de suivre une autre direction. Cette manœuvre se fit avec rapidité, et nous naviguâmes à la voile, faisant plus de huit milles à l'heure, sans autre crainte que celle de rencontrer un bâtiment armé en course. Nous donnâmes à manger aux Mores bagarins, que le renégat consola en leur disant qu'ils n'étaient point captifs et qu'à la première occasion la liberté leur serait rendue. Il tint le même langage au père de Zoraïde; mais le vieillard répondit : « Je pourrais, ô chrétiens, attendre tout autre chose de votre générosité et de votre courtoisie; mais ne me croyez pas assez simple pour imaginer que vous allez me donner la liberté. Vous ne vous êtes pas exposés assurément aux périls qu'il y avait à me l'enlever pour me la rendre si libéralement, surtout sachant qui je suis et quels avantages vous pouvez retirer en m'imposant une rançon. S'il vous plaît d'en fixer le prix, je vous offre dès maintenant tout ce que vous voudrez pour moi et pour cette pauvre enfant qui est la meilleure et la plus chère partie de mon âme. » En achevant ces mots, il se mit à pleurer si amèrement qu'il nous fit à tous compassion et qu'il força Zoraïde à jeter la vue sur lui. Quand elle le vit ainsi pleurer, elle s'attendrit, se leva de mes genoux pour aller embrasser son père et, collant son visage au sien, ils commencèrent tous deux à fondre en larmes d'une manière si touchante que la plupart d'entre nous sentaient aussi leurs yeux se mouiller de pleurs. Mais lorsque Agi-Morato la vit en habit de fête et chargée de tant de bijoux, il lui dit dans sa langue : « Qu'est-ce que cela, ma fille ? Hier, à l'entrée de la nuit, avant que ce terrible malheur nous arrivât, je t'ai vue avec tes habits ordinaires de la maison; et maintenant, sans que tu aies eu le temps de te vêtir, et sans que je t'aie donné aucune nouvelle joyeuse à célébrer en pompe et en cérémonie, je te vois parée des plus riches atours dont j'aie pu te faire présent pendant notre plus grande prospérité ? Réponds à cela, car j'en suis plus surpris et plus inquiet que du malheur même où je me trouve. »

Tout ce que le More disait à sa fille, le renégat nous le transmettait, et Zoraïde ne répondait pas un mot. Mais quand Agi-Morato vit dans un coin de la barque le coffret où elle avait coutume d'enfermer ses bijoux, et qu'il savait bien avoir laissé dans sa maison d'Alger, ne voulant pas l'apporter au jardin, il fut bien plus surpris encore, et lui demanda comment ce coffre était tombé en nos mains, et qu'est-ce qu'il y avait dedans. Alors le renégat, sans attendre la réponse de Zoraïde, répondit au vieillard : « Ne te fatigue pas, seigneur, à demander tant de choses à ta fille Zoraïde ; je vais t'en répondre une seule, qui pourra satisfaire à toutes tes questions. Sache donc qu'elle est chrétienne, que c'est elle qui a été la lime de nos chaînes et la délivrance de notre captivité. Elle est venue ici de son plein gré, aussi contente, à ce que je suppose, de se voir en cette situation que celui qui passe des ténèbres à la lumière, de la mort à la vie, et de l'enfer au paradis. — Est-ce vrai, ma fille, ce que dit celui-là ? s'écria le More. — Il en est ainsi, répondit Zoraïde. — Quoi ! répliqua le vieillard, tu es chrétienne, et c'est toi qui as mis ton père au pouvoir de ses ennemis ? — Chrétienne, oui, je le suis, reprit Zoraïde, mais non celle qui t'a mis en cet état, car jamais mon désir n'a été de t'abandonner ni de te faire du mal, mais seulement de faire mon bien. — Et quel bien t'es-tu fait, ma fille ? — Pour cela, répondit-elle, demande-le à Lella Maryem ; elle saura te le dire mieux que moi. » A peine le More eut-il entendu cette réponse qu'avec une incroyable célérité il se jeta dans l'eau la tête la première, et il se serait infailliblement noyé si le long vêtement qu'il portait ne l'eût un peu soutenu sur les flots. Aux cris de Zoraïde nous accourûmes tous et, le saisissant par sa tunique, nous le retirâmes à demi noyé et sans connaissance, ce qui causa une si vive douleur à Zoraïde qu'elle se mit, comme s'il eût été sans vie, à pousser sur son corps les plus tendres et les plus douloureux sanglots. Nous le pendîmes la tête en bas ; il rendit beaucoup d'eau et revint à lui au bout de deux heures. Pendant ce temps, le vent ayant changé, nous fûmes obligés de nous rapprocher de terre, et de faire force de rames pour ne pas être jetés à la côte. Mais notre bonne étoile permit que nous arrivassions à une cale que forme un petit promontoire appelé par les Mores cap de la *Cava rhoumia*, qui veut dire en notre langue de la *Mauvaise femme chrétienne*. C'est une tradition parmi eux qu'en cet endroit est enterrée cette Cava qui causa la perte de l'Espagne, parce qu'en leur langue *cava* veut dire *mauvaise femme*, et *rhoumia*, *chrétienne*. Ils tiennent même à mauvais augure de jeter l'ancre dans cette cale quand la nécessité les y force, car ce n'est jamais sans nécessité qu'ils y abordent. Pour nous, ce ne fut pas un gîte de mauvaise femme, mais bien un heureux port de salut, tant la mer était furieuse. Nous plaçâmes nos sentinelles à terre et, sans quitter un moment les rames, nous mangeâmes des provisions qu'avait faites le renégat ; après quoi nous priâmes, du fond de nos cœurs, Dieu et Notre-Dame de nous prêter leur assistance et leur faveur pour mener à bonne fin un si heureux commencement.

On se prépara, pour céder aux supplications de Zoraïde, à mettre à terre son père et les autres Mores qui étaient

encore attachés ; car le cœur lui manquait, et ses tendres
entrailles étaient déchirées à la vue de son père lié comme
un malfaiteur et de ses compatriotes prisonniers. Nous promîmes de lui obéir au moment du départ, puisqu'il n'y
avait nul danger à les laisser en cet endroit, qui était
complètement désert. Nos prières ne furent pas si vaines
que le ciel ne les entendît ; en notre faveur, le vent changea,
la mer devint tranquille, et tout nous invita à continuer
joyeusement notre voyage. Voyant l'instant favorable,
nous déliâmes les Mores et, à leur grand étonnement, nous
les mîmes à terre un à un. Mais quand on descendit le père
de Zoraïde, qui avait repris toute sa connaissance, il nous
dit : « Pourquoi pensez-vous, chrétiens, que cette méchante
femelle se réjouisse de ce que vous me rendez la liberté ?
Croyez-vous que c'est parce qu'elle a pitié de moi ? Non,
certes ; c'est pour se délivrer de la gêne que lui causerait ma
présence quand elle voudra satisfaire ses désirs criminels.
N'allez pas imaginer que ce qui l'a fait changer de religion
c'est d'avoir cru que la vôtre vaut mieux que la nôtre ; non,
c'est d'avoir appris que chez vous on se livre à l'impudicité
plus librement que dans notre pays. » Puis, se tournant vers
Zoraïde, tandis qu'avec un autre chrétien je le retenais par
les deux bras, pour qu'il ne fît pas quelque extravagance :
« O jeune fille infâme et pervertie ! s'écria-t-il, où vas-tu,
aveugle et dénaturée, au pouvoir de ces chiens, nos ennemis naturels ? Maudite soit l'heure où je t'ai engendrée, et
maudits soient les soins que j'ai pris de ton enfance ! »
Quand je vis qu'il prenait le chemin de ne pas finir de sitôt,
je me hâtai de le descendre à terre, et là il continuait à
grands cris ses malédictions et ses plaintes, suppliant
Mahomet de prier Allah de nous détruire et de nous abîmer.
Lorsque, après avoir mis à la voile, nous ne pûmes plus
entendre ses paroles, nous vîmes encore ses actions ; il
s'arrachait les cheveux, se frappait le visage et se roulait
par terre. Mais, dans un moment, il éleva si fort la voix que
nous pûmes distinctement l'entendre : « Reviens, ma fille
bien-aimée, disait-il, descends à terre ; je te pardonne tout.
Donne à ces hommes ton argent, qui est déjà le leur, et
reviens consoler ton triste père, qui, si tu le laisses, laissera
la vie sur cette plage déserte. » Zoraïde entendait tout cela
et, le cœur brisé, pleurait amèrement. Elle ne sut rien trouver de mieux à lui répondre que ce peu de paroles : « Allah
veuille, ô mon père, que Lella Maryem, qui m'a rendue
chrétienne, te console dans la tristesse. Allah sait bien que
je n'ai pu m'empêcher de faire ce que j'ai fait, et que ces
chrétiens ne doivent rien à ma volonté. Quand même j'aurais voulu les laisser partir et rester à la maison, cela ne
m'aurait pas été possible, tant mon âme avait hâte de
mettre en œuvre cette résolution, qui me semble aussi
sainte qu'à toi, mon père, elle paraît coupable. »
Zoraïde parlait ainsi quand son père ne pouvait plus

l'entendre, et que déjà nous le perdions de vue. Tandis que je la consolais, tout le monde se remit à l'ouvrage, et nous recommençâmes à voguer avec un vent si favorable que nous étions persuadés de nous voir, au point du jour, sur les côtes d'Espagne. Mais comme rarement, ou plutôt jamais, le bien ne vient pur et complet, sans qu'il soit accompagné ou suivi de quelque mal qui le trouble ou l'altère, notre mauvaise étoile, ou peut-être les malédictions que le More avait données à sa fille (car il faut les craindre de quelque père que ce soit), vint troubler notre allégresse. Nous étions en pleine mer, à plus de trois heures de la nuit, marchant voile déployée et les rames au crochet, car le vent prospère nous dispensait du travail de la chiourme, quand tout à coup, à la clarté de la lune, nous aperçûmes un vaisseau rond, qui, toutes voiles dehors et penché sur le flanc, traversait devant nous. Il était si proche que nous fûmes obligés de carguer à la hâte pour ne point le heurter, et lui, de son côté, fit force de timon pour nous laisser le chemin libre. On se mit alors, du tillac de ce vaisseau, à nous demander qui nous étions, où nous allions et d'où nous venions. Mais comme ces questions nous étaient faites en langue française, le renégat s'écria bien vite : « Que personne ne réponde : ce sont sans doute des corsaires français qui font prise de tout. » Sur cet avis, personne ne dit mot, et, prenant un peu d'avance, nous laissâmes le vaisseau sous le vent. Mais aussitôt on nous lâcha deux coups de canon, sans doute à boulets enchaînés, car la première volée coupa par la moitié notre mât, qui tomba dans la mer avec sa voile ; et le second coup, tiré presque au même instant, porta dans le corps de notre barque, qu'il perça de part en part, sans atteindre personne. Mais, nous sentant couler à fond, nous nous mîmes tous à demander secours à grands cris, et à prier les gens du vaisseau de nous recueillir s'ils ne voulaient nous voir sombrer. Ils mirent alors en panne, et, jetant la chaloupe en mer, douze Français, armés de leurs arquebuses, s'approchèrent, mèches allumées, de notre bâtiment. Quand ils virent notre petit nombre, et que réellement nous coulions bas, ils nous prirent à leur bord, disant que c'était l'impolitesse que nous leur avions faite en refusant de répondre qui nous valait cette leçon. Notre renégat prit alors le coffre qui contenait les richesses de Zoraïde et le jeta dans la mer, sans que personne prît garde à ce qu'il faisait. Finalement, tous nous passâmes sur le navire des Français, qui s'informèrent d'abord de tout ce qu'il leur plut de savoir de nous ; puis, comme s'ils eussent été nos ennemis mortels, ils nous dépouillèrent de tout ce que nous portions ; ils prirent à Zoraïde jusqu'aux anneaux qu'elle avait aux jambes. Mais j'étais bien moins tourmenté des pertes dont s'affligeait Zoraïde que de la crainte de voir ces pirates passer à d'autres violences, et lui enlever, après ces riches et précieux bijoux, celui qui valait plus encore et qu'elle estimait davantage. Mais, par bonheur, les désirs de ces gens ne vont pas plus loin que l'argent et le butin, dont ne peut jamais se rassasier leur avarice, qui se montra, en effet, si insatiable qu'ils nous auraient enlevé jusqu'à nos habits de captifs, s'ils eussent pu en tirer parti.

Quelques-uns d'entre eux furent d'avis de nous jeter tous à la mer, enveloppés dans une voile, parce qu'ils avaient l'intention de trafiquer dans quelques ports d'Espagne sous pavillon breton et que, s'ils nous eussent emmenés vivants, on aurait découvert et puni leur vol. Mais le capitaine, qui avait dépouillé ma chère Zoraïde, dit qu'il se contentait de sa prise, et qu'il ne voulait toucher à aucun port d'Espagne, mais continuer sa route au plus vite, passer le détroit de Gibraltar, de nuit et comme il pourrait, et regagner La Rochelle, d'où il était parti. Ils résolurent, en conséquence, de nous donner la chaloupe de leur vaisseau, et tout ce qu'il fallait pour la courte navigation qui nous restait à faire; ce qu'ils exécutèrent le lendemain, en vue de la terre d'Espagne; douce et joyeuse vue, qui nous fit oublier tous nos malheurs, toutes nos misères, comme si d'autres que nous les eussent essuyés, tant est grand le bonheur de recouvrer la liberté perdue!

Il pouvait être à peu près midi quand ils nous mirent dans la chaloupe, en nous donnant deux barils d'eau et quelques biscuits; le capitaine, touché de je ne sais quelle compassion, donna même à la belle Zoraïde, au moment de l'embarquer, quarante écus d'or, et ne permit point que ses soldats lui ôtassent les vêtements qu'elle porte aujourd'hui. Nous descendîmes dans la barque, et nous leur rendîmes grâce du bien qu'ils nous faisaient, montrant plus de reconnaissance que de rancune. Ils prirent aussitôt le large, dans la direction du détroit; et nous, sans regarder d'autre boussole que la terre qui s'offrait à nos yeux, nous nous mîmes à ramer avec tant d'ardeur qu'au coucher du soleil nous étions assez près, à ce qu'il nous sembla, pour aborder avant que la nuit fût bien avancée. Mais la lune était cachée et le ciel obscur; et, comme nous ignorions en quels parages nous étions arrivés, il ne nous parut pas prudent de prendre terre. Cependant plusieurs d'entre nous étaient de cet avis; ils voulaient que nous abordassions, fût-ce sur des rochers et loin de toute habitation, parce que, disaient-ils, c'était le seul moyen d'être à l'abri de la crainte que nous devions avoir de rencontrer quelques navires des corsaires de Tétouan, lesquels quittent la Berbérie à l'entrée de la nuit, arrivent au point du jour sur les côtes d'Espagne, font quelque prise et retournent dormir chez eux. Enfin, parmi les avis contraires, on s'arrêta à celui d'approcher peu à peu, et, si le calme de la mer le permettait, de débarquer où nous pourrions. C'est ce que nous fîmes, et il n'était pas encore minuit quand nous

arrivâmes au pied d'une haute montagne, non si voisine de
la mer qu'il n'y eût un peu d'espace où l'on pût commodément aborder. Nous échouâmes notre barque sur le sable
et, sautant à terre, nous baisâmes à genoux le sol de la
patrie; puis, les yeux baignés des douces larmes de la joie,
nous rendîmes grâces à Dieu, notre Seigneur, du bien
incomparable qu'il nous avait fait pendant notre voyage.
Nous ôtâmes ensuite de la barque les provisions qu'elle
contenait et, l'ayant tirée sur le rivage, nous gravîmes une
grande partie du flanc de la montagne; car, même arrivés
là, nous ne pouvions calmer l'agitation de nos cœurs, ni
nous persuader que cette terre qui nous portait fût bien
une terre de chrétiens.

Le jour parut plus tard que nous ne l'eussions désiré,
et nous achevâmes de gagner le sommet de la montagne
pour voir si de là on découvrirait un village ou des cabanes
de bergers. Mais, quelque loin que nous étendissions
la vue, nous n'aperçûmes ni habitation, ni sentier, ni être
vivant. Toutefois nous résolûmes de pénétrer plus avant
dans le pays, certains de rencontrer bientôt quelqu'un qui
nous fît connaître où nous étions. Ce qui me tourmentait
le plus, c'était de voir Zoraïde marcher à pied sur cet
âpre terrain; je la pris bien un moment sur mes épaules,
mais ma fatigue la fatiguait plus que son repos ne la
reposait; aussi ne voulut-elle plus me laisser prendre cette
peine et elle cheminait, en me donnant la main, avec
patience et gaieté. Nous avions à peine fait un quart de
lieue que le bruit d'une clochette frappa nos oreilles.
A ce bruit qui annonçait le voisinage d'un troupeau, nous
regardâmes attentivement si quelqu'un se montrait et nous
aperçûmes, au pied d'un liège, un jeune pâtre qui s'amusait
paisiblement à tailler un bâton avec son couteau. Nous
l'appelâmes, et lui, tournant la tête, se leva d'un bond.
Mais, à ce que nous sûmes depuis, les premiers qu'il aperçut furent Zoraïde et le renégat, et, comme il les vit en
habit moresque, il crut que tous les Mores de la Berbérie
étaient à ses trousses. Se sauvant donc de toute la vitesse
de ses jambes à travers le bois, il se mit à crier à tue-tête :
« Aux Mores! aux Mores! Les Mores sont dans le pays!
Aux Mores! aux armes! aux armes! » A ces cris, nous
demeurâmes tous fort déconcertés, et nous ne savions que
faire; mais, considérant que le pâtre, en criant de la sorte,
allait répandre l'alarme dans le pays et que la cavalerie
garde-côte viendrait bientôt nous reconnaître, nous fîmes
ôter au renégat ses vêtements turcs, et il mit une veste
ou casaque de captif, qu'un des nôtres lui donna, restant
les bras en chemise; puis, après nous être recommandés
à Dieu, nous suivîmes le même chemin qu'avait pris le
berger, attendant que la cavalerie de la côte vînt fondre
sur nous. Notre pensée ne nous trompa point : deux
heures ne s'étaient pas encore écoulées, lorsqu'en débou-

chant des broussailles dans la plaine, nous découvrîmes une cinquantaine de cavaliers qui venaient au grand trot à notre rencontre. Dès que nous les aperçûmes, nous fîmes halte pour les attendre. Quand ils furent arrivés, et qu'au lieu de Mores qu'ils cherchaient ils virent tant de pauvres chrétiens, ils s'arrêtèrent tout surpris, et l'un d'eux nous demanda si c'était par hasard à propos de nous qu'un pâtre avait appelé aux armes. « Oui », lui répondis-je ; et, comme je voulais commencer à lui raconter mon aventure, à lui dire d'où nous venions et qui nous étions, un chrétien de ceux qui venaient avec nous reconnut le cavalier qui m'avait fait la question ; et, sans me laisser dire un mot de plus, il s'écria : « Grâces soient rendues à Dieu, qui nous a conduits en si bon port ! car, si je ne me trompe, la terre que nous foulons est celle de Velez-Malaga, à moins que les longues années de ma captivité ne m'aient ôté la mémoire au point de ne plus me rappeler que vous, seigneur, qui nous demandez qui nous sommes, vous êtes mon oncle Pedro de Bustamante. » A peine le captif chrétien eut-il dit ces mots que le cavalier sauta de son cheval et vint serrer le jeune homme dans ses bras. « Ah ! s'écria-t-il, je te reconnais, neveu de mon âme et de ma vie, toi que j'ai pleuré pour mort, ainsi que ma sœur, ta mère, et tous les tiens, qui sont encore vivants. Dieu leur a fait la grâce de leur conserver la vie pour qu'ils jouissent du plaisir de te revoir. Nous venions d'apprendre que tu étais à Alger, et je comprends, à tes habits et à ceux de toute cette compagnie, que vous avez miraculeusement recouvré la liberté. — Rien de plus vrai, reprit le jeune homme, et le temps ne nous manquera pas pour vous conter toutes nos aventures. »

Quand les cavaliers entendirent que nous étions des captifs chrétiens, ils mirent tous pied à terre, et chacun nous offrit son cheval pour nous mener à la ville de Velez-Malaga, qui était à une lieue et demie. Quelques-uns d'entre eux, auxquels nous dîmes où nous avions laissé notre barque, retournèrent la chercher pour la porter à la ville. Les autres nous firent monter en croupe, et Zoraïde s'assit sur le cheval de l'oncle de notre compagnon. Toute la population de la ville, ayant appris notre arrivée par quelqu'un qui avait pris les devants, sortit à notre rencontre. Ces gens ne s'étonnaient pas de voir des captifs délivrés, ni des Mores captifs, puisque sur tout ce rivage ils sont habitués à voir des uns et des autres ; mais ils s'étonnaient de la beauté de Zoraïde, qui était alors dans tout son éclat : car la fatigue de la marche et la joie de se voir enfin, sans crainte de disgrâce, en pays de chrétiens, animaient son visage de si vives couleurs que, si la tendresse ne m'aveuglait point, j'aurais osé dire qu'il n'y avait pas dans le monde entier une plus belle créature. Nous allâmes tout droit à l'église, rendre grâces à Dieu de la faveur qu'il nous avait faite, et Zoraïde, en entrant dans le temple, s'écria qu'il y avait là des figures qui ressemblaient à celle de Lella Maryem. Nous lui dîmes que c'étaient ses images, et le renégat lui fit comprendre du mieux qu'il put ce que ces images signifiaient, afin qu'elle les adorât, comme si réellement chacune d'elles eût été la même Lella Maryem qui lui était apparue. Zoraïde, qui a l'intelligence vive et un esprit naturel pénétrant, comprit aussitôt tout ce qu'on lui dit à propos des images. De là nous fûmes ramenés dans la ville et distribués tous en différentes maisons. Mais le chrétien qui était du pays nous conduisit, le renégat, Zoraïde et moi, dans celle de ses parents, qui jouissaient d'une honnête aisance et qui nous accueillirent avec autant d'amour que leur propre fils.

Nous restâmes six jours à Velez, au bout desquels le renégat, ayant fait dresser une enquête, se rendit à Grenade pour rentrer, par le moyen de la sainte inquisition, dans le saint giron de l'Eglise. Les autres chrétiens délivrés s'en allèrent chacun où il leur plut. Nous restâmes seuls, Zoraïde et moi, n'ayant que les écus qu'elle devait à la courtoisie du capitaine français. J'en achetai cet animal qui fait sa monture et, lui servant jusqu'à cette heure de père et d'écuyer, mais non d'époux, je la mène à mon pays, dans l'intention de savoir si mon père est encore vivant, ou si quelqu'un de mes frères a trouvé plus que moi la fortune favorable, bien que le ciel, en me donnant Zoraïde pour compagne, ait rendu mon sort tel que nul autre, quelque heureux qu'il pût être, ne me semblerait aussi désirable. La patience avec laquelle Zoraïde supporte toutes les incommodités, toutes les privations qu'entraîne après soi la pauvreté, et le désir qu'elle montre de se voir enfin chrétienne sont si grands, si admirables que j'en suis émerveillé et que je me consacre à la servir tout le reste de ma vie. Cependant le bonheur que j'éprouve à penser que je suis à elle et qu'elle est à moi est troublé par une autre pensée : je ne sais si je trouverai dans mon pays quelque humble asile où la recueillir, si le temps et la mort n'auront pas fait tant de ravages dans la fortune et la vie de mon père et de mes frères que je ne trouve, à leur place, personne qui daigne seulement me reconnaître. Voilà, seigneurs, tout ce que j'avais à vous dire de mon histoire; si elle est agréable et curieuse, c'est à vos intelligences éclairées qu'il appartient d'en juger. Quant à moi, j'aurais voulu la conter plus brièvement, bien que la crainte de vous fatiguer m'ait fait taire plus d'une circonstance et plus d'un détail.

CHAPITRE XLII

Qui traite de ce qui arriva encore dans l'hôtellerie, et de plusieurs autres choses dignes d'être connues.

Après ces dernières paroles, le captif se tut, et don Fernand lui dit : « En vérité, seigneur capitaine, la manière dont vous avez raconté ces étranges aventures a été telle qu'elle égale la nouveauté et l'intérêt des aventures mêmes. Tout y est curieux, extraordinaire, plein d'incidents qui surprennent et ravissent ceux qui les entendent; et nous avons eu tant de plaisir à vous écouter que, dût le jour de demain nous trouver encore occupés à la même histoire, nous nous réjouirions de l'entendre conter une seconde fois. » Cela dit, Cardénio et tous les autres convives se mirent au service du capitaine captif avec des propos si affectueux et si sincères qu'il n'eut qu'à s'applaudir de leur bienveillance. Don Fernand lui offrit, entre autres choses, s'il voulait revenir avec lui, de faire en sorte que son frère le marquis fût parrain de Zoraïde; il lui offrit également de le mettre en état d'arriver dans son pays avec les commodités et la considération que méritait sa personne. Le captif le remercia courtoisement, mais ne voulut accepter aucune de ses offres libérales.

Cependant le jour baissait et, quand la nuit fut venue, un carrosse s'arrêta devant la porte de l'hôtellerie, entouré de quelques hommes à cheval, qui demandèrent à loger. L'hôtesse répondit qu'il n'y avait pas un pied carré de libre dans toute la maison. « Parbleu! s'écria l'un des cavaliers qui avait déjà mis pied à terre, quoi qu'il en soit, il y aura bien place pour monsieur l'auditeur, qui vient dans cette voiture. » A ce nom, l'hôtesse se troubla : « Seigneur, reprit-elle, ce qu'il y a, c'est que je n'ai pas de lits. Si Sa Grâce monsieur l'auditeur en apporte un, comme je le suppose, qu'il soit le bienvenu! Mon mari et moi nous quitterons notre chambre pour que Sa Grâce s'y établisse. — A la bonne heure! » dit l'écuyer. En ce moment descendait du carrosse un homme dont le costume annonçait de quel emploi il était revêtu. Sa longue robe aux manches tailladées faisait assez connaître qu'il était auditeur, comme l'avait dit son valet. Il conduisait

par la main une jeune fille d'environ seize ans, en habit
de voyage, si élégante, si fraîche et si belle que sa vue excita
l'admiration de tout le monde, au point que, si l'on n'eût
pas eu sous les yeux Dorothée, Luscinde et Zoraïde, qui
se trouvaient ensemble dans l'hôtellerie, on aurait cru qu'il
était difficile de rencontrer une beauté comparable à celle
de cette jeune personne. Don Quichotte se trouvait présent
à l'arrivée de l'auditeur. Dès qu'il le vit entrer avec la
demoiselle, il lui dit : « C'est en toute assurance que Votre
Grâce peut entrer et prendre ses ébats dans ce château.
Il est étroit et assez mal fourni; mais il n'y a ni gêne ni
incommodité dans ce monde qui ne cèdent aux armes et
aux lettres, surtout quand les armes et les lettres ont la
beauté pour compagne et pour guide, comme l'ont justement les lettres de Votre Grâce dans cette belle damoiselle,
devant qui non seulement les châteaux doivent ouvrir
leurs portes, mais les rochers doivent se fendre et les
montagnes s'aplanir pour lui livrer passage. Que Votre
Grâce, dis-je, entre dans ce paradis : elle y trouvera des
étoiles et des astres dignes de faire compagnie au soleil
que Votre Grâce conduit par la main; elle y trouvera les
armes à leur poste, et la beauté dans toute son excellence. »

L'auditeur demeura tout interdit de la harangue de don
Quichotte, qu'il se mit à considérer des pieds à la tête,
aussi étonné de son aspect que de ses paroles; et sans en
trouver une seule à lui répondre, il tomba dans une autre
surprise quand il vit paraître Luscinde, Dorothée et
Zoraïde, qui, à la nouvelle de l'arrivée de nouveaux hôtes,
et au récit que leur avait fait l'hôtesse des attraits de la
jeune fille, étaient accourues pour la voir et lui faire
accueil. Don Fernand, Cardénio et le curé firent au seigneur auditeur de plus simples politesses et des offres de
meilleur ton. Après quoi il entra dans l'hôtellerie, aussi
confondu de ce qu'il voyait que de ce qu'il avait entendu,
et les beautés de la maison souhaitèrent la bienvenue à
la belle voyageuse. Finalement, l'auditeur reconnut aussitôt
qu'il n'y avait là que des gens de qualité; mais l'aspect,
le visage et le maintien de don Quichotte le déconcertaient.
Quand ils eurent tous échangé des courtoisies et des offres
de service, quand ils eurent reconnu et mesuré les commodités que présentait l'hôtellerie, on s'arrêta au parti déjà
pris précédemment de faire entrer toutes les dames dans
le galetas tant de fois mentionné, tandis que les hommes
resteraient dehors comme pour faire leur garde. L'auditeur
consentit volontiers à ce que sa fille (car la jeune personne
l'était en effet) s'en allât avec ces dames, ce qu'elle fit de
très bon cœur. Avec une partie du chétif lit de l'hôtelier
et la moitié de celui qu'apportait l'auditeur, elles s'arrangèrent pour la nuit mieux qu'elles ne l'avaient espéré.

Pour le captif, dès le premier regard jeté sur l'auditeur,
le cœur lui avait dit, par de secrets mouvements, que

c'était son frère. Il alla questionner l'un des écuyers qui l'accompagnaient, et lui demanda comment s'appelait ce magistrat, et s'il savait quel était son pays. L'écuyer répondit que son maître s'appelait le licencié Juan Perez de Viedma, natif, à ce qu'il avait ouï dire, d'un bourg des montagnes de Léon. Ce récit, joint à ce qu'il voyait, acheva de confirmer le captif dans la pensée que l'auditeur était celui de ses frères qui, par le conseil de leur père, avait suivi la carrière des lettres. Emu et ravi de cette rencontre, il prit à part don Fernand, Cardénio et le curé, pour leur conter ce qui lui arrivait, en les assurant que cet auditeur était bien son frère. L'écuyer lui avait dit également qu'il allait à Mexico, revêtu d'une charge d'auditeur des Indes à l'audience de cette capitale. Enfin, il avait appris que la jeune personne qui l'accompagnait était sa fille, dont la mère, morte en la mettant au monde, avait laissé son mari fort riche par la dot restée en héritage à la fille. Le captif leur demanda conseil sur la manière de se découvrir, ou plutôt d'éprouver d'abord si, lorsqu'il se serait découvert, son frère le repousserait, en le voyant pauvre, ou l'accueillerait avec des entrailles fraternelles. « Laissez-moi, dit le curé, le soin de faire cette expérience. D'ailleurs, il n'y a point à douter, seigneur capitaine, que vous ne soyez bien accueilli, car le mérite et la prudence que montre votre frère dans ses manières et son maintien n'indiquent point qu'il soit arrogant ou ingrat, et qu'il ne sache pas apprécier les coups de la fortune. — Cependant, reprit le capitaine, je voudrais me faire connaître, non pas brusquement, mais par un détour. — Je vous répète, répliqua le curé, que j'arrangerai les choses de façon que nous soyons tous satisfaits. »

En ce moment, le souper venait d'être servi. Tous les hôtes s'assirent à la table commune, excepté le captif et les dames, qui soupèrent seules dans leur appartement. Au milieu du repas, le curé prit la parole : « Du même nom que Votre Grâce, seigneur auditeur, dit-il, j'ai eu un camarade à Constantinople, où je suis resté captif quelques années. Ce camarade était un des plus vaillants soldats, un des meilleurs capitaines qu'il y eût dans toute l'infanterie espagnole; mais autant il était brave et plein de cœur, autant il était malheureux. — Et comment s'appelait ce capitaine, seigneur licencié ? demanda l'auditeur. — Il s'appelait, reprit le curé, Rui Perez de Viedma, et il était natif d'un bourg des montagnes de Léon. Il me raconta une aventure qui lui était arrivée avec son père et ses frères, telle que, si elle m'eût été rapportée par un homme moins sincère et moins digne de foi, je l'aurais prise pour une de ces histoires que les vieilles femmes content l'hiver au coin du feu. Il me dit, en effet, que son père avait divisé sa fortune entre trois fils qu'il avait, en leur donnant certains conseils meilleurs que ceux de Caton. Ce que je

puis dire, c'est que le choix qu'avait fait ce gentilhomme de
la carrière des armes lui avait si bien réussi qu'en peu
d'années, par sa valeur et sa belle conduite, et sans autre
appui que son mérite éclatant, il parvint au grade de capitaine d'infanterie, et se vit en passe d'être promu bientôt
à celui de mestre de camp. Mais alors la fortune lui
devint contraire; car, justement comme il devait attendre
toutes ses faveurs, il éprouva ses rigueurs les plus cruelles.
En un mot, il perdit la liberté dans l'heureuse et célèbre
journée où tant d'autres la recouvrèrent, à la bataille de
Lépante. Moi, je la perdis à la Goulette, et depuis, par
une suite d'événements divers, nous fûmes camarades à
Constantinople. De là il fut conduit à Alger, où je sais
qu'il lui arriva une des plus étranges aventures qui se
soient jamais passées au monde. Le curé, continuant de
la sorte, raconta succinctement l'histoire de Zoraïde et
du capitaine. A tout ce récit, l'auditeur était si attentif
que jamais il n'avait été aussi auditeur qu'en ce moment.
Le curé, toutefois, n'alla pas plus loin que le jour où
les pirates français dépouillèrent les chrétiens qui montaient la barque; il s'arrêta à la pauvre et triste condition
où son camarade et la belle Moresque étaient restés réduits,
ajoutant qu'il ignorait ce qu'ils étaient devenus; s'ils avaient
pu aborder en Espagne ou si les Français les avaient
emmenés avec eux. »

Ce que disait le curé était écouté fort attentivement
par le capitaine, qui, d'un lieu à l'écart, examinait tous
les mouvements que faisait son frère. Celui-ci, quand il
vit que le curé avait achevé son histoire, poussa un profond
soupir et s'écria, les yeux mouillés de larmes : « Oh!
seigneur, si vous saviez à qui s'adressent les nouvelles
que vous venez de me conter, et comment elles me touchent
dans un endroit tellement sensible qu'en dépit de toute ma
réserve et de toute ma prudence elles m'arrachent les
pleurs dont vous voyez mes yeux se remplir! Ce capitaine
si valeureux, c'est mon frère aîné, lequel, comme doué
d'une âme plus forte et de plus hautes pensées que moi
et mon autre cadet, choisit le glorieux exercice de la
guerre, l'une des trois carrières que notre père nous
proposa, ainsi que vous le rapporta votre camarade, dans
cette histoire qui vous semblait un conte de bonne femme.
Moi j'ai suivi la carrière des lettres, où Dieu et ma diligence m'ont fait arriver à l'emploi dont vous me voyez
revêtu. Mon frère cadet est au Pérou, si riche que, de
ce qu'il nous a envoyé à mon père et à moi, non seulement
il a bien rendu la part de fortune qu'il avait emportée,
mais qu'il a donné aux mains de mon père le moyen de
rassasier leur libéralité naturelle; et j'ai pu moi-même
suivre mes études avec plus de décence et de considération, et parvenir plus aisément au poste où je me vois.
Mon père vit encore, mais mourant du désir de savoir ce

qu'est devenu son fils aîné, et suppliant Dieu, dans de continuelles prières, que la mort ne ferme pas ses yeux qu'il n'ait vu vivants ceux de son fils. Ce qui m'étonne, c'est que mon frère, sage et avisé comme il est, n'ait point songé, au milieu de tant de traverses, d'afflictions et d'événements heureux, à donner de ses nouvelles à sa famille. Certes, si mon père ou quelqu'un de nous eût connu son sort, il n'aurait pas eu besoin d'attendre le miracle de la canne de jonc pour obtenir son rachat. Maintenant, ce qui cause ma crainte, c'est de savoir si ces Français lui auront rendu la liberté, ou s'ils l'auront mis à mort pour cacher leur vol. Cela sera cause que je continuerai mon voyage, non plus joyeusement comme je l'ai commencé, mais plein de mélancolie et de tristesse. O mon bon frère, qui pourrait me dire où tu es à présent, pour que j'aille te chercher et te délivrer de tes peines, fût-ce même au prix des miennes! Oh! qui portera à notre vieux père la nouvelle que tu es encore vivant, fusses-tu dans les cachots souterrains les plus profonds de la Berbérie! Car ses richesses, celles de mon frère et les miennes sauront bien t'en tirer. Et toi, belle et généreuse Zoraïde, que ne puis-je te rendre le bien que tu as fait à mon frère! Que ne puis-je assister à la renaissance de ton âme, et à ces noces qui nous combleraient tous de bonheur! »

C'était par ces propos et d'autres semblables que l'auditeur exprimait ses sentiments aux nouvelles qu'il recevait de son frère, avec une tendresse si touchante que ceux qui l'écoutaient montraient aussi la part qu'ils prenaient à son affliction. Le curé, voyant quelle heureuse issue avaient eue sa ruse et le désir du capitaine, ne voulut pas les tenir plus longtemps dans la tristesse. Il se leva de table et entra dans l'appartement où se trouvait Zoraïde, qu'il ramena par la main, suivie de Luscinde, de Dorothée et de la fille de l'auditeur. Le capitaine attendait encore ce qu'allait faire le curé. Celui-ci le prit de l'autre main et, les conduisant tous deux à ses côtés, il revint dans la chambre où étaient l'auditeur et les autres convives. « Séchez vos larmes, seigneur auditeur, lui dit-il, et que vos désirs soient pleinement comblés. Voici devant vous votre digne frère et votre aimable belle-sœur. Celui-ci, c'est le capitaine Viedma; celle-là, c'est la belle Moresque dont il a reçu tant de bienfaits; et les pirates français dont je vous ai parlé les ont mis dans la pauvreté où vous les voyez, pour que vous montriez à leur égard la générosité de votre noble cœur. » Le capitaine accourut aussitôt embrasser son frère, qui, dans sa surprise, lui mit d'abord les deux mains sur l'estomac pour l'examiner à distance; mais, dès qu'il eut achevé de le reconnaître, il le serra si étroitement dans ses bras, en versant des larmes de joie et de tendresse, que la plupart des assistants ne purent retenir les leurs. Quant aux paroles que se dirent les deux frères et aux sentiments

qu'ils se témoignèrent, à peine, je crois, peut-on les imaginer, à plus forte raison les écrire. Tantôt ils se racontaient
brièvement leurs aventures, tantôt ils faisaient éclater la
bonne amitié de deux frères ; l'auditeur embrassait Zoraïde,
puis il lui offrait sa fortune, puis il la faisait embrasser par
sa fille ; puis la jolie chrétienne et la belle Moresque arra-
chaient de nouveau, par leurs transports, des larmes à
tout le monde. D'un côté, don Quichotte considérait avec
attention, et sans mot dire, ces événements étranges qu'il
attribuait tous aux chimères de sa chevalerie errante ; de
l'autre, on décidait que le capitaine et Zoraïde retourneraient avec leur frère à Séville, et qu'ils informeraient leur
père de la délivrance et de la rencontre de son fils, pour
qu'il accourût, comme il pourrait, aux noces et au baptême de Zoraïde. Il n'était pas possible à l'auditeur de
changer de route ou de retarder son voyage, parce qu'il
avait appris qu'à un mois de là une flotte partait de Séville
pour la Nouvelle Espagne, et qu'il lui aurait été fort préju-
diciable de perdre cette occasion.

Finalement, tout le monde fut ravi et joyeux de l'heureuse aventure du captif ; et, comme la nuit avait presque
fait les deux tiers de son chemin, chacun résolut de s'aller
reposer le peu de temps qui restait jusqu'au jour. Don
Quichotte s'offrit à faire la garde du château, afin que
quelque géant, ou quelque autre félon malintentionné,
attiré par l'appât du trésor de beautés que ce château renfermait, ne vînt les y troubler. Ceux qui le connaissaient
lui rendirent grâce de son offre et apprirent à l'auditeur
l'étrange humeur de don Quichotte, ce qui le divertit
beaucoup. Le seul Sancho Panza se désespérait de veiller
si tard, et seul il s'arrangea pour la nuit mieux que tous
les autres, en se couchant sur les harnais de son âne, qui
faillirent lui coûter si cher, comme on le verra dans la
suite. Les dames rentrées dans leur appartement, et les
hommes s'arrangeant du moins mal qu'il leur fut possible,
don Quichotte sortit de l'hôtellerie pour se mettre en sentinelle et faire, comme il l'avait promis, la garde du château.

Or il arriva qu'au moment où l'aube du jour allait
poindre, les dames entendirent tout à coup une voix si
douce et si mélodieuse qu'elles se mirent toutes à l'écouter
attentivement, surtout Dorothée, qui s'était éveillée la
première, tandis que doña Clara de Viedma, la fille de
l'auditeur, dormait à ses côtés. Aucune d'elles ne pouvait
imaginer quelle était la personne qui chantait si bien ;
c'était une voix seule, que n'accompagnait aucun instrument. Il leur semblait qu'on chantait, tantôt dans la cour,
tantôt dans l'écurie. Pendant qu'elles étaient ainsi non
moins étonnées qu'attentives, Cardénio s'approcha de la
porte de leur appartement : « Si l'on ne dort pas, dit-il,
qu'on écoute, et l'on entendra la voix d'un garçon muletît

qui de telle sorte chante qu'il enchante. — Nous sommes
à l'écouter, seigneur », répondit Dorothée, et Cardénio
s'éloigna. Alors Dorothée, prêtant de plus en plus toute
son attention, entendit qu'on chantait les couplets suivants :

CHAPITRE XLIII

Où l'on raconte l'agréable histoire du garçon muletier, avec d'autres étranges événements arrivés dans l'hôtellerie.

« Je suis marinier de l'amour, et, sur son océan profond, je navigue sans espérance de rencontrer aucun port.

« Je vais à la suite d'une étoile que je découvre de loin, plus belle et plus resplendissante qu'aucune de celles qu'aperçut Palinure.

« Je ne sais point où elle me conduit; aussi navigué-je incertain, ayant l'âme attentive à la regarder, soucieuse et sans autre souci.

« D'importunes précautions, une honnêteté contre l'usage, sont les nuages qui me la cachent, quand je fais le plus d'efforts pour la voir.

« O claire et brillante étoile, dont je me consume à suivre la lumière, l'instant où je te perdrai de vue sera l'instant de ma mort. »

Le chanteur en était arrivé là, quand Dorothée vint à penser qu'il serait mal que Clara fût privée d'entendre une si belle voix. Elle la secoua légèrement d'un et d'autre côté, et lui dit en l'éveillant : « Pardonne-moi, jeune fille, si je t'éveille, car je le fais pour que tu aies le plaisir d'entendre la plus charmante voix que tu aies peut-être entendue dans toute ta vie. » Clara, demi-éveillée, se frotta les yeux et, n'ayant pas compris la première fois ce que lui disait Dorothée, elle la pria de le lui répéter. Celle-ci redit la même chose, ce qui rendit aussitôt Clara fort attentive; mais à peine eut-elle entendu deux ou trois des vers que continuait à chanter le jeune homme qu'elle fut prise tout à coup d'un tremblement de tous ses membres, comme si elle eût éprouvé un accès de violente fièvre quarte; et, se jetant au cou de Dorothée : « Ah! dame de mon âme et de ma vie, s'écria-t-elle, pourquoi m'as-tu réveillée ? Le plus grand bien que pouvait me faire la fortune en ce moment, c'était de me tenir les yeux et les oreilles fermés pour m'empêcher de voir et d'entendre cet infortuné musicien. — Que dis-tu là, jeune fille ? répondit Dorothée. Pense donc que le chanteur est, à ce qu'on dit, un muletier.

— C'est un seigneur de terres et d'âmes, reprit Clara, et si bien seigneur de la mienne que, s'il ne veut pas s'en défaire, elle lui restera toute l'éternité. » Dorothée demeura toute surprise des propos passionnés de la jeune personne, trouvant qu'ils surpassaient de beaucoup la portée d'intelligence qu'on devait attendre de son âge. « Vous parlez de telle sorte, lui dit-elle, que je ne puis vous comprendre. Expliquez-vous plus clairement : que voulez-vous dire de ces âmes et de ces terres, et de ce musicien dont la voix vous a causé tant d'émotion ? Mais non, ne me dites rien à présent ; je ne veux pas, pour m'occuper de vos alarmes, perdre le plaisir que j'éprouve à écouter le chanteur, qui commence, à ce qu'il me semble, de nouveaux vers et un nouvel air. — Comme il vous plaira », répondit la fille de l'auditeur ; et, pour ne point entendre, elle se boucha les oreilles avec les deux mains. Dorothée s'étonna de nouveau, mais, prêtant toute son attention à la voix du chanteur, elle entendit qu'il continuait de la sorte :

« O ma douce espérance, qui, surmontant les obstacles et les impossibilités, suis avec constance la route que tu te traces et t'ouvres toi-même, ne t'évanouis point en te voyant à chaque pas près du pas de ta mort.

« Ce ne sont point des indolents qui remportent d'honorables triomphes, d'éclatantes victoires ; et ceux-là ne parviennent point au bonheur, qui, sans faire face à la fortune, livrent nonchalamment tous leurs sens à la molle oisiveté.

« Que l'amour vende cher ses gloires, c'est grande raison et grande justice, car il n'est pas de plus précieux bijou que celui qui se contrôle au titre de son plaisir ; et c'est une chose évidente, que ce qui coûte peu ne s'estime pas beaucoup.

« L'opiniâtreté de l'amour parvient quelquefois à des choses impossibles ; ainsi, bien que la mienne poursuive les plus difficiles, toutefois je ne perds pas l'espoir de m'élever de la terre au ciel. »

En cet endroit, la voix mit fin à son chant, et Clara recommença ses soupirs. Tout cela enflammait le désir de Dorothée, qui voulait savoir la cause de chants si doux et de si tristes pleurs. Aussi s'empressa-t-elle de lui demander une autre fois ce qu'elle avait voulu dire. Alors Clara, dans la crainte que Luscinde ne l'entendît, serrant étroitement Dorothée dans ses bras, mit sa bouche si près de l'oreille de sa compagne qu'elle pouvait parler avec toute confiance, sans être entendue de nulle autre.

« Celui qui chante, ma chère dame, lui dit-elle, est fils d'un gentilhomme du royaume d'Aragon, seigneur de deux seigneuries. Il demeurait en face de la maison de mon père, à Madrid, et, bien que mon père eût soin de fermer les fenêtres de sa maison avec des rideaux de toile en hiver et des jalousies en été, je ne sais comment cela se fit, mais ce jeune gentilhomme, qui faisait ses études, m'aperçut, à l'église ou autre part. Finalement, il devint amoureux de moi, et me le fit comprendre des fenêtres de sa maison, avec tant de signes et tant de larmes que je fus bien obligée de le croire, et même de l'aimer, sans savoir ce qu'il me voulait. Parmi les signes qu'il me faisait, l'un des plus fréquents était de joindre une de ses mains avec l'autre, pour me faire entendre qu'il se marierait avec moi. Et moi j'aurais été bien contente qu'il en fût ainsi ; mais, seule et sans mère, je ne savais à qui confier mon aventure. Aussi, je le laissais continuer, sans lui accorder aucune faveur, si ce n'est, quand mon père et le sien étaient hors de la maison, de soulever un peu les rideaux ou la jalousie, et de me laisser voir tout entière, ce qui lui faisait tellement fête qu'il paraissait en devenir fou. Dans ce temps arriva l'ordre du départ de mon père, que ce jeune homme apprit, mais non de moi, car je ne pus jamais le lui dire. Il tomba malade de chagrin, à ce que j'imagine, et, le jour que nous partîmes, je ne pus parvenir à le voir pour lui dire adieu, au moins avec les yeux. Mais, au bout de deux jours que nous faisions route, en entrant dans l'auberge d'un village qui est à une journée d'ici, je le vis sur la porte de cette auberge, en habit de garçon muletier, et si bien déguisé que, si je n'avais eu son portrait gravé dans l'âme, il ne m'eût pas été possible de le reconnaître. Je le reconnus, je m'étonnai et je me réjouis. Lui me regarde en cachette de mon père, dont il évite les regards, chaque fois qu'il passe devant moi dans les chemins ou dans les auberges où nous arrivons. Comme je sais qui il est, et que je considère que c'est pour l'amour de moi qu'il fait la route à pied, avec tant de fatigue, je meurs de chagrin et, partout où il met les pieds, moi je mets les yeux. Je ne sais pas quelle est son intention en venant de la sorte, ni comment il a pu s'échapper de la maison de son père, qui l'aime passionnément, parce que c'est son unique héritier, et qu'il mérite d'ailleurs d'être aimé, comme Votre Grâce en jugera dès qu'elle pourra le voir. Je puis vous dire encore que toutes ces choses qu'il chante, il les tire de sa tête, car j'ai ouï dire qu'il est grand poète et étudiant. Et de plus, chaque fois que je le vois ou que je l'entends, je tremble de la tête aux pieds, dans la crainte que mon père ne le reconnaisse et ne vienne à deviner nos désirs. De ma vie je ne lui ai dit une parole, et pourtant je l'aime de telle sorte que je ne peux vivre sans lui. Voilà, ma chère dame, tout ce que je puis vous dire de ce musicien, dont la voix vous a si fort satisfaite, et par laquelle vous reconnaîtrez bien qu'il n'est pas garçon muletier, comme vous dites, mais seigneur d'âmes et de terres, comme je vous ai dit.

— C'est assez, doña Clara, s'écria Dorothée en lui donnant mille baisers, c'est assez, dis-je. Attendez que le nou-

veau jour paraisse, car j'espère, avec l'aide de Dieu,
conduire vos affaires de telle sorte qu'elles aient une aussi
heureuse fin que le méritent de si honnêtes commence-
ments. — Hélas! ma bonne dame, reprit doña Clara, quelle
fin se peut-il espérer, quand son père est si noble et si
riche qu'il lui semblera que je ne suis pas digne, je ne dis
pas d'être femme, mais servante de son fils? Et quant à
me marier en cachette de mon père, je ne le ferais pas pour
tout ce que renferme le monde. Je voudrais seulement que
ce jeune homme me laissât et s'en retournât chez lui;
peut-être qu'en ne le voyant plus, et lorsque nous serons
séparés par la grande distance du chemin qui me reste à
faire, la peine que j'éprouve maintenant s'adoucira quelque
peu, bien que je puisse dire que ce remède ne me fera pas
grand effet. Et pourtant, je ne sais comment le diable s'en
est mêlé, ni par où m'est entré cet amour que j'ai pour lui,
étant, moi, si jeune fille, et lui, si jeune garçon; car, en
vérité, je crois que nous sommes du même âge, et je n'ai
pas encore mes seize ans accomplis; du moins, à ce que dit
mon père, je ne les aurai que le jour de la Saint-Michel. »
Dorothée ne put s'empêcher de rire en voyant combien
doña Clara parlait encore en enfant. « Reposons, lui dit-elle,
pendant le peu qui reste de la nuit; Dieu nous enverra le
jour, et nous en profiterons, ou je n'aurais ni mains ni
langue à mon service. »

Elles s'endormirent après cet entretien, et dans toute
l'hôtellerie régnait le plus profond silence. Il n'y avait
d'éveillé que la fille de l'hôtesse et sa servante Maritornes,
lesquelles, sachant déjà de quel pied clochait don Quichotte, et qu'il était à faire sentinelle autour de la maison,
armé de pied en cap et à cheval, résolurent entre elles de
lui jouer quelque tour, ou du moins de passer un peu le
temps à écouter ses extravagances.

Or il faut savoir qu'il n'y avait pas, dans toute l'hôtellerie,
une seule fenêtre qui donnât sur les champs, mais uniquement une lucarne de grenier par laquelle on jetait la paille
du dehors. C'est à cette lucarne que vinrent se mettre les
deux semi-demoiselles. Elles virent que don Quichotte
était à cheval, immobile et appuyé sur le bois de sa lance,
poussant de temps à autre de si profonds et de si lamentables
soupirs qu'on eût dit qu'à chacun d'eux son âme allait
s'arracher. Elles entendirent aussi qu'il disait d'une voix
douce, tendre et amoureuse : « O madame Dulcinée du
Toboso, extrême de toute beauté, comble de l'esprit, faîte
de la raison, archives des grâces, dépôt des vertus, et finalement abrégé de tout ce qu'il y a dans le monde de bon,
d'honnête et de délectable, que fait en ce moment Ta
Grâce? Aurais-tu, par hasard, souvenance de ton chevalier
captif, qui, seulement pour te servir, à tant de périls s'est
volontairement exposé? Oh! donne-moi de ses nouvelles,
astre aux trois visages, qui peut-être, envieux du sien,

t'occupes à présent à la regarder, soit qu'elle se promène en quelque galerie de ses palais somptueux, soit qu'appuyée sur quelque balcon, elle considère quel moyen s'offre d'adoucir, sans péril pour sa grandeur et sa chasteté, la tempête qu'éprouve à cause d'elle mon cœur affligé, ou quelle félicité elle doit à mes peines, quel repos à mes fatigues, quelle récompense à mes services, et, finalement, quelle vie à ma mort. Et toi, soleil qui te hâtes sans doute de seller tes coursiers pour te lever de bon matin et venir revoir ma dame, je t'en supplie, dès que tu la verras, salue-la de ma part ; mais garde-toi bien, en la saluant, de lui donner un baiser de paix sur le visage ; je serais plus jaloux de toi que tu ne le fus de cette légère ingrate qui te fit tant courir et tant suer dans les plaines de Thessalie, ou sur les rives du Pénée, car je ne me rappelle pas bien où tu courus alors, amoureux et jaloux. »

Don Quichotte en était là de son touchant monologue, quand la fille de l'hôtesse se mit à l'appeler du bout des lèvres, et lui dit enfin : « Mon bon seigneur, ayez la bonté, s'il vous plaît, de vous approcher d'ici. » A ces signes et à ces paroles, don Quichotte tourna la tête et vit, à la clarté de la lune, qui brillait alors de tout son éclat, qu'on l'appelait à la lucarne, qui lui semblait une fenêtre, et même avec des barreaux dorés, comme devait les avoir un aussi riche château que lui paraissait l'hôtellerie ; puis, au même instant, il se persuada, dans sa folle imagination, que la jolie demoiselle, fille de la dame de ce château, vaincue par l'amour dont elle s'était éprise pour lui, venait, comme l'autre fois, le tenter et le solliciter. Dans cette pensée, pour ne pas se montrer ingrat et discourtois, il tourna la bride à Rossinante et s'approcha de la lucarne. Dès qu'il eut aperçu les deux jeunes filles : « Je vous plains sincèrement, dit-il, ô charmante dame, d'avoir placé vos pensées amoureuses en un lieu où l'on ne peut y répondre comme le méritent votre grâce et vos attraits. Mais vous ne devez pas en imputer la faute à ce misérable chevalier errant que l'amour tient dans l'impossibilité de rendre les armes à nulle autre qu'à celle qu'il a faite, au moment où ses yeux la virent, maîtresse absolue de son âme. Pardonnez-moi donc, aimable damoiselle, et retirez-vous dans vos appartements, sans vouloir, en me témoignant plus clairement vos désirs, que je me montre encore plus ingrat ; et, si l'amour que vous me portez vous fait trouver en moi quelque chose en quoi je puisse vous satisfaire, pourvu que ce ne soit pas l'amour lui-même, demandez-la-moi ; et je jure, par cette douce ennemie dont je pleure l'absence, de vous la donner incontinent, dussiez-vous me demander une mèche des cheveux de Méduse, qui n'étaient que des couleuvres, ou même des rayons du soleil enfermés dans une fiole. — Ce n'est pas de tout cela qu'a besoin ma maîtresse, seigneur chevalier, dit alors Maritornes. — Eh bien,

discrète duègne, répondit don Quichotte, de quoi donc
votre maîtresse a-t-elle besoin ? — Seulement d'une de vos
belles mains, répondit Maritornes, afin de pouvoir rassasier
sur elle l'extrême désir qui l'a conduite à cette lucarne,
tellement au péril de son honneur que si le seigneur son
père l'eût entendu, il en aurait fait un tel hachis que la
plus grosse tranche de toute sa personne eût été l'oreille.
— Je voudrais bien voir cela, reprit don Quichotte ; mais
il s'en gardera bien, s'il ne veut faire la fin la plus désas-
treuse que fit jamais père au monde, pour avoir porté la
main sur les membres délicats de son amoureuse fille. »

Maritornes pensa bien que, sans nul doute, don Quichotte donnerait la main qui lui était demandée, et, réflé-
chissant à ce qu'elle devait faire, elle quitta la lucarne et
descendit à l'écurie, où elle prit le licou de l'âne de Sancho ; puis elle remonta rapidement au grenier, dans l'instant
où don Quichotte s'était levé tout debout sur la selle de
Rossinante pour atteindre à la fenêtre grillée où il s'imaginait qu'était la demoiselle au cœur blessé. En lui tendant
la main : « Prenez, madame, lui dit-il, prenez cette main,
ou plutôt ce bourreau des malfaiteurs du monde ; prenez
cette main, dis-je, qu'aucune main de femme n'a touchée,
pas même celle de la beauté qui a pris de tout mon corps
entière possession. Je ne vous la donne pas pour que vous
la baisiez, mais pour que vous regardiez la contexture des
nerfs, l'entrelacement des muscles, la largeur et l'épaisseur
des veines, d'où vous jugerez quelle doit être la force du
bras auquel appartient une telle main. — C'est ce que nous
allons voir », dit Maritornes ; et, faisant du licou un nœud
coulant, elle le lui passa autour du poignet ; puis quittant
aussitôt la lucarne, elle attacha solidement l'autre bout au
verrou de la porte du grenier.

Don Quichotte sentit à son poignet la dureté du cordeau. « Il me semble, dit-il, que Votre Grâce m'égratigne
plutôt qu'elle ne me caresse la main ; ne la traitez pas si
durement, car elle n'est point coupable du mal que vous
fait ma volonté, et il ne serait pas bien non plus que vous
vengeassiez sur une si petite partie de ma personne toute
la grandeur de votre dépit. Faites attention d'ailleurs que
qui aime bien ne se venge pas si méchamment. » Mais tous
ces propos de don Quichotte, personne ne les écoutait
plus ; car dès que Maritornes l'eut attaché, elle et l'autre
fille se sauvèrent mourant de rire, et le laissèrent si bien pris
au piège qu'il lui fut impossible de se dégager. Il était
donc, comme on l'a dit, tout debout sur le dos de Rossinante, le bras passé dans la lucarne, et attaché par le poignet au verrou de la porte, ayant une frayeur extrême que
son cheval, en s'écartant d'un côté ou de l'autre, ne le
laissât pendu par le bras. Aussi n'osait-il faire aucun mouvement, bien que le calme et la patience de Rossinante lui
promissent qu'il serait tout un siècle sans remuer.

Finalement, quand don Quichotte se vit bien attaché, et que les dames étaient parties, il se mit à imaginer que tout cela se faisait par voie d'enchantement, comme la fois passée, lorsque, dans ce même château, ce More enchanté de muletier le roua de coups. Il maudissait donc tout bas son peu de prudence et de réflexion, puisque, après être sorti si mal, la première fois, des épreuves de ce château, il s'était aventuré à y rentrer encore, tandis qu'il est de notoriété parmi les chevaliers errants que, lorsqu'ils ont éprouvé une aventure et qu'ils n'y ont pas réussi, c'est signe qu'elle n'est point gardée pour eux, mais pour d'autres ; et dès lors ils ne sont nullement tenus de l'éprouver une seconde fois. Néanmoins, il tirait son bras pour voir s'il pourrait se dégager ; mais le nœud était si bien fait que toutes ses tentatives furent vaines. Il est vrai qu'il tirait avec ménagement, de peur que Rossinante ne remuât, et, bien qu'il eût voulu se rasseoir en selle, il fallait rester debout ou s'arracher la main. C'est alors qu'il se mit à désirer l'épée d'Amadis, contre laquelle ne prévalait aucun enchantement ; c'est alors qu'il maudit son étoile, qu'il mesura dans toute son étendue la faute que ferait au monde son absence tout le temps qu'il demeurerait enchanté, car il croyait l'être bien réellement ; c'est alors qu'il se souvint plus que jamais de sa bien-aimée Dulcinée du Toboso ; qu'il appela son bon écuyer Sancho Panza, lequel, étendu sur le bât de son âne et enseveli dans le sommeil, ne se rappelait guère en ce moment la mère qui l'avait enfanté ; c'est alors qu'il appela à son aide les sages Alquife et Lirgandée ; qu'il invoqua sa bonne amie Urgande, pour qu'elle vînt le secourir. Finalement, l'aube du jour le surprit, si confondu, si désespéré qu'il mugissait comme un taureau, n'espérant plus que le jour remédiât à son affliction, qu'il tenait pour éternelle, se tenant pour enchanté. Ce qui lui donnait surtout cette pensée, c'était de voir que Rossinante ne remuait ni peu ni beaucoup. Aussi croyait-il que de la sorte, sans manger, sans boire, sans dormir, ils allaient rester, lui et son cheval, jusqu'à ce que cette méchante influence des étoiles se fût passée, ou qu'un autre plus savant enchanteur le désenchantât.

Mais il se trompa grandement dans sa croyance. En effet, à peine le jour commençait-il à poindre que quatre hommes à cheval arrivèrent à l'hôtellerie, bien tenus, bien équipés, et portant leurs escopettes pendues à l'arçon. Ils frappèrent à grands coups à la porte de l'hôtellerie, qui n'était pas encore ouverte. Mais don Quichotte, les apercevant de la place où il ne cessait de faire sentinelle, leur cria d'une voix haute et arrogante : « Chevaliers, ou écuyers, ou qui que vous soyez, vous avez tort de frapper aux portes de ce château, car il est clair qu'à de telles heures ceux qui l'habitent sont endormis ; et d'ailleurs on n'a pas coutume d'ouvrir les forteresses avant que le soleil étende ses rayons sur la

terre entière. Eloignez-vous un peu, et attendez que le jour
ait paru ; nous verrons alors s'il convient ou non de vous
ouvrir. — Quelle diable de forteresse ou de château y
a-t-il ici, dit l'un des cavaliers, pour nous obliger à tant de
cérémonies ? Si vous êtes l'aubergiste, faites-nous ouvrir ;
nous sommes des voyageurs et nous ne demandons qu'à
donner de l'orge à nos montures pour continuer notre
chemin, car nous sommes pressés. — Vous semble-t-il,
chevalier, que j'aie la mine d'un aubergiste ? répondit
don Quichotte. — Je ne sais de quoi vous avez la mine,
reprit l'autre ; mais je sais que vous dites une sottise en
appelant château cette hôtellerie. — C'est un château,
répliqua don Quichotte, et même des meilleurs de cette
province, et il y a dedans telle personne qui a porté sceptre
à la main et couronne sur la tête. — Ce serait mieux au
rebours, reprit le voyageur, le sceptre sur la tête et la couronne à la main. Sans doute, si nous venons au fait, il y aura
là dedans quelque troupe de comédiens, parmi lesquels
sont communs ces sceptres et ces couronnes que vous
dites ; car, dans une hôtellerie si chétive et où l'on
garde un si grand silence, je ne crois guère qu'il s'y héberge
des gens à sceptre et à couronne. — Vous savez peu des
choses de ce monde, répliqua don Quichotte, puisque vous
ignorez les événements qui se passent d'habitude dans la
chevalerie errante. » Mais les compagnons du questionneur,
s'ennuyant du dialogue qu'il continuait avec don Quichotte,
se remirent à frapper à la porte avec tant de furie que
l'hôtelier s'éveilla, ainsi que tous les gens de la maison, et
qu'il se leva pour demander qui frappait.

En ce moment, il arriva qu'un des chevaux qu'amenaient
les quatre cavaliers vint flairer Rossinante, qui, tout triste
et les oreilles basses, soutenait sans bouger le corps allongé
de son maître ; et comme enfin il était de chair, bien qu'il
parût de bois, il ne laissa pas de se ravigoter, et flaira à son
tour l'animal qui venait lui faire des caresses. Mais à peine
eut-il fait le moindre mouvement, que les deux pieds manquèrent à don Quichotte, qui, glissant de la selle, fût tombé
à terre s'il n'eût été pendu par le bras. Sa chute lui causa
une si vive douleur qu'il crut, ou qu'on lui coupait le poignet, ou que son bras s'arrachait. Il était, en effet, resté si
près de terre qu'avec la pointe des pieds il baisait celle des
herbes ; et c'était pour son mal, car, en voyant le peu qui lui
manquait pour mettre les pieds à plat, il s'allongeait et se
tourmentait de toutes ses forces pour atteindre la terre.
Ainsi les malheureux qui souffrent la torture de la poulie
accroissent eux-mêmes leur supplice en s'efforçant de
s'allonger, trompés par l'espérance de toucher enfin le sol.

CHAPITRE XLIV

Où se poursuivent encore les événements inouïs de l'hôtellerie.

Enfin, aux cris perçants que jetait don Quichotte, l'hôte, ouvrant à la hâte les portes de l'hôtellerie, sortit tout effaré pour voir qui criait de la sorte. Maritornes, que le même bruit avait éveillée, imaginant aussitôt ce que ce pouvait être, monta au grenier et détacha, sans que personne la vît, le licou qui soutenait don Quichotte. Le chevalier tomba par terre à la vue de l'hôte et des voyageurs, qui, s'approchant de lui tous ensemble, lui demandèrent ce qu'il avait pour jeter de semblables cris. Don Quichotte, sans répondre un mot, s'ôta le cordeau du poignet, se releva, monta sur Rossinante, embrassa son écu, mit sa lance en arrêt et, s'étant éloigné pour prendre du champ, revint au petit galop, en disant : « Quiconque dira que j'ai été à juste titre enchanté, pourvu que madame la princesse Micomicona m'en accorde la permission, je lui donne un démenti et je le défie en combat singulier. » Les nouveaux venus restèrent tout ébahis à ces paroles ; mais l'hôtelier les tira de cette surprise en leur disant qui était don Quichotte, et qu'il ne fallait faire aucun cas de lui, puisqu'il avait perdu le jugement.

Ils demandèrent à l'hôtelier si par hasard il ne serait pas arrivé dans sa maison un jeune homme de quinze à seize ans, vêtu en garçon muletier, de telle taille et de tel visage, donnant enfin tout le signalement de l'amant de doña Clara. L'hôtelier répondit qu'il y avait tant de monde dans l'hôtellerie qu'il n'avait pas pris garde au jeune homme qu'on demandait. Mais l'un des cavaliers, ayant aperçu le carrosse de l'auditeur, s'écria : « Il est ici, sans aucun doute, car voilà le carrosse qu'on dit qu'il accompagne. Qu'un de nous reste à la porte et que les autres entrent pour le chercher. Encore sera-t-il bon qu'un de nous fasse aussi la ronde autour de l'hôtellerie, afin qu'il ne se sauve point par-dessus les murs de la cour. — C'est ce qu'on va faire », répondit un des cavaliers ; et, tandis que deux d'entre eux pénétraient dans la maison, un autre resta à la porte et le dernier alla faire le tour de l'hôtellerie.

L'hôtelier voyait tout cela sans pouvoir deviner à quel propos se prenaient ces mesures, bien qu'il crût que ces gens cherchaient le jeune homme dont ils lui avaient donné le signalement.

Cependant le jour arrivait, et, à sa venue, ainsi qu'au tapage qu'avait fait don Quichotte, tout le monde s'était éveillé, surtout doña Clara et Dorothée, qui, l'une par l'émotion d'avoir son amant si près d'elle, l'autre par le désir de le voir, n'avaient guère pu dormir de toute la nuit. Don Quichotte, voyant qu'aucun des voyageurs ne faisait cas de lui et ne daignait seulement répondre à son défi, se sentait suffoqué de dépit et de rage ; et certes, s'il eût trouvé, dans les règlements de sa chevalerie, qu'un chevalier pût dûment entreprendre une autre entreprise, ayant donné sa parole et sa foi de ne se mêler d'aucune autre jusqu'à ce qu'il eût achevé celle qu'il avait promis de mettre à fin, il les aurait attaqués tous, et les aurait bien fait répondre, bon gré mal gré. Mais comme il lui semblait tout à fait inconvenant de se jeter dans une entreprise nouvelle avant d'avoir replacé Micomicona sur son trône, il lui fallut se taire et se tenir tranquille, attendant, les bras croisés, où aboutiraient les démarches de ces voyageurs.

Un de ceux-ci trouva le jeune homme qu'il cherchait, dormant à côté d'un garçon de mules et ne songeant guère, ni qu'on le cherchât, ni surtout qu'on dût le trouver. L'homme le secoua par le bras et lui dit : « Assurément, seigneur don Luis, l'habit que vous portez sied bien à qui vous êtes ! Et le lit où je vous trouve ne répond pas moins aux soins délicats dans lesquels vous a élevé votre mère ! » Le jeune homme frotta ses yeux endormis et, regardant avec attention celui qui le secouait, il reconnut aussitôt que c'était un domestique de son père. Cette vue le troubla de telle sorte qu'il ne put de quelque temps parvenir à répondre un mot. Le domestique continua : « Ce qui vous reste à faire, seigneur don Luis, c'est de vous résigner patiemment, et de reprendre le chemin de la maison, si Votre Grâce ne veut pas que son père, mon seigneur, prenne celui de l'autre monde ; car on ne peut attendre autre chose de la peine que lui cause votre absence. — Mais comment mon père a-t-il su, interrompit don Luis, que j'avais pris ce chemin, et en cet équipage ? — C'est un étudiant, répondit le valet, à qui vous aviez confié votre dessein, qui a tout découvert, ému de pitié à la vue du chagrin que montra votre père quand il ne vous trouva plus. Il dépêcha aussitôt quatre de ses domestiques à votre recherche, et nous sommes tous quatre ici à votre service, plus contents qu'on ne peut l'imaginer de la bonne œuvre que nous aurons faite en vous ramenant aux yeux qui vous aiment si tendrement. — Ce sera, répondit don Luis, comme je voudrai, ou comme en ordonnera le ciel. — Que pouvez-vous vouloir, répliqua l'autre, ou que peut ordonner le ciel, si ce n'est de consentir à ce que vous reveniez ? Toute autre chose est impossible. »

Le garçon muletier auprès duquel était couché don Luis avait entendu tout cet entretien ; et, s'étant levé, il alla dire ce qui se passait à don Fernand, à Cardénio et aux autres, qui venaient de s'habiller. Il leur conta comment cet homme appelait ce jeune garçon par le titre de *don*, comment il voulait le ramener à la maison de son père, et comment l'autre ne le voulait pas. A cette nouvelle, et sachant déjà du jeune homme ce qu'en annonçait la belle voix que le ciel lui avait donnée, ils eurent tous un grand désir de savoir plus en détail qui il était, et même de l'assister si on voulait lui faire quelque violence. Ils se dirigèrent donc du côté où il était encore parlant et disputant avec son domestique.

En ce moment, Dorothée sortit de sa chambre, et derrière elle doña Clara toute troublée. Prenant à part Cardénio, Dorothée lui conta brièvement l'histoire du musicien et de doña Clara. A son tour, Cardénio lui annonça l'arrivée des gens de son père qui venaient le chercher ; mais il ne dit pas cette nouvelle à voix si basse que doña Clara ne pût l'entendre, ce qui la mit tellement hors d'elle-même que, si Dorothée ne l'eût soutenue, elle se laissait tomber par terre. Cardénio engagea Dorothée à la ramener dans sa chambre, ajoutant qu'il allait faire en sorte d'arranger tout cela, et les deux amies suivirent son conseil.

Au même instant, les quatre cavaliers venus à la recherche de don Luis étaient entrés dans l'hôtellerie, et, le tenant au milieu d'eux, essayaient de lui persuader de revenir sur-le-champ consoler son père. Il répondit qu'il ne pouvait en aucune façon suivre leur avis avant d'avoir terminé une affaire où il y allait de sa vie, de son honneur et de son âme. Les domestiques le pressèrent alors davantage, disant qu'ils ne reviendraient pas sans lui, et qu'ils le ramèneraient, même contre son gré. « Vous ne me ramènerez que mort, répliqua don Luis ; aussi bien, de quelque manière que vous m'emmeniez, ce sera toujours m'emmener sans vie. » Cependant le bruit de la querelle avait attiré la plupart de ceux qui se trouvaient dans l'hôtellerie, notamment Cardénio, don Fernand, ses compagnons, l'auditeur, le curé, le barbier et don Quichotte, auquel il avait semblé qu'il n'était pas nécessaire de garder plus longtemps le château. Cardénio, qui connaissait déjà l'histoire du garçon muletier, demanda à ceux qui voulaient l'entraîner de force quel motif ils avaient d'emmener ce jeune homme contre sa volonté. « Notre motif, répondit l'un des quatre, c'est de rendre la vie au père de ce gentilhomme, que son absence met en péril de la perdre. — Il est inutile, interrompit don Luis, de rendre ici compte de mes affaires. Je suis libre, et je m'en irai s'il me plaît ; sinon, aucun de vous ne me fera violence. — C'est la raison qui vous la fera, répondit l'homme ; et si elle ne suffit point à Votre Grâce, elle nous suffira, à nous, pour faire ce pour quoi nous sommes venus et à quoi nous sommes tenus. — Sachons la chose à fond », dit en ce moment l'auditeur. Mais l'homme, qui le reconnut pour un voisin de sa maison, répondit aussitôt : « Est-ce que Votre Grâce, seigneur auditeur, ne reconnaît pas ce gentilhomme ? C'est le fils de votre voisin, qui s'est échappé de la maison de son père, dans ce costume si peu convenable à sa naissance, comme Votre Grâce peut s'en assurer. » L'auditeur se mit alors à le considérer plus attentivement et, l'ayant reconnu, il le prit dans ses bras : « Quel enfantillage est-ce là, seigneur don Luis, lui dit-il, ou quels motifs si puissants vous ont fait partir de la sorte, dans cet équipage qui sied si mal à votre qualité ? » Le jeune homme sentit les larmes lui venir aux yeux ; il ne put répondre un seul mot à l'auditeur, qui dit aux quatre domestiques de se calmer, et qu'il arrangerait l'affaire ; puis, prenant don Luis par la main, il le conduisit à part pour l'interroger sur son escapade.

Tandis qu'il lui faisait cette question et d'autres encore, on entendit de grands cris à la porte de l'hôtellerie. Voici quelle en était la cause : deux hôtes qui s'étaient hébergés cette nuit dans la maison, voyant que tout le monde était occupé à savoir ce que cherchaient les quatre cavaliers, avaient tenté de déguerpir sans payer ce qu'ils devaient. Mais l'hôtelier, qui était plus attentif à ses affaires qu'à celles d'autrui, les arrêta au seuil de la porte et leur demanda l'écot, en gourmandant leur malhonnête intention avec de telles paroles qu'il finit par les exciter à lui répondre avec les poings. Ils commencèrent donc à le gourmer de telle sorte que le pauvre hôtelier fut contraint de crier au secours. L'hôtesse et sa fille ne virent personne plus inoccupé et plus à portée de le secourir que don Quichotte, auquel la fille de l'hôtesse accourut dire : « Secourez vite, seigneur chevalier, par la vertu que Dieu vous a donnée, secourez vite mon pauvre père, que deux méchants hommes sont à battre comme plâtre. » A cela don Quichotte répondit d'une voix lente et du plus grand sang-froid : « Votre pétition, belle damoiselle, ne peut être accueillie en ce moment : je suis dans l'impossibilité de m'entremettre en aucune aventure, jusqu'à ce que j'aie mis fin à celle où m'a engagé ma parole. Mais ce que je puis faire pour votre service, le voici : courez, et dites à votre père qu'il se soutienne dans cette bataille le mieux qu'il pourra, et qu'il ne se laisse vaincre en aucune façon, tandis que j'irai demander à la princesse Micomicona la permission de le secourir en son angoisse ; si elle me la donne, soyez certaine que je saurai bien l'en tirer. — Ah ! pécheresse que je suis, s'écria Maritornes, qui se trouvait là, avant que Votre Grâce ait obtenu cette permission, mon maître sera dans l'autre monde. — Eh bien! madame, reprit don Quichotte, faites que j'obtienne cette permission dont j'ai besoin. Dès que je l'aurai, il importera peu qu'il soit dans l'autre monde; car je l'en tirerai en dépit de ce monde-ci, qui voudrait y trouver à redire, ou du moins je tirerai telle vengeance de ceux qui l'y auront envoyé que vous en serez plus que médiocrement satisfaite. » Et, sans parler davantage, il alla se mettre à deux genoux devant Dorothée, pour lui demander, avec des expressions chevaleresques et errantes, que Sa Grandeur daignât lui donner permission de courir et de secourir le châtelain de ce château qui se trouvait en une grave extrémité. La princesse la lui donna de bon cœur, et aussitôt, embrassant son écu et mettant l'épée à la main, il accourut à la porte de l'hôtellerie, où les deux hôtes étaient encore à malmener l'hôtelier. Mais, dès qu'il arriva, il s'arrêta tout court et se tint immobile, malgré les reproches de Maritornes et de l'hôtesse, qui lui demandaient qu'est-ce qui le retenait en place, au lieu de secourir leur maître et mari. « Ce qui me retient ? répondit don Quichotte; c'est qu'il ne m'est pas permis de mettre l'épée à la main contre des gens de bas étage; mais appelez mon écuyer Sancho, c'est lui que regardent cette défense et cette vengeance. »

Voilà ce qui se passait à la porte de l'hôtellerie, où roulaient les coups de poing et les gourmades, le tout au préjudice de l'hôtelier et à la rage de Maritornes, de l'hôtesse et de sa fille, qui se désespéraient de la lâcheté de don Quichotte et du mauvais quart d'heure que passait leur maître, père et mari. Mais laissons-le en cet état, car sans doute quelqu'un viendra le secourir; sinon, tant pis pour celui qui se hasarde à plus que ses forces ne permettent : qu'il souffre et ne dise mot. Revenons maintenant, à cinquante pas en arrière, voir ce que don Luis répondit à l'auditeur, que nous avons laissé l'ayant pris à part pour lui demander la cause de son voyage à pied et dans un si vil équipage. Le jeune homme, lui saisissant les mains avec force, comme si quelque grande affliction lui eût serré le cœur, et versant un torrent de larmes, lui répondit :

« Je ne sais, mon Seigneur, vous dire autre chose, si ce n'est que, le jour où le ciel a voulu et où notre voisinage a permis que je visse doña Clara, votre fille et ma dame, dès cet instant je l'ai faite maîtresse de ma volonté; et si la vôtre, mon véritable seigneur et père, n'y met obstacle, aujourd'hui même elle sera mon épouse. C'est pour elle que j'ai abandonné la maison de mon père, pour elle que j'ai pris ce costume, afin de la suivre partout où elle irait, comme la flèche suit le but, et le marinier l'étoile polaire. Elle ne sait de mes désirs rien de plus que n'ont pu lui en faire entendre les pleurs qu'elle a vus de loin couler de mes yeux. Vous connaissez déjà, seigneur, la fortune et la noblesse de mes parents, vous savez que je suis leur unique héritier. Si ces avantages vous semblent suffisants pour que vous vous hasardiez à me rendre complètement heureux, agréez-moi dès maintenant pour votre fils. Que si mon père, occupé d'autres vues personnelles, n'était point satisfait du bien que j'ai su trouver pour moi, le temps n'a pas moins de force pour changer les volontés humaines que les choses de ce monde. »

A ces mots, l'amoureux jeune homme cessa de parler, et l'auditeur demeura non moins surpris de la manière délicate et touchante dont il lui avait découvert ses pensées qu'indécis sur le parti qu'il devait prendre dans une affaire si soudaine et si grave. Tout ce qu'il put lui répondre, ce fut qu'il se calmât pour le moment et qu'il obtînt que ses domestiques ne l'emmenassent pas ce jour même, afin d'avoir le temps de considérer ce qui conviendrait mieux à chacun. Don Luis voulut par force lui baiser les mains, et même les baigna de ses larmes, chose qui aurait attendri un cœur de pierre, et non pas seulement celui de l'auditeur, qui, en homme habile, avait vu du premier coup d'œil combien ce mariage était avantageux à sa fille. Toutefois, il aurait voulu, si c'eût été possible, l'effectuer avec le consentement du père de don Luis, qu'il savait prétendre à faire de son fils un seigneur titré.

En ce moment, les hôtes querelleurs avaient fait la paix avec l'hôtelier, après avoir consenti, plutôt par la persuasion et les bons propos de don Quichotte que par ses menaces, à lui payer ce qu'il demandait ; d'un autre côté, les domestiques de don Luis attendaient patiemment la fin de son entretien avec l'auditeur et la résolution de leur maître, quand le diable, qui ne dort jamais, fit entrer à cette heure même dans l'hôtellerie le barbier auquel don Quichotte avait enlevé l'armet de Mambrin, et Sancho Panza les harnais de son âne, pour les troquer contre ceux du sien. Ce barbier, menant son âne à l'écurie, vit Sancho qui raccommodait je ne sais quoi de son bât. Dès qu'il vit ce bât, il le reconnut, et, prenant bravement Sancho par le collet, il lui dit : « Ah ! don larron, je vous tiens ici ; rendez-moi vite mon plat à barbe, et mon bât, et tous les harnais que vous m'avez volés. » Sancho, qui se vit prendre à la gorge si à l'improviste, et qui entendit les injures qu'on lui disait, saisit le bât d'une main, et de l'autre donna une telle gourmade au barbier qu'il lui mit les mâchoires en sang. Mais, néanmoins, le barbier ne lâchait pas prise et tenait bon son bât ; au contraire, il éleva la voix de telle sorte que tous les gens de l'hôtellerie accoururent au bruit et à la bataille. « Au nom du roi et de la justice, criait-il, parce que je reprends mon bien, il veut me tuer ce larron, voleur de grands chemins. — Tu en as menti, répondit Sancho, je ne suis pas voleur de grands chemins ; et c'est de bonne guerre que mon seigneur don Quichotte a gagné ces dépouilles. »

Celui-ci, qui était promptement accouru, se trouvait déjà présent à la querelle, enchanté de voir avec quelle vigueur son écuyer prenait la défensive et l'offensive. Il le tint même désormais pour homme de cœur et se proposa, dans le fond de son âme, de l'armer chevalier à la première occasion qui s'offrirait, pensant que l'ordre de chevalerie serait fort bien placé sur sa tête. Parmi toutes les choses que le barbier débitait dans le courant de la dispute, il vint à dire : « Ce bât est à moi, comme la mort que je dois à Dieu, et je le connais comme si je l'avais mis au monde ; et voilà mon âne qui est dans l'étable, qui ne me laissera pas mentir. Sinon, qu'on lui essaye le bât, et, s'il ne lui va pas comme un gant, je passerai pour infâme. Et il y a plus, c'est que le même jour qu'ils me l'ont pris, ils m'ont enlevé aussi un plat à barbe de rosette, tout neuf, qui n'avait pas encore été étrenné de sa vie, et qui m'avait coûté un bel et bon écu. » En cet endroit don Quichotte ne put se retenir ; il se mit entre les deux combattants, les sépara, et, déposant le bât par terre pour que tout le monde le vît jusqu'à ce que la vérité fût reconnue, il s'écria : « Vos Grâces vont voir clairement et manifestement l'erreur où est ce bon écuyer quand il appelle plat à barbe ce qui est, fut et sera l'armet de Mambrin, que je lui ai enlevé de bonne guerre et dont je me suis rendu maître en tout bien tout honneur. Quant au bât, je ne m'en mêle point ; et tout ce que je peux dire, c'est que mon écuyer Sancho me demanda permission pour ôter les harnachements du cheval de ce poltron vaincu et pour en parer le sien. Je lui donnai la permission, il prit les harnais, et de ce que la selle s'est changée en bât, je ne puis donner d'autre raison que l'ordinaire, c'est-à-dire que ces métamorphoses se voient dans les événements de la chevalerie. Pour preuve et confirmation de ce que j'avance, cours vite, mon fils Sancho, apporte ici l'armet que ce brave homme dit être un plat à barbe. — Pardieu, seigneur, répliqua Sancho, si nous n'avons pas d'autre preuve à faire valoir pour nous justifier que celle qu'offre Votre Grâce, nous voilà frais. Aussi plat à barbe est l'armet de Mambrin que la selle de ce bonhomme est bât. — Fais ce que je te commande, reprit don Quichotte ; peut-être que toutes les choses qui arrivent en ce château ne doivent pas se passer par voie d'enchantement. » Sancho alla chercher le plat à barbe, l'apporta, et, dès que don Quichotte le lui eut pris des mains, il s'écria : « Regardez un peu, seigneurs ; de quel front cet écuyer pourra-t-il dire que ceci est un plat à barbe, et non l'armet que j'ai nommé ? Et je jure, par l'ordre de chevalerie dont je fais profession, que cet armet est tel que je l'ai pris, sans en avoir ôté, sans y avoir ajouté la moindre chose. — En cela, interrompit Sancho, il n'y a pas le plus petit doute ; car, depuis que mon seigneur l'a gagné jusqu'à cette heure, il n'a livré avec lui qu'une seule bataille, lorsqu'il délivra ces malheureux enchaînés, et, ma foi, sans l'assistance de ce platarmet, il aurait passé un mauvais moment, car, dans cette mêlée, les pierres pleuvaient à verse. »

CHAPITRE XLV

Où l'on achève d'éclaircir les doutes à propos du bât et de l'armet de Mambrin, avec d'autres aventures arrivées en toute vérité.

Que vous semble, seigneurs, s'écria le barbier, de ce qu'affirment ces gentilshommes, puisqu'ils s'opiniâtrent à dire que ceci n'est pas un plat à barbe, mais un armet ? — Et qui dira le contraire, interrompit don Quichotte, je lui ferai savoir qu'il ment, s'il est chevalier, et, s'il est écuyer, qu'il en a menti mille fois. » Notre barbier, maître Nicolas, qui se trouvait présent à la bagarre, connaissant si bien l'humeur de don Quichotte, voulut exciter encore son extravagance et pousser plus loin la plaisanterie, pour donner de quoi rire à tout le monde. Il dit donc, parlant à l'autre barbier : « Seigneur barbier, ou qui que vous soyez, sachez que je suis du même état que vous ; que j'ai reçu, il y a plus de vingt ans, mon diplôme d'examen, et que je connais parfaitement tous les instruments et ustensiles du métier de la barbe, sans en excepter un seul ; sachez de plus que, dans le temps de ma jeunesse, j'ai été soldat, et que je ne connais pas moins bien ce que c'est qu'un armet, un morion, une salade, et autres choses relatives à la milice, c'est-à-dire aux espèces d'armes que portent les soldats. Et je dis maintenant, sauf meilleur avis, car je m'en remets toujours à celui d'un meilleur entendement, que cette pièce qui est ici devant nous, et que ce bon seigneur tient à la main, non seulement n'est pas un plat à barbe de barbier, mais qu'elle est aussi loin de l'être que le blanc est loin du noir, et la vérité du mensonge. Et je dis aussi que, bien que ce soit un armet, ce n'est pas un armet entier. — Non certes, s'écria don Quichotte, car il lui manque une moitié qui est la mentonnière. — C'est cela justement », ajouta le curé, qui avait compris l'intention de son ami, maître Nicolas ; et leur avis fut aussitôt confirmé par Cardénio, don Fernand et ses compagnons. L'auditeur lui-même, s'il n'eût été si préoccupé de l'aventure de don Luis, aurait aidé, pour sa part, à la plaisanterie ; mais les choses sérieuses auxquelles il pensait l'avaient tellement absorbé qu'il ne faisait guère attention à ces badinages. « Sainte Vierge ! s'écria en ce

moment le barbier mystifié, est-il possible que tant
d'honnêtes gens disent que ceci n'est pas un plat à barbe,
mais un armet! Voilà de quoi jeter dans l'étonnement
toute une université, si savante qu'elle soit. A ce train-là,
si ce plat à barbe est un armet, ce bât d'âne doit être aussi
une selle de cheval, comme ce seigneur l'a prétendu. — A
moi, il me paraît un bât, reprit don Quichotte; mais j'ai
déjà dit que je ne me mêlais point de cela. — Que ce
soit un bât ou une selle, dit le curé, c'est au seigneur
don Quichotte à le décider; car, en affaire de chevalerie,
ces seigneurs et moi nous lui cédons la palme. — Pardieu,
messeigneurs, s'écria don Quichotte, de si étranges aventures me sont arrivées dans ce château, en deux fois
que j'y fus hébergé, que je n'ose plus rien décider
affirmativement sur les questions qu'on me ferait à propos
de ce qu'il renferme; car je m'imagine que tout ce qui
s'y passe se règle par voie d'enchantement. La première
fois, je fus fort ennuyé des visites d'un More enchanté
qui se promène en ce château, et Sancho n'eut guère plus
à se louer des gens de sa suite; puis, hier soir, je suis resté
pendu par ce bras presque deux heures entières, sans savoir
pourquoi ni comment j'étais tombé dans cette disgrâce.
Ainsi, me mettre à présent, au milieu d'une telle confusion, à donner mon avis, ce serait m'exposer à un jugement téméraire. En ce qui touche cette singulière préten-
tion de vouloir que ceci soit un plat à barbe et non un
armet, j'ai déjà répondu; mais, quant à déclarer si cela
est un bât ou une selle, je n'ose point rendre une sentence
définitive, et j'aime mieux laisser la question au bon sens
de Vos Grâces. Peut-être que, n'étant point armés chevaliers comme moi, vous n'aurez rien à démêler avec les
enchantements de céans, et qu'ayant les intelligences parfaitement libres, vous pourrez juger des choses de ce
château comme elles sont en réalité, et non comme elles
me paraissent.

— Il n'y a pas de doute, répondit à cela don Fernand;
le seigneur don Quichotte a parlé comme un oracle, et
c'est à nous qu'appartient la solution de cette difficulté;
et, pour qu'elle soit rendue avec plus de certitude, je vais
recueillir en secret les voix de ces seigneurs, et du résultat
de ce vote, je rendrai un compte exact et fidèle. » Pour
ceux qui connaissaient l'humeur de don Quichotte, toute
cette comédie était une intarissable matière à rire; mais
ceux qui n'étaient pas au fait n'y voyaient que la plus
grande bêtise du monde, surtout les quatre domestiques
de don Luis, et don Luis lui-même, ainsi que trois autres
voyageurs qui venaient par hasard d'arriver à l'hôtellerie
et qui paraissaient des archers de la Sainte-Hermandad,
comme ils l'étaient en effet. Mais celui qui se désespérait
le plus, c'était le barbier, dont le plat à barbe s'était changé,
devant ses yeux, en armet de Mambrin, et dont le bât,

à ce qu'il pensait bien, allait sans aucun doute se changer aussi en un riche harnais de cheval. Tous les autres spectateurs riaient de voir don Fernand qui allait prendre les voix de l'un à l'autre, leur parlant tout bas à l'oreille, pour qu'ils déclarassent en secret si ce beau bijou sur lequel on avait tant disputé était un bât ou une selle. Après qu'il eut recueilli les votes de tous ceux qui connaissaient don Quichotte, il dit à haute voix : « Le cas est, brave homme, que je suis vraiment fatigué de prendre tant d'avis, car je ne demande à personne ce que je désire savoir, qu'on ne me réponde aussitôt qu'il y a folie à dire que ce soit un bât d'âne, et que c'est une selle de cheval, et même d'un cheval de race. Ainsi, prenez patience, car en dépit de vous et votre âne, ceci est une selle, et non un bât, et vous avez fort mal prouvé votre allégation. — Que je perde ma place en paradis, s'écria le pauvre barbier, si toutes Vos Grâces ne se trompent pas ; et que mon âme paraisse aussi bien devant Dieu que ce bât me paraît un bât, et non une selle ! Mais, ainsi vont les lois... et je ne dis rien de plus. Et pourtant je ne suis pas ivre, en vérité, car je n'ai pas même rompu le jeûne aujourd'hui, si ce n'est par mes péchés. » Les naïvetés que débitait le barbier ne faisaient pas moins rire que les extravagances de don Quichotte, lequel dit en ce moment : « Ce qu'il y a de mieux à faire ici, c'est que chacun reprenne son bien ; et, comme on dit, ce que Dieu t'a donné, que saint Pierre le bénisse. » Alors, un des quatre domestiques s'approchant : « Si ce n'est pas, dit-il, un tour fait à plaisir, je ne puis me persuader que des hommes d'aussi sage entendement que le sont ou le paraissent tous ceux qui se trouvent ici, osent bien dire et affirmer que cela n'est point un bât, ni ceci un plat à barbe. Mais comme je vois qu'on l'affirme et qu'on le prétend, je m'imagine qu'il y a quelque mystère dans cet entêtement à dire une chose si opposée à ce que nous démontrent la vérité et l'expérience même ! Car je jure bien (et son jurement était à pleine bouche) que tous ceux qui vivent dans le monde à l'heure qu'il est ne me feraient pas confesser que cela est autre chose qu'un plat à barbe de barbier, et ceci un bât d'âne. — Ce pourrait être un bât de bourrique, interrompit le curé. — Tout de même, reprit le domestique, ce n'est pas là qu'est la question, mais à savoir si c'est un bât, oui ou non, comme Vos Grâces le prétendent. »

A ces propos, un des archers nouveaux venus dans l'hôtellerie, qui avait entendu la fin de la querelle, ne put retenir son dépit et sa mauvaise humeur. « C'est un bât, s'écria-t-il, comme mon père est un homme, et qui a dit ou dira le contraire doit être aviné comme un grain de raisin. — Tu en as menti comme un maraud de vilain », répondit don Quichotte. Et levant sa lance, qu'il ne quittait jamais, il lui en déchargea un tel coup sur la tête que, si l'archer ne se fût détourné, il l'étendait tout de son long. La lance se brisa à terre, et les autres archers, voyant maltraiter leur camarade, élevèrent la voix pour demander main-forte à la Sainte-Hermandad. L'hôtelier, qui était de la confrérie, courut chercher sa verge et son épée, et se rangea aux côtés de ses compagnons; les domestiques de don Luis entourèrent leur maître, pour qu'il ne pût s'échapper à la faveur du tumulte; le barbier, voyant la maison sens dessus dessous, alla reprendre son bât, que Sancho ne lâchait pas d'un ongle; don Quichotte mit l'épée à la main et fondit sur les archers; don Luis criait à ses valets de le laisser, et d'aller secourir don Quichotte, ainsi que don Fernand et Cardénio, qui avaient pris sa défense; le curé haranguait de tous ses poumons, l'hôtesse jetait des cris, sa fille soupirait, Maritornes pleurait, Dorothée était interdite, Luscinde épouvantée, et doña Clara évanouie. Le barbier gourmait Sancho, Sancho rossait le barbier; don Luis, qu'un de ses valets osa saisir par le bras pour qu'il ne se sauvât pas, lui donna un coup de poing qui lui mit les mâchoires en sang; l'auditeur le défendait; don Fernand tenait un des archers sous ses talons et lui mesurait le corps avec les pieds tout à son aise, l'hôtelier criait de nouveau, pour demander mainforte à la Sainte-Hermandad; enfin, l'hôtellerie n'était que pleurs, sanglots, cris, terreurs, alarmes, disgrâces, coups d'épée, coups de poing, coups de pied, coups de bâton, meurtrissures et effusion de sang. Tout à coup, au milieu de cette confusion, de ce labyrinthe, de ce chaos, une idée frappe l'imagination de don Quichotte : il se croit, de but en blanc, transporté au camp d'Agramant; et, d'une voix de tonnerre qui ébranlait l'hôtellerie : « Que tout le monde s'arrête, s'écrie-t-il, que tout le monde dépose les armes, que tout le monde s'apaise, que tout le monde m'écoute, si tout le monde veut rester en vie. » A ces cris, en effet, « tout le monde s'arrêta, et lui poursuivit de la sorte : « Ne vous ai-je pas dit, seigneurs, que ce château était enchanté et qu'une légion de diables l'habitait ? En preuve de cela, je veux que vous voyiez par vos propres yeux comment est passée et s'est transportée parmi nous la discorde du camp d'Agramant. Regardez : ici on combat pour l'épée, là pour le cheval, de ce côté pour l'aigle blanche, de celui-ci pour l'armet, et tous nous nous battons, et tous sans nous entendre. Venez ici, seigneur auditeur, et vous aussi, seigneur curé; que l'un serve de roi Agramant, et l'autre de roi Sobrin, et mettez-nous en paix; car, au nom du Dieu tout-puissant, c'est une grande vilenie que tant de gens de qualité, comme nous sommes ici, s'entre-tuent pour de si misérables motifs. »

Les archers, qui n'entendaient rien à la rhétorique de don Quichotte, et qui se voyaient fort malmenés par don Fernand, Cardénio et leurs compagnons, ne voulaient pas se calmer. Le barbier oui, car, dans la bataille, on lui avait mis en pièces aussi bien la barbe que le bât. Sancho, en bon serviteur, obéit au premier mot de son maître; les quatre domestiques de don Luis se tinrent également tranquilles, voyant combien peu ils gagnaient à ne pas l'être; le seul hôtelier s'obstinait à prétendre qu'il fallait châtier les insolences de ce fou, qui, à chaque pas, troublait et bouleversait la maison. En définitive, le tapage s'apaisa pour le moment, le bât resta selle jusqu'au jour du jugement dernier, le plat à barbe armet, et l'hôtellerie château, dans l'imagination de don Quichotte.

Le calme enfin rétabli, et la paix faite à l'instigation persuasive de l'auditeur et du curé, les domestiques de don Luis revinrent à la charge pour l'emmener à l'instant même; et, tandis qu'il se débattait avec eux, l'auditeur consulta don Fernand, Cardénio et le curé sur le parti qu'il devait prendre en une telle occurrence, après leur avoir conté la confidence que don Luis venait de lui faire. A la fin, on décida que don Fernand se fît connaître aux domestiques de don Luis, et qu'il leur dit que c'était son plaisir d'emmener ce jeune homme en Andalousie, où son frère le marquis le recevrait comme il méritait de l'être, parce qu'il était facile de voir, à l'intention de don Luis, qu'il se laisserait plutôt mettre en morceaux que de retourner cette fois auprès de son père. Quand les quatre domestiques connurent la qualité de don Fernand et la résolution de don Luis, ils résolurent que trois d'entre eux retourneraient conter à son père ce qui s'était passé, tandis que l'autre resterait avec don Luis pour le servir, et qu'il ne le perdrait point de vue que les autres ne fussent revenus le chercher, et qu'on ne sût ce qu'ordonnerait son père.

C'est ainsi que s'apaisèrent ce monceau de querelles par l'autorité d'Agramant et la prudence du roi Sobrin. Mais quand le démon, ennemi de la concorde et rival de la paix, se vit méprisé et bafoué; quand il reconnut le peu de fruit qu'il avait retiré de les avoir enfermés tous dans ce labyrinthe inextricable, il résolut de tenter encore une fois la fortune en suscitant de nouveaux troubles et de nouvelles disputes.

Or il arriva que les archers avaient quitté la partie parce qu'ils eurent vent de la qualité de ceux contre lesquels ils combattaient, et qu'ils s'étaient retirés de la mêlée, reconnaissant bien que, quoi qu'il arrivât, ils auraient à porter les coups; mais l'un d'eux, celui-là même que don Fernand avait si bien moulu sous ses talons, vint à se rappeler que, parmi divers mandats dont il était porteur pour arrêter des délinquants, il s'en trouvait un contre don Quichotte, que la Sainte-Hermandad avait ordonné de saisir par corps, à propos de la délivrance des galériens, comme Sancho l'avait craint avec tant de raison. Frappé de cette idée, l'archer voulut vérifier si le signalement

donné dans le mandat d'arrêt cadrait bien avec celui de
don Quichotte. Il tira de son sein un rouleau de parchemin, trouva le papier qu'il cherchait; et, se mettant à lire
très posément, car il n'était pas fort lecteur, à chaque mot
qu'il épelait, il était les yeux sur don Quichotte et compa-
rait le signalement du mandat avec le visage du chevalier.
Il reconnut que, sans nul doute, c'était bien lui que désignait le mandat. A peine s'en fut-il assuré que, serrant son
rouleau de parchemin, il prit le mandat de la main gauche,
et de la droite empoigna don Quichotte au collet, si fortement qu'il ne lui laissait pas prendre haleine. En même
temps il criait à haute voix : « Main-forte à la Sainte-
Hermandad! Et, pour qu'on voie que cette fois-ci je la
demande sérieusement, on n'a qu'à lire ce mandat, où il
est ordonné d'arrêter ce voleur de grands chemins. » Le
curé prit le mandat et reconnut qu'effectivement l'archer
disait vrai, et que le signalement s'appliquait à don
Quichotte. Quand celui-ci se vit maltraité par ce coquin de
manant, enflammé de colère au point que les os du corps
lui craquaient, il saisit du mieux qu'il put, avec ses deux
mains, l'archer à la gorge, lequel, si ses camarades ne
l'eussent secouru, aurait plutôt laissé la vie que don
Quichotte n'eût lâché prise.

L'hôtelier, qui devait forcément donner assistance à ceux
de son office, accourut aussitôt leur prêter main-forte.
L'hôtesse, en voyant de nouveau son mari fourré dans
les querelles, jeta de nouveau les hauts cris, et ce bruit lui
amena Maritornes et sa fille, qui l'aidèrent à demander
le secours du ciel et de tous ceux qui se trouvaient là.
Sancho s'écria, à la vue de ce qui se passait : « Vive le Seigneur! Rien de plus vrai que ce que dit mon maître des
enchantements de ce château, car il est impossible d'y
vivre une heure en paix. » Don Fernand sépara l'archer
de don Quichotte, et, fort à la satisfaction de tous deux,
il leur fit mutuellement lâcher prise, car ils accrochaient
les ongles de toute leur force, l'un dans le collet du pourpoint de l'autre, et l'autre à la gorge du premier. Mais
toutefois la quadrille des archers ne cessait de réclamer
leur détenu; ils criaient qu'on le leur livrât pieds et poings
liés, puisque ainsi l'exigeait le service du roi et de la Sainte-
Hermandad, au nom desquels ils demandaient secours et
main-forte pour arrêter ce brigand, ce voleur de grands
chemins et de petits sentiers. Don Quichotte souriait
dédaigneusement à ces propos, et, gardant toute sa gravité,
il se contenta de répondre : « Approchez, venez ici, canaille
mal née et malapprise. Rendre la liberté à ceux qu'on
tient à la chaîne, délivrer les prisonniers, relever ceux
qui sont à terre, secourir les misérables et soulager les
nécessiteux, c'est là ce que vous appelez voler sur les grands
chemins! Ah! race infâme, race indigne, par la bassesse
de votre intelligence, que le ciel vous révèle la valeur

que renferme en soi la chevalerie errante et vous laisse
seulement comprendre le péché que vous commettez en
refusant votre respect à la présence, que dis-je ? à l'ombre
de tout chevalier errant ! Venez ici, larrons en quadrille
plutôt qu'archers de maréchaussée, détrousseurs de passants avec licence de la Sainte-Hermandad ; dites-moi, quel
est donc l'ignorant qui a signé un mandat d'arrêt contre
un chevalier tel que moi ? qui ne sait pas que les chevaliers
errants sont hors de toute juridiction criminelle, qu'ils
n'ont de loi que leur épée, de règlements que leurs
prouesses, de code souverain que leur volonté ? Quel est
donc l'imbécile, dis-je encore, qui peut ignorer qu'aucunes
lettres de noblesse ne confèrent autant d'immunités et de
privilèges que n'en acquiert un chevalier errant le jour où il
est armé chevalier et s'adonne au dur exercice de la chevalerie ? Quel chevalier errant a jamais payé gabelle, corvées,
dîmes, octrois, douanes, chaîne de route ou bac de rivière ?
Quel tailleur lui a demandé la façon d'un habit ? Quel
châtelain, l'ayant recueilli dans son château, lui a fait payer
l'écot de la couchée ? Quel roi ne l'a fait asseoir à sa
table ? Quelle demoiselle ne s'est éprise de lui, et ne lui
a livré, avec soumission, le trésor de ses charmes ? Enfin,
quel chevalier errant vit-on, voit-on et verra-t-on jamais
dans le monde, qui n'ait assez de force et de courage
pour donner à lui seul quatre cents coups de bâton à
quatre cents archers en quadrilles qui oseraient lui tenir
tête ? »

CHAPITRE XLVI

De la notable aventure des archers de la Sainte-Hermandad, et de la grande férocité de notre bon chevalier don Quichotte.

Tandis que don Quichotte débitait cette harangue, le curé s'occupait à faire entendre aux archers que don Quichotte avait l'esprit à l'envers, comme ils le voyaient bien à ses paroles et à ses œuvres, et qu'ainsi rien ne les obligeait à pousser plus loin l'affaire, puisque, parvinssent-ils à le prendre et à l'emmener, il faudrait bien incontinent le relâcher en qualité de fou. Mais l'homme au mandat répondit que ce n'était point à lui à juger de la folie de don Quichotte; qu'il devait seulement exécuter ce que lui commandaient ses supérieurs, et que, le fou une fois arrêté, on pourrait le relâcher trois cents autres fois. « Néanmoins, reprit le curé, ce n'est pas cette fois-ci que vous devez l'emmener, et, si je ne me trompe, il n'est pas d'humeur à se laisser faire. » Finalement, le curé sut leur parler et les persuader si bien, et don Quichotte sut faire tant d'extravagances, que les archers auraient été plus fous que lui s'ils n'eussent reconnu sa folie. Ils prirent donc le parti de s'apaiser, et se firent même médiateurs entre le barbier et Sancho Panza, qui continuaient encore leur querelle avec une implacable rancune. A la fin, comme membres de la justice, ils arrangèrent le procès en amiables compositeurs, de telle façon que les deux parties restèrent satisfaites, sinon complètement, du moins en quelque chose, car il fut décidé que l'échange des bâts aurait lieu, mais non celui des sangles et des licous. Quant à l'affaire de l'armet de Mambrin, le curé, en grande cachette et sans que don Quichotte s'en aperçût, donna huit réaux du plat à barbe, et le barbier lui en fit un récépissé en bonne forme, par lequel il promettait de renoncer à toute réclamation, pour le présent et dans les siècles des siècles, amen.

Une fois ces deux querelles apaisées (c'étaient les plus envenimées et les plus importantes), il ne restait plus qu'à obtenir des valets de don Luis que trois d'entre eux s'en retournassent et que l'autre demeurât pour accompagner leur maître où don Fernand voudrait l'emmener. Mais le destin moins rigoureux et la fortune plus propice, ayant commencé de prendre parti pour les amants et les braves de l'hôtellerie, voulurent mener la chose à bonne fin. Les valets de don Luis se résignèrent à tout ce qu'il voulut, ce qui donna tant de joie à doña Clara que personne ne l'aurait alors regardée au visage sans y lire l'allégresse de son âme. Zoraïde, sans comprendre parfaitement tous les événements qui se passaient sous ses yeux, s'attristait ou se réjouissait suivant ce qu'elle observait sur les traits de chacun, et notamment de son capitaine espagnol, sur qui elle avait les yeux fixés et l'âme attachée. Pour l'hôtelier, auquel n'avaient point échappé le cadeau et la récompense qu'avait reçus le barbier, il réclama l'écot de don Quichotte, ainsi que le dommage de ses outres et la perte de son vin, jurant que ni Rossinante ni l'âne de Sancho ne sortiraient de l'hôtellerie qu'on ne lui eût tout payé, jusqu'à la dernière obole. Tout cela fut encore arrangé par le curé, et payé par don Fernand, bien que l'auditeur en eût aussi offert le payement de fort bonne grâce. Enfin, la paix et la tranquillité furent si complètement rétablies que l'hôtellerie ne ressemblait plus, comme l'avait dit don Quichotte, à la discorde du camp d'Agramant, mais à la paix universelle du règne d'Octavien, et la commune opinion fut qu'il fallait en rendre grâces aux bonnes intentions du curé, secondées par sa haute éloquence, ainsi qu'à l'incomparable libéralité de don Fernand.

Quand don Quichotte se vit ainsi libre et débarrassé de toutes ces querelles, tant de son écuyer que des siennes propres, il lui sembla qu'il était temps de poursuivre son voyage et de mettre fin à cette grande aventure, pour laquelle il fut appelé et élu. Il alla donc, avec une énergique résolution, plier les genoux devant Dorothée, qui ne voulut pas lui laisser dire un mot jusqu'à ce qu'il se fût relevé. Pour lui obéir, il se tint debout, et lui dit : « C'est un commun adage, ô belle princesse, que la diligence est mère de la bonne fortune ; et l'expérience a montré, en des cas nombreux et graves, que l'empressement du plaideur mène à bonne fin le procès douteux. Mais en aucune chose cette vérité n'éclate mieux que dans celles de la guerre, où la célérité et la promptitude, prévenant les desseins de l'ennemi, remportent la victoire, avant même qu'il se soit mis en défense. Tout ce que je dis là, haute et précieuse dame, c'est parce qu'il me semble que notre séjour dans ce château n'est plus d'aucune utilité, tandis qu'il pourrait nous devenir si nuisible que nous eussions quelque jour à nous en repentir ; car, enfin, qui sait si, par le moyen d'habiles espions, votre ennemi le géant n'aura point appris que je vais l'exterminer, et s'il n'aura pu, favorisé par le temps que nous lui laissons, se fortifier dans quelque citadelle inexpugnable, contre laquelle ne prévaudront ni mes poursuites ni la force de mon infatigable bras ? Ainsi donc, princesse, prévenons, comme je l'ai dit, ses desseins par notre diligence, et partons incontinent à la bonne aventure, car Votre Grandeur ne tardera pas plus à l'avoir telle qu'elle la désire que je ne tarderai à me trouver en face de votre ennemi. »

Don Quichotte se tut à ces mots, et attendit gravement la réponse de la belle infante. Celle-ci, prenant des airs de princesse accommodés au style de don Quichotte, lui répondit en ces termes : « Je vous rends grâces, seigneur chevalier, du désir que vous montrez de me prêter faveur en ma grande affliction ; c'est agir en chevalier auquel il appartient de protéger les orphelins et de secourir les nécessiteux. Et plaise au ciel que notre commun souhait s'accomplisse, pour que vous confessiez qu'il y a dans le monde des femmes reconnaissantes ! Quant à mon départ, qu'il ait lieu sur-le-champ, car je n'ai de volonté que la vôtre. Disposez de moi selon votre bon plaisir ; celle qui vous a remis une fois la défense de sa personne, et qui a confié à votre bras la restauration de ses droits royaux, ne peut vouloir aller contre ce qu'ordonne votre prudence. — A la main de Dieu ! s'écria don Quichotte ; puisqu'une princesse s'humilie devant moi, je ne veux pas perdre l'occasion de la relever, et de la remettre sur son trône héréditaire. Partons sur-le-champ, car le désir et l'éloignement m'éperonnent, et, comme on dit, le péril est dans le retard. Et puisque le ciel n'a pu créer, ni l'enfer vomir aucun être qui m'épouvante ou m'intimide, selle vite, Sancho, selle Rossinante, ton âne et le palefroi de la reine ; prenons congé du châtelain et de ces seigneurs, et quittons ces lieux au plus vite. »

Sancho, qui était présent à toute la scène, s'écria, en hochant la tête de droite et de gauche : « Ah ! seigneur, seigneur, il y a plus de mal au hameau que n'en imagine le bedeau, soit dit sans offenser les honnêtes coiffes. — Quel mal, interrompit don Quichotte, peut-il y avoir en aucun hameau et dans toutes les villes du monde réunies qui puisse atteindre ma réputation, manant que tu es ? — Si Votre Grâce se fâche, dit Sancho, je me tairai et me dispenserai de dire ce que je dois lui révéler en bon écuyer, ce que tout bon serviteur doit dire à son maître. — Dis ce que tu voudras, répondit don Quichotte, pourvu que tes paroles n'aient point pour objet de m'intimider ; si tu as peur, fais comme qui tu es ; moi, qui suis sans crainte, je ferai comme qui je suis. — Ce n'est pas cela, par les péchés que j'ai commis devant Dieu ! repartit Sancho ; ce qu'il y a, c'est que je tiens pour certain et pour dûment vérifié que cette dame, qui se dit être reine du grand royaume de Micomicon, ne l'est pas plus que ma mère. Car si elle était ce qu'elle dit, elle n'irait pas se becquetant avec quelqu'un de la compagnie dès qu'on tourne la tête, et à chaque coin de mur. » A ce propos de Sancho, Dorothée rougit jusqu'au blanc des yeux; car il était bien vrai que, maintes fois et en cachette, son époux don Fernand avait touché avec les lèvres un acompte sur le prix que méritaient ses désirs. Sancho l'avait surprise, et il lui avait paru qu'une telle familiarité était plutôt d'une courtisane que de la reine d'un si grand royaume. Dorothée ne trouva pas un mot à lui répondre, et le laissa continuer : « Je vous dis cela, seigneur, ajouta-t-il, parce que, à la fin des fins, quand nous aurons tant fait de voyages, quand nous aurons passé de mauvaises nuits et de pires journées, si ce gaillard qui se divertit dans cette hôtellerie vient cueillir le fruit de nos travaux, pour quoi faire, ma foi, me tant dépêcher à seller Rossinante, à bâter le grison et à brider le palefroi ? Il vaut mieux rester tranquilles, et que chaque femelle file sa quenouille, et allons-nous-en dîner. »

Miséricorde ! quelle effroyable colère ressentit don Quichotte quand il entendit les insolentes paroles de son écuyer! Elle fut telle que, lançant des flammes par les yeux, il s'écria d'une voix précipitée et d'une langue que faisait bégayer la rage : « O manant, ô brutal, effronté, impudent, téméraire, calomniateur et blasphémateur! Comment oses-tu prononcer de telles paroles en ma présence et devant ces illustres dames ? Comment oses-tu mettre de telles infamies dans ta stupide imagination ? Va-t'en loin de moi, monstre de nature, dépositaire de mensonges, réceptacle de fourberies, inventeur de méchancetés, publicateur de sottises, ennemi du respect qu'on doit aux royales personnes; va-t'en, ne parais plus devant moi, sous peine de ma colère. » En disant cela, il fronça les sourcils, enfla les joues, regarda de travers, frappa la terre du pied droit, signes évidents de la rage qui lui rongeait les entrailles. A ces paroles, à ces gestes furieux, Sancho demeura si atterré, si tremblant qu'il aurait voulu qu'en cet instant même la terre se fût ouverte sous ses pieds pour l'engloutir. Il ne sut faire autre chose que se retourner bien vite, et s'éloigner de la présence de son courroucé seigneur. Mais la discrète Dorothée, qui connaissait si bien maintenant l'humeur de don Quichotte, dit aussitôt pour calmer sa colère : « Ne vous fâchez point, seigneur chevalier de la Triste-Figure, des impertinences qu'a dites votre bon écuyer; peut-être ne les a-t-il pas dites sans motif, et l'on ne peut soupçonner sa conscience chrétienne d'avoir porté faux témoignage contre personne. Il faut donc croire, sans conserver le moindre doute à ce sujet, que, puisque en ce château, comme vous le dites, seigneur chevalier, toutes choses vont et se passent à la façon des enchantements, il peut bien arriver que Sancho ait vu par cette voie diabolique ce qu'il dit avoir vu de si contraire et de si offensant à ma vertu. — Par le Dieu tout-puissant, s'écria don Quichotte, je jure que Votre Grandeur a touché le but. Oui, c'est quelque mauvaise vision qui est arri-

vée à ce pêcheur de Sancho, pour lui faire voir ce qu'il
était impossible qu'il vît autrement que par des sortilèges.
Je connais trop bien la bonté et l'innocence de ce malheureux, pour croire qu'il sache porter faux témoignage
contre personne. — Voilà ce qui est et ce qui sera, reprit
don Fernand ; dés lors, seigneur don Quichotte, vous
devez lui pardonner et le rappeler au giron de Votre Grâce,
sicut erat in principio, avant que ses maudites visions lui
eussent tourné l'esprit. » Don Quichotte ayant répondu
qu'il lui pardonnait, le curé alla quérir Sancho, lequel
vint humblement se mettre à genoux devant son maître
et lui demander sa main. L'autre se la laissa prendre et
baiser, puis il lui donna sa bénédiction et lui dit : « Maintenant, mon fils Sancho, tu achèveras de reconnaître à
quel point était vrai ce que je t'ai dit mainte et mainte
fois, que toutes les choses de ce château arrivent par voie
d'enchantement. — Je le crois sans peine, répondit Sancho,
excepté toutefois l'histoire de la couverture, qui est réellement arrivée par voie ordinaire. — N'en crois rien,
répliqua don Quichotte ; s'il en était ainsi, je t'aurais alors
vengé et je te vengerai encore à présent. Mais ni alors,
ni à présent, je n'ai pu voir sur qui tirer vengeance de ton
outrage. » Tous les assistants voulurent savoir ce que c'était
que cette histoire de la couverture, et l'hôtelier leur conta
de point en point les voyages aériens de Sancho Panza,
ce qui les fit beaucoup rire, et ce qui n'aurait pas moins
fâché Sancho, si son maître ne lui eût affirmé de nouveau
que c'était un pur enchantement. Toutefois la simplicité
de Sancho n'alla jamais jusqu'au point de douter que ce
ne fût une vérité démontrée, sans mélange d'aucune supercherie, qu'il avait été bien et dûment berné par des
personnages de chair et d'os, et non par des fantômes
de rêve et d'imagination, comme le croyait et l'affirmait
son seigneur.

Il y avait déjà deux jours que tous les membres de cette
illustre société habitaient l'hôtellerie, et comme il leur parut
qu'il était bien temps de partir, ils cherchèrent un moyen
pour que, sans que Dorothée et don Fernand prissent la
peine d'accompagner don Quichotte jusqu'à son village
en continuant la délivrance de la reine Micomicona, le
curé et le barbier pussent l'y conduire, comme ils le désiraient, et tenter la guérison de sa folie. Ce qu'on arrêta
d'un commun accord, ce fut de faire prix avec le charretier d'une charrette à bœufs, que le hasard fit passer par
là, pour qu'il l'emmenât de la manière suivante : On fit
une espèce de cage avec des bâtons entrelacés, où don
Quichotte pût tenir à l'aise ; puis aussitôt, sur l'avis du
curé, don Fernand avec ses compagnons, les valets de don
Luis et les archers réunis à l'hôte se couvrirent tous
le visage et se déguisèrent, celui-ci d'une façon, celui-là
d'une autre, de manière qu'ils parussent à don Quichotte

d'autres gens que ceux qu'il avait vus dans ce château. Cela fait, ils entrèrent en grand silence dans la chambre où il était couché, se reposant des alertes passées. Ils s'approchèrent du pauvre chevalier, qui dormait paisiblement, sans méfiance d'une telle aventure et, le saisissant tous ensemble, ils lui lièrent si bien les mains et les pieds que, lorsqu'il s'éveilla en sursaut, il ne put ni remuer ni faire autre chose que de s'étonner et de s'extasier en voyant devant lui de si étranges figures. Il tomba sur-le-champ dans la croyance que son extravagante imagination lui rappelait sans cesse : il se persuada que tous ces personnages étaient des fantômes de ce château enchanté et que, sans nul doute, il était enchanté lui-même, puisqu'il ne pouvait ni bouger ni se défendre. C'était justement ainsi que le curé, inventeur de la ruse et de la machination, avait pensé que la chose arriverait.

De tous les assistants, le seul Sancho avait conservé son même bon sens et sa même figure ; et, quoiqu'il s'en fallût de fort peu qu'il ne partageât la maladie de son maître, il ne laissa pourtant pas de reconnaître qui étaient tous ces personnages contrefaits. Mais il n'osa pas découdre les lèvres avant d'avoir vu comment se termineraient cet assaut et cette arrestation de son seigneur, lequel n'avait pas plus envie de dire mot, dans l'attente du résultat qu'aurait sa disgrâce. Ce résultat fut qu'on apporta la cage auprès de son lit, qu'on l'enferma dedans et qu'on cloua les madriers si solidement qu'il aurait fallu plus de deux tours de reins pour les briser. On le prit ensuite à dos d'hommes, et, lorsqu'il sortait de l'appartement, on entendit une voix effroyable, autant du moins que put la faire le barbier, non celui du bât, mais l'autre, qui parlait de la sorte :

« O chevalier de la Triste-Figure, n'éprouve aucun déconfort de la prison où l'on t'emporte ; il doit en être ainsi pour que tu achèves plus promptement l'aventure que ton grand cœur t'a fait entreprendre, laquelle aventure se terminera quand le terrible lion manchois et la blanche colombe tobosine gîteront dans le même nid, après avoir courbé leurs fronts superbes sous le joug léger d'un doux hyménée. De cette union inouïe sortiront, aux regards du monde étonné, les vaillants lionceaux qui hériteront des griffes rapaces d'un père valeureux. Cela doit arriver avant que le dieu qui poursuit la nymphe fugitive ait, dans son cours rapide et naturel, rendu deux fois visite aux brillantes images du Zodiaque. Et toi, ô le plus noble et le plus obéissant écuyer qui eut jamais l'épée à la ceinture, la barbe au menton et l'odorat aux narines, ne te laisse pas troubler et évanouir en voyant enlever sous tes yeux même la fleur de la chevalerie errante. Bientôt, s'il plaît au grand harmonisateur des mondes, tu te verras emporté si haut que tu ne pourras plus te reconnaître, et qu'ainsi seront accomplies les promesses de ton bon seigneur. Je t'assure même, au nom de la sage Mentironiana, que tes gages te seront payés, comme tu le verras à l'œuvre. Suis donc les traces du vaillant et enchanté chevalier, car il convient que tu ailles jusqu'à l'endroit où vous ferez halte ensemble, et, puisqu'il ne m'est pas permis d'en dire davantage, que la grâce de Dieu reste avec vous; je m'en retourne où seul je le sais. » A la fin de la prédiction, le prophète éleva la voix en fausset, puis la baissa peu à peu en une si touchante modulation que ceux même qui étaient au fait de la plaisanterie furent sur le point de croire à ce qu'ils avaient entendu.

Don Quichotte se sentit consolé en écoutant la prophétie, car il en démêla de point en point le sens et la portée. Il comprit qu'on lui promettait de se voir engagé dans les liens d'un saint et légitime mariage avec sa bien-aimée Dulcinée du Toboso, dont les flancs heureux mettraient bas les lionceaux, ses fils, pour l'éternelle gloire de la Manche. Plein d'une ferme croyance à ce qu'il venait d'entendre, il s'écria en poussant un profond soupir : « O toi, qui que tu sois, qui m'as prédit tant de bonheur, je t'en supplie, demande de ma part au sage enchanteur qui s'est chargé du soin de mes affaires, qu'il ne me laisse point périr en cette prison où l'on m'emporte à présent, jusqu'à ce que je voie s'accomplir d'aussi joyeuses, d'aussi incomparables promesses. Qu'il en soit ainsi, et je tiendrai pour célestes jouissances les peines de ma prison, pour soulagement les chaînes qui m'enveloppent, et ce lit de planches sur lequel on m'étend, loin de me sembler un dur champ de bataille, sera pour moi la plus douce et la plus heureuse couche nuptiale. Quant à la consolation que doit m'offrir la compagnie de Sancho Panza, mon écuyer, j'ai trop de confiance en sa droiture et en sa bonté pour craindre qu'il m'abandonne en la bonne ou en la mauvaise fortune; car, s'il arrivait, par la faute de son étoile ou de la mienne, que je ne pusse lui donner cette île tant promise, ou autre chose équivalente, ses gages, du moins, ne seront pas perdus, puisque, dans mon testament, qui est déjà fait, j'ai déclaré par écrit ce qu'on doit lui donner, non suivant ses nombreux et loyaux services, mais suivant mes faibles moyens. » A ces mots, Sancho Panza lui fit une révérence fort courtoise, et lui baisa les deux mains, car lui en baiser une n'était pas possible, puisqu'elles étaient attachées ensemble. Ensuite les fantômes prirent la cage sur leurs épaules et la chargèrent sur la charrette à bœufs.

CHAPITRE XLVII

*De l'étrange manière dont fut enchanté don Quichotte de la Manche,
avec d'autres fameux événements.*

Lorsque don Quichotte se vit encagé de cette façon
et hissé sur la charrette, il se mit à dire : « J'ai lu bien
des histoires de chevaliers errants, de bien graves et de
bien authentiques; mais jamais je n'ai lu, ni vu, ni ouï
dire qu'on emmenât ainsi les chevaliers enchantés, avec
la lenteur que promet le pas de ces paresseux et tardifs
animaux. En effet, on a toujours coutume de les emporter
par les airs avec une excessive rapidité, enfermés dans
quelque nuage obscur, ou portés sur un char de feu, ou
montés sur quelque hippogriffe. Mais me voir à présent
emmené sur une charrette à bœufs, vive Dieu! j'en suis
tout confus. Néanmoins, peut-être que la chevalerie et
les enchantements de nos temps modernes suivent une
autre voie que ceux des temps anciens; peut-être aussi,
comme je suis nouveau chevalier dans le monde, et le
premier qui ait ressuscité la profession déjà oubliée de la
chevalerie errante, a-t-on nouvellement inventé d'autres
espèces d'enchantements et d'autres manières de conduire
les enchantés. Que t'en semble, mon fils Sancho ? — Je ne
sais trop ce qu'il m'en semble, répondit Sancho, car je
n'ai pas tant lu que Votre Grâce dans les écritures errantes;
mais, cependant, j'oserais affirmer et jurer que toutes ces
visions qui vont et viennent ici autour ne sont pas entièrement catholiques. — Catholiques, bon Dieu! s'écria don
Quichotte; comment seraient-elles catholiques, puisque ce
sont autant de démons qui ont pris ces corps fantastiques
pour venir faire cette belle œuvre et me mettre dans ce
bel état ? Et si tu veux t'assurer de cette vérité, touche-les,
palpe-les, et tu verras qu'ils n'ont d'autres corps que l'air,
et qu'ils ne consistent qu'en l'apparence. — Pardieu, seigneur, repartit Sancho, je les ai déjà touchés; tenez, ce
diable-là, qui se trémousse tant, a le teint frais comme une
rose, et une autre propriété bien différente de celle qu'ont
les démons; car, à ce que j'ai ouï dire, ils sentent tous la
pierre de soufre et d'autres mauvaises odeurs; mais celui-
ci sent l'ambre à une demi-lieue. » Sancho disait cela de

don Fernand, qui, en qualité de grand seigneur, devait sentir comme il le disait. « Que cela ne t'étonne point, ami Sancho, répondit don Quichotte, car je t'avertis que les diables en savent long, et bien qu'ils portent des odeurs avec eux, par eux-mêmes ils ne sentent rien, car ce sont des esprits, et s'ils sentent, ce ne peut être que de puantes exhalaisons. La raison en est simple : comme quelque part qu'ils aillent, ils portent l'enfer avec eux, et ne peuvent trouver aucun soulagement à leur supplice; comme, d'un autre côté, une bonne odeur délecte et satisfait, il est impossible qu'ils sentent jamais bon. Et s'il te semble, à toi, que ce démon dont tu parles sent l'ambre, c'est que tu te trompes, ou qu'il veut te tromper pour que tu ne le croies pas un démon. »

Tout cet entretien se passait entre le maître et le serviteur. Mais don Fernand et Cardénio, craignant que Sancho ne finît par dépister entièrement leur invention, qu'il flairait déjà de fort près, résolurent de hâter le départ. Appelant à part l'hôtelier, ils lui ordonnèrent de seller Rossinante et de bâter le grison, ce qu'il fit avec diligence. En même temps, le curé faisait marché avec les archers de la Sainte-Hermandad pour qu'ils l'accompagnassent jusqu'à son village, en leur donnant tant par jour. Cardénio attacha aux arçons de la selle de Rossinante, d'un côté l'écu de don Quichotte, et de l'autre son plat à barbe; il ordonna par signes à Sancho de monter sur son âne et de prendre Rossinante par la bride, puis il plaça de chaque côté de la charrette les deux archers avec leurs arquebuses. Mais avant que la charrette se mît en mouvement, l'hôtesse sortit du logis, avec sa fille et Maritornes, pour prendre congé de don Quichotte, dont elles feignaient de pleurer amèrement la disgrâce. Don Quichotte leur dit : « Ne pleurez pas, mes excellentes dames; tous ces malheurs sont attachés à la profession que j'exerce, et, si de telles calamités ne m'arrivaient point, je ne me tiendrais pas pour un fameux chevalier errant. En effet, aux chevaliers de faible renom, jamais rien de semblable n'arrive, et il n'y a personne au monde qui se souvienne d'eux; c'est le lot des plus renommés, dont la vertu et la vaillance excitent l'envie de beaucoup de princes et d'autres chevaliers qui s'efforcent, par de mauvaises voies, de perdre les bons. Et cependant la vertu est si puissante que, par elle seule, et malgré toute la magie qu'a pu savoir son premier inventeur Zoroastre, elle sortira victorieuse de la lutte et répandra sa lumière dans le monde, comme le soleil la répand dans les cieux. Pardonnez-moi, tout aimables dames, si, par négligence ou par oubli, je vous ai fait quelque offense; car volontairement et en connaissance de cause, jamais je n'offensai personne. Priez Dieu qu'il me tire de cette prison où m'a enfermé quelque enchanteur malintentionné. Si je me vois libre un jour, je ne laisserai pas sortir de ma mémoire les grâces que vous m'avez faites dans ce château, voulant les reconnaître et les payer de retour comme elles le méritent. »

Pendant que cette scène se passait entre don Quichotte et les dames du château, le curé et le barbier prirent congé de don Fernand et de ses compagnons, du capitaine et de son frère l'auditeur, et de toutes ces dames, à présent si contentes, notamment de Dorothée et de Luscinde. Ils s'embrassèrent tous, et promirent de se donner mutuellement de leurs nouvelles. Don Fernand indiqua au curé où il devait lui écrire pour l'informer de ce que deviendrait don Quichotte, affirmant que rien ne lui ferait plus de plaisir que de le savoir. Il s'engagea, de son côté, à le tenir au courant de tout ce qu'il croirait devoir lui être agréable, tant de son mariage que du baptême de Zoraïde, de l'aventure de don Luis et du retour de Luscinde chez ses parents. Le curé s'offrit à faire tout ce qui lui était demandé, avec une ponctuelle exactitude. Ils s'embrassèrent de nouveau, et de nouveau échangèrent des offres et des promesses de service.

L'hôte s'approcha du curé et lui remit quelques papiers qu'il avait, disait-il, trouvés dans la doublure de la malle où s'était rencontrée la nouvelle du *Curieux malavisé.* « Leur maître, ajouta-t-il, n'ayant plus reparu, vous pouvez les emporter tous ; puisque je ne sais pas lire, ils ne me servent à rien. » Le curé le remercia, et les ayant aussitôt déroulés, il vit qu'en tête se trouvait écrit le titre suivant : *Nouvelle de Rinconete et Cortadillo,* d'où il comprit que ce devait être quelque nouvelle ; et, comme celle du *Curieux malavisé* lui avait semblé bonne, il imagina que celle-ci ne le serait pas moins, car il se pouvait qu'elle fût du même auteur. Il la conserva donc dans le dessein de la lire dès qu'il en aurait l'occasion.

Montant à cheval, ainsi que son ami le barbier, tous deux avec leur masque sur la figure, pour n'être point immédiatement reconnus de don Quichotte, ils se mirent en route à la suite du char à bœufs, dans l'ordre suivant : au premier rang marchait la charrette, conduite par le charretier ; de chaque côté, comme on l'a dit, les archers, avec leurs arquebuses ; Sancho suivait, monté sur son âne, et tirant Rossinante par la bride ; enfin, derrière le cortège, venaient le curé et le barbier sur leurs puissantes mules, le visage masqué, la démarche lente et grave, ne cheminant pas plus vite que ne le permettait la tardive allure des bœufs. Don Quichotte se laissait aller, assis dans la cage, les mains attachées, les pieds étendus, le dos appuyé sur les barreaux, gardant le même silence et la même immobilité que s'il eût été, non point un homme de chair et d'os, mais une statue de pierre.

Ayant fait environ deux lieues de chemin, avec cette lenteur et dans ce silence ininterrompu, ils arrivèrent à

un vallon qui parut au bouvier un endroit convenable
pour donner à ses bœufs un peu de repos et de pâture.
Il en avertit le curé; mais le barbier fut d'avis qu'on allât
un peu plus loin, parce qu'il savait qu'au détour d'une
colline qui s'offrait à leurs yeux, il y avait un autre vallon
plus frais et mieux pourvu d'herbe que celui où l'on voulait faire halte. On suivit le conseil du barbier, et toute la
caravane se remit en marche. A ce moment le curé tourna
la tête et vit venir, par derrière eux, six à sept hommes
à cheval, fort bien équipés. Ceux-ci les eurent bientôt
atteints, car ils cheminaient, non point avec le flegme et
la lenteur des bœufs, mais comme gens montés sur des
mules de chanoines et talonnés par le désir d'aller promptement faire la sieste dans une hôtellerie qui se montrait à
moins d'une lieue de là.

Les diligents rattrapèrent donc les paresseux, et, en
s'abordant, ils se saluèrent avec courtoisie. Mais un des
nouveaux venus, qui était finalement chanoine de Tolède,
et le maître de ceux qui l'accompagnaient, ne put voir
cette régulière procession de la charrette, des archers, de
Sancho, de Rossinante, du curé et du barbier, et surtout
don Quichotte emprisonné dans sa cage, sans demander ce
que cela signifiait, et pourquoi l'on emmenait cet homme
d'une telle façon. Cependant il s'était imaginé déjà, en
voyant les insignes des archers, que ce devait être quelque
brigand de grands chemins, ou quelque autre criminel
dont le châtiment appartenait à la Sainte-Hermandad. Un
des archers, à qui la question fut faite, répondit de la
sorte : « Seigneur, ce que signifie la manière dont voyage
ce gentilhomme, qu'il vous le dise lui-même, car nous
ne le savons pas. » Don Quichotte entendit la conversation : « Est-ce que par hasard, dit-il, Vos Grâces sont
instruites et versées dans ce qu'on appelle la chevalerie
errante ? En ce cas, je vous confierai mes disgrâces; sinon,
il est inutile que je me fatigue à les conter. » En ce moment,
le curé et le barbier étaient accourus, voyant que la conversation s'engageait entre les voyageurs et don Quichotte,
pour répondre de façon que leur artifice ne fût pas découvert. Le chanoine avait répondu à don Quichotte : « En
vérité, frère, je sais un peu plus des livres de chevalerie
que des éléments de logique du docteur Villalpando.
Si donc il ne faut pas autre chose, vous pouvez me confier
tout ce qu'il vous plaira. — A la grâce de Dieu, répliqua don Quichotte. Eh bien! sachez donc, seigneur chevalier, que je suis enchanté dans cette cage par envie et
par surprise de méchants enchanteurs; car la vertu est
encore plus persécutée des méchants que chérie des bons.
Je suis chevalier errant, et non pas de ceux dont jamais
la renommée ne s'est rappelé les noms pour les éterniser
dans sa mémoire, mais bien de ceux desquels, en dépit
de l'envie même, en dépit de tous les mages de la Perse,

de tous les brachmanes de l'Inde, de tous les gymnoso-
phistes de l'Ethiopie, elle doit graver les noms dans
le temple de l'immortalité, afin qu'ils servent d'exemples
et de modèles aux siècles futurs, et que les chevaliers
errants des âges à venir y voient le chemin qu'ils doivent
suivre pour arriver au faîte de la gloire militaire. — Le
seigneur don Quichotte dit parfaitement vrai, interrompit
en ce moment le curé. Il marche enchanté sur cette charrette, non par sa faute et ses péchés, mais par la mauvaise
intention de ceux qu'offusque la vertu et que fâche la
vaillance. C'est en un mot, seigneur, le *chevalier de la
Triste-Figure*, si déjà vous ne l'avez entendu nommer
quelque part, dont les valeureuses prouesses et les grands
exploits seront gravés sur le bronze impérissable et sur le
marbre d'éternelle durée, quelques efforts que fassent l'envie pour l'obscurcir et la malice pour les cacher. »

Quand le chanoine entendit parler en un semblable style
l'homme en prison et l'homme en liberté, il fut sur le
point de se signer de surprise; il ne pouvait deviner ce
qui lui arrivait, et tous ceux dont il était accompagné
tombèrent dans le même étonnement. En cet instant, Sancho Panza, qui s'était approché pour entendre la conversation, ajouta, pour tout raccommoder : « Ma foi, seigneur,
qu'on me veuille bien, qu'on me veuille mal pour ce que
je vais dire, le cas est que mon seigneur don Quichotte
est enchanté comme ma mère. Il a tout son jugement,
il boit, il mange, il fait ses nécessités aussi bien que les
autres hommes, et comme il les faisait hier avant qu'on
le mît en cage. Et puisqu'il en est ainsi, comment veut-on
me faire croire, à moi, qu'il est enchanté ? J'ai ouï dire
à bien des personnes que les enchantés ne peuvent ni
manger, ni dormir, ni parler, et mon maître, si on ne lui
ferme la bouche, parlera plus que trente procureurs. » Puis,
tournant les yeux sur le curé, Sancho ajouta : « Ah! monsieur le curé, monsieur le curé, est-ce que Votre Grâce
s'imagine que je ne la connais pas ? Est-ce que vous pensez
que je ne démêle et ne devine pas fort bien où tendent
ces nouveaux enchantements ? Eh bien! sachez que je vous
connais, si bien que vous vous cachiez le visage, et sachez
que je vous comprends, si bien que vous dissimuliez vos
fourberies. Enfin, où règne l'envie, la vertu ne peut vivre,
ni la libéralité à côté de l'avarice. En dépit du diable,
si Votre Révérence ne s'était mise à la traverse, à cette
heure-ci mon maître serait déjà marié avec l'infante Micomicona, et je serais comte pour le moins, puisqu'on
ne pouvait attendre autre chose, tant de la bonté de mon
seigneur *de la Triste-Figure*, que de la grandeur de mes
services. Mais je vois bien qu'il n'y a rien de plus vrai
que ce qu'on dit dans mon pays, que la roue de la fortune
tourne plus vite qu'une roue de moulin, et que ceux qui
étaient hier sur le pinacle sont aujourd'hui dans la pous-

sière. Ce qui me fâche, ce sont ma femme et mes enfants ; car, lorsqu'ils pouvaient et devaient espérer de voir entrer leur père par les portes de sa maison, devenu gouverneur de quelque île ou vice-roi de quelque royaume, ils le verront revenir palefrenier. Tout ce que je viens de dire, seigneur curé, c'est seulement pour faire entendre à votre paternité qu'elle se fasse conscience des mauvais traitements qu'endure mon bon seigneur. Prenez garde qu'un jour, dans l'autre vie, Dieu ne vous demande compte de cet emprisonnement de mon maître, et qu'il ne mette à votre charge tous les secours et tous les bienfaits que mon seigneur don Quichotte manque de donner aux malheureux, tout le temps qu'il est en prison. — Allons, remettez-moi cette jambe ! s'écria en ce moment le barbier. Comment, Sancho, vous êtes aussi de la confrérie de votre maître ? Vive Dieu ! je vois que vous avez besoin de lui faire compagnie dans la cage, et qu'il faut vous tenir enchanté comme lui, puisque vous tenez aussi de son humeur chevaleresque. A la male heure vous vous êtes laissé engrosser de ses promesses et fourrer dans la cervelle cette île que vous convoitez et qui doit avorter. — Je ne suis gros de personne, répondit Sancho, et ne suis pas même à me laisser engrosser, même par un roi ; et quoique pauvre, je suis vieux chrétien ; et je ne dois rien à âme qui vive ; et si je convoite des îles, d'autres convoitent de pires choses ; et chacun est fils de ses œuvres ; et puisque je suis un homme, je peux devenir pape, à plus forte raison gouverneur d'une île, et surtout lorsque mon seigneur en peut gagner tant qu'il ne sache à qui les donner. Prenez garde comment vous parlez, seigneur barbier ; il ne s'agit pas seulement de raser des barbes, et il y a quelque différence de pierre à Pierre. Je dis cela parce que nous nous connaissons tous, et ce n'est pas à moi qu'il faut jeter un dé pipé. Quant à l'enchantement de mon maître, Dieu sait ce qui en est ; et laissons l'ordure en son coin, car il ne fait pas bon la remuer. »

Le barbier ne voulut plus répondre à Sancho, de peur que celui-ci ne découvrît par ses balourdises ce que le curé et lui faisaient tant d'efforts pour tenir caché. Dans ce même sentiment de crainte, le curé avait dit au chanoine de marcher un peu en avant, et qu'il lui dirait le mystère de cet homme en cage, avec d'autres choses qui le divertiraient. Le chanoine, en effet, prit les devants avec lui, suivi de ses domestiques, et écouta fort attentivement tout ce qu'il plut au curé de lui dire sur la qualité, la vie, les mœurs et la folie de don Quichotte. Le curé conta succinctement le principe et la cause de sa démence, et tout le cours de ses aventures jusqu'à sa mise en cage, ainsi que le dessein qu'ils avaient de l'emmener de force dans son pays, pour essayer de trouver là quelque remède à sa folie.

Le chanoine et ses domestiques redoublèrent de surprise

en écoutant l'étrange histoire de don Quichotte, et quand il eut achevé d'en entendre le récit : « Véritablement, seigneur curé, dit le chanoine, je trouve, pour mon compte, que ces livres qu'on appelle de chevalerie sont un vrai fléau dans l'Etat. Bien que l'oisiveté et leur faux attrait m'aient fait lire le commencement de presque tous ceux qui ont été jusqu'à ce jour imprimés, jamais je n'ai pu me décider à en lire un seul d'un bout à l'autre, parce qu'il me semble que, tantôt plus, tantôt moins, ils sont tous la même chose; que celui-ci n'a rien de plus que celui-là, ni le dernier que le premier. Il me semble encore que cette espèce d'écrit et de composition rentre dans le genre des anciennes fables milésiennes, c'est-à-dire de contes extravagants, qui avaient pour objet d'amuser et non d'instruire au rebours des fables apologues, qui devaient amuser et instruire tout à la fois. Maintenant, si le but principal de semblables livres est d'amuser, je ne sais, en vérité, comment ils peuvent y parvenir, remplis comme ils le sont de si nombreuses et de si énormes extravagances. La satisfaction, le délice que l'âme éprouve doivent provenir de la beauté et de l'harmonie qu'elle voit, qu'elle admire dans les choses que lui présente la vue ou l'imagination; et toute chose qui réunit en soi laideur et dérèglement ne peut causer aucun plaisir. Eh bien! quelle beauté peut-il y avoir, ou quelle proportion de l'ensemble aux parties et des parties à l'ensemble, dans un livre, ou bien dans une fable, si l'on veut, où un damoiseau de seize ans donne un coup d'épée à un géant haut comme une tour et le coupe en deux comme s'il était fait de pâte à masse-pains ? Et qu'arrive-t-il quand on veut nous décrire une bataille, après avoir dit qu'il y a dans l'armée ennemie un million de combattants ? Pourvu que le héros du livre soit contre eux, il faut, bon gré mal gré, nous résigner à ce que ce chevalier remporte la victoire par la seule valeur et la seule force de son bras. Que dirons-nous de la facilité avec laquelle une reine ou une impératrice héréditaire se laisse aller dans les bras d'un chevalier errant et inconnu ? Quel esprit, s'il n'est entièrement inculte et barbare, peut s'amuser en lisant qu'une grande tour pleine de chevaliers glisse et chemine sur la mer comme un navire avec le bon vent; que le soir elle quitte les côtes de Lombardie, et que le matin elle aborde aux terres du Preste-Jean des Indes, ou en d'autres pays que n'a jamais décrits Ptolémée, ni vus Marco-Polo ? Si l'on me répondait que ceux qui composent de tels livres les écrivent comme choses d'invention et de mensonge, et que dès lors ils ne sont pas obligés de regarder de si près aux délicatesses de la vérité, je répliquerais, moi, que le mensonge est d'autant meilleur qu'il semble moins mensonger, et qu'il plaît d'autant plus qu'il s'approche davantage du vraisemblable et du possible. Il faut que les fables inventées épousent

en quelque sorte l'entendement de ceux qui les lisent,
il faut qu'elles soient écrites de telle façon que, rendant
l'impossible croyable, et aplanissant les monstruosités,
elles tiennent l'esprit en suspens; qu'elles l'étonnent,
l'émeuvent, le ravissent et lui donnent à la fois la surprise
et la satisfaction. Or toutes ces choses ne pourront se
trouver sous la plume de celui qui fuit la vraisemblance et
l'imitation de la nature, en quoi consiste la perfection
d'un écrit. Je n'ai jamais vu de livre de chevalerie qui formât un corps de fable entier, avec tous ses membres, de
manière que le milieu répondît au commencement, et la fin
au commencement et au milieu. Les auteurs les composent,
au contraire, de tant de membres dépareillés qu'on dirait
qu'ils ont eu plutôt l'intention de fabriquer une chimère,
un monstre, que de faire une figure proportionnée. Outre
cela, ils sont durs et grossiers dans le style, incroyables
dans les prouesses, impudiques dans les amours, malséants
dans les courtoisies, longs et lourds dans les batailles, niais
dans les dialogues, extravagants dans les voyages, finalement dépourvus de tact, d'art et d'intelligente invention,
et dignes, par tous ces motifs, d'être exilés de la république
chrétienne comme gens désœuvrés et dangereux. »

Notre curé, qui avait écouté fort attentivement le chanoine, le tint pour homme de bon entendement, et trouva
qu'il avait raison en tout ce qu'il disait. Aussi lui répondit-
il qu'ayant la même opinion, et portant la même haine
aux livres de chevalerie, il avait brûlé tous ceux de don
Quichotte, dont le nombre était grand. Alors il lui raconta
l'enquête qu'il avait faite contre eux, ceux qu'il avait
condamnés au feu, ceux auxquels il avait fait grâce de la vie,
ce qui divertit singulièrement le chanoine. Celui-ci, reprenant son propos, ajouta que, malgré tout le mal qu'il
avait dit de ces livres, il y trouvait pourtant une bonne
chose, à savoir le canevas qu'ils offraient pour qu'une
belle intelligence pût se montrer et se déployer tout à
l'aise. « En effet, dit-il, il ouvre une longue et spacieuse
carrière où, sans nul obstacle, la plume peut librement
courir, peut décrire des naufrages, des tempêtes, des
rencontres, des batailles; peut peindre un vaillant capitaine,
avec toutes les qualités qu'exige une telle renommée, habile
et prudent, déjouant les ruses de l'ennemi, éloquent ora-
teur pour persuader ou dissuader ses soldats, mûr dans
le conseil, rapide dans l'exécution, aussi patient dans
l'attente que brave dans l'attaque. L'auteur racontera,
tantôt une lamentable et tragique aventure, tantôt un événement joyeux et imprévu; là, il peindra une noble dame,
belle, honnête, spirituelle; ici, un gentilhomme chrétien,
vaillant et de belles manières; d'un côté, un impertinent et
barbare fanfaron; de l'autre, un prince courtois, affable
et valeureux; il représentera la loyauté de fidèles vassaux,
les largesses de généreux seigneurs; il peut se montrer

tantôt astronome, tantôt géographe, tantôt musicien, tantôt homme d'État, et même, s'il en a l'envie, l'occasion ne lui manquera pas de se montrer nécromant. Il peut successivement offrir les ruses d'Ulysse, la piété d'Enée, la valeur d'Achille, les infortunes d'Hector, les trahisons de Sinon, l'amitié d'Euryale, la libéralité d'Alexandre, la bravoure de César, la clémence de Trajan, la fidélité de Zopire, la prudence de Caton, et finalement toutes les actions diverses qui peuvent faire un héros parfait, soit qu'il les réunisse sur un seul homme, soit qu'il les divise sur plusieurs. Si cela est écrit d'un style pur, facile, agréable, et composé avec un art ingénieux qui rapproche autant que possible l'invention de la vérité, alors l'auteur aura tissé sa toile de fils variés et précieux, et son ouvrage une fois achevé offrira tant de beauté, tant de perfection qu'il atteindra le dernier terme auquel puissent tendre les écrits, celui d'instruire en amusant. En effet, la libre allure de ces livres permet à l'auteur de s'y montrer tour à tour épique, lyrique, tragique, comique, et d'y réunir toutes les qualités que renferment en soi les douces et agréables sciences de l'éloquence et de la poésie, car l'épopée peut aussi bien s'écrire en prose qu'en vers. »

CHAPITRE XLVIII

Où le chanoine continue à discourir sur les livres de chevalerie,
avec d'autres choses dignes de son esprit.

« Votre Grâce, seigneur chanoine, reprit le curé, a parfaitement raison, et c'est là ce qui rend plus dignes de blâme ceux qui ont jusqu'à présent composé de semblables livres, sans réflexion, sans jugement, sans s'attacher à l'art et aux règles qui auraient pu, en les guidant, les rendre aussi fameux en prose que l'ont été en vers les deux princes de la poésie grecque et latine. — Pour moi, du moins, répliqua le chanoine, j'ai eu certaine tentation d'écrire un livre de chevalerie, en y gardant toutes les conditions dont je viens de faire l'analyse. S'il faut même confesser la vérité, je dois dire qu'il y en a bien cent feuilles d'écrites; et, pour m'assurer par expérience si elles méritaient la bonne opinion que j'en ai, je les ai communiquées à des hommes passionnés pour cette lecture, mais doctes et spirituels, et à d'autres, ignorants, qui ne cherchent que le plaisir d'entendre conter des extravagances. Chez les uns comme chez les autres, j'ai trouvé une agréable approbation. Néanmoins, je n'ai pas poussé plus loin ce travail : d'abord, parce qu'il m'a paru que je faisais une chose étrangère à ma profession; ensuite, parce que le nombre des gens simples est plus grand que celui des gens éclairés et que, bien qu'il vaille mieux être loué du petit nombre des sages que moqué du grand nombre des sots, je ne veux pas me soumettre au jugement capricieux de l'impertinent vulgaire, auquel appartient principalement la lecture de semblables livres. Mais ce qui me l'ôta surtout des mains, et m'enleva jusqu'à la pensée de le terminer, ce fut un raisonnement que je fis en moi-même, à propos des comédies qu'on représente aujourd'hui. Si ces comédies à la mode, me dis-je, aussi bien celles d'invention que celles tirées de l'histoire, ne sont, pour la plupart, que d'évidentes extravagances, qui n'ont réellement ni pieds ni tête; si pourtant le vulgaire les écoute avec plaisir, les approuve et les tient pour bonnes, quand elles sont si loin de l'être; si les auteurs qui les composent et les acteurs qui les jouent disent qu'elles doivent être ainsi, parce qu'ainsi le veut le public; que celles qui respectent et suivent les règles de l'art ne sont bonnes que pour quatre hommes d'esprit qui les entendent, quand tous les autres ne comprennent rien à leur mérite, et qu'il leur convient mieux de gagner de quoi vivre avec la multitude que de la réputation avec le petit nombre; la même chose arrivera à mon livre, quand je me serai brûlé les sourcils pour garder les préceptes, et je deviendrai, comme on dit, le tailleur de Campillo, qui fournissait le fil et la façon. J'ai tâché quelquefois de persuader aux auteurs qu'ils se trompent dans leur opinion, qu'ils attireraient plus de monde et gagneraient plus de renommée en représentant des comédies régulières que des pièces extravagantes, mais ils sont si obstinés, si profondément ancrés dans leur avis qu'il n'y a plus ni raisonnement ni évidence qui puisse les en faire revenir. Je me rappelle qu'un jour je dis à l'un de ces entêtés : « Ne vous souvient-il pas qu'il y a peu d'années l'on représenta en Espagne trois tragédies composées par un célèbre poète de ces royaumes, telles toutes les trois qu'elles étonnèrent et ravirent tous ceux qui les virent jouer, le vulgaire comme les hommes d'élite, et qu'elles rapportèrent à elles seules plus d'argent aux comédiens que trente des meilleures qu'on ait faites depuis ? — Sans doute, répondit l'auteur dont je parle, que Votre Grâce veut faire allusion à l'*Isabelle*, à la *Philis* et à l'*Alexandra* ? — Justement, répliquai-je, c'est d'elles qu'il s'agit. Elles suivaient assurément les préceptes de l'art; eh bien! voyez : pour les avoir suivis, ont-elles manqué de paraître ce qu'elles étaient et de plaire à tout le monde ? La faute n'est donc pas au public, qui demande des sottises, mais à ceux qui ne savent pas lui servir autre chose. On ne trouve pas plus d'extravagance dans l'*Ingratitude vengée*, dans la *Numancia*, dans *le Marchand amoureux*, moins encore dans l'*Ennemie favorable*, ni dans quelques autres que composèrent des poètes habiles au profit de leur renommée et de la bourse des acteurs qui les jouèrent. » J'ajoutai encore d'autres choses qui le laissèrent un peu confus, un peu ébranlé, mais non pas assez convaincu pour le tirer de son erreur.

« Votre Grâce, seigneur chanoine, reprit alors le curé, vient de toucher un sujet qui a réveillé chez moi l'ancienne rancune que je porte aux comédies à la mode aujourd'hui, et non moins forte que celle qui m'anime contre les livres de chevalerie. Lorsque la comédie, au dire de Cicéron, doit être le miroir de la vie humaine, l'exemple des mœurs et l'image de la vérité, celles qu'on joue à présent ne sont que des miroirs d'extravagance, des exemples de sottises et des images d'impudicité. En effet, quelle plus grande extravagance peut-il y avoir dans la matière qui nous occupe que de faire paraître un enfant au maillot à la première scène du premier acte, et de le ramener, à la seconde, homme fait avec de la barbe au menton ? Quelle plus grande sottise que de nous peindre un vieillard bravache, un jeune homme poltron, un laquais rhétoricien, un page conseiller, un roi crocheteur et une princesse laveuse de vaisselle ? Que dirai-je ensuite de l'observation du temps pendant lequel pouvaient arriver les événements que l'on représente ? N'ai-je pas vu telle comédie dont le premier acte commence en Europe, le second se continue en Asie, le troisième finit en Afrique ; et, s'il y avait quatre actes, le quatrième se terminerait en Amérique, de façon que la pièce se serait passée dans les quatre parties du monde ? Si l'imitation historique est la principale qualité de la comédie, comment la plus médiocre intelligence pourrait-elle être satisfaite lorsque, dans une action qui arrive au temps de Pépin ou de Charlemagne, on attribue au personnage principal d'avoir porté, comme l'empereur Héraclius, la croix à Jérusalem, et d'avoir conquis le saint-sépulcre sur les Sarrasins, comme Godefroy de Bouillon, tandis qu'un si grand nombre d'années séparent ces personnages ? Si, au contraire, la comédie est toute de fiction, comment lui prêter certaines vérités de l'histoire, comment y mêler des événements arrivés à différentes personnes et à différentes époques, et cela, non point avec l'art d'un arrangement vraisemblable, mais avec des erreurs inexcusables de tous points ? Ce qu'il y a de pis, c'est qu'il se trouve des ignorants qui prétendent que cela seul est parfait, et que vouloir toute autre chose, c'est avoir des envies de femme grosse. Que sera-ce, bon Dieu! si nous arrivons aux comédies divines ? Que de faux miracles, que de faits apocryphes, que d'actions d'un saint attribuées à un autre! Même dans les comédies humaines, on ose faire des miracles, sans autre excuse, sans autre motif que de dire : en cet endroit viendrait bien un miracle, ou un coup de théâtre, comme ils disent, pour que les imbéciles s'étonnent et accourent voir la comédie. Tout cela, certes, est au préjudice de la vérité, au détriment de l'histoire, et même à la honte des écrivains espagnols ; car les étrangers, qui gardent ponctuellement les lois de la comédie, nous appellent des barbares et des ignorants en voyant les absurdités de celles que nous écrivons. Ce ne serait pas une suffisante excuse de dire que le principal objet qu'ont les gouvernements bien organisés, en permettant la représentation des comédies, c'est de divertir le public par quelque honnête récréation, et de le préserver des mauvaises humeurs qu'engendre habituellement l'oisiveté ; qu'ainsi, cet objet étant rempli par la première comédie venue, bonne ou mauvaise, il n'y a point de raison pour établir des lois, pour contraindre ceux qui les composent et les jouent à les faire comme elles devraient être faites, puisque toute comédie remplit ce qu'on attend d'elle. A cela, je répondrais que ce but serait sans comparaison bien mieux

atteint par les bonnes comédies que par celles qui ne le sont
pas ; car, après avoir assisté à une comédie régulière et
ingénieuse, le spectateur sortirait amusé par les choses
plaisantes, instruit par les choses sérieuses, étonné par
les événements, réformé par le bon langage, mieux
avisé par les fourberies, plus intelligent par les exemples,
courroucé contre le vice et passionné pour la vertu. Tous
ces sentiments, la bonne comédie doit les éveiller dans
l'âme de l'auditeur, si rustique et si lourdaud qu'il soit.
De même, il est impossible qu'une comédie réunissant
toutes ces qualités ne plaise, ne réjouisse et ne satisfasse
bien plus que celle qui en sera dépourvue, comme le sont
la plupart des pièces qu'on représente aujourd'hui. La faute
n'en est pas aux poètes qui les composent, car plusieurs
d'entre eux connaissent fort bien en quoi ils pèchent, et
ne savent pas moins ce qu'ils devraient faire. Mais, comme
les comédies sont devenues une marchandise à vendre,
ils disent, et avec raison, que les acteurs ne les achèteraient
pas si elles n'étaient taillées à la mode. Ainsi le poète est
contraint de se plier à ce qu'exige le comédien, qui doit
lui payer son ouvrage. Veut-on une preuve de cette vérité ?
Qu'on voie les comédies en nombre infini qu'a composées
un heureux génie de ces royaumes, avec tant de fécondité,
tant d'esprit et de grâce, un vers si élégant, un dialogue
si bien assaisonné de saillies plaisantes et de graves
maximes qu'il remplit le monde de sa renommée. Eh bien,
parce qu'il cède aux exigences des comédiens, elles ne sont
pas arrivées toutes, comme quelques-unes d'entre elles,
au degré de perfection qu'elles devaient atteindre. D'autres
auteurs écrivent leurs pièces tellement à l'étourdie qu'après
les avoir jouées les comédiens sont obligés de fuir et de
s'expatrier, dans la crainte d'être punis, comme cela est
arrivé mainte et mainte fois, pour avoir représenté des
choses irrévérencieuses pour quelques souverains, ou désho-
norantes pour quelques nobles lignages. Tous ces inconvénients cesseraient, et bien d'autres encore que je passe
sous silence, s'il y avait à la cour une personne éclairée,
habile et discrète, chargée d'examiner toutes les comédies
avant leur représentation, non seulement celles qu'on
jouerait dans la capitale, mais toutes celles qu'on aurait
envie de jouer dans le reste de l'Espagne. Il faudrait que,
sans l'approbation, la signature et le sceau de cet examina-
teur, aucune autorité locale ne laissât représenter aucune
comédie dans son pays. De cette manière, les comédiens
auraient soin d'envoyer leurs pièces à la cour, et pourraient
ensuite les représenter en toute sûreté. Ceux qui les
composent y mettraient aussi plus de soin, de travail et
d'étude, dans la crainte de l'examen rigoureux et éclairé que
devraient subir leurs ouvrages. Enfin, l'on ferait de bonnes
comédies, et l'on atteindrait heureusement le but qu'on
s'en propose, aussi bien le divertissement du public que

la gloire des écrivains de l'Espagne et l'intérêt bien entendu des comédiens, qu'on serait dispensé de surveiller et de punir. Si, de plus, on chargeait une autre personne, ou la même, d'examiner les livres de chevalerie qui seraient composés désormais, sans doute il en paraîtrait quelques-uns qui auraient toute la perfection dont parle Votre Grâce. Ils enrichiraient notre langue d'un agréable et précieux trésor d'éloquence; ils permettraient enfin que les livres anciens s'obscurcissent à la lumière des livres nouveaux, qui se publieraient pour l'honnête passe-temps, non seulement des oisifs, mais encore des hommes les plus occupés; car il est impossible que l'arc soit toujours tendu, et l'humaine faiblesse a besoin de se retremper dans des récréations permises. »

Le chanoine et le curé en étaient là de leur entretien, quand le barbier, prenant les devants, s'approcha d'eux et dit au curé : « Voici, seigneur licencié, l'endroit où j'ai dit que nous serions bien pour faire la sieste, tandis que les bœufs trouveraient une fraîche et abondante pâture! — C'est aussi ce qu'il me semble », répondit le curé. Et, dès qu'il eut fait part de son projet au chanoine, celui-ci résolut de s'arrêter avec eux, convié par le charme d'un joli vallon qui s'offrait à leur vue. Pour jouir de ce beau paysage, ainsi que de la conversation du curé, qu'il commençait à prendre en affection, et pour savoir plus en détail les prouesses de don Quichotte, il ordonna à quelques-uns de ses domestiques d'aller à l'hôtellerie, qui n'était pas fort éloignée, et d'en rapporter ce qu'ils y trouveraient pour le dîner de toute la compagnie, parce qu'il se décidait à passer la sieste en cet endroit. L'un des domestiques répondit que le mulet aux provisions, qui devait être arrivé déjà dans l'hôtellerie, était assez bien chargé pour qu'on n'eût rien à y prendre que de l'orge. « En ce cas, reprit le chanoine, conduisez-y toutes nos montures, et faites revenir le mulet. »

Pendant que cet ordre s'exécutait, Sancho, voyant qu'il pouvait enfin parler à son maître sans la continuelle présence du curé et du barbier, qu'il tenait pour suspects, s'approcha de la cage où gisait don Quichotte, et lui dit : « Seigneur, pour la décharge de ma conscience, je veux vous dire ce qui se passe au sujet de votre enchantement. D'abord ces deux hommes qui vous accompagnent, avec des masques sur la figure, sont le curé et le barbier de notre village; et j'imagine qu'ils ont ourdi la trame de vous emmener de cette façon par pure envie et parce qu'ils sont jaloux de ce que vous les surpassez à faire de fameux exploits. Cette vérité une fois admise, il s'ensuit que vous n'êtes pas enchanté dans cette cage, mais mystifié comme un benêt. En preuve de ce que je vous dis, je veux vous faire une question, et, si vous me répondez comme je crois que vous allez me répondre, vous toucherez du doigt cette fourberie, et vous reconnaîtrez que vous n'êtes pas enchanté, mais que vous avez l'esprit à l'envers. — Voyons, répondit don Quichotte, demande ce que tu voudras, mon fils Sancho; je suis prêt à te donner toute satisfaction. Quant à ce que tu dis que ceux qui vont et viennent autour de nous sont le curé et le barbier, nos compatriotes et nos connaissances, il est bien possible qu'il te semble que ce soit eux-mêmes; mais que ce soit eux réellement et en effet, ne t'avise de le croire en aucune façon. Ce que tu dois croire et comprendre, c'est que, s'ils leur ressemblent, comme tu le dis, ceux qui m'ont enchanté auront pris cette forme et cette ressemblance. En effet, il est facile aux enchanteurs de prendre la figure qui leur convient, et ils auront revêtu celle de nos amis pour te donner occasion de penser ce que tu penses, et pour te jeter dans un labyrinthe de doutes et d'incertitudes dont le fil de Thésée ne parviendrait pas à te faire sortir. Ils auront également pris cette apparence pour que j'hésite dans ma conviction et que je ne puisse deviner d'où me vient ce grief. Car enfin, si, d'une part, on me dit que ceux qui nous accompagnent sont le barbier et le curé de notre pays; si, d'une autre part, je me vois encagé, sachant fort bien qu'aucune force humaine, à moins d'être surnaturelle, ne serait capable de me mettre en cage, que veux-tu que je dise ou que je pense, si ce n'est que la façon de mon enchantement surpasse toutes celles que j'ai lues dans toutes les histoires qui traitent des chevaliers errants qu'on a jusqu'à présent enchantés ? Ainsi, tu peux bien te calmer et te rendre le repos en ce qui est de croire que ces gens sont ce que tu dis, car ils ne le sont pas plus que je ne suis Turc; et quant à me demander quelque chose, parle, je te répondrai, dusses-tu me faire des questions jusqu'à demain matin. — Par le nom de Notre-Dame! s'écria Sancho en jetant un grand cri, est-il possible que Votre Grâce soit assez dure de cervelle, assez dépourvue de moelle sous le crâne pour ne pas reconnaître que ce que je dis est la vérité pure et que, dans cet emprisonnement qu'on vous fait subir, il entre plus de malice que d'enchantement ? Mais, puisqu'il en est ainsi, je veux vous prouver avec la dernière évidence que vous n'êtes pas enchanté. Dites-moi voir un peu... Puisse Dieu vous tirer de ce tourment, et puissiez-vous tomber dans les bras de Mme Dulcinée quand vous y penserez le moins!... — Achève tes exorcismes, s'écria don Quichotte, et demande ce qui te fera plaisir; je t'ai déjà dit que je suis prêt à répondre avec toute ponctualité! — Voilà justement ce que je demande, répondit Sancho. Or, ce que je désire savoir, c'est que vous me disiez, sans mettre ni omettre la moindre chose, mais en toute vérité, comme on doit l'attendre de la bouche de tous ceux qui font, comme Votre Grâce, profession des armes sous le titre de chevaliers errants... —

Je te répète, reprit don Quichotte, que je ne mentirai en
quoi que ce soit. Mais voyons, parle, demande; car, en
vérité, Sancho, tu me fatigues avec tant de préambules,
d'ambages et de circonlocutions. — Je dis, répliqua Sancho, que je suis parfaitement sûr de la franchise et de la
véracité de mon maître; et dès lors, comme cela vient
fort à point pour notre histoire, j'oserai lui faire une question, parlant par respect. Depuis que Votre Grâce est
encagée, ou plutôt enchantée dans cette cage, est-ce que,
par hasard, il lui serait venu l'envie de faire, comme on
dit, le petit ou le gros ? — Je n'entends rien, Sancho,
répondit don Quichotte, à ces paroles de petit et de gros.
Explique-toi plus clairement, si tu veux que je te réponde
avec précision. — Est-il possible, reprit Sancho, que Votre
Grâce n'entende pas ce que c'est que le gros et le petit ?
Mais c'est avec cela qu'on sèvre les enfants à l'école. Eh
bien! sachez donc que je veux dire s'il vous est venu
quelque envie de faire ce que personne ne peut faire à
votre place. — J'y suis, j'y suis, Sancho, s'écria don Quichotte. Oh! oui, bien des fois, et maintenant encore. Tire-
moi de ce péril, si tu ne veux que je me trouve dans de
beaux draps.

CHAPITRE XLIX

Qui traite du gracieux entretien qu'eut Sancho Panza avec son seigneur don Quichotte.

« Ah! par ma foi, vous voilà pris, s'écria Sancho; c'est justement là ce que je voulais savoir, aux dépens de mon âme et de ma vie. Dites donc, seigneur, pourrez-vous nier ce qu'on dit communément dans le pays, lorsque quelqu'un est de mauvaise humeur : je ne sais ce qu'a un tel, il ne mange, ni ne boit, ni ne dort; il répond de travers à ce qu'on lui demande; on dirait qu'il est enchanté. D'où il faut conclure que ceux qui ne mangent, ni ne boivent, ni ne dorment, ni ne font les œuvres naturelles dont je viens de parler, ceux-là sont enchantés véritablement; mais non pas ceux qui ont les envies qu'a Votre Grâce, qui boivent quand on leur donne à boire, qui mangent quand ils ont à manger, et qui répondent à tout ce qu'on leur demande. — Tu dis vrai, Sancho, répondit don Quichotte; mais je t'ai déjà dit qu'il y avait bien des façons d'enchantement, et il se pourrait faire qu'avec le temps la mode eût changé, et qu'il fût maintenant d'usage que les enchantés fassent tout ce que je fais ou veux faire, bien qu'ils ne l'eussent pas fait auparavant. Or, contre la mode des temps, il n'y a pas à argumenter ni à tirer de conséquences. Je sais et je tiens pour certain que je suis enchanté; cela suffit pour mettre ma conscience en repos; car je me ferais, je t'assure, un grand cas de conscience, si je doutais que je fusse enchanté, de rester en cette cage, lâche et fainéant, frustrant du secours de mon bras une foule d'affligés et de malheureux qui doivent, à l'heure qu'il est, avoir le plus pressant besoin de mon aide et de ma faveur. — Avec tout cela, répliqua Sancho, je répète que, pour plus de satisfaction et de sûreté, il serait bon que Votre Grâce essayât de sortir de cette prison. Moi, je m'oblige à vous seconder de tout mon pouvoir, et même à vous en tirer; vous essayerez ensuite de remonter sur ce bon Rossinante, qui a l'air aussi d'être enchanté, tant il marche triste et mélancolique; et puis nous courrons encore une fois la chance de chercher des aventures. Si elles tournent mal, nous aurons toujours le temps de nous en revenir à la cage;

alors je promets, foi de bon et loyal écuyer, de m'y enfermer avec Votre Grâce, si vous êtes, par hasard, assez malheureux, ou moi assez imbécile pour que nous ne parvenions pas à faire ce que je dis. — Soit, répliqua don Quichotte, j'y consens et j'y donne les mains. Dès que tu saisiras quelque heureuse conjoncture pour mettre en œuvre ma délivrance, je t'obéirai en tout et pour tout. Mais tu verras, Sancho, combien tu te trompes dans l'appréciation de mon infortune. »

Cet entretien conduisit le chevalier errant et son maugréant écuyer jusqu'à l'endroit où les attendaient, ayant déjà mis pied à terre, le curé, le chanoine et le barbier. Le bouvier détela aussitôt ses bœufs de sa charrette, et les laissa prendre leurs ébats dans cette vaste prairie, dont la fraîcheur et le calme invitaient à jouir de ses attraits non seulement les gens aussi enchantés que don Quichotte, mais aussi fins et avisés que son écuyer. Celui-ci pria le curé de permettre que son seigneur sortît un moment de la cage, parce qu'autrement cette prison courrait grand risque de ne pas rester aussi propre que l'exigeaient la décence et la dignité d'un chevalier tel que lui. Le curé comprit la chose et répondit à Sancho que de bon cœur il consentirait à ce qui lui était demandé, s'il ne craignait qu'en se voyant libre son seigneur ne fît des siennes et ne se sauvât où personne ne le reverrait. « Je me rends caution de sa fuite, répliqua Sancho. — Moi de même, ajouta le chanoine, et de tout ce qui en peut résulter, surtout s'il m'engage sa parole de chevalier qu'il ne s'éloignera point de nous sans notre permission. — Oui, je la donne, s'écria don Quichotte, qui avait écouté tout ce dialogue. Et, d'ailleurs, celui qui est enchanté comme moi n'est pas libre de faire ce qu'il veut de sa personne, car le magicien qui l'a enchanté peut vouloir qu'il ne bouge de la même place trois siècles durant; et si l'enchanté s'enfuyait, l'enchanteur le ferait revenir à tire-d'aile. Puisqu'il en est ainsi, vous pouvez bien me lâcher; ce sera profit pour tout le monde; car, si vous ne me lâchez pas, je vous proteste qu'à moins de vous tenir à l'écart, je ne saurais m'empêcher de vous chatouiller désagréablement l'odorat. » Le chanoine lui fit étendre la main, bien qu'il eût les deux poignets attachés, et, sous la foi de sa parole, on lui ouvrit la porte de sa cage, ce qui lui causa le plus vif plaisir.

La première chose qu'il fit dès qu'il se vit hors de la cage, fut d'étendre, l'un après l'autre, tous les membres de son corps; puis il s'approcha de Rossinante et, lui donnant sur la croupe deux petits coups du plat de la main, il lui dit tendrement : « J'espère toujours en Dieu et en sa sainte mère, fleur et miroir des coursiers, que bientôt nous nous reverrons comme nous désirons être, toi, portant ton seigneur, et moi, monté sur tes flancs, exerçant ensemble la profession pour laquelle Dieu m'a jeté dans ce monde. » Après avoir ainsi parlé, don Quichotte gagna, suivi de Sancho, un lieu bien à l'écart, d'où il revint fort soulagé, et plus désireux qu'auparavant de mettre en œuvre le projet de Sancho.

Le chanoine le regardait et s'émerveillait de la grande étrangeté de sa folie. Il était étonné surtout que ce pauvre gentilhomme montrât, en tout ce qu'il disait ou répondait, une intelligence parfaite, et qu'il ne perdît les étriers, comme on l'a dit mainte autre fois, que sur le chapitre de la chevalerie. Emu de compassion, il lui adressa la parole quand tout le monde se fut assis sur l'herbe verte pour attendre les provisions : « Est-il possible, seigneur hidalgo, lui dit-il, que cette oiseuse et fade lecture des livres de chevalerie ait eu sur Votre Grâce assez de puissance pour vous tourner l'esprit au point que vous veniez à croire que vous êtes enchanté, ainsi que d'autres choses du même calibre, aussi loin d'être vraies que le mensonge l'est de la vérité même ? Comment peut-il exister un entendement humain capable de se persuader qu'il y ait eu dans le monde cette multitude d'Amadis et cette tourbe infinie de fameux chevaliers ? Qu'il y ait eu tant d'empereurs de Trébisonde, tant de Félix-Mars d'Hyrcanie, tant de coursiers et de palefrois, tant de damoiselles errantes, tant de serpents et de dragons, tant d'andriaques, tant de géants, tant d'aventures inouïes, tant d'espèces d'enchantements, tant de batailles, tant d'effroyables rencontres, tant de costumes et de parures, tant de princesses amoureuses, tant d'écuyers devenus comtes, tant de nains beaux parleurs, tant de billets doux, tant de galanteries, tant de femmes guerrières, et finalement tant de choses extravagantes comme en contiennent les livres de chevalerie ? Pour moi, je peux dire que, quand je les lis, tant que mon imagination ne s'arrête pas à la pensée que tout cela n'est que mensonge et dérèglement d'esprit, ils me donnent, je l'avoue, quelque plaisir ; mais, dès que je réfléchis à ce qu'ils sont, j'envoie le meilleur d'entre eux contre la muraille, et je le jetterais au feu si j'avais là des tisons. Oui, car ils méritent tous cette peine, pour être faux et menteurs, et hors des lois de la commune nature ; ils la méritent comme fauteurs de nouvelles sectes et inventeurs de nouvelles façons de vivre, comme donnant occasion au vulgaire ignorant de croire et de tenir pour vraies toutes les rêveries qu'ils renferment. Ils ont même assez d'audace pour oser troubler les esprits d'hidalgos bien nés et bien élevés, comme on le voit par ce qu'ils ont fait sur Votre Grâce, puisqu'ils vous ont conduit à ce point qu'il a fallu vous enfermer dans une cage et vous mener sur une charrette à bœufs, comme on mène de village en village un lion ou un tigre, pour gagner de quoi vivre en le faisant voir. Allons, seigneur don Quichotte, prenez pitié de vous-même, et revenez au giron du bon sens. Faites usage de celui que le ciel a bien voulu vous départir, en employant l'heureuse étendue de votre esprit à d'autres lectures qui tournent au profit de votre conscience et de votre bonne renommée. Si toutefois, poussé par votre inclination naturelle, vous persistez à lire des histoires d'exploits chevaleresques, lisez, dans la sainte Ecriture, le livre des Juges : vous y trouverez de pompeuses vérités, et des hauts faits non moins certains qu'éclatants. La Lusitanie eut un Viriatès, Rome un César, Carthage un Annibal, la Grèce un Alexandre, la Castille un comte Fernand-Gonzalez, Valence un Cid, l'Andalousie un Gonzalve de Cordoue, l'Estrémadure un Diégo Garcia de Parédès, Xérès un Garci-Pérez de Vargas, Tolède un Garcilaso, Séville un don Manuel Ponce de Léon ; le récit de leurs vaillants exploits suffit pour amuser, pour instruire, pour ravir et pour étonner les plus hauts génies qui en fassent la lecture. Voilà celle qui est digne de votre belle intelligence, mon bon seigneur don Quichotte ; elle vous laissera, quand vous l'aurez faite, érudit dans l'histoire, amoureux de la vertu, instruit aux bonnes choses, fortifié dans les bonnes mœurs, vaillant sans témérité, prudent sans faiblesses ; et tout cela pour la gloire de Dieu, pour votre propre intérêt et pour l'honneur de la Manche, d'où je sais que Votre Grâce tire son origine. »

Don Quichotte avait écouté avec la plus scrupuleuse attention les propos du chanoine. Quand il s'aperçut que celui-ci cessait de parler, après l'avoir d'abord regardé fixement et en silence, il lui répondit : « Si je ne me trompe, seigneur hidalgo, le discours que vient de m'adresser Votre Grâce avait pour but de vouloir me faire entendre qu'il n'y a jamais eu de chevaliers errants dans le monde ; que tous les livres de chevalerie sont faux, menteurs, inutiles et nuisibles à la république ; qu'enfin j'ai mal fait de les lire, plus mal de les croire, et plus mal encore de les imiter, en me décidant à suivre la dure profession de chevalier errant qu'ils enseignent, parce que vous niez qu'il ait jamais existé des Amadis de Gaule et de Grèce, ni cette multitude d'autres chevaliers dont les livres sont pleins. — Tout est au pied de la lettre, comme Votre Grâce l'énumère », reprit en ce moment le chanoine.

Don Quichotte continua : « Votre Grâce a, de plus, ajouté que ces livres m'avaient fait un grand tort, puisqu'après m'avoir dérangé l'esprit, ils ont fini par me mettre en cage ; et que je ferais beaucoup mieux de m'amender, de changer de lecture, et d'en lire d'autres plus véridiques, plus faits pour amuser et pour instruire. — C'est cela même, répondit le chanoine. — Eh bien, moi, répliqua don Quichotte, je trouve, à mon compte, que l'insensé et l'enchanté c'est vous-même, puisque vous n'avez pas craint de proférer tant de blasphèmes contre une chose tellement reçue dans le monde, tellement admise pour véritable que celui qui la nie, comme le fait Votre Grâce, mériterait la même peine que vous infligez aux livres dont la lecture vous ennuie et vous fâche. En effet, vouloir faire accroire à personne qu'Amadis n'a pas été de ce monde, pas plus que tous les autres chevaliers d'aventure dont les histoires sont remplies toutes combles, c'est vouloir persuader que le soleil n'éclaire pas, que la gelée ne refroidit pas, que la terre ne nous porte pas. Quel esprit peut-il y avoir en ce monde capable de persuader à un autre que l'histoire de l'infante Floripe avec Guy de Bourgogne n'est pas vraie, non plus que l'aventure de Fiérabras au pont de Mantible, qui arriva du temps de Charlemagne ? Je jure Dieu que c'est aussi bien la vérité qu'il est maintenant jour. Si c'est un mensonge, alors il en doit être de même d'Hector, et d'Achille, et de la guerre de Troie, et des douze pairs de France, et du roi Artus d'Angleterre, qui est encore à présent transformé en corbeau, et que ses sujets attendent d'heure en heure. Osera-t-on dire aussi que l'histoire de Guaribo Mezquino est mensongère, ainsi que celle de la conquête du Saint-Grial ; que les amours de Tristan et de la reine Iseult sont apocryphes, aussi bien que ceux de la reine Geneviève et de Lancelot, tandis qu'il y a des gens qui se rappellent presque d'avoir vu la duègne Quintagnone, laquelle fut le meilleur échanson de vin qu'eut la Grande-Bretagne ? Cela est si vrai que je me souviens qu'une de mes grand-mères, du côté de mon père, me disait quand elle rencontrait quelque duègne avec de respectables coiffes : « Celle-ci, mon enfant, ressemble à la duègne Quintagnone » ; d'où je conclus qu'elle dut la connaître elle-même, ou du moins en avoir vu quelque portrait. Qui pourra nier que l'histoire de Pierre et de la jolie Magalone ne soit parfaitement exacte, puisqu'on voit encore aujourd'hui, dans la galerie d'armes de nos rois, la cheville qui faisait tourner et mouvoir le cheval de bois sur lequel le vaillant Pierre de Provence traversait les airs, cheville qui est un peu plus grosse qu'un timon de charrette à bœufs ? A côté d'elle est la selle de Babiéca, la jument du Cid, et, dans la gorge de Roncevaux, on voit encore la trompe de Roland, aussi longue qu'une grande poutre. D'où l'on doit inférer qu'il y eut douze pairs de France, qu'il y eut un Pierre, qu'il y eut un Cid, et d'autres chevaliers de la même espèce, de ceux dont les gens disent qu'ils vont à leurs aventures. Sinon il faut nier aussi que le vaillant Portugais Juan de Merlo ait été chevalier errant, qu'il soit allé en Bourgogne, qu'il ait combattu dans la ville de Ras contre le fameux seigneur de Charny, appelé Moïse-Pierre ; puis, dans la ville de Bâle, contre Moïse-Henri de Ramestan, et qu'il soit sorti deux fois de la lice vainqueur et couvert de gloire. Il faut nier encore les aventures et les combats que livrèrent également en Bour-

gogne les braves Espagnols Pedro Barba et Gutierre Quixada (duquel je descends en ligne droite de mâle en
mâle), qui vainquirent les fils du comte de Saint-Pol. Que
l'on nie donc aussi que don Fernando de Guevara soit allé
chercher des aventures en Allemagne, où il combattit mes-
sire Georges, chevalier de la maison du duc d'Autriche ;
qu'on dise enfin que ce sont des contes pour rire, les
joutes de Suéro de Quinones, celui du pas de l'Orbigo,
les défis de Mosen-Luis de Falcès à don Gonzalo de Guzman, chevalier castillan, et tant d'autres exploits faits par
des chevaliers chrétiens de ces royaumes et des pays
étrangers, si authentiques, si véritables que celui qui les
nie, je le répète, est dépourvu de toute intelligence et de
toute raison. »

   Le chanoine fut étrangement surpris d'entendre le singulier mélange de vérités et de mensonges que faisait don
Quichotte, et de voir quelle connaissance complète il avait
de toutes les choses relatives à sa chevalerie errante. Il lui
répondit donc :« Je ne puis nier, seigneur don Quichotte,
qu'il n'y ait quelque chose de vrai dans ce qu'a dit Votre
Grâce, principalement en ce qui touche les chevaliers
errants espagnols. Je veux bien concéder encore qu'il y
eut douze pairs de France ; mais je me garderai bien de
croire qu'ils firent tout ce que raconte d'eux l'archevêque
Turpin. Ce qu'il y a de vrai, c'est que ce furent des chevaliers choisis par les rois de France, qu'on appela *pairs*,
parce qu'ils étaient tous égaux en valeur et en qualité ; du
moins, s'ils ne l'étaient pas, il était à désirer qu'ils le
fussent. C'était un ordre militaire, à la façon de ceux qui
existent à présent, comme les ordres de Saint-Jacques et
de Calatrava, où l'on suppose que ceux qui font profession sont tous des chevaliers braves et bien nés ; et,
comme on dit à cette heure chevalier de Saint-Jean ou
d'Alcantara, on disait alors chevalier des Douze Pairs,
parce qu'on en choisissait douze, égaux en mérite, pour
cet ordre militaire. Qu'il y ait eu un Cid et un Bernard
del Carpio, nul doute ; mais qu'ils aient fait toutes les
prouesses qu'on leur prête, c'est autre chose. Quant à la
cheville du comte Pierre, dont Votre Grâce a parlé, et
qui est auprès de la selle de Babiéca, dans la galerie royale,
je confesse mon péché ; je suis si gauche, ou j'ai la vue si
courte, que, bien que j'aie vu distinctement la selle, je n'ai
pu apercevoir la cheville, quoiqu'elle soit aussi grosse que
l'a dit Votre Grâce. — Elle y est pourtant, sans aucun
doute, répliqua don Quichotte ; à telles enseignes qu'on
la tient enfermée dans un fourreau de cuir pour qu'elle
ne prenne pas le moisi. — C'est bien possible, reprit le
chanoine ; mais par les ordres sacrés que j'ai reçus, je ne
me rappelle pas l'avoir vue. Et, quand je concéderais qu'elle
est en cet endroit, serais-je obligé de croire aux histoires
de tous ces Amadis, et de cette multitude de chevaliers sur

lesquels on nous fait tant de contes ? Et serait-ce une raison pour qu'un homme comme Votre Grâce, si plein
d'honneur et de qualités, et doué d'un si bon entendement, s'avisât de prendre pour autant de vérités tant de
folies étranges qui sont écrites dans ces extravagants livres
de chevalerie ?

CHAPITRE XXX

CHAPITRE L

*De la spirituelle altercation qu'eurent don Quichotte et le chanoine,
ainsi que d'autres événements.*

— Voilà, parbleu, qui est bon ! répondit don Quichotte.
Comment ! les livres qui sont imprimés avec la licence des
rois et l'approbation des examinateurs ; ces livres, qui, à la
satisfaction générale, sont lus et vantés des grands et des
petits, des riches et des pauvres, des lettrés et des ignorants, des vilains et des gentilshommes, enfin de toute
espèce de gens, de quelque état et condition que ce soit ;
ces livres, dis-je, seraient pur mensonge, tandis qu'ils ont
si bien le cachet de la vérité qu'on y désigne le père, la
mère, le pays, les parents, l'âge, le lieu et les exploits, point
pour point et jour par jour, que firent tels ou tels chevaliers ? Allons donc, taisez-vous, seigneur ; ne dites pas un
si grand blasphème, et croyez-moi, car je vous donne à cet
égard le meilleur conseil que puisse suivre un homme d'esprit. Sinon, lisez-les, et vous verrez quel plaisir vous en
donnera la lecture. Dites-moi donc un peu : y a-t-il plus
grand ravissement que de voir, comme qui dirait là, devant
vous, un grand lac de poix-résine bouillant à gros bouillons,
dans lequel nagent et s'agitent une infinité de serpents, de
couleuvres, de lézards et mille autres espèces d'animaux
féroces et épouvantables ? Tout à coup, du fond de ce lac,
sort une lamentable voix qui dit : « Toi, chevalier, qui que
tu sois, qui es à regarder ce lac effroyable, si tu veux
obtenir le trésor qu'il cache sous ses noires eaux, montre
la valeur de ton cœur invincible, jette-toi au milieu de ce
liquide enflammé. Si tu ne le fais pas, tu ne seras pas digne
de voir les hautes et prodigieuses merveilles que renferment les sept châteaux des sept fées qui gisent sous
cette noire épaisseur. » Le chevalier n'a pas encore achevé
d'entendre la voix redoutable que déjà, sans entrer en
calcul avec lui-même, sans considérer le péril qu'il affronte,
sans même se dépouiller de ses armes pesantes, mais en se
recommandant à Dieu et à sa dame, il se précipite tête
baissée au milieu du lac bouillonnant ; et, quand il se
doute le moins de ce qu'il va devenir, le voilà qui se trouve
au milieu d'une campagne fleurie, à laquelle les Champs-

Elysées n'ont rien de comparable. Là, il lui semble que
l'air est plus transparent, que le soleil brille d'une clarté
nouvelle. Un bois paisible s'offre à sa vue ; il est planté
d'arbres si verts et si touffus que leur feuillage réjouit les
yeux, tandis que l'oreille est doucement frappée des chants
suaves et naturels d'une infinité de petits oiselets aux
nuances brillantes qui voltigent gaiement sous les rameaux
entrelacés. Ici se découvre un ruisseau, dont les eaux
fraîches, semblables à un liquide cristal, courent sur une
fine arène et de blancs cailloux qui paraissent un lit d'or
criblé de perles orientales. Là il aperçoit une élégante fontaine artistement formée de jaspe aux mille couleurs et de
marbre poli ; plus loin il en voit une autre, élevée à la
façon rustique, où les fins coquillages de la moule et les
tortueuses maisons blanches et jaunes de l'escargot,
ordonnés sans ordre et mêlés de brillants morceaux de
cristal, forment un ouvrage varié, où l'art, imitant la
nature, semble la vaincre cette fois. De ce côté paraît tout
à coup un formidable château fort ou un élégant palais,
dont les murailles sont d'or massif, les créneaux de diamants, les portes de hyacinthes, et finalement dont l'ar-
chitecture est si admirable que, bien qu'il ne soit formé
que d'or, de diamants, d'escarboucles, de rubis, de perles
et d'émeraudes, la façon, toutefois, est plus précieuse que
la matière. Et que peut-on désirer de plus, quand on a vu
cela, que de voir sortir par la porte du château un grand
nombre de damoiselles dont les riches et galantes parures
sont telles que, si je me mettais à les décrire, comme font
les histoires, je n'aurais jamais fini ? Aussitôt, celle qui
paraît la principale de la troupe vient prendre par la main
l'audacieux chevalier qui s'est jeté dans les flots bouillants
du lac et le conduit, sans dire un mot, dans l'intérieur de
la forteresse ou du palais. Après l'avoir déshabillé, nu
comme sa mère l'a mis au monde, elle le baigne dans des
eaux tièdes, le frotte d'onguents de senteur et le revêt
d'une chemise de fine percale, toute parfumée d'odeurs
exquises ; puis une autre damoiselle survient, qui lui jette
sur les épaules une tunique qui vaut au moins, à ce qu'on
dit, une ville tout entière, et même davantage. Quoi de
plus charmant, quand on nous conte ensuite qu'après cela
ces dames le mènent dans une autre salle, où il trouve la
table mise avec tant de magnificence qu'il en reste tout
ébahi ! quand on lui verse sur les mains une eau toute dis-
tillée d'ambre et de fleurs odorantes ! quand on lui offre un
fauteuil d'ivoire ! quand toutes les damoiselles le servent
en gardant un merveilleux silence ! quand on lui apporte
tant de mets variés et succulents que l'appétit ne sait où
choisir et tendre la main ! quand on entend la musique,
qui joue tant qu'il mange, sans qu'on sache ni qui la fait
ni d'où elle vient ! et quand enfin, lorsque le repas est
fini et le couvert enlevé, lorsque le chevalier, nonchalam-

ment penché sur le dos de son fauteuil, est peut-être à se curer les dents, selon l'usage, voilà que tout à coup la porte s'ouvre et laisse entrer une autre damoiselle plus belle que toutes les autres, qui vient s'asseoir auprès du chevalier et commence à lui raconter quel est ce château, et comment elle y est enchantée ; avec une foule d'autres choses qui étonnent le chevalier et ravissent les lecteurs qui sont à lire son histoire! Je ne veux pas m'étendre davantage sur ce sujet ; mais de ce que j'ai dit on peut inférer que, quelque page qu'on ouvre de quelque histoire de chevalier errant que ce soit, elle causera sûrement plaisir et surprise à quiconque la lira. Que Votre Grâce m'en croie : lisez ces livres, ainsi que je vous l'ai dit, et vous verrez comme ils chasseront la mélancolie dont vous pourriez être atteint, et comme ils guériront votre mauvaise humeur, si par hasard vous l'avez mauvaise. Quant à moi, je peux dire que, depuis que je suis chevalier errant, je me trouve valeureux, libéral, poli, bien élevé, généreux, affable, intrépide, doux, patient, souffrant avec résignation les fatigues, les douleurs, les prisons, les enchantements ; et, quoiqu'il y ait si peu de temps que je me suis vu enfermé dans une cage comme un fou, je pense bien que, par la valeur de mon bras, si le ciel me favorise et que la fortune ne me soit pas contraire, je me verrai sous peu de jours roi de quelque royaume, où je pourrai montrer la gratitude et la libéralité dont mon cœur est pourvu. Car, par ma foi, seigneur, le pauvre est hors d'état de faire voir sa vertu de libéralité, en quelque degré qu'il la possède; et la reconnaissance qui ne consiste que dans le désir est chose morte, comme la foi sans les œuvres. Voilà pourquoi je voudrais que la fortune m'offrît bientôt quelque occasion de devenir empereur, pour que mon cœur se montrât tel qu'il est par le bien que je ferais à mes amis, surtout à ce pauvre Sancho Panza, mon écuyer, qui est le meilleur homme du monde ; oui, je voudrais lui donner un comté, que je lui ai promis il y a plusieurs jours ; mais je crains seulement qu'il n'ait pas toute l'habileté nécessaire pour bien gouverner ses Etats. »

Sancho entendit ces dernières paroles de son maître et lui répondit sur-le-champ : « Travaillez, seigneur don Quichotte, à me donner ce comté, autant promis par Votre Grâce qu'attendu par moi, et je vous promets que l'habileté ne me manquera pas pour le gouverner. Si elle me manque, j'ai ouï dire qu'il y a des gens qui prennent en fermage les seigneuries des seigneurs ; ils leur donnent tant par an de revenu et se chargent des soins du gouvernement ; et le seigneur reste les bras croisés, touchant et dépensant la rente qu'on lui paye, sans prendre souci d'autre chose. C'est justement ce que je ferai : au lieu de me rompre la cervelle, je me désisterai de l'emploi, et je jouirai de mes rentes comme un duc, sans me soucier du

qu'en-dira-t-on. — Ceci, mon frère Sancho, dit le chanoine, s'entend fort bien quant à la jouissance du revenu,
mais non quant à l'administration de la justice, qui n'appartient qu'au seigneur de la seigneurie. C'est là que sont
nécessaires l'habileté et le droit jugement, et surtout la
bonne intention de rencontrer juste ; car, si celle-là
manque dans le principe, les moyens et la fin iront tout
de travers. Aussi Dieu a-t-il coutume de donner son aide
au bon désir de l'homme simple, et de la retirer au méchant
désir de l'homme habile.

— Je n'entends rien à toutes ces philosophies, reprit
Sancho ; mais ce que je sais, c'est que je voudrais avoir le
comté aussitôt que je serais capable de le gouverner ; car
enfin j'ai autant d'âme qu'un autre, et autant de corps que
celui qui en a le plus ; et je serai aussi bien roi de mes
Etats qu'un autre l'est des siens ; et l'étant, je ferais tout
ce que je voudrais ; et faisant ce que je voudrais, je ferais
à mon goût ; et faisant à mon goût, je serais content ; et
quand on est content, on n'a plus rien à désirer ; et quand
on n'a plus rien à désirer, tout est fini. Adieu donc ; que
le comté vienne, et que Dieu vous bénisse, et au revoir,
bonsoir, comme dit un aveugle à son camarade. — Ce ne
sont pas là de mauvaises philosophies, comme vous dites,
Sancho, reprit le chanoine ; mais cependant il y a bien des
choses à dire sur ce chapitre des comtés. — Je ne sais trop
ce qui reste à dire, interrompit don Quichotte ; seulement
je me guide sur l'exemple que m'a donné le grand Amadis de Gaule, lequel fit son écuyer comte de l'Ile-Ferme ;
ainsi je puis bien, sans scrupule de conscience, faire comte
Sancho Panza, qui est un des meilleurs écuyers qu'ait
jamais eus chevalier errant. »

Le chanoine resta confondu des extravagances raisonnables (si l'extravagance admet la raison) qu'avait dites
don Quichotte, de la manière dont il avait dépeint l'aventure du chevalier du Lac, de l'impression profonde qu'a-
vaient faite sur son esprit les rêveries mensongères des
livres qu'il avait lus, et finalement de la crédulité de Sancho, qui soupirait avec tant d'ardeur après le comté que
son maître lui avait promis.

En ce moment, les valets du chanoine, revenant de
l'hôtellerie, amenaient le mulet aux provisions. Ils dressèrent la table avec un tapis étendu sur l'herbe de la prairie, et tous les convives, s'étant assis à l'ombre de quelques
arbres, dînèrent en cet endroit, pour que le bouvier ne
perdît pas, comme on l'a dit, la commodité du pâturage.
Tandis qu'ils étaient paisiblement à manger, ils entendirent tout à coup le bruit aigu d'un sifflet qui partait d'un
massif de ronces et de broussailles dont ils étaient proches,
et presque au même instant ils virent sortir de ces broussailles une jolie chèvre, qui avait la peau toute mouchetée
de noir, de blanc et de fauve. Derrière elle venait un

chevrier qui l'appelait de loin, en lui disant les mots à leur usage, pour qu'elle s'arrêtât et rejoignît le troupeau. La bête fugitive accourut tout effrayée vers les voyageurs, comme pour leur demander protection, et s'arrêta près d'eux. Le chevrier arriva, la prit par les cornes et, comme si elle eût été douée d'intelligence et de réflexion, il lui dit : « Ah! montagnarde! ah! bariolée! et qu'avez-vous donc depuis quelques jours à ne plus marcher qu'à cloche-pied ? Quelle mouche vous pique, ou quel loup vous fait peur, ma fille ? Ne me direz-vous pas ce que c'est, mignonne ? Mais qu'est-ce que ce peut être, sinon que vous êtes femelle et que vous ne pouvez rester en repos ? Maudite soit votre humeur et l'humeur de toutes celles que vous imitez! Revenez, revenez, ma mie; si vous n'êtes pas aussi joyeuse, au moins vous serez plus en sûreté dans la bergerie et parmi vos compagnes; car, si vous, qui devez les guider et les diriger, vous allez ainsi sans guide et sans direction, qu'est-ce qu'il arrivera d'elles ? »

Les paroles du chevrier réjouirent fort ceux qui les entendirent, notamment le chanoine, qui lui dit : « Par la vie, frère, calmez-vous un peu, et ne vous hâtez pas tant de ramener cette chèvre au troupeau. Puisqu'elle est femelle, comme vous dites, il faut qu'elle suive son instinct naturel, quelques efforts que vous fassiez pour l'en empê-cher. Tenez, prenez ce morceau, et buvez un coup; vous apaiserez votre colère, et la chèvre s'en reposera d'autant. » En disant cela, il lui tendait avec la pointe du couteau un râble de lapin froid. Le chevrier prit, remercia, but, s'adoucit, et dit ensuite : « Je ne voudrais pas vraiment que, pour m'avoir entendu parler avec tant de sérieux à ce petit animal, Vos Grâces me prissent pour un imbécile; car, en vérité, il y a bien quelque mystère sous les paroles que j'ai dites. Je suis un rustre, mais pas tant néanmoins que je ne sache comment il faut s'y prendre avec les gens et avec les bêtes. — Je le crois bien vraiment, répondit le curé; car je sais déjà, par expérience, que les bois nour-rissent les poètes, et que les cabanes de berger abritent des philosophes. — Du moins, seigneur, répliqua le chevrier, elles recueillent des hommes devenus sages à leurs dépens. Pour que vous croyiez à cette vérité, et que vous la touchiez du doigt, je veux, bien qu'il semble que je m'invite sans être prié, si cela toutefois ne vous ennuie pas et que vous consentiez à me prêter un moment d'at-tention, je veux, dis-je, vous conter une aventure véritable et qui viendra en preuve de ce qu'a dit ce seigneur (mon-trant le curé) et de ce que j'ai dit moi-même. »

Don Quichotte répondit sur-le-champ : « Comme ceci m'a l'air d'avoir je ne sais quelle ombre d'aventure de chevalerie, pour ma part, frère, je vous écouterai de grand cœur, et c'est ce que feront aussi ces messieurs, parce qu'ils sont gens d'esprit et fort amis des nouveautés curieuses

qui étonnent, amusent et ravissent les sens, comme
je ne doute pas que va faire votre histoire. Commencez
donc, mon ami, nous vous écoutons tous. — Je retire
mon enjeu, s'écria Sancho; pour moi, je vais au ruisseau avec ce pâté, dont je pense me soûler pour trois jours,
car j'ai ouï dire à mon seigneur don Quichotte qu'un
écuyer de chevalier errant doit manger, quand il en trouve
l'occasion, jusqu'à n'en pouvoir plus, parce qu'il pourrait
bien lui arriver d'entrer par hasard dans une forêt si inextricable qu'il ne puisse trouver de six jours à en sortir;
et, ma foi, si le pauvre homme ne va pas bien repu, ou
le bissac bien rempli, il pourrait fort bien rester là, comme
il lui arrive mainte et mainte fois, devenu chair de momie.
— Tu es toujours pour le positif, Sancho, lui dit don
Quichotte; va-t'en où tu voudras, et mange ce que tu
pourras; moi, j'ai déjà l'estomac satisfait, et il ne me
manque plus que de donner à l'âme sa collation, comme je
me la donnerai en écoutant l'histoire de ce brave homme.
— Nous la donnerons aussi à toutes nos âmes », ajouta
le chanoine. Et il pria sur-le-champ le chevrier de commencer le récit qu'il venait de leur promettre. Le chevrier
donna deux petits coups de la main sur les flancs de la
chèvre, qu'il tenait toujours par les cornes, en lui disant :
« Couche-toi près de moi, bariolée, nous avons du temps
de reste pour retourner à la bergerie. » On aurait dit que
la chèvre l'eût entendu; car, dès que son maître se fut
assis, elle se coucha fort paisiblement à ses côtés, et, le
regardant au visage, elle faisait croire qu'elle était attentive à ce que disait le chevrier, lequel commença son histoire de la sorte :

CHAPITRE LI

Qui traite de ce que raconta le chevrier à tous ceux qui emmenaient don Quichotte.

A trois lieues de ce vallon est un hameau qui, bien que fort petit, est un des plus riches qu'il y ait dans tous ces environs. Là demeurait un laboureur, homme très honorable et tellement que, bien qu'il soit comme inhérent au riche d'être honoré, celui-là l'était plus encore pour sa vertu que pour ses richesses. Mais ce qui le rendait surtout heureux, à ce qu'il disait lui-même, c'était d'avoir une fille de beauté si parfaite, de si rare intelligence, de tant de grâce et de vertu que tous ceux qui la voyaient s'étonnaient de voir de quelles merveilleuses qualités le ciel et la nature l'avaient enrichie. Toute petite, elle était belle; et, grandissant toujours en attraits, à seize ans c'était un prodige de beauté. La renommée de ses charmes commença à s'étendre dans les villages voisins; que dis-je, dans les villages ? elle arriva jusqu'aux villes éloignées; elle pénétra jusque dans le palais des rois, et frappa l'oreille de toutes sortes de gens, qui venaient de tous côtés la voir comme une chose surprenante, ou comme une image miraculeuse. Son père la gardait soigneusement, et elle se gardait elle-même, car il n'y a ni serrures, ni cadenas, ni verrous qui puissent garder une jeune fille mieux que sa propre sagesse. La richesse du père et la beauté de la fille engagèrent bien des jeunes gens, tant du village que d'autres pays, à la lui demander pour femme. Mais lui, auquel il appartenait de disposer d'un si riche bijou, demeurait irrésolu, sans pouvoir décider à qui des nombreux prétendants qui la sollicitaient il en ferait le cadeau. J'étais du nombre, et vraiment, pour avoir de grandes espérances d'un bon succès, il me suffisait de savoir que le père savait qui j'étais, c'est-à-dire né dans le même pays, de pur sang chrétien, à la fleur de l'âge, riche en patrimoine et non moins bien partagé du côté de l'esprit. Un autre jeune homme du même village, et doué des mêmes qualités, fit aussi la demande de sa main, ce qui tint en suspens la volonté du père, auquel il semblait qu'avec l'un ou l'autre de nous deux, sa fille serait également bien

établie. Pour sortir de cette incertitude, il résolut de tout
confier à Léandra (c'est ainsi que s'appelle la riche beauté
qui m'a réduit à la misère), faisant réflexion que, puisque
nous étions égaux, il ferait bien de laisser à sa fille chérie
le droit de choisir à son goût ; chose digne d'être imitée
de tous les parents qui ont des enfants à marier. Je ne
dis pas qu'ils doivent les laisser choisir entre de mauvais
partis, mais leur en proposer de bons et de sortables, et
les laisser ensuite prendre à leur gré. Je ne sais quel choix
fit Léandra ; je sais seulement que le père nous amusa tous
les deux avec la grande jeunesse de sa fille et d'autres
paroles générales qui, sans l'obliger, ne nous désobligeaient
pas non plus. Mon rival se nomme Anselme, et moi je
m'appelle Eugénio, afin que vous preniez connaissance
des noms des personnages qui figurent dans cette tragédie,
dont le dénouement n'est pas encore venu, mais qui ne
peut manquer d'être sanglant et désastreux.

A cette époque, il arriva dans notre village un certain
Vincent de la Roca, fils d'un pauvre paysan de l'endroit,
lequel Vincent revenait des Italies et d'autres pays où
il avait servi à la guerre. Il n'avait pas plus d'une douzaine
d'années quand il fut emmené du village par un capitaine
qui vint à passer avec sa compagnie, et, douze ans plus
tard, le jeune homme revint au pays, habillé à la militaire,
chamarré de mille couleurs, et tout historié de joyaux de
verroteries et de chaînettes d'acier. Aujourd'hui il mettait
une parure, demain une autre ; mais c'étaient toujours des
fanfreluches de faible poids et de moindre valeur. Les
gens de la campagne, qui sont naturellement malicieux,
et plus que la malice même quand le loisir ne leur manque
pas, notèrent et comptèrent point à point ses hardes et
ses bijoux ; ils trouvèrent que, de compte fait, il avait
trois habillements de différentes couleurs, avec les bas et
les jarretières ; mais il en faisait tant de mélanges et de
combinaisons que, si on ne les eût pas comptés, on aurait
bien juré qu'il avait étalé à la file au moins dix paires
d'habits et plus de vingt panaches. Et n'allez pas croire qu'il
y ait de l'indiscrétion et du bavardage en ce que je vous
conte de ses habits, car ils jouent un grand rôle dans cette
histoire. Il s'asseyait sur un banc de pierre qui est sous le
grand peuplier de la place, et il nous tenait tous la bouche
ouverte, au récit des exploits qu'il se mettait à nous raconter. Il n'y avait pas de pays sur la terre entière qu'il n'eût
vu, pas de bataille où il ne se fût trouvé. Il avait tué plus
de Mores, à ce qu'il disait, que n'en contiennent Maroc et
Tunis, et livré plus de combats singuliers que Gante y
Luna, plus que Diégo Garcia de Parédès, plus que mille
autres guerriers qu'il nommait ; et de tous ces combats
il était sorti victorieux, sans qu'on lui eût tiré une seule
goutte de sang. D'un autre côté, il nous montrait des
marques de blessures auxquelles personne ne voyait rien,

mais qu'il disait être des coups d'arquebuse reçues en diverses rencontres. Finalement, avec une arrogance inouïe, il tutoyait ses égaux et ceux même qui le connaissaient; il disait que son bras était son père, et ses œuvres sa noblesse, et qu'en qualité de soldat il ne devait rien au roi lui-même. Il faut ajouter à ces impertinences qu'il était un peu musicien et qu'il jouait d'une guitare en arpège, de façon qu'aucuns disaient qu'il la faisait parler. Mais ce n'est pas encore la fin de ses mérites : il était poète pardessus le marché, et de chaque enfantillage qui se passait au pays, il composait une complainte qui avait une lieue et demie d'écriture. Enfin donc, ce soldat que je viens de vous dépeindre, ce Vincent de la Roca, ce brave, ce galant, ce musicien, ce poète, fut maintes fois aperçu et regardé par Léandra, d'une fenêtre de sa maison qui donnait sur la place. Voilà que les oripeaux de ses riches uniformes la séduisent, que ses complaintes l'enchantent, et qu'elle donne pleine croyance aux prouesses qu'il rapportait de lui-même. Finalement, puisque le diable, sans doute, l'ordonnait de la sorte, elle s'amouracha de lui avant qu'il eût seulement senti naître la présomptueuse envie de la courtiser. Et comme, dans les affaires d'amour, il n'en est point qui s'arrange plus facilement que celle où provoque le désir de la dame, Léandra et Vincent se mirent bientôt d'accord. Avant qu'aucun des nombreux prétendants de la belle pût avoir vent de son projet, il était déjà réalisé; elle avait quitté la maison de son cher et bien-aimé père (sa mère n'existe plus), et s'était enfuie du village avec le soldat, qui sortit plus triomphant de cette entreprise que de toutes celles dont il s'appliquait la réussite.

L'événement surprit tout le village, et même tous ceux qui en eurent ailleurs connaissance. Je restai stupéfait, Anselme confondu, le père triste, les parents outragés, la justice éveillée, et les archers en campagne. On battit les chemins, on fouilla les bois; et enfin, au bout de trois jours, on trouva la capricieuse Léandra dans le fond d'une caverne de la montagne, nue en chemise, et dépouillée de la somme d'argent et des précieux bijoux qu'elle avait emportés de chez elle. On la ramena devant son déplorable père, et là elle fut interrogée sur sa disgrâce. Elle avoua sans contrainte que Vincent de la Roca l'avait trompée; que sous le serment d'être son mari, il lui avait persuadé d'abandonner la maison de son père, lui promettant de la conduire à la plus riche et à la plus délicieuse ville de tout l'univers, qui est Naples; qu'elle alors, imprudente et séduite, crut à ses paroles, et qu'après avoir volé son père, elle se livra au pouvoir du soldat la nuit même où elle avait disparu; que celui-ci la mena au plus âpre de la montagne et qu'il l'enferma où on ne l'avait trouvée. Elle conta alors comment le soldat, sans lui ôter l'honneur, l'avait dépouillée de tout ce qu'elle possédait et, la laissant

dans la caverne, avait disparu; événement qui redoubla la
surprise de tout le monde.

Certes, seigneurs, il n'était pas facile de croire à la
continence du jeune homme; mais elle affirma et jura si
solennellement qu'il ne s'était livré à nulle violence que
cela suffit pour consoler le désolé père, lequel ne regretta
plus les richesses qu'on lui emportait, puisqu'on avait
laissé à sa fille le bijou qui, une fois perdu, ne se retrouve
jamais. Le même jour que Léandra fut ramenée, son père la
fit disparaître à tous les regards; il alla l'enfermer dans
un couvent d'une ville qui est près d'ici, espérant que le
temps affaiblirait la mauvaise opinion que sa fille avait fait
naître sur son compte. La jeunesse de Léandra servit
d'excuse à sa faute, du moins aux yeux des gens qui n'ont
nul intérêt à la trouver bonne ou mauvaise; pour ceux qui
connaissaient son esprit et son intelligence éveillée, ils
n'attribuèrent point son péché à l'ignorance, mais à sa légèreté et à l'inclination naturelle des femmes, qui est, la plupart du temps, au rebours de la sagesse et du bon sens.

Léandra une fois enfermée, les yeux d'Anselme devinrent
aveugles, ou du moins n'eurent plus rien à voir qui leur
causât du plaisir. Les miens restèrent aussi dans les
ténèbres, sans aucune lumière qui leur montrât quelque
chose d'agréable en l'absence de Léandra. Notre tristesse
s'augmentait à mesure que s'épuisait notre patience; nous
maudissions les parures du soldat, nous détestions l'imprudence et l'aveuglement du père. Finalement, Anselme
et moi nous tombâmes d'accord de quitter le village et
de nous en venir à ce vallon. Il y fait paître une grande
quantité de moutons qui sont à lui, et moi, un nombreux
troupeau de chèvres qui m'appartient également, et nous
passons la vie au milieu de ces arbres, tantôt donnant
carrière à notre amoureuse passion, tantôt chantant
ensemble les louanges ou le blâme de la belle Léandra,
tantôt soupirant dans la solitude et confiant nos plaintes
au ciel insensible.

A notre imitation, beaucoup d'autres amants de Léandra
sont venus se réfugier en ces âpres montagnes, et s'y
adonner au même exercice que nous; ils sont tellement
nombreux qu'on dirait que cet endroit est devenu la
pastorale Arcadie, tant il est rempli de bergers et d'étables,
et nulle part on ne cesse d'y entendre le nom de la belle
Léandra. Celui-ci la charge de malédictions, l'appelle
capricieuse, légère, évaporée; celui-là lui reproche sa
coupable facilité; tel l'absout et lui pardonne; tel la blâme
et la condamne; l'un célèbre sa beauté, l'autre maudit
son humeur; en un mot, tous la flétrissent de leurs injures
et tous l'adorent, et leur folie s'étend si loin que tel se
plaint de ses dédains, sans lui avoir jamais parlé, et tel
autre se lamente en éprouvant la poignante rage de la
jalousie, sans que jamais elle en eût donné à personne,

puisque son péché, comme je l'ai dit, fut connu avant son
désir de le commettre. Il n'y a pas une grotte, pas un trou
de rocher, pas un bord de ruisseau, pas une ombre d'arbre
où l'on ne trouve quelque berger qui raconte aux vents
ses infortunes. L'écho, partout où il se forme, redit le
nom de Léandra; Léandra, répètent les montagnes;
Léandra, murmurent les ruisseaux, et Léandra nous tient
tous indécis, tous enchantés, tous espérant sans espérance
et craignant sans savoir ce que nous avons à craindre.
Parmi tous ces hommes en démence, celui qui montre
à la fois le plus et le moins de jugement, c'est mon rival
Anselme : ayant à se plaindre de tant de choses, il ne se
plaint que de l'absence; et, au son d'une viole dont il joue
à ravir, en des vers où se déploient les grâces de son esprit,
il se plaint en chantant. Moi, je suis un chemin plus
commode et plus sage, à mon avis, celui de médire hautement de la légèreté des femmes, de leur inconstance, de leur
duplicité, de leurs promesses trompeuses, de leur foi violée,
enfin du peu de goût et de tact qu'elles montrent en plaçant leurs pensées et leurs affections. Voilà, seigneurs, à
quel propos me sont venues à la bouche les paroles que
j'ai dites en arrivant à cette chèvre, qu'en sa qualité de
femelle j'estime peu, bien que ce soit la meilleure de tout
mon troupeau. Voilà l'histoire que j'ai promis de vous
raconter. Si j'ai été trop long à la dire, je ne serai pas
court à vous offrir mes services. Ici près est ma bergerie;
j'y ai du lait frais, du fromage exquis et des fruits divers
non moins agréables à la vue que savoureux au goût.

CHAPITRE LII

Du démêlé qu'eut Don Quichotte avec le chevrier, et de la surprenante aventure des pénitents blancs, qu'il termina glorieusement à la sueur de son front.

L'histoire du chevrier fit grand plaisir à ceux qui l'avaient entendue. Le chanoine surtout en parut ravi. Il avait curieusement remarqué la manière dont s'était exprimé le conteur, beaucoup plus loin de paraître en son récit un rustique chevrier que près de s'y montrer un élégant homme de cour. Aussi s'écria-t-il que le curé avait dit à bon droit que les bois et les montagnes nourrissent aussi des gens lettrés. Tout le monde fit compliment à Eugénio. Mais celui qui se montra le plus libéral en offres de service, ce fut don Quichotte : « Certes, lui dit-il, frère chevrier, si je me trouvais en position de pouvoir entreprendre quelque aventure, je me mettrais bien vite à l'œuvre pour vous en donner une bonne. J'irais tirer du couvent (où sans doute elle est contre son gré) votre belle Léandra, en dépit de l'abbesse et de tous ceux qui voudraient s'y opposer; puis je la remettrais en vos mains, pour que vous fissiez d'elle tout ce qui vous semblerait bon, en gardant toutefois les lois de la chevalerie, qui ordonnent qu'à aucune damoiselle il ne soit fait aucune violence. Mais j'espère, avec l'aide de Dieu Notre-Seigneur, que la force d'un enchanteur malicieux ne prévaudra pas toujours contre celle d'un autre enchanteur mieux intentionné. Je vous promets pour lors ma faveur et mon appui, comme l'exige ma profession, qui n'est autre que de prêter secours aux nécessiteux et aux abandonnés. »

Le chevrier regarda don Quichotte, et, comme il le vit de si pauvre pelage et de si triste carrure, il se tourna, tout surpris, vers le barbier, qui était à son côté : « Seigneur, lui dit-il, quel est cet homme qui a une si étrange mine et qui parle d'une si étrange façon ? — Qui pourrait-ce être, répondit le barbier, sinon le fameux don Quichotte de la Manche, le défaiseur de griefs, le redresseur de torts, le soutien des damoiselles, l'effroi des géants et le vainqueur des batailles ? — Cela ressemble fort, repartit le chevrier, à ce qu'on lit dans les livres des chevaliers errants, qui faisaient, ma foi, tout ce que vous me dites que fait celui-ci; mais cependant je m'imagine, à part moi, ou que Votre Grâce s'amuse et raille, ou que ce galant homme a des chambres vides dans la tête. — Vous êtes un grandissime faquin! s'écria don Quichotte. C'est vous qui êtes le vide et le timbré; et j'ai la tête plus pleine que ne fut jamais le ventre de la carogne qui vous a mis au monde. » Puis, sans plus de façon, il sauta sur un pain qui se trouvait auprès de lui et le lança au visage du chevrier avec tant de furie qu'il lui aplatit le nez sous le coup. Le chevrier, qui n'entendait rien à la plaisanterie, voyant avec quel sérieux on le maltraitait, sans respecter ni le tapis, ni la nappe, ni tous ceux qui dînaient à l'entour, se jeta sur don Quichotte et le saisit à la gorge avec les deux mains. Il l'étranglait, sans aucun doute, si Sancho Panza, arrivant sur ces entrefaites, n'eût pris le chevrier par les épaules et ne l'eût jeté à la renverse sur la table, cassant les assiettes, brisant les verres et bouleversant tout ce qui s'y trouvait. Don Quichotte, se voyant libre, accourut grimper sur l'estomac du chevrier, qui, le visage plein de sang, et moulu de coups par Sancho, cherchait à tâtons un couteau sur la table pout tirer quelque sanglante vengeance. Mais le chanoine et le curé l'en empêchèrent. Pour le barbier, il fit en sorte que le chevrier mît à son tour sous lui don Quichotte, sur lequel il fit pleuvoir un tel déluge de coups de poing que le visage du pauvre chevalier n'était pas moins baigné de sang que le sien. Le chanoine et le curé riaient à se tenir les côtes, les archers dansaient de joie, et les uns comme les autres criaient *xi*, *xi*, comme on fait aux chiens qui se battent. Le seul Sancho Panza se désespérait, parce qu'il ne pouvait se débarrasser d'un valet du chanoine qui l'empêchait d'aller secourir son maître.

Enfin, pendant qu'ils étaient tous dans ces ravissements de joie, hormis les deux athlètes qui se gourmaient, ils entendirent tout à coup le son d'une trompette, si triste et si lugubre qu'il leur fit tourner la tête du côté d'où venait le bruit. Mais celui qui s'émut le plus en l'entendant, ce fut don Quichotte, lequel, bien qu'il fût encore gisant sous le chevrier, fort contre son gré et plus qu'à demi moulu, lui dit aussitôt : « Frère démon, car il n'est pas possible que tu sois autre chose, puisque tu as eu assez de forces pour dompter les miennes, je t'en prie, faisons trêve, seulement pour une heure; il me semble que le son douloureux de cette trompette qui vient de frapper mes oreilles m'appelle à quelque aventure. » Le chevrier, qui se lassait de battre et d'être battu, le lâcha bien vite, et don Quichotte, se remettant sur pied, tourna les yeux vers l'endroit où le bruit s'entendait. Il vit descendre sur la pente d'une colline un grand nombre d'hommes vêtus de robes blanches à la manière des pénitents. Le cas est que, cette année, les nuages avaient refusé leur rosée à la terre, et dans tous les villages de la banlieue on faisait des processions et des rogations, pour demander à Dieu qu'il ouvrît les mains de sa miséricorde et les trésors de ses pluies. Dans cet objet, les habitants d'un hameau voisin venaient en procession à un saint ermitage qu'il y avait au sommet de l'un des coteaux de ce vallon.

Don Quichotte, qui vit les étranges costumes des pénitents, sans se rappeler les mille et une fois qu'il devait en avoir vu de semblables, s'imagina que c'était matière d'aventure et qu'à lui seul, comme chevalier errant, il appartenait de l'entreprendre. Ce qui le confirma dans cette rêverie, ce fut de penser qu'une sainte image qu'on portait couverte de deuil était quelque haute et puissante dame qu'emmenaient par force ces félons discourtois. Dès que cette idée lui fut tombée dans l'esprit, il courut à toutes jambes rattraper Rossinante, qui était à paître et, détachant de l'arçon le mors et la rondache, il le brida en un clin d'œil; puis, ayant demandé son épée à Sancho, il sauta sur Rossinante, embrassa son écu et dit d'une voix haute à tous ceux qui le regardaient faire : « A présent, vaillante compagnie, vous allez voir combien il importe qu'il y ait dans le monde des chevaliers professant l'ordre de la chevalerie errante; à présent, dis-je, vous allez voir, par la délivrance de cette bonne dame que l'on emmène captive, si l'on doit faire estime des chevaliers errants. »

En disant ces mots, il serra les genoux aux flancs de Rossinante, puisqu'il n'avait pas d'éperons, et prenant le grand trot (car, pour le galop, on ne voit pas, dans tout le cours de cette véridique histoire, que Rossinante l'ait pris une seule fois), il marcha à la rencontre des pénitents. Le curé, le chanoine, le barbier essayèrent bien de le retenir, mais ce fut en vain. Il ne s'arrêtait pas davantage à la voix de Sancho, qui lui criait de toutes ses forces : « Où allez-vous, seigneur don Quichotte ? Quels diables avez-vous donc dans le corps, qui vous excitent à vous révolter contre notre foi catholique ? Prenez garde, malheur à moi! que c'est une procession de pénitents, et que cette dame qu'on porte sur un piédestal est la très sainte image de la Vierge sans tache. Voyez, seigneur, ce que vous allez faire; car, pour cette fois, on peut bien dire que vous n'en savez rien. » Sancho se fatiguait vainement; son maître s'était si bien mis dans la tête d'aborder les blancs fantômes et de délivrer la dame en deuil qu'il n'entendit pas une parole, et, l'eût-il entendue, il n'en serait pas davantage retourné sur ses pas, même à l'ordre du roi. Il atteignit donc la procession, retint Rossinante qui avait déjà grand désir de se calmer un peu, et, d'une voix rauque et tremblante, il s'écria : « O vous qui, peut-être à cause de vos méfaits, vous couvrez le visage, faites halte et écoutez ce que je veux vous dire. »

Les premiers qui s'arrêtèrent furent ceux qui portaient

l'image, et l'un des quatre prêtres qui chantaient les lita-
nies, voyant la mine étrange de don Quichotte, la maigreur
de Rossinante, et tant d'autres circonstances risibles qu'il
découvrit dans le chevalier, lui répondit : « Seigneur frère,
si vous voulez nous dire quelque chose, dites-le vite,
car ces pauvres gens ont les épaules rompues, et nous ne
pouvons nous arrêter pour rien entendre, à moins que ce
ne soit si court qu'on puisse le dire en deux paroles. — En
une seule je le dirai, répliqua don Quichotte, et le voici :
rendez à l'instant même la liberté à cette aimable dame,
dont les larmes et le triste aspect font clairement connaître
que vous l'emmenez contre son gré et que vous lui avez
fait quelque notable outrage. Et moi, qui suis venu au
monde pour redresser de semblables torts, je ne souffrirai
pas que vous fassiez un pas de plus, avant de lui avoir
rendu la liberté qu'elle désire et mérite. » A ces propos,
tous ceux qui les entendirent conçurent l'idée que don
Quichotte devait être quelque fou échappé, et commencèrent à rire aux éclats. Mais ces rires mirent le feu à la
colère de don Quichotte, lequel, sans dire un mot, tira
son épée et assaillit le brancard de la Vierge. Un de ceux
qui le portaient, laissant la charge à ses compagnons,
vint à la rencontre de don Quichotte, tenant à deux mains
une fourche qui servait à soutenir le brancard dans les
temps de repos. Il reçut sur le manche un grand coup
d'estoc que lui porta don Quichotte et qui trancha la
fourche en deux ; mais avec le tronçon qui lui restait dans
la main, il assena un tel coup à don Quichotte sur l'épaule
du côté de l'épée, côté que la rondache ne pouvait couvrir
contre la force du manant, que le pauvre gentilhomme
roula par terre en fort mauvais état.

Sancho Panza, qui, tout haletant, lui courait sur les
talons, le voyant tomber, cria à l'assommeur de ne pas
relever son gourdin, parce que c'était un pauvre chevalier
enchanté qui n'avait fait de mal à personne en tous les
jours de sa vie. Mais ce qui retint la main du manant, ce
ne furent pas les cris de Sancho ; ce fut de voir que don
Quichotte ne remuait plus ni pied ni patte. Croyant donc
qu'il l'avait tué, il retroussa le pan de sa robe dans sa
ceinture, et se mit à fuir à travers champs aussi vite qu'un
daim. En cet instant, tous les gens de la compagnie de
don Quichotte accoururent auprès de lui. Mais ceux de la
procession, qui les virent approcher en courant, et derrière
eux les archers avec leurs arbalètes, craignant quelque
méchante affaire, formèrent tous le carré autour de la
sainte image. Les chaperons bas, et empoignant, ceux-ci
les disciplines, ceux-là les chandeliers, ils attendaient
l'assaut, bien résolus à se défendre et même, s'ils le pouvaient, à prendre l'offensive contre les assaillants. Mais
la fortune arrangea mieux les affaires qu'on ne le pensait ;
car Sancho ne fit autre chose que de se jeter sur le corps

de son seigneur et, le croyant mort, de commencer la plus douloureuse et la plus riante lamentation du monde. Le curé fut reconnu par un de ses confrères qui se trouvait dans la procession, et cette reconnaissance apaisa l'effroi réciproque des deux escadrons. Le premier curé fit en deux mots au second l'histoire de don Quichotte, et aussitôt toute la foule des pénitents accourut pour voir si le pauvre gentilhomme était mort. Ils entendirent que Sancho, les larmes aux yeux, lui parlait ainsi :

« O fleur de la chevalerie, qui as vu trancher d'un seul coup de bâton la carrière de tes ans si bien employés ! O honneur de ton lignage, gloire de la Manche et même du monde entier, lequel, toi lui manquant, va rester plein de malfaiteurs qui ne craindront plus le châtiment de leurs méfaits ! O libéral par-dessus tous les Alexandre, puisque, pour huit mois de service et pas davantage, tu m'avais donné la meilleure île que la mer entoure de ses flots ! O toi, humble avec les superbes et arrogant avec les humbles, affronteur de périls, endureur d'outrages, amoureux sans objet, imitateur des bons, fléau des méchants, ennemi des pervers, enfin, chevalier errant, ce qui est tout ce qu'on peut dire !... »

Aux cris et aux gémissements de Sancho, don Quichotte rouvrit les yeux, et la première parole qu'il prononça fut celle-ci : « Celui qui vit loin de vous, dulcissime Dulcinée, est sujet à de plus grandes misères. Aide-moi, ami Sancho, à me remettre sur le char enchanté ; je ne suis pas en état d'étreindre la selle de Rossinante, car j'ai cette épaule en morceaux. — C'est ce que je ferai bien volontiers, mon cher seigneur, répondit Sancho ; et, retournons à notre village, en compagnie de ces messieurs, qui veulent votre bien ; là, nous nous préparerons à faire une troisième sortie qui nous donne plus de profit et de réputation. — Tu parles d'or, Sancho, répliqua don Quichotte : ce sera grande prudence à nous de laisser passer la méchante influence des étoiles qui court en ce moment. »

Le chanoine, le curé et le barbier lui répétèrent à l'envi qu'il ferait très sagement d'exécuter ce qu'il disait. Quand ils se furent amusés des simplicités de Sancho, ils placèrent don Quichotte sur la charrette, comme il y était auparavant. La procession se remit en ordre, et poursuivit sa marche à l'ermitage ; le chevrier prit congé de tout le monde ; les archers ne voulurent pas aller plus loin, et le curé leur paya ce qui leur était dû ; le chanoine pria le curé de lui faire savoir ce qu'il arriverait de don Quichotte, s'il guérissait de sa folie, ou s'il y persistait, et, quand il en eut reçu la promesse, il demanda la permission de continuer son voyage. Enfin, toute la troupe se divisa, et chacun s'en alla de son côté, laissant seuls le curé et le barbier, don Quichotte et Sancho Panza, ainsi que le bon Rossinante, qui gardait, à tout ce qu'il voyait faire, la même

patience que son maître. Le bouvier attela ses bœufs,
arrangea don Quichotte sur une botte de foin et suivit
avec son flegme accoutumé la route que le curé désigna.

Au bout de six jours ils arrivèrent au village de don
Quichotte. C'était au beau milieu de la journée, qui se
trouva justement un dimanche, et tous les habitants étaient
réunis sur la place que devait traverser la charrette de
don Quichotte. Ils accoururent pour voir ce qu'elle renfermait et, quand ils reconnurent leur compatriote, ils furent
étrangement surpris. Un petit garçon courut à toutes
jambes porter cette nouvelle à la gouvernante et à la
nièce. Il leur dit que leur oncle et seigneur arrivait,
maigre, jaune, exténué, étendu sur un tas de foin, dans
une charrette à bœufs. Ce fut une pitié d'entendre les cris
que jetèrent les deux bonnes dames, les soufflets qu'elles
se donnèrent et les malédictions qu'elles lancèrent de nouveau sur tous ces maudits livres de chevalerie, désespoir
qui redoubla quand elles virent entrer don Quichotte par
les portes de sa maison.

A la nouvelle du retour de don Quichotte, la femme
de Sancho Panza accourut bien vite, car elle savait que
son mari était parti pour lui servir d'écuyer. Dès qu'elle
vit Sancho, la première question qu'elle lui fit ce fut, si
l'âne se portait bien. Sancho répondit que l'âne était mieux
portant que le maître. « Grâces soient rendues à Dieu,
s'écria-t-elle, qui m'a fait une si grande faveur ! Mais maintenant, ami, contez-moi quelle bonne fortune vous avez
tirée de vos fonctions écuyères ; quelle jupe à la savoyarde
m'apportez-vous ? et quels souliers mignons à vos enfants ?
— Je n'apporte rien de tout cela, femme, répondit Sancho ;
mais j'apporte d'autres choses de plus de poids et de
considération. — J'en suis toute ravie, répliqua la femme ;
montrez-moi vite, cher ami, ces choses de plus de considération et de poids ; je les veux voir pour qu'elles réjouissent
ce pauvre cœur qui est resté si triste et si inconsolable
tous les siècles de votre absence. — Vous les verrez à la
maison, femme, reprit Panza, et quant à présent soyez
contente ; car, si Dieu permet que nous nous mettions
une autre fois en voyage pour chercher des aventures,
vous me verrez bientôt revenir comte, ou gouverneur
d'une île, et non de la première venue, mais de la meilleure
qui se puisse rencontrer. — Que le ciel y consente, mari,
répondit la femme, car nous en avons grand besoin.
Mais, dites-moi, qu'est-ce que c'est que ça, des îles ? Je
n'y entends rien. — Le miel n'est pas pour la bouche de
l'âne, répliqua Sancho ; au temps venu, tu le verras, femme,
et même tu seras bien étonnée de t'entendre appeler *Votre
Seigneurie* par tous tes vassaux. — Que dites-vous là,
Sancho, de vassaux, d'îles et de seigneuries ? reprit Juana
Panza (ainsi s'appelait la femme de Sancho, non qu'ils
fussent parents, mais parce qu'il est d'usage dans la

Manche que les femmes prennent le nom de leurs maris).
— Ne te presse pas tant, Juana, de savoir tout cela d'un
seul coup. Il suffit que je te dise la vérité, et bouche close.
Seulement je veux bien te dire, comme en passant, qu'il
n'y a rien pour un homme de plus délectable au monde que
d'être l'honnête écuyer d'un chevalier errant chercheur
d'aventures. Il est bien vrai que la plupart de celles qu'on
trouve ne tournent pas si plaisamment que l'homme voudrait; car, sur un cent que l'on rencontre en chemin, il y en
a régulièrement quatre-vingt-dix-neuf qui tournent tout de
travers. Je le sais par expérience, puisque, de quelques-
unes, je me suis tiré berné, et d'autres moulu; mais, avec
tout cela, c'est une jolie chose que d'attendre les aventures,
en traversant les montagnes, en fouillant les forêts, en
grimpant sur les rochers, en visitant les châteaux, et en
s'hébergeant dans les hôtelleries, à discrétion, sans payer
un maravédi d'écot, pas seulement l'aumône du diable. »

Pendant que ces entretiens occupaient Sancho Panza et
Juana Panza sa femme, la gouvernante et la nièce de don
Quichotte reçurent le chevalier, le déshabillèrent et l'étendirent dans son antique lit à ramages. Il les regardait avec
des yeux hagards, et ne pouvait parvenir à se reconnaître.
Le curé chargea la nièce d'avoir grand soin de choyer son
oncle; et, lui recommandant d'être sur le qui-vive, de
peur qu'il ne leur échappât une autre fois, il lui conta tout
ce qu'il avait fallu faire pour le ramener à la maison. Ce
fut alors une nouvelle scène. Les deux femmes se remirent
à jeter les hauts cris, à répéter leurs malédictions contre
les livres de chevalerie, à prier le ciel de confondre au
fond de l'abîme les auteurs de tant de mensonges et d'impertinences. Finalement, elles demeurèrent fort inquiètes
et fort troublées par la crainte de se voir encore privées
de leur oncle et seigneur dès que sa santé serait un peu
rétablie; et c'est ce qui arriva justement comme elles
l'avaient imaginé.

Mais l'auteur de cette histoire, malgré toute la diligence
qu'il a mise à rechercher curieusement les exploits que
fit don Quichotte à sa troisième sortie, n'a pu en trouver
nulle part le moindre vestige, du moins en des écritures
authentiques. Seulement la renommée a conservé dans
la mémoire des habitants de la Manche une tradition qui
rapporte que, la troisième fois qu'il quitta sa maison, don
Quichotte se rendit à Saragosse, où il assista aux fêtes d'un
célèbre tournoi qui eut lieu dans cette ville, et qu'il lui
arriva, en cette occasion, des choses dignes de sa haute
valeur et de sa parfaite intelligence. Quant à la manière
dont il termina sa vie, l'historien n'en put rien découvrir,
et jamais il n'en aurait rien su si le plus heureux hasard
ne lui eût fait rencontrer un vieux médecin qui avait en
son pouvoir une caisse de plomb, trouvée, à ce qu'il disait,
sous les fondations d'un antique ermitage qu'on abattait

pour le rebâtir. Dans cette caisse on avait trouvé quelques parchemins écrits en lettres gothiques, mais en vers castillans, qui rapportaient plusieurs des prouesses de notre chevalier, qui rendaient témoignage de la beauté de Dulcinée du Toboso, de la tournure de Rossinante, de la fidélité de Sancho Panza, et qui faisaient connaître la sépulture de don Quichotte lui-même, avec diverses épitaphes et plusieurs éloges de sa vie et de ses mœurs. Les vers qu'on put lire et mettre au net sont ceux que rapporte ici le véridique auteur de cette nouvelle et surprenante histoire. Cet auteur ne demande à ceux qui la liront, en dédommagement de l'immense travail qu'il lui a fallu prendre pour compulser toutes les archives de la Manche avant de la livrer au grand jour de la publicité, rien de plus que de lui accorder autant de crédit que les gens d'esprit en accordent d'habitude aux livres de chevalerie, qui circulent dans ce monde avec tant de faveur. Moyennant ce prix, il se tiendra pour dûment payé et satisfait, tellement qu'il s'enhardira à chercher et à publier d'autres histoires, sinon aussi véritables, au moins d'égale invention et d'aussi gracieux passe-temps.

Voici les premières paroles écrites en tête du parchemin qui se trouva dans la caisse de plomb :

LES ACADÉMICIENS D'ARGAMASILLA, BOURG DE LA
MANCHE, SUR LA VIE ET LA MORT DU
VALEUREUX DON QUICHOTTE DE LA MANCHE,
HOC SCRIPSERUNT.

LE MONICONGO, ACADÉMICIEN D'ARGAMASILLA
SUR LA SÉPULTURE DE DON QUICHOTTE.

ÉPITAPHE

« Le cerveau brûlé qui para la Manche de plus de dépouilles que Jason de Crète; le jugement qui eut la girouette pointue, quand elle aurait mieux fait d'être plate;

« Le bras qui étendit sa force tellement au loin qu'il atteignit du Catay à Gaëte; la muse la plus effroyable et la plus discrète qui grava jamais des vers sur une table d'airain;

« Celui qui laissa les Amadis à l'arrière-garde, et se soucia fort peu des Galaors, appuyé sur les étriers de l'amour et de la valeur;

« Celui qui fit taire tous les Bélianis; qui, sur Rossinante, erra à l'aventure, celui-là gît sous cette froide pierre. »

LE PANIAGUADO, ACADÉMICIEN D'ARGAMASILLA,
IN LAUDEM DULCINÆ DU TOBOSO.

SONNET

« Celle que vous voyez au visage hommasse, aux fortes épaules, à la posture fière, c'est Dulcinée, reine du Toboso, dont le grand don Quichotte fut épris.

« Pour elle, il foula l'un et l'autre flanc de la grande montagne Noire, et la fameuse campagne de Montiel, jusqu'à la plaine herbue d'Aranjuez, à pied et fatigué,

« Par la faute de Rossinante. Oh! quelle étoile influa sur cette dame manchoise et cet invincible chevalier errant! Dans ses jeunes années,

« Elle cessa en mourant d'être belle, et lui, bien qu'il reste gravé sur le marbre, il ne put échapper à l'amour, aux ressentiments, aux fourberies. »

LE CAPRICHOSO, TRÈS SPIRITUEL ACADÉMICIEN D'ARGAMASILLA,
A LA LOUANGE DE ROSSINANTE, CHEVAL DE DON QUICHOTTE DE LA
MANCHE.

SONNET

« Sur le superbe tronc diamanté que Mars foule de ses pieds sanglants, le frénétique Manchois arbore son étendard avec une vaillance inouïe.

« Il suspend les armes et le fin acier avec lequel il taille, il tranche, il éventre, il décapite. Nouvelles prouesses! mais l'art invente un nouveau style pour le nouveau paladin.

« Si la Gaule vante son Amadis, dont les braves descendants firent mille fois triompher la Grèce, et étendirent sa gloire,

« Aujourd'hui, la cour où Bellone préside couronne don Quichotte, et la Manche insigne se glorifie plus de lui que la Grèce et la Gaule.

« Jamais l'oubli ne souillera ses gloires, car Rossinante même excède en gaillardise Brillador et Bayard. »

LE BURLADOR, ACADÉMICIEN ARGAMASILLESQUE, A SANCHO PANZA.

SONNET

« Voilà Sancho Panza, petit de corps, mais grand en valeur. Miracle étrange! ce fut bien l'écuyer le plus simple et sans artifice que vit le monde, je vous le jure et certifie.

« Il fut à deux doigts d'être comte, et il l'aurait été, si, pour sa ruine, ne se fussent conjurées les impertinences du siècle vaurien, qui ne pardonnent pas même à un âne.

« C'est sur un âne (parlant par respect) que marchait ce doux écuyer, derrière le doux cheval Rossinante et derrière son maître.

« O vaines espérances des humains! vous passez en promettant le repos, et vous vous perdez à la fin en ombre, en fumée, en songe. »

LE CACHIDIABLO, ACADÉMICIEN D'ARGAMASILLA, SUR LA SÉPULTURE
DE DON QUICHOTTE.

ÉPITAPHE

« Ci-gît le chevalier bien moulu et mal errant que porta Rossinante par voies et par chemins.

« Gît également près de lui Sancho Panza le nigaud, écuyer le plus fidèle que vit le métier d'écuyer. »

DU TIQUITOC, ACADÉMICIEN D'ARGAMASILLA, SUR LA SÉPULTURE
DE DULCINÉE DU TOBOSO.

ÉPITAPHE

« Ici repose Dulcinée, que, bien que fraîche et dodue, la laide et épouvantable mort a changée en poussière et en cendre.

« Elle naquit de chaste race et se donna quelques airs de dame; elle fut la flamme du grand don Quichotte, et la gloire de son village. »

Ces vers étaient les seuls qu'on pût lire. Les autres, dont l'écriture était rongée de vers, furent remis à un académicien pour qu'il les expliquât par conjectures. On croit savoir qu'il y est parvenu à force de veilles et de travail, et qu'il a l'intention de publier ces vers, dans l'espoir de la troisième sortie de don Quichotte.

Forse altri canterà con miglior plettro.

TABLE DES MATIÈRES

DON QUICHOTTE DE LA MANCHE

PREMIÈRE PARTIE

GF — TEXTE INTÉGRAL — GF

9464-1982. — Mame, Tours.
N° d'édition 11477. — 1er trimestre 1969. — Printed in France.